어?
성경이
읽어지네!

어? 성경이 읽어지네!

지은이 | 이애실
초판발행 | 2003. 6. 5.
58쇄발행 | 2007. 3. 12.
등록번호 | 제 3-203호
등록된 곳 | 서울시 용산구 서빙고동 95번지
발행처 | 사단법인 두란노서원
영업부 | 749-1059 FAX 080-749-3705
출판부 | 794-5100(#344)
인쇄처 | 영진문원

▌책값은 뒤표지에 있습니다.
ISBN 89-531-0233-0 03230

▌독자의 의견을 기다립니다.
tpress@tyrannus.co.kr   http://www.Durano.com

두란노서원은 바울 사도가 3차 전도 여행 때 에베소에서 성령 받은 제자들을 따로 세워 하나
님의 말씀으로 양육하던 장소입니다. 사도행전19장 8-20절의 정신에 따라 첫째 목회자를 돕
는 사역과 평신도를 훈련시키는 사역, 둘째 세계선교(TIM)와 문서선교(단행본 · 잡지)사역, 셋
째 예수문화 및 경배와 찬양 사역, 그리고 가정 · 상담 사역 등을 감당하고 있습니다. 1980년
12월 22일에 창립된 두란노서원은 주님 오실 때까지 이 사역들을 계속할 것입니다.

어?
성경이
읽어지네!

이애실 지음

두란노

한번 읽기 시작하면 도취될 것이다

이애실 사모를 안지 30년 9개월이 다 되어 간다. 이애실은 기도의 사람이다. 삼 년 전 강원도 평안교회 기도원에 함께 갔던 일이 있었다. 식사도 하지 않고 바로 기도실로 들어가 기도하려는 모습이 내 눈에 띄었다. 귀국하느라 기도를 미뤄 왔기에 여기에 바로 앉아야만 한다고 했다. 또한 이애실은 공부벌레이다. 무엇보다 성경 공부를 우선으로 삼는다. 그리고 수많은 젊은이에게 성경을 재미있고 쉽게 가르친다. 지금도 성경을 배우려고 하는 이들이 그녀를 찾아간다. 이애실의 영적 심장 속에는 기도와 성경의 보배로운 생생한 생명이 뛰고 있다. 하나님은 이를 귀중히 보시어 『어? 성경이 읽어지네!』를 쓰도록 인도하신 듯 하다.

이 책은 한번 읽기 시작하면 책에 도취되어 어느새 무아지경에 이르러 쉽게 읽게 된다. 아무쪼록 독자들은 이 책을 통해 하나님의 말씀인 성경과 더욱 알뜰살뜰한 관계, 다정다감한 관계를 맺어 심오한 성경의 영계 속에 빠지고, 미쳐 버리고, 생포되어 좋은 그릇이 되기를 원한다.

한기총 대표 회장 역임, 평안교회 이성택 원로목사

소금과 빛의 역할을 기대하며

이애실 사모는 일찍이 교회학교 시절부터 평안교회에서 자라나는 모습을 보았고, 후에는 칼빈 신학교와 총신 대학교에서 조직신학 강의를 듣던 학생이었다. 그녀는 성격이 명랑하고 원만할 뿐만 아니라 명석한 두뇌로 학업 성적이 뛰어났던 것으로 기억된다. 그녀는 또한 남의 어려운 사정을 살필 줄 아는 분이다. 시카고 트리니티 신학교에서 박사 공부를 하고 있던 남편 이순근 목사를 내조하면서 경제적으로 어려운 생활이었지만 그녀는 4년 동안 유학생 40여 명을 매주 화요일마다 집으로 초청하여 대접하고 위로하는, 남이 감히 흉내낼 수 없는 귀한 분이다.

최근 성경일독학교 세미나를 통해 많은 성도들에게 성경을 읽는 데 도움을 준다는 소식을 듣고 매우 기뻐했는데, 그 강의 교재가 책으로 출판하게 되어 더욱 기쁘다.

성경은 영감으로 기록된 하나님의 말씀이다. '성경은 오직 하나님으로부터 왔고 인간으로부터 온 것이 아니기에, 하나님을 경외하는 것과 동등하게' 우리는 성경을 경외해야 한다고 칼빈이 말한 바 있다.

성경은 신앙과 행위의 유일한 법칙이 된다. 우리는 어떻게 믿으며, 어떻게 살아가야 하는지를 성경으로 돌아가서 결정한다. 우리는 성경에서 교리 체계를 찾으며, 생활의 규범을 찾을 수 있다. 그리고 교리 문제와 윤리 문제로 쟁론이 일어날 때에는 우리는 언제든지 성경에 호소하여 거기서 해답을 얻는다. 시인은 "주의 말씀의 맛이 내게 어찌 그리 단지요. 내 입에 꿀보다 더 하나이다"(시편 119:113)라고 읊었는데, 이 경험이 여러분에게도 있기를 바란다.

이 책과 세미나를 통해 여러분이 성경을 읽을 때마다 중심 줄기를 이해하여 성경을 더 깊이 깨달아 성숙한 하나님의 나라 백성들로서 세상의 소금과 빛의 역할을 다하게 되길 바란다.

합동신학대학원 총장 역임, 신복윤 목사

그녀와 함께 성경을 펴라

미국 캘리포니아주 레드우드 국립공원에는 110m가 넘는 레드우드라는 나무가 있다. 펌프도 없는데 어떻게 나무가 35층이나 되는 건물 높이까지 물을 끌어올릴 수 있을까? 뿌리에서 흡수한 물의 응집력과, 물과 세포벽 사이의 접착력으로 그것이 가능하다고 한다.

이애실. 그녀는 자그마한 몸집에도 불구하고 말씀 속에서 예수 그리스도의 생수를 뿜어 올려 많은 사람들을 하나님에게로 끌어올리는 생수의 레드우드이다. 이 사모의 생명력 있는 강의를 들어본 사람이라면 성경일독학교가 교회 내에 있는 단순한 프로그램이 아니라는 것을 알게 될 것이다. 구약과 신약을 넘나들며 성삼위 하나님의 아름다운 구원과 역사하심을 얘기하면서 교회를 살아 있게 하는 역할을 감당하기 때문이다. 그녀와 함께 성경 속의 많은 인물과 사건을 대하다보면 어느덧 우리가 십자가 앞에 와 있음을 느끼게 된다. 이애실은 자신의 강의를 소개하면서 '생장점이 터지는 성경일독학교'라고 말한다. 개인적으로 성경을 좋아하는 선에서 그치는 것이 아니라 말씀으로 다시 태어나고 성장하게 하는 인생의 전환점을 만들어 준다.

미국인으로 케이 아더가 있다면 한국인으로는 이애실이 있다. 그녀의 강의에는 성경의 맥을 놓지 못하게 하는 힘과 집중력이 있다. 무엇보다 성경일독학교에 참여한 사람들의 90% 이상이 몇개월 안에 성경일독을 하며, 성경과 즐거운 동행을 시도한다는 것이 놀랍다. 그녀와 함께 성경을 펴라. 당신은 다르게 살 수 있을 것이다.

대한예수교장로회 합신 총회장 역임, 호산나교회 최홍준 담임목사

선교사에겐 선교사의 길을 확신시켜

바디메오가 눈을 뜬 것처럼 성경에 대한 눈이 새롭게 떠진다. 또한 생각이 정리된다. 인류 문화, 역사, 지리, 신학의 실력을 몽땅 동원하여 명쾌하게 설명하여 성경이 쉽게 이해된다. 한 시간 한 시간 퍼즐 게임을 하듯 성경의 무수한 조각들이 착착 맞춰지는 환희를 만끽하게 한다. 그리고 아주 미세한 성경의 숨소리를 현실 감각으로 들을 수 있게 한다.

이 책은 일초의 지루함도 없이 빨려 들어간다. 그동안 막혀 있던 모호한 부분이 생장점이 터져 나가듯이 열리고 담이 뚫린다. 선교지에서 선포할 '성경 구속사'의 일맥상통을 보게 된다. 선교의 목적이 하나님 나라의 도래에 있음을 시원하게 시청각적으로 보여 준다. 선교사들에게는 성경의 뼈대인 '하나님의 나라'를 다시 한번 큰 확신으로 다운로드받게 되는 경험을 하게 한다. 선교사로 헌신하고 훈련을 받고 있던 선교 후보생들 중 아직 뭔가 석연치 않아 말을 못하고 끙끙대고 있는 사람들에게는 선교사의 길을 확신하게 한다.

전 감비아 선교사, COME MISSON 대표 이재환 선교사 · 선우순애 사모

내 전도 사역의 등불이 되는 책

드디어 책으로 발간되었다!

이애실 사모는 한 영혼을 사랑하는 뜨거운 가슴을 가진 열정의 사람이다. 창조부터 요한의 계시까지, 그것이 아주 분명한 역사적 사건임을 냉철하고 조리 있게 밝히면서도, 마치 성지순례를 하고 있는 듯 성경의 역사 현장 속에 들어가 주인공들과 함께 앉아 있는 착각을 불러일으킨다. 우리 벧엘교회에서는 똑같은 성경일독학교 강의가 일주일에 세 번 있다. 심지어 불신자, 불교 신자도 온다. 재수생, 삼수생도 많다. 또한 벧엘교회에서 아주 오랫동안 신앙생활을 해 오신 장로님, 권사님들에게는 잔치 분위기이다. 특히 '에덴 동산 선악과 강의'는 강한 주먹으로 퍽~하고 맞는 듯 충격과 깨달음이 동시 상영된다. '아! 선악과, 진짜구나' 이렇게 말이다. 우리는 강의와 책을 통해 성경의 중요 지점에 깔려 있는 의문점을 아주 쉽고 명쾌하게 풀 수 있다. '구슬이 서말이라도 꿰어야 보배'라는 말을 실감하며 성경이 한 눈에 들어온다. 이 책은 결론적으로 하나님 나라 백성들의 존재 의의는 세상 나라에 침투하므로 하나님이 왕이

심을 선포하는 전도와 선교에 있다고 말한다. 그것을 역사적으로, 성경적으로 명쾌하게 꿰뚫어 나간다.

이 책은 나의 고구마 전도 사역에 큰 등불의 역할을 한다. 성경 한 번 잘 읽어보고 싶은 크리스천이라면 누구든지 이 책과 함께 시작하기를 권한다. 그러면 『어? 성경이 읽어지네!』 "너무 좋습니다"라는 소리가 절로 나올 것이다.

고구마 전도왕 김기동 · 송미선 집사

예수님의 숨결을 생생하게 느끼길

우연한 기회에, 벧엘교회 주보 교육 프로그램 속에 성경일독학교가 있음을 보고 가슴이 뛰었다. 22년 전 현대인의 성경(신약)을 하루만에 일독하고 인생이 바뀌어진 경험 때문인지 언제 어디서나 성경일독이라는 말은 성령의 내리심으로 가슴이 지져지는 듯한 은혜가 임한다. 벧엘교회의 담임목사이신 이순근 목사님에게 성경일독학교 자료를 보내 달라고 간청했더니 즉시 『어? 성경이 읽어지네!』 한 권과 이애실 사모의 강의 테이프를 보내 주셨다. 이것은 성경을 간단 명료하게 읽을 수 있는 신기롭고 놀라운 책이었다.

예수님의 행적 정리는 살아 계신 예수님의 숨결을 생생하게 느낄 수 있는 영적 입맞춤과도 같다. 신구약 중간 암흑시대 400년 역사 공부와 바울의 선교 여행에 서신서를 연결하는 내용은 사도행전의 제자들처럼 예수님을 전하고 싶은 뜨거운 열망을 갖기에 충분하다.

지난 2월, 선교사를 위한 이애실 사모의 LA 집회에서 성경을 보는 영안이 열리는 기쁨을 체험하기도 하였다. 마지막 강의에서는 사람을 입고 역사 속으로 들어오신 참 왕의 처절한 죽음 앞에 통곡하는 경험을 하기도 했다.

복음이 쓰레기처럼 취급되는 이 시대에 수많은 영혼이 이 책과 함께 성경이 읽어지기를 원한다.

방송작가 나연숙 권사

차 례

•••

남편 이순근 목사가 벧엘교회에 막 부임 했을 때였습니다. 남편은 '성경일독학교'를 열어 야겠다고 계획을 했습니다. 광고가 나갔습니다, '성경일독학교'를 연다고... 그런데 새로 부임한 교회는 너무나 할 일이 많았습니다. 교재는 쓰지도 못한 채 날자만 자꾸 다가왔습니다. 남 편은 걱정이 태산같았습니다. 고민하는 것을 보다 못한 나는 "대충 내가 교재를 만들어 볼 테니까 나중에 더 보충해서 쓰시는 것이 어떻겠느냐"고 제안을 했습니다. 우리는 20년 전 청년 대학생들 사역을 할 때부터, 필요하면 함께 교재를 만들어 써 왔던 경험이 있었습니다. 그냥 단순히 그런 감각으로 남편의 시간을 벌어줄 요량으로 한 말이었습니다. 평소 그저 내가 성경을 읽어오던 식 으로 한번 초안만 잡아놓자, 그렇게 간단히 생각했을 뿐이었습니다. 한 두 달 동안 집중해서 초안 을 잡아놓았습니다. 그러던 중 '성경일독학교'를 개설할 날이 코 앞에 다가왔습니다. 그런데 초 안을 다 읽어본 남편은 "여보, 그냥 저자가 직강하지!" 이렇게 말했습니다. 실갱이 끝에 남편이 이겼습니다. 목사님이 강의를 할 줄 알고 기대했던 성도들의 실망스런 얼굴들 앞에서 첫 강의를 했습니다. 그리고는 2년이 흘렀습니다. 그러다가 두란노 바이블 칼리지에서 강의를 하게되면서 어차피 교재가 필요하니까 이렇게 책으로 나오게 되었습니다.

저는 구약신학이나 신약신학을 전문적으로 공부하지 않은 사람이기 때문에 이 책은 학문적인 책은 아닙니다. 그런 각도에서 보면 책도 아닌 책입니다. 그저 목회현장에서 양들과 함께 살아가 던 한 사모가 그만 이런 사정으로 얼떨결에 쓰게 됐으니 말입니다. 그러나 많은 구약신학이나 신 약신학, 성경신학의 기름진 자양분이 양떼들에게까지 쉽게 수혈되면 좋겠다는 소원은 가득했었 습니다. 정말 성경을 꿀맛 같이 맛있어 하며 일독을 하게 하려면, 성경이 '역사'라는 옷을 입고 있는 한, '성경신학'이라는 방법으로 읽는 것이 필수라는 생각도 했습니다. 성경신학이란 '성경 이 과연 창세기부터 요한계시록까지 일관된 주제를 갖고 흘러가는가'라는 문제를 시간적 관점에 서 연구하는 것인데, 성경일독도 창세기부터 요한계시록까지 주―욱 읽어내려 가야 되는 것이니까 바로 성경신학의 방법론이야말로 가장 잘 들어맞기 때문입니다. 과연 진정한 저자가 하나님이시 라면 성경은 분명히 창세기부터 요한계시록까지 통일성을 갖고 일관성 있는 주제로 흘러가야 될 것이기 때문입니다.

　이 책은 이런 관점으로 쓰여졌습니다. 성경은 정말 명쾌한 주제를 장착하고 흘러가다가 때가 차매 역사의 분기점을 만들며 폭발합니다. B.C.와 A.D.입니다. 오늘날 이 세상에서 핵이 제일 무섭다고 합니다만, 창세기부터 요한계시록에 이르기까지 역사를 꿰뚫으며 질서정연하게, 그러나 도도하게 흐르는 이 중심주제는 그 핵보다 더 무서운 핵에너지 원조입니다. 성경이 가지고 있는 이 영적인 핵에너지가 여러분 영혼의 생장점을 무서운 위력으로 터뜨리고 통과하면 좋겠습니다. 그래서 트이면 좋겠습니다. 그 생장점 부위 부위마다 새 싹이 돋아나면 좋겠습니다. 연한 순이 연두색으로 드러나면 좋겠습니다. 그리고 튼! 튼! 튼! 튼! 자라나서 열매까지 매달리면 좋겠습니다. 영혼의 생장점, 말씀이 뚫리면, 그게 터집니다. 터지면 거기에 또 새로운 깨달음이 접속됩니다. 그리고는 그 부위부터 또 새로 자라납니다. **생장점이 터지는 성경일독학교!** 이 학교에서는 뭔가 성경적으로 막혀있는 부위들을 뚫고 지나가는 작업을 하되, 주제를 타고 흘러가야 되겠다는 밑받침 생각으로 쓰다 보니까 다음과 같은 몇 가지 어설픈 특징이 있습니다.

* 세련된 형식이나 일정한 틀이 없습니다. 성경 각 권마다 갖는 독특성에 따라 각각 강조하기도 했고, 생략하기도 했습니다.
* 그러다보니 성경 각 권의 내용분해, 구성, 조직 등에 신경 쓸 수 없었고　성경전체 흐름을 이해하는데 중요한 요소들 중심으로 설명했습니다.
* 성경의 중심주제가 '역사성'이라는 가장 큰 틀을 타고 흘러가기 때문에 중요한 대목을 만날 때마다 역사적 상황을 또 말하고 또 말했습니다.
* 이렇게 생긴 표시는 생장점 부위입니다. 꼭 짚고 넘어가고 싶은 것이 있을 때 잔소리를 합니다. 사실은 이 부위에 생장점이 많습니다.
* 강의를 위해서 준비된 교재이기 때문에 강의실 분위기를 살려서 쓰다보니 가끔씩은 가벼운 어투의 문체가 있기도 합니다.

성경을 읽기 위한 몇 가지 중요지침

생장점
POINT 성경뚜껑을 열기 전에 이 성경에 대한 우리의 태도에 대해 몇 가지 얘기하고 싶은 것이 있습니다. 늘 알고 있는 얘기일지 모르지만 한번 진지하게 생각해 봅시다. 성경책에 대한 태도입니다. 성경 속으로 들어가는데 수속이 좀 복잡한 것 같지요? 아래 1번, 시큰둥하게 읽지 마시고 곰곰 씹으십시오.

1. 인간이 '하나님을 아는 방법(神認識論)'은 오직 '그 하나님이 자기 자신을 나타내 보여줌(啓示)'으로만 가능한 것이며, 이 하나님의 섭리 가운데 완성된 것이 오늘날의 성경책입니다

"당신은 하나님을 어떻게 알게 됐나요, 그리고 어떤 분이라고 생각하나요?" 하고 A라는 사람에게 물어봤다고 칩시다. A는 이렇게 대답합니다. "아, 네. 사실 저는 어렸을 때 무덤이 많은 마을에 살았거든요. 그런데 밤에 그 옆을 지나가려면 소름이 돋고 여간 무서운게 아니었어요. 그래서 밤에는 밖을 못나갔어요. 늘 공포에 시달렸지요. 그런데 우연히 친구를 따라 교회를 다니게 됐어요. 어린 마음에 그래도 교회에 가면 늘 무섭지 않게 해 달라고 기도를 드렸지요. 그런데 정말 어느 순간부턴가 그 공포가 싹 사라졌어요. 너무 신기했어요. 그때부터 난 하나님을 믿게 됐습니다."

또 이번에는 B에게 물어봤다고 칩시다. "두통에 시달렸지요. 온갖 약을 다 써도 안 들었어요. 동네 언니를 따라 부흥회에 참석하게 됐는데 갑자기 몸이 뜨거워지면서 피가 머리로 다 모이는 것 같더니 나아버렸어요. 정말 하나님이 계시다고 믿게 되었지요."

또 이번에는 C에게 물어보았습니다. "네. 저는 교통사고를 크게 당했었어요. 온 가족이 다 피투성이가 되었지요. 아, 사람이 이렇게 죽는거구나 하면서 정신이 가물거릴 때 사력을 다해 기도했어요. 하나님, 당신이 살아 계시다면 살려 주십시오, 한번만 살려 주시면 하나님을 위해 살겠습니다, 그렇게 부르짖었지요. 그랬더니 하나님께서는 그 기도를 들어주셨습니다."

'신(神)이 어떤 존재인가?'를 물어보았을 때 이와 같이 백인백색으로 대답할 수 있을 것입니다. 다 각각 자기에게 깨달아진 신을 얘기할 것입니다. 자기가 인식(認識)한 신입니다. 한마디로 '천태만상의 신 인식'이 있을 것입니다. 즉 사람에게서 출발한 신 인식은 각양각색입니다. 무슨 말입니까? 사람이 경험해서 깨닫는 신 인식은 **불완전**하다는 말입니다. 자기의 경험 속에서 자기 나름대로 신을 접촉한 것입니다. 하나님을 접촉한 개인적인 사건은 될 수 있겠지만 그렇게 경험 된 하나님이 정확한 하나님의 모습이라고 인정할 수는 없습니다. 이 말은 '**인간은 신을 자력(自力) 으로 깨달아 알 수 없다**'는 뜻입니다. 유한하고 상대적인 피조물이 무한하고 절대적인 존재를 스 스로 알 수 없다는 뜻입니다. 그래서 하나님께서는 자신을 열어서 보여 주셨습니다. 사람에게서 출발된 신인식이 아니라, **하나님에게서 출발한 신인식**입니다. 이 개념을 **계시**라는 말로 씁니다. 그 런데 하나님께서는 어느날 갑자기 어느 한 사람에게 자기를 열어서 보여주신 것이 아니라 역사 속에서 점점 자세히 당신을 나타내 보이셨습니다. 오고오는 모든 인류가 공통적으로 꼭 알아야 될 중요한 하나님 정보를 차츰차츰 드러내셨습니다. 이것을 **계시의 점진성**이라고 말합니다. 1,600여 년 동안 40여명의 인간 저자를 사용하시면서 오류가 없도록 보호하시고 그 내용이 유기 적으로 다 연관이 되게 하셨습니다. 이것을 **성경의 통일성**이라고 말합니다.

위에서 설명한 모든 내용을 좀 어려운 말로 다시 정리해 본다면 아래와 같다는 것입니다. 인간 이 하나님을 알 수 있는 방법(신인식, 神認識)은 오직 "하나님이 자기자신을 나타내 보여 줌(계 시,啓示)"으로만 가능한 것이며, 이 하나님의 섭리 가운데 완성된 것이 곧 오늘날의 "성경책"입 니다.

2. 그러므로 오늘 우리가 갖고 있는 성경을 정말 "하나님의 말씀"으로 믿어야합니다

'이 책이 정말 하나님의 말씀이라고 증명되지 않는 한 성경을 읽을 수 없다'고 말하는 사람도 있습니다. 성경 뚜껑을 열기 전에 우선, 성경이 진짜 하나님 말씀인지 증명되어야 성경을 읽겠다 는 것입니다. 그런데 **성경은 성경 밖의 어떤 증거(外證)에 의해서 하나님의 말씀이라고 증명되는 책 이 아닙니다.** 왜 그런지 아십니까? 만약 '외적인 어떤 증거'가 '성경은 하나님의 말씀'이라고 성 경의 손을 들어 준다면 바로 그 순간 그 '외적인 증거'는 성경 보다 더 높은 권위를 갖습니다. 성 경 이외의 '어떤 것'이 '성경을 하나님 말씀이다'라고 증명할 수 있다면, 그 '어떤것'은 '성경'을 판단하는 절대기준이 되기 때문입니다. 설명이 다소 어려운 것 같지만 한마디로 말하면 이렇습니 다. 세상의 어떤 것으로도 성경이 하나님의 말씀이라고 증명하지 못한다는 말입니다. 그럼 어떡

....

합니까?

성경은 뚜껑을 열고 읽을 때 비로소 믿어지는 책입니다. 우선 뚜껑을 열고 봐야 보입니다. 사람에게는 성경이 하나님의 말씀으로 믿어질 다른 방법이 결코 없다는 말입니다. 성경은 안 믿어질수록 읽어야 합니다. 성경은 성경만으로 증명할 수 있습니다. 이것을 어려운 말로 성경의 내적증거(內證)라고 부릅니다. 성경은 읽을 때 하나님의 말씀으로 깨달아지는 책입니다.

3. 성경의 내용을 골라가며 믿으면 안됩니다

그러기 때문에 성경 어디는 믿고, 어디는 안 믿으면 안됩니다. 믿어지는 건 믿고, 안 믿어지는 건 안 믿는다면 그것은 믿는 게 아닙니다. 성경에 칼질을 하면 안됩니다. 도마 위에 올려놓고 생선 발르듯이 이리저리 맘에 안드는 부분을 잘라내면 안됩니다. 성경은 그렇게 함부로 하는 책이 아닙니다. 세상 학문의 한 부분도 완벽하게 모르는 인간의 이성을 가지고, 세상을 창조하신 하나님의 말씀을 판단할 수 없습니다. 하나님이 내신 책이 또 있습니까? 성경뿐입니다. 그냥 그런 줄 알고 믿는 것입니다. 세상학문을 하는 방법론인 이성주의입장에서도, 정직하게 생각하기만 한다면, 이성으로 하나님의 말씀을 발라내는 일은 감히 못할 일이라고 말할 수밖에 없을 겁니다.

4. 성경이 가는 데까지 가고 성경이 멈추는 곳에서 멈춰야 합니다

성경은 과학책은 아닙니다. 그러나 과학적입니다. 성경은 역사책은 아닙니다. 그러나 역사적입니다. 성경은 철학책은 아닙니다. 그러나 철학적입니다. 이와같이 여러 분야의 학문에서 접속할 수도 있는 책입니다. 그러나 무엇보다도 성경은 우리의 구원을 위한 목적으로 쓰여진 책이므로 구원에 필요한 내용은 완전히 계시하셨습니다. **그러므로 성경을 읽다가 때때로 더 이상은 말씀하시지 않으실 때 (🌱 예를 들면 타락한 천사라든가…🌱) 거기서 우리도 멈춰야 합니다.** 우리 눈에 보이는 물질 세계를 우리는 억 만 분의 일도 모릅니다. 바다물의 물 한 방울 정도밖에 모르는 존재인 우리 인간이 영적인 세계에 대해서도 모르는 것이 있는 게 뭐 어떻다는 말입니까? 너무도 당연한 것 아닙니까? 뭐 한가지 이상한 점이 있으면 그것으로 마치 성경 전체를 부정할 수 있을 것 같은 묘한 쾌감을 즐기는 것은 옳은 태도가 아닐 것입니다. 오히려 피조물의 유한함을 즐깁시다. 여기에도 쾌감이 있습니다. 자유해집니다. 성경이 더 이상 말하지 않고 침묵하면 나도 침묵하는 겁니다.

5. 그러면서도, 성경은 연구하고 학문(學文)하는 자세를 가지고 읽어야 더욱 깊이 있게 깨달아지는 책입니다. 무조건 맹신하는 책이 아니라는 말입니다. 작은 조개는 얕은 바닷가에서 누구나 주울 수 있지만 손바닥만한 전복은 깊이 들어가는 사람만 얻을 수 있는 것입니다

하나님은 사람이 살고있는 삶의 현장, 즉 "역사" 속에서 그 뜻을 계시하셨습니다. 그래서 성경에서 일어난 사건은 당시의 "역사적 정황"을 모르면 일차적으로 스토리 전개가 안됩니다. '역사' 라는 개념은 연속성이 있기 때문에 어느 한 곳에서 아차 하고 놓치면 끊어집니다. 그러면 그 속에 담긴 하나님의 뜻은 더 더욱 깨달을 수 없다는 것입니다.

그 당시 역사적 상황 뿐만 아니라 그 일이 일어난 장소, 즉 "지리적 상황" 역시 성경을 읽어 내려 갈 때 알고 있어야 이해가 된다는 것입니다. 또한 그 당시의 "문화적 상황"을 모르고는 해석하기 어려운 말씀도 많이 있습니다.

다시 말하면 ① 역사적 상황······역사 공부를 해야한다는 말입니다.
② 지리적 상황······지리 공부를 해야한다는 말입니다.
③ 문화적 상황······문화 공부를 해야한다는 말입니다.

우리가 세상의 어떤 한 분야를 공부할 때도 많은 노력과 연구가 필요한데 하물며 하나님의 말씀이겠습니까? 수고 없이 저절로 깨달아 진다고 생각하면 안됩니다. 적어도 이 세 분야의 도구를 손에 들고 성경을 파기 시작하면 영적인 노다지가 쏟아져 나옵니다. 아무나 주울 수 있는 손톱 만한 조개만 줍지 맙시다. 전복을 땁시다!

6. 그러나 최종적으로는 성령의 조명을 받아야만 깨달아지는 책이 성경입니다

아무리 역사, 지리, 문화적 상황을 연구하며 성경을 읽어도 성령님이 깨닫게 해주셔야 우리는 말씀을 깨닫는 겁니다. 역사, 지리, 문화뿐 아니라 원문, 사본, 문체등을 파고들지만 성령님의 역사를 겸손히 기다리지 않으면 깨달아지지 않는 책입니다.

7. 성경 일독학교에서는 '우리말성경' 도 권장합니다

우리가 읽고 있던 성경은 고어 표현이 많고 어려워서 읽기가 어렵다고 말하는 것을 들어왔습니다. 그런 이유 때문에 성경을 전혀 읽지 않거나 읽다가 포기하느니 좀 더 이해가 쉽고 현대적인 언어로 번역된 성경을 읽어 나가는 것이 더 낫습니다.

'우리말성경' 은 초신자들과 미래 세대인 청소년들, 특별히 본문의 정확한 의미를 구하는 구도자들이 주의 말씀을 듣고 읽을 수 있도록 번역했습니다. 그리고 정확성을 위해 본문을 일일이 원어 성경과 대조 감수했습니다. 원문에 충실하면서도 구조적, 언어적으로 정확하며 우리말 어법에 적합한 단어와 표현을 위해 최선을 다한 번역 성경입니다.

초신자나 성경이 익숙지 않은 분들, 고어에 익숙하지 않은 신세대 여러분에게 '우리말성경' 을 권장합니다.

보다 쉽게 번역된 '우리말성경' 으로 성경을 일독하게 되면 본래 우리가 써 왔던 성경도 이해가 빠르고 읽기가 쉬워질 것입니다.

성장점
POINT 자, 이렇게 해서 일곱가지 지침을 생각했습니다. 그러면 이제 만일 우리가 이 성경일독학교에서 열심히 공부를 하고 나면 무엇을 새로 얻을 수 있게 될까를 생각해 봅시다. 이 공부가 끝나면 어떤 유익이 있을까요?

성경일독학교를 마치게 되면 ●·······································

> **생장점 POINT** 우리가 무슨 일을 시작하려고 하든 출발하기 전에 계산을 해 봅니다. 하다못해 장사를 하려고 해도 밑천을 얼마 들이면 이익이 얼마 남겠다 계산하지요? 이제 이 일독학교에서 공부하고 나면 어떤 결과를 얻게 될지 알고 시작하는 것이 중요합니다. 목표를 조목조목 분명히 설정해 놓고 출발합시다.

1. 성경 각 권의 이름이 무슨 뜻인지 알게됩니다. 그리고 각각 무슨 내용으로 이루어져 있는지 알 수 있게 됩니다.

2. 창세기부터 시간을 타고 흐르는 성경 역사의 순서대로 성경 목록을 배치할 줄 알게됩니다. (예: 창세기 – 출애굽기 – 민수기 – 여호수아....)

3. 그 밖의 성경 각 권(예를들면 레위기, 예레미야, 시편 등)이 위의 시간 순서 어디에 끼워들어 가는지 알게 됩니다. 즉 창세기부터 계시록까지 시간을 타고 흐르는 순서대로 성경을 읽을 줄 알게 됩니다.

4. 시간이 흐르는 순서대로 읽으면서도 무작정 읽는 것이 아니라 성경전체가 말하려고 하는 것이 결국 무엇인지 알게 됩니다. 즉 성경의 주제를 파악하게 됩니다. 관점(觀點=안경)을 갖고 읽게 되는 거지요. 성경 각 권이 다 달라 보이지만 그 하나 하나가 사실은 퍼즐 같이 다 앞뒤가 꼭 꼭 들어맞는다는 사실을 깨닫고 깜짝 놀라게 됩니다. 성경의 생장점이 트이는 겁니다.

5. 웬만큼 중요한 장소를 지리적으로 알 수 있게 됩니다. 또 이스라엘과 관계된 웬만한 나라들을 이스라엘 역사와 관련해서 알 수 있게 됩니다. 지명과 역사를 함께 꿰지 않으니까 성경이 오히려 지루했던 것입니다. 이 묘미만 발견하면 갑자기 성경은 입체적으로 보입니다.

6. 이 책 맨 끝에 있는 부록 "성경읽기표" 순서에 따라 첫날부터 읽어가면 두 달 즈음에 성경을 일독 할 수 있게 되어있습니다. 강의내용과 맞춰서 차근차근 완독하는 것입니다.

1과 성경목록만 잘 알아도 성경이 열립니다

1. 구약 성경의 배열

> **생각점 POINT** 오늘 우리가 쓰고 있는 '한 권으로 된 성경책'은 도대체 어떻게 해서 생긴 것인지 궁금해하는 사람들이 아주 많습니다. 이런 궁금증을 밝히는 것을 보고 '성경의 정경화 과정'이라고 말한답니다. 우선 간단하게라도 그걸 살펴 봅시다.

1) 간단히 살펴보는 성경의 정경화 과정

우리가 현재 가지고 있는 성경은 여러 권의 책이 모여 만들어진 것입니다. 본래는 한 개 한 개씩 따로 있던 두루마리가 어느 계기에 합본이 된 것이지요. 어떻게 구약의 39권이 오늘날의 정경으로 만들어졌는지 우리 이번 기회에 간단하게라도 한번 정리해 보십시다. 그렇습니다. 어느날 갑자기 한 권의 성경이 하늘에서 뚝 떨어진 것이 **아닙니다.**

B.C. 587년에 구약시대 유대국가는 바벨론에게 망합니다. 그 후 페르시아(바사)가 바벨론을 정복하고, 그 다음에는 그리스의 알렉산더 대왕이 정복합니다. 여러분이 잘 아시는 알렉산더 대왕은 그리스(헬라)제국을 짧은 시간에 이루지만 전염병으로 단명을 합니다. 후계자를 지명하지 못하고 갑작스럽게 죽었기 때문에 그의 부하들이 알렉산더가 정복한 그 넓은 지중해 연안 일대의 땅들을 나누어 다스리게 됩니다. 그런데 그의 부하 중 프톨레미가 이집트와 시리아 일대를 차지하게 되는 바람에 유대땅도 프톨레미의 지배하에 들어갑니다. 알렉산더가 이집트를 정복했던 당시, 자

기 이름을 붙여 알렉산드리아라는 도시를 세웠는데 프톨레미 왕조가 이 도시를 누리게 됩니다.

　B.C. 3세기 말 경 프톨레미 2세가 알렉산드리아에 살고 있던 유대인 디아스포라들 중 72명의 랍비를 불러 성경을 번역하게 했습니다. 그 동안 두루마리로 돌아다니고 있던 히브리 성경을 당시 공용어였던 헬라말로 번역한 것입니다. 이 최초의 번역성경을 **70인경**이라고 부릅니다. 이 때 모세오경이라든가 그밖의 역사서들, 시가서들, 예언서들을 모아 번역했습니다. 약 B.C. 280년 경에 완성되었다고 봅니다. 신약시대 예수님 당시 이미 이 성경이 있었습니다. 그러다가 A.D. 90년 경 얌니아 랍비회의에서 오늘날의 구약 39권의 목록으로 확정됩니다(A.D. 90년경이면 신약의 서신서들이 거의 다 쓰여졌고 복음서가 완성되어가는 시기입니다. 그러다가 A.D. 397년, 카르타고 공회에서 신약 27권을 정경으로 채택하게 됩니다).

2) 구약성경목록의 배열 문제

　이런 역사적인 과정 속에서 구약 39권이 정경으로 한 책에 통합되었습니다. 그런데 39권이나 되는 낱권의 책 하나하나가 어떤 근거에 의해서 그 순서로 배열되었을까요? 본래 역사가 흘러가면서 모세오경, 시편(시가서), 선지서라는 순서로 쓰여져 왔기 때문에 그 틀이 생긴 것입니다. 예수님 당시에 이미 이 구분을 받아들인 것을 알 수 있습니다. 그래서 구약성경 목록은 크게 **역사서, 시가서, 예언서**라는 세 부류로 구분하게 됩니다. 시간이 흐르면서 생긴 틀이기도 하지만 공교롭게도 문학적 양식에 따른 분류이기도 합니다. 낱권의 여러책들을 크게 이 세 부류로 모아놓은 다음 그 안에서는 비교적 역사 순서대로 배치한 것입니다.

　(✿ 자, 이제 구약성경 맨 앞의 목록표를 열어봅시다. ✿) 창세기부터 말라기까지 주욱 한 번 눈여겨 읽어 봅시다. 어디부터 어디까지가 〈역사서〉이고, 어디부터 어디까지가 〈시가서〉이며, 〈선지서〉는 어떤 것들인지 알 수 있겠습니까? 그렇습니다. 〈역사서〉 동네는 창세기부터 에스더까지이고, 〈시가서〉 동네는 욥기부터 아가서까지, 〈선지서〉 동네는 이사야부터 말라기까지입니다. 각각 17권, 5권, 17권으로 되어 있습니다. 여러분의 성경책 목록표에 세 가지 색연필로 구분해서 같은 부류를 표시해 봅시다. 예를 들면 〈역사서〉는 초록색, 〈시가서〉는 노란색, 〈선지서〉는 빨간색 등으로 나누어 색을 칠해 봅시다. 세 가지로 **눈에 확 띄게 구분**해 놓는 것이 이번 일독학교 공부에서는 매우매우 중요합니다. 이 구분이 일독학교의 **성경읽기표를 만드는 데 기본**이 된다는 사실을 나중에 깨닫게 될 것입니다.

※ 이제 세 부류별로 직접 그 이름들을 적어 봅시다.

역사서 (17권) – 창세기, _____ 에스더

시가서(5권) – 욥 기, _____ 아 가

예언서 (17권) – 이사야, _____ 말라기

2. 구약 39권의 내용

1) 역사서 부류 17권

눈치가 있으신 분은 〈역사서〉! 할 때 벌써 감 잡으셨을 것입니다. 역사라는 것은 시간을 타고 흘러간다는 사실을 … 그렇습니다. 이 역사서 17권의 책들은 앞에 있을 책인지 뒤에 놓일 책인지 아주 분명한 순서가 있습니다. 그래서 이 17권을 비슷한 시기끼리 모아서 보통 다음과 같이 정리합니다.

창조시대 ➡ 창세기 1~11장:인류 일반역사

족장시대 ➡ 창세기 12~50장:이스라엘 국사의 시작

모세시대 ➡ 출애굽기 / 레위기 / 민수기 / 신명기

사사시대 ➡ 여호수아 / 사사기 / 룻기 / 사무엘상 / 사무엘하

왕정시대 ➡ 열왕기상 / 열왕기하 / 역대상 / 역대하

포로시대 ➡ 에스라 / 느헤미야 / 에스더

(앞 글자만 따서 읽으면 창·족·모·사·왕·포가 됩니다)

생각점
POINT 학교에서 공부 잘 하는 학생은 어느 한 부분만 달달 잘 외우지 않습니다. 전체를 이해한 후 그 속의 부분 부분이 어디에 끼워 맞춰지고 있는지 그 **자리**를 아는 학생입니다. 그리고 나서 그 하나하나가 각각 어떤 특징과 내용이 있으며 그 나머지들과 어떤 관계가 있는지까지를 아는 학생이 공부를 잘 하는 학생입니다. 우리 일독 학생들도 구약의 39권 중 〈역사서〉 부류에 속한 17권을 위의 여섯 시대로

구분할 줄 알아야 합니다. 그리고 나서 각 시대마다 무슨 특징이 있어서 그렇게 구분되어야 하는지도 배웁시다. 또 그 각각의 시대 속에 어떤 성경들이 들어가는지도 배웁시다. 성경목록을 순서대로 외우는 것도 훌륭하지만 이런 틀을 이해하고 그것들을 착착 제자리에 끼워 넣을 줄 알면 더 훌륭한 학생입니다.

① 창조, 족장, 모세시대 ➡ 창세기 / 출애굽기 / 레위기 / 민수기 / 신명기 ➡ 모세오경

'모세오경'이라는 말을 모르시는 분은 거의 없으실 줄 압니다. 모세가 기록한 다섯 권의 책을 말하는 것입니다. 창세기, 출애굽기, 레위기, 민수기, 신명기입니다. 그런데 창세기는 자기가 경험하지 못한 역사들인데 기록으로 남겼습니다. 어떻게 이 창세기를 쓸 수 있었을까 생각해 보신 적이 있습니까? 모세는 하나님과 대면하여 계시를 받은 사람입니다. 온 세상을 창조하신 하나님이 심을 계시하시기 위해 하나님께서 모세를 쓰신 것입니다. 인류가 창조된 이후 어떻게 그 역사가 흘러내려 갔는지 계시해 주신 것입니다. 하나님은 그동안 감추셨던 비밀을 모세를 통해 폭로(?)하신 셈입니다. 창세기 앞 부분은 농축된 인류의 비밀이 집약되어 있는 곳입니다. 그래서 한두 번 읽는 것만으로는 알맹이가 잡히지 않는 것입니다. 깊은 사색과 연구가 필요한 부분입니다.

창세기

'창세기' 하면 인류 역사의 출발을 생각하는 동시에 이스라엘이라는 한 나라의 역사가 출발한다는 점도 주목해 보는 안목이 있어야 합니다. 이 세상 우주만물, 인간, 가정, 죄, 예배, 산업 등의 기원을 말해 주고 있습니다. 인간의 타락으로 인류의 역사에는 죄가 흐릅니다. 홍수 심판 이후 노아의 후손 함, 셈, 야벳으로 새 인류가 번성합니다. 그들은 온 세계에 흩어져 각 민족과 나라를 이루게 되는데(10~11장) 바로 이 부분까지가 **인류의 일반 역사**입니다. 이제 12장부터는 아브라함의 역사가 시작됩니다. 이스라엘의 국사가 시작되는 것입니다. 이 때부터 하나님이 건설하시는 성경은 이스라엘이라는 나라에 초점을 맞춥니다. 이때부터의 역사를 **구원 역사**라고 부릅니다. 아브라함, 이삭, 야곱의 생애를 다룬 50장까지를 족장시대(族長時代)라고 합니다. 야곱의 70식구가 이집트로 내려가는 입(入)애굽으로 창세기는 끝납니다. 이들은 약 400년 동안 이집트에서 살게 됩니다.

출애굽기

400년이 흐르는 동안 히브리 민족은 애굽의 노예가 되어 버립니다. 노예생활, 모세 등장, 열 가

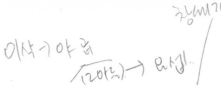

지 재앙, 유월절 사건, 홍해 사건 등 애굽에서 어떻게 해방되었는가에 대한 내용이 전반부에 있습니다. 그 이후 2개월 동안 이동해서 **시내산**까지 오게 되는데 그 곳에서 약 11개월을 머물게 됩니다. 그러면서 하나님과 언약을 맺고 십계명과 율법과 성막에 대한 말씀을 받습니다. 성막 건축 헌물을 드려서 성막을 완성하고 봉헌하는 장면으로 출애굽기의 막이 내립니다. 그 성막 위에 구름기둥이 머뭅니다.

레위기

야곱의 아들 12명 중 한 아들의 이름이 레위입니다. 레위지파 사람들은 성막에서 하나님을 섬기는 직책을 맡은 사람들입니다. 만들어 놓은 성막을 중심으로 하나님을 어떻게 섬겨야 하는지, 또 사람들 간에는 어떻게 살아야 하는지에 대한 지침서가 레위기입니다. 우리는 이 책을 지루해합니다. 그러나 하나님과 히브리 민족, 이 둘 사이는 이 책에 있는 방법으로 관계했습니다. 교제하는 방법이었습니다. 이 레위기에는 제사법, 생활법, 절기 등이 기록되어 있습니다. 출애굽기에서 율법과 성막에 대한 말씀을 받았다고 했는데 바로 그 내용을 자세히 따로 떼어 내서 모아놓은 책이라고 생각하면 쉽습니다. 창세기 끝 부분과 출애굽기 앞 부분은 시간과 장소의 변동이 있으나 출애굽기 끝 부분과 레위기 앞 부분은 시간적으로나 장소적으로 변동이 없습니다.

민수기(民數記)

'민'은 백성 민자요, '수'는 셀 수입니다. 즉 인구 센서스를 한 것입니다. 인구 조사 하는 것으로 이 성경이 시작되어서 붙여진 이름입니다. 앞으로 올라갈 가나안 땅까지 가는 동안 그들은 전쟁을 해야 하기 때문에 병력을 정비한 것입니다. 성막 위에 머물러 있던 구름기둥이 병력을 정돈하고 나니 드디어 움직였습니다. 이동입니다. **출애굽기의 스토리는 레위기로 연결되는 것이 아니고 이렇게 민수기로 연결됩니다.** 이 때가 출애굽 후 13개월째인데 이때로부터 **약 39년 동안의 광야생활**을 기록한 내용이 바로 민수기입니다. 출애굽 이후와 레위기가 도합 13개월 동안의 일인데 반해 민수기는 무려 39년 간의 시간의 흐름을 기록한 책입니다. 중요한 장소는 **시내산, 가데스바네아, 모압평지**입니다. 그런데 이 모압평지는 남의 땅이 아니었습니다. 모세가 요단강은 못 건넜지만 여기까지 오는 동안 요단강 동편의 길르앗 땅을 정복해서 얻은 땅입니다. 여호수아만 가나안 땅을 차지한 것이 아닙니다. 모세도 이 **요단 동편 모압지경의 땅**을 차지했습니다. 요단강 건너 가나안 땅에는 들어가지 못했지만 요단강 동편의 땅들을 정복해서 갓 지파, 르우벤 지파, 므낫세 반 지파에게 나누어 주었습니다. 이 내용들이 민수기에 기록되어 있습니다.

신명기(申命記)

"신명"이란 "다시 새롭게 주신 계명"이라는 뜻입니다. 모세가 죽기 전에 모압 평지에서 한 **고별설교**라고 볼 수 있습니다. 불순종한 출애굽 세대의 백성들은 여호수아와 갈렙을 제외하고 모두 광야에서 죽습니다. 그러므로 신명기쯤 오면 이스라엘 백성들의 구성원은 완전히 **물갈이**를 하게 된다는 것을 기억합시다. 출애굽 당시에는 20세가 안 되어 계수에 들지 못했던 어린아이들과 광야에서 태어난 제 2세대들로 구성됩니다. 보통 광야 제 2세대라 부릅니다. 출애굽 이후 40년 간 하나님이 역사하신 내용을 회고하며 이 2세대들을 교육시켜야 할 필요성을 느끼고서 한 설교입니다. 우리 입장에서는 출애굽기, 레위기, 민수기에 있던 내용이 또 다시 나오는 것 같아 지루한 감이 있을 수 있으나 당시 그 2세대들에게는 매우 중요한 내용이었습니다. "왜 이거 앞에 있었던 내용이 또 나오지?" 하고 지루해 하지 말고 "아, 모세가 어린 자녀들에게 중요한 요점 정리를 다시 해 주는 것이구나 …" 생각하고 복습하듯 다시 정돈하며 읽읍시다.(심지어 어떤 분은 내용이 반복된다는 사실조차 모르고 그냥 그저 읽는 분도 계십니다. 글자만 읽어서 그렇습니다.)

② 사사시대 ◐ 여호수아 / 사사기 / 룻기 / 사무엘상·하

> 생장점
> POINT 여호수아는 가나안 땅을 정복해서 차지하는 역사입니다. 또한 사사기도 그 뒤를 이어 땅 전쟁의 기록으로 시작됩니다. 사사기의 여러 부분이 여호수아와 겹쳐서 기록되어 있기도 합니다. 그만큼 여호수아서와 사사기는 연관되어 있습니다. 그뿐만 아니라 룻기는 사사 기드온 시대를 배경으로 한 기록입니다. 또한 마지막 사사라고 볼 수 있는 사무엘의 이야기를 비롯해서 사울, 다윗의 역사가 기록된 사무엘상하도 역시 사사시대의 성격을 갖고있습니다. 사사기 한 권만 사사시대라고 생각하지 말고 이렇게 폭 넓게 **여호수아부터 다윗 시대**까지 범주를 만들어 놓는 것이 매우 중요합니다.

여호수아

모세를 이은 후계자의 이름입니다. 약속의 땅 가나안을 정복해서 분배하는 과정이 기록된 책입니다. 아브라함에게 언약하신 내용이 현실화되는 장면입니다. 마지막 부분에서 여호수아도 고별설교를 합니다.

사사기(士師記)

여호수아 이후 12지파 별로 분배받은 땅에 정착해 가는 과정의 역사입니다. 하나님을 떠나 우상을 섬겨 주변의 나라들에 의해 위협과 핍박을 받습니다. 오랫동안 살아오던 땅을 빼앗긴 가나안의 일곱 족속들이 가만히 있을 리가 없습니다. 그 때마다 사사들이 일어나 이스라엘을 구원하곤 합니다. 땅은 분배받았으나 아직 왕이 세워지기 전의 혼탁한 이스라엘의 사회상을 보여주는 기록입니다.

룻기

사사시대에 살았던 한 가정-이스라엘을 상징-의 몰락과 구원의 이야기입니다. 이 가정은 가뭄의 굶주림을 피해 이방 나라 모압으로 이민을 가는데 그 곳에서 얻은 이방 며느리 룻은 후에 다윗 왕의 증조 할머니가 됩니다. 그래서 예수님의 족보에 룻의 이름이 등장하게 됩니다. 이제 사사기까지 온 성경의 흐름이 **다윗**을 향해 방향 조정을 합니다. 사사시대와 왕정시대를 잇는 고리역할을 하는 것이 룻기입니다. 몇 장 안 되지만 대단히 중요한 성경책이지요.

사무엘상

사사시대의 마지막 사사라고 볼 수 있는 사람이 사무엘입니다. 사사시대 배경이지만 이스라엘 초대 왕 사울의 정치와 제 2대 왕 다윗이 왕위에 오르기까지의 내용이 수록되어 있습니다. 사무엘상은 사사시대를 배경으로 하고 있으면서도 왕을 잉태했고, 1대, 2대 왕을 탄생시킵니다. 즉 사무엘상·하는 사사시대와 왕정시대(사울, 다윗)가 섞여 있다고 볼 수 있습니다.

책 이름은 사무엘이지만 **내용은 다윗왕**에게 초점을 맞추고 있습니다. 목동 시절부터 왕궁을 출입하게 된 경위, 골리앗과의 싸움, 사울을 피해 다니는 정치적 유랑생활, 유다 지파로 왕위에 오르기까지의 기록입니다.

사무엘하

다윗 이후의 왕들은 열왕기상·하에 모두 기록되어 있습니다. 그런데 다윗이 왕으로서 다스렸던 기록은 열왕기에 들어있지 않고 사무엘하서에 들어 있습니다. 그래서 다윗을 알고 싶으면 사무엘상·하를 읽어야 합니다. 이스라엘의 진정한 왕은 '다윗' 뿐이라고 차별화하는 흔적입니다. 따로 한 왕을 다룬 것입니다.

③ 왕정시대 ⟡ 열왕기상·하 / 역대상·하

> ### 생장점 POINT
>
> 왕정시대(열왕기, 역대기)와 포로시대(에스라, 느헤미야, 에스더)의 성경들은 자세한 설명들이 좀 필요한 대목입니다. 열왕기부터 포로시대가 어려운 부분이라서 그렇습니다. 사무엘상하는 다윗이 왕이 되기까지 일어난 일이니까 그냥 그렇게 계속 읽으면 그만입니다. 그러나 솔로몬의 이야기(열왕기상)부터 포로시대로 이어지는 부분은 복잡합니다. 그래서 지금 각 권 설명을 하면서도 말을 좀 많이 하려고 합니다. 제4과 읽기 실제에서 더 자세히 다루지만 지금 이곳 각 권 공부에서 이해하고 지나가야 할 것들을 설명하려고 합니다. 될 수 있으면 또 설명하고, 또 설명하려고 합니다. 자꾸만 성경의 흐름을 들어야 마지막에는 전체를 얼기설기 꿸 수 있기 때문입니다.

열왕기(列王記)상·하

다윗 이후 모든 열(列) 왕(🌱 열 명의 왕이 아닙니다. 🌱)들의 역사 기록입니다. 사기 형식으로 되어 있습니다. 다윗 왕이 죽은 후 제3대 솔로몬 왕의 기록이 이어지는 것으로 열왕기상은 시작됩니다. 사울, 다윗, 솔로몬까지는 통일국가인데 솔로몬 이후부터 우리나라처럼 남과 북으로 분열되는 비극을 맞게 되는 내용을 담고 있습니다. 솔로몬의 아들 르호보암이 다윗 왕조의 정통성을 이어받아 유다 지파(다윗 지파)와 베냐민 지파를 중심으로 남쪽지역에 "유다 왕국"을 이룹니다. 솔로몬의 부하였던 여로보암이 반역하여 북쪽지역의 나머지 열 지파의 지지를 얻어 세운 나라가 "북방 이스라엘"입니다.

본래 족장 야곱이 하나님과 씨름하여 얻은 이름 "이스라엘"이 나라 이름으로 정착되어 지금까지 죽 흘러 내려 왔는데 바로 이 지점부터는 **"이스라엘"하면 북방 이스라엘, 즉 분열 왕국 중 북쪽 10지파로 구성된 나라를 일컫게 됨을** 유의해야 합니다. 남방 유다 왕국은 다윗 왕조로만 이어갑니다. 르호보암(B.C. 930)부터 마지막 시드기야(B.C. 587) 왕까지 20명의 왕들이 다스립니다. 그러나 북방 이스라엘왕국은 여로보암(B.C. 930)부터 호세아(B.C. 721) 왕까지 오는 동안 반역에 반역을 거듭해 아홉 번이나 왕조가 바뀌며 19명의 왕들이 통치합니다.

같은 시기의 유다 왕국과 이스라엘 왕국을 왔다 갔다 하며 왕들의 치정을 기록하고 있는 것이 열왕기입니다. **사기 형식의 글입니다.** 결국 이스라엘은 앗수르에 망하고, 유다 왕국은 바벨론에 멸망합니다. 왕정시대 때는 종교와 정치가 분리되어서 따로 "선지자"라는 직임의 사명을 감당하는 종교지도자들이 등장하게 됩니다. 바로 이때 선지자들이 예언을 받아 남긴 선지서들이 구약성경 뒤 편에 있는 **선지서들**입니다.

다윗 후반기의 나단이나 북방 이스라엘 왕국의 엘리야, 엘리사 같은 선지자들은 "기록 선지자"는 아니었지만 많은 활동을 한 것을 알 수 있습니다. 요엘과 오바댜는 선지자 중 가장 일찍 활동한 기록 선지자입니다. 그들은 B.C. 9세기 말 경 남방유다에서 활동한 선지자입니다. 이에 반해 아모스, 호세야 같은 선지자들은 북방 이스라엘에서 사역을 했습니다. 요나도 아모스와 호세아 시대인 북방 이스라엘 여로보암 2세 때 니느웨를 대상으로 활동합니다. 거의 같은 시기에 남방 유다에서는 이사야가 활동을 시작합니다. 미가 나훔은 이사야 활동 말기인 히스기야 왕 시절에 사역합니다. 스바냐는 유다의 요시야 왕 때, 하박국은 여호야김 왕 때 사역합니다. 예레미야도 스바냐와 하박국이 사역하던 때 함께 남방유다를 대상으로 일합니다. 특히 남방유다가 바벨론에 망하게 될 즈음에 눈물의 선지자 예레미야가 활동합니다.

🌱 너무 복잡하죠? 바로 이런데가 앞으로 우리가 뚫어야 할 생장점 부위입니다. 🌱

역대상 · 하

"역대(歷代)"라는 말은 "날들의 역사"라는 뜻으로 흔히, 우리가 '역대 회장, 역대 임원' 같은 말을 할 때 쓰는 그런 말입니다. 실제로 역대상은 족보로 시작합니다. 족보를 죽 나열 해 나가다가 다윗 왕에 머물면서 남방 유다 계열의 왕들의 역사를 기록합니다. 얼핏보면 열왕기상 · 하와 거의 비슷한 내용 같습니다. 그러나 그것은 착각입니다. 역대상은 다윗이 왕이 된 이후부터의 역사인 사무엘하의 내용이고, 역대하는 솔로몬부터 포로잡힘까지의 남방 유다 왕들의 기록입니다. 열왕기가 분열 왕국 두 나라(북이스라엘과 남유다) 왕들의 치정을 기록한데 반해, 역대상 · 하는 남방 유다만의 역사입니다. 그것도 제사와 성전을 중심으로 기록했습니다. 특히 이 역대상 · 하는 에스라가 기록한 것으로 알려져 있는데 여기서 그는 남방 유다의 다윗 왕조만이 진정한 하나님 나라의 정통성을 나타낸다는 사실을 보여 주고 있습니다.

열왕기하 끝에서 이스라엘과 유다는 멸망했습니다. 망했으면 그걸로 역사는 끝나야 되는데 그 뒤에 왜 역대상 · 하와 에스라, 느헤미야, 에스더가 역사서로 이어지고 있을까요? 괜히 한 번 더 지루하게 써 놓은 것일까요? 그렇지 않습니다. 성경의 흐름은 바로 **이 지점에서 새로 방향을 조정**

하고 있는 것입니다. 열왕기상·하라는 왕정시대의 역사를 뒤로 한 채 다윗 왕조 중심의 **새 역사**를 쓰는 것입니다. 그래서 **역대기에는 북방 이스라엘의 역사가 없습니다.** 그뿐만 아니라 아예 창세기의 아담에게까지 이 다윗 왕조의 뿌리가 닿아있다는 사실을 밝히고 싶어합니다. 그래서 역대상 1장은 열왕기상 1장처럼 솔로몬의 이야기로 시작하지 않고 **아담**부터 시작합니다. 또한 우주적 하나님 나라의 정통성이 이스라엘의 12아들 중 유다(유다 지파)에게 이어짐을 명시하므로 유다 지파로 이어지는 다윗 왕조야말로 진정한 하나님의 나라라는 것을 증명해 보이고 싶은 것입니다.

결국 역대하에서 유다 왕국도 바벨론 포로로 잡혀가는 종말을 고하지만 그 이후 포로시대를 영적으로 선도해 가는 지도자들, 즉 "에스라, 느헤미야, 에스더, 에스겔, 다니엘, 학개, 스가랴, 말라기" 등 성경에 나타나는 이름들은 다 **유다 왕국 계열의 사람들**이라는 것입니다. 다시 말하면 열왕기에서 사라진 분열왕국은 다시 남방 유다왕국 사람들을 중심으로 포로시대 속에서도 하나님 나라의 면모를 이어가고 있으며, 400년의 신구약 중간기 속에서도 나라를 되찾고 여호와 하나님의 문화를 이어가려고 노력하며 싸웠던 것입니다. 그래서 이 중간기를 거쳐 신약시대에 들어와 성경에 등장하는 사람들도 바로 이 포로시대를 거친 유다 계열입니다. 즉, **신약**에 이르러서도 주도권을 쥐고 있는 백성들은 "유대인"입니다. 사마리아(북이스라엘) 사람들과는 신분이 다르다고 주장하는 것입니다. 신약에서 연결되는 하나님 나라, 즉 다윗의 왕국을 이어받는 새 왕 예수 그리스도도 다윗의 자손, 유다 왕국 계열의 **유다 지파**로 오십니다.

이와같이 구약을 역사적으로 마무리 지으려는 마당에 역대기의 기록은 범상하지 않습니다.

④ 포로시대 ⊙ 에스라 / 느헤미야 / 에스더

생장점 POINT 지금 무얼하고 있는지 놓치지 맙시다. 역사서 17권을 한 권 한 권 간단하게 보고 있는 중입니다. 창족모사왕포(어? 이게 뭐더라? 하면 안되지요?) 중에서 포, 포로시대의 성경 에스라, 느헤미야, 에스더를 공부하려는 것입니다. 이 세 권의 책은 한꺼번에 설명을 합니다. 주의해서 한번 읽어보세요.

에스라 / 느헤미야 / 에스더

유다 왕국을 정복한 바벨론은 식민정책으로 피정복국가의 백성들을 바벨론 자기 나라로 잡아 갔습니다. 세 차례에 걸쳐 끌고 갔습니다. "사람"이 곧 자원이기 때문입니다. 그런데 바벨론(오늘날의 이라크)이 유다를 정복한 이후 다시 패권은 바사(오늘날의 이란)에게로 넘어갑니다. 바사가 바벨론을 정복했다는 말입니다. 바벨론의 느브갓네살 왕이 유다를 포로로 잡아갔는데 바사의 고레스라는 왕이 등장해서 이 유다 포로들을 자유하게 한 것입니다. 이와같이 포로로 잡혀가서 바벨론에 살던 유다 왕국 백성들이 다시 팔레스타인 땅(가나안 땅)으로 귀환하여 성전중심의 하나님 문화를 재건하는 내용이 포로시대 역사입니다. 이 중 "에스라, 느헤미야, 에스더" 이 세 권은 〈역사서〉 부류 성경목록 분류 유형 중에 속해서 왕국의 멸망 그 이후, 하나님의 나라는 어떻게 진행되어 나가는 것인가를 보여주고 있습니다. 오랜 포로 생활로 하나님의 율법과 절기와 문화를 잃은 그들로 하여금 성전을 재건해서 그 성전을 중심으로 다시 새로운 하나님의 나라를 가르쳐 가는 내용입니다.

학개와 스가랴의 도움으로 성전재건을 완성한 이후 약 40년 후에 바사에서는 에스더서 사건이 일어납니다. 바사의 아하수에로라는 왕이 다스릴 때 유다 사람 한 여인 에스더가 그의 왕비로 발탁되어서 어떻게 하나님을 잊지 않고 신앙했는가를 보여주는 책입니다. 죽으면 죽으리라는 각오를 갖고 모함으로부터 민족을 구원하는 이야기입니다. 약속의 땅이 아닌 이방 땅에서도 역사 하시는 하나님을 보여주고 있습니다. 이 사건을 기념한 명절을 유대인들은 부림절이라고 부릅니다.

이런 에스더 사건 이후 약 20여 년이 흐른 후가 되어서야 에스라가 예루살렘에 귀향합니다. **에스라서에 성전 재건의 애기가 기록되어 있기는 해도 막상 에스라가 귀향하는 것은 성전재건 후 약 60년이 지나서입니다.** 귀향해 보니 이미 예루살렘 성전은 재건되어 있었습니다(학개와 스가랴가 이미 와서 사역한 이후입니다). 에스라는 재건된 성전을 중심으로 살아가고 있는 귀환포로 백성들을 이제 영적으로 지도하는 역할을 합니다. 돌아온 백성들의 명단을 정리하는 작업도 합니다.(🌱 포로시대의 민수기지요? 🌱) 그리고 그들에게 율법을 가르쳐서 하나님의 법도대로 살도록 격려합니다. 특히 예루살렘 성전을 재건해 놓고도 여전히 이방백성들과 피를 섞으며 혼합민족이 되어가는 상황을 보고 개혁을 단행합니다.

느헤미야는 에스라가 예루살렘으로 돌아온지 약 13년 후에 예루살렘에 도착합니다. 그러므로 느헤미야가 예루살렘에 왔을 때는 성전이 이미 완성되어 있었을 뿐만 아니라 에스라가 활동하고 있었습니다. 느헤미야는 무너진 예루살렘 성벽(🌱 남한산성 아시지요? 그런 성벽입니다, 성전과는 다릅니다. 🌱)을 개축해야 되겠다는 사명을 갖고 돌아왔습니다. **스룹바벨과 예수아**는 성전

재건의 꿈을 갖고 귀향했었고, **학개와 스가랴**는 그 재건이 중단 되자 다시 또 힘을 내도록 격려하는 역할을 하기 위해 귀향했고, 에스라는 백성들의 영적인 생활을 지도하기 위해 귀향했다면, **느헤미야**는 무너진 예루살렘 성벽을 재건하려고 귀향한 것입니다. 공식적으로 바사의 총독 직함을 가지고 공인으로 이 역사를 감당합니다. 그러면서도 하나님을 신앙하는 믿음으로 그 퇴락한 시대에서 새 역사를 이끌어나가고 무너져 내린 백성들의 민족정신을 부흥시키는 개혁의 선지자로 부각됩니다. 본래 히브리 성경에는 에스라와 느헤미야가 한 권에 붙어 있었습니다. 에스더가 느헤미야 보다 앞선 시대 사람인데도 느헤미야 뒤에 배정된 것은 바로 그런 이유입니다.

> ### 생각점 POINT
> 지금까지 〈역사서〉 부류 17권을 한 권 한 권 간단하게 정리했습니다. 다른 목록보다 열왕기상하, 역대상하, 에스라, 느헤미야, 에스더를 특별히 더 자세히 오래 얘기한 이유를 눈치 채셨지요? 바로 이런 부위가 막혀있는 부위여서 성경이 잘 읽어지지 않기 때문입니다. 목록 각권 설명에서 대충 이렇게 얘기했으니 앞으로 한권 한권 자세히 할 때 또 더 깊이 들어갑시다. 전복땁시다!
> 이제는 〈시가서〉 부류 5권을 한 권씩 간단히 봅시다.

2) 시가서 부류 5권 (성문서, 聖文書)

이스라엘의 역사를 보면 세 부류의 사람들이 제각기 다른 방법으로 백성들에게 하나님의 도를 전했습니다. 즉 제사장들은 율법을 알리고, 선지자들은 하나님의 말씀과 이상을 전하며, 지혜자들은 모략을 베풀었습니다(참조:렘 18:18, 겔 7:26). 제사장들은 성전을 중심으로 활동했고, 선지자들은 선지자학교에서 후계자들을 양성했습니다(참조:왕하 2:5, 4:38~44, 6:1, 2). 그리고 장로와 지혜자들은 지혜학교를 세우고 제자들을 가르쳤습니다. 전도서의 '전도자'는 지혜학교의 교사였을 것입니다. 잠언과 전도서에는 '내 아들아'라는 호칭이 자주 등장하는데, 한글 개역성경에서 '선지자의 생도들'이라고 번역된 말이 문자적으로 '선지자의 아들들'을 뜻하는 점으로 미루어 볼 때, 전도자나 지혜자가 '내 아들'이라고 부른 자들은 바로 지혜학교의 생도들을 가리키는 것으로 보입니다. 지혜문학은 고대 근동의 여러 나라에서도 발견되고 있는데, 이스라엘의 지혜문학은 여호와에 대한 신앙을 토대로 이루어져 있다는 점에서 질적으로 주변 세계의 지혜문학을 초월합니다.

욥기

욥이라는 한 신앙인의 고난을 다룬 책입니다. 대체적으로 족장시대로 봅니다. 실존했던 인물입니다. 특히 '의인의 고난'이 주제입니다. '대가(代價)를 바라지 않는 신앙'이 과연 인간에게 가능한가라는 명제를 풀어나가고 있습니다.

시편

150편의 시를 다윗의 지도하에 모은 책으로 봅니다. 또, 전통적으로 150편 중 73편을 다윗이 직접 쓴 것으로 간주합니다. 이런 이유로 시편을 '다윗의 시'라고 일컫습니다. 다윗 이외에도 아삽(12편, 레위지파), 고라 자손(10편, 레위지파), 솔로몬(2편), 모세(1편), 헤만(1편), 에단(1편), 저자 미상(50편)의 시편들도 있습니다. 이 시인들의 하나님은 '창조'와 '구원'의 하나님으로 표현됩니다. 그런 하나님을 찬양합니다. 하나님이 유일한 왕으로서 우리를 구원하시는 분이시라는 것입니다.

잠언

통상 '솔로몬의 잠언'이라 일컫습니다(1:1, 10:1, 25:1). 그러나 잠언을 읽다보면 '야게의 아들 아굴의 잠언'(30:1)이라는 말도 있고, '르무엘 왕의 어머니가 그를 훈계한 잠언'(30:1)이라는 설명도 붙어있습니다. 어리석은 자를 슬기롭게 하며 젊은 자에게 지식과 근신함을 주기 위해서(1:4), 그리고 지혜있는 자를 더 지혜롭게 하기 위해서(1:5) 기록한 책입니다. 한마디로 여호와를 경외하는 것이 지혜의 근본이라는 교훈입니다.

전도서

'예루살렘의 왕 다윗의 아들 전도자의 말씀'이라는 긴 표제로 인해 전도서라는 명칭이 생겼습니다. 하나님을 경외하고 그 명령을 지키는 것이 사람의 본분(전 12:13)이라고 가르치고 있습니다. 다른 모든 지혜문학과 같은 주제입니다. 하나님 없는 삶의 허무함을 강조합니다.

아가

솔로몬이 지은 '아름다운 노래-아가(雅歌)'는 연가로 솔로몬과 술람미 여인 사이의 청순한 사랑을 그린 노래입니다. 하나님과 그의 백성(교회)과의 관계를 비유한 것으로 주석합니다.

3) 예언서 부류 17권 (선지서)

이사야부터 말라기까지는 모두 다 선지자의 이름입니다. 말라기도 사람이름입니다. 마지막 '말, 末' 자에 기록할 '기, 記' 자가 아닙니다. 이 〈예언서〉 부류의 17권은 **왕정시대(12권)와 포로시대(5권)**의 산물입니다. 사사시대도 아닙니다. 모세시대도 아닙니다. 족장시대도 아닙니다. 당연한 얘기인 것 같지만 이 사실을 못박아 놓고 예언서 부류를 생각하는 것이 매우 중요합니다. 왕정과 포로시대, 기억하십시오.

통상 선지서를 크게 두 부분으로 나눕니다. 하나는 대선지서, 또 하나는 소선지서입니다. '대' 자가 붙은 것은 그 선지자가 '위대한 선지자' 여서가 아니라, '그 책의 분량이 많아서' 입니다. 이사야, 예레미야(애가), 에스겔, 다니엘이 대선지서이고, 나머지 12권은 소선지서입니다. 호세아, 요엘, 아모스, 오바댜, 요나, 미가, 나훔, 하박국, 스바냐, 학개, 스가랴, 말라기 등입니다.

> **생각점 POINT** 그런데 사실은 분량보다 **역사적인 시기**에 의해 목록을 구분하는 것이 성경을 읽는 데는 더 중요합니다. 공교롭게도 시기에 의해서 포로, 왕정으로 구분하고 보니 이것 역시 5권, 12권입니다. 포로시대 선지서 5권(에스겔, 다니엘, 학개, 스가랴, 말라기), 왕정시대 선지서가 그 나머지 12권(이사야, 예레미야, 애가, 호세아, 요엘, 아모스, 오바댜, 요나, 미가, 나훔, 하박국, 스바냐)입니다. 대선지서, 소선지서로 나눈 것과 왕정시대, 포로시대로 나눈 것을 잠잠히 비교해 보십시오.
>
> 이제 아래에서 선지서 각 권 공부가 시작됩니다. 그런데 성경목록은 대선지서, 소선지서로 구분이 되어 순서가 매겨있기 때문에 이사야부터 출발합니다. 이사야와 예레미야는 남방유다가 아직 망하기 전에 활동한 왕정시대 선지자들입니다. 각 선지서 옆에 어느왕 때의 활동인지 표기해 놓았습니다. 뭔가 이유가 있어서 이렇게 하겠구나, 감잡으셔야 합니다.

이사야 남 유다 아하스, 히스기야왕 때

남방 유다는 이사야 당시(B.C. 700~680) 웃시야 왕의 죽음을 기점으로 국력이 쇠퇴해집니다. 앗수르가 이미 북 이스라엘을 정복한 이후(B.C. 721)의 시점입니다. 남방 유다 역시 이 앗수르를 비롯한 주변 국가의 위협아래 놓여 있었습니다. 이러한 시기에 활동한 이사야의 예언은 크게 두 부분으로 나눠집니다. 이스라엘과 주변 국가들이 **심판** 받을 것(1~39장)과 그러나 이스라엘을 **구**

원하실(40~66장) 것이라는 내용입니다. 이사야는 신약의 선지자라고 보일 만큼 신약의 예수 그리스도에 대한 아주 중요한 예언들을 많이 기록하고 있습니다. 동정녀 아들, 평강의 왕, 그의 백성의 위로, 구속자, 창조주와 왕, 이스라엘의 거룩한 자, 연한 순, 고난받는 종 등의 내용은 예수 그리스도를 구체적으로 명확히 예언한 칭호입니다. 특히 이사야 53장의 십자가 고난에 대한 예언은 클라이막스입니다. ~~앗수르 ← 바벨론 (갈대아야)~~

예레미야　남 유다 멸망기 – 요시야, 여호아하스, 여호야김, 여호야긴, 시드기야왕 때

이사야 시대가 지나가고 예레미야 시대가 오면 유다 왕국이 멸망하는 때라고 얼른 자리 매김을 해야합니다. 예레미야, 하면 얼른 '아, 남방유다도 망해가는구나!' 하고 생각이 나야합니다. B.C. 627~587년 경의 활동으로 봅니다. 그런데 **남방유다의 멸망은 그 시기가 공교롭게도 앗수르라는 큰 나라가 멸망하는 시기와 같습니다.** 600여 년 동안 유프라테스강 일대를 장악하고 있던 앗수르라는 강대국이 멸망해 가는 때였습니다. 130년 쯤 전에는 북방 이스라엘을 멸망시켰던 그 앗수르가 이제 멸망한다 이말입니다. 앗수르도 멸망시키고 유다도 멸망시킨 장본인이 누굽니까? 그렇습니다. **신흥 바벨론**입니다. 600여 년 동안이나 안정된 세력이었던 앗수르가 이제 저 아래 바벨론에 의해 밀리는 것입니다. 바벨론 왕국이 부상하는 시기입니다. 사실은 뉴-바벨론 또는 신흥 바벨론이라고도 불리지만, 성경에서는 통상 바벨론 또는 갈대아라고 지칭합니다. 그런데 저 서남쪽에 위치한 애굽도 앗수르가 망해가는 이 기회를 놓칠세라 패권을 잡으려고 합니다. 앗수르의 남은 도시들을 점령하려고 질세라 동북쪽으로 진출하는 것입니다.(🌱 지도를 좀 보셔야겠지요? 🌱) 즉 앗수르가 망해가는 시기를 틈타 **애굽**과 **바벨론**이 서로 패권을 차지하려고 전쟁하는 때였습니다. 그러니까 아주 큰 세계적인 **정치적 기류**가 형성되는 상황이 예레미야 선지자의 활동 배경이었습니다.

바벨론과 애굽, 양대국 사이에서 방향을 찾지 못하는 유다왕국의 정치적 소용돌이 속에서 하나님의 말씀이 예레미야에게 임합니다. 바로느고가 쓰러져가는 앗수르의 요새 갈그미스를 점령하러 올라가는 길에 요시야왕을 죽이므로 유다는 애굽에 조공을 바쳐야 하는 상황이 되고, 그러다가 바벨론이 애굽을 이기니까 또다시 바벨론을 섬겨야하는 상황이 오고, 그러면서 유다는 우왕좌왕 길을 못 찾는 것입니다(왕하 23:29~24:7).

예레미야는 구체적인 행동방침을 지시하기도 하며 망국의 유다를 지도해 나갑니다. 이사야든 예레미야든 이 선지서의 선지자들과 아직은 하나님께서 말씀하신다는 사실은 그래도 소망이 있는 때라는 점을 잊지 맙시다. 불순종으로 심판의 길을 자취하나 하나님께서는 새 언약을 제시하신다는 내용으로 말씀하십니다. 31장의 새 언약은 앞으로 포로시대와 신약을 향해 가는 성경흐름에 방향을 제시하는 중요한 내용으로 등장합니다. 예레미야는 요시야왕 13년 때부터 시드기야왕 11

년까지 약 42년 동안 유다의 회개를 촉구했습니다.

예레미야 애가

결국 유다는 바벨론의 침공(B.C. 587)으로 완전히 멸망하게 됩니다(왕하 25장). 멸망을 목도한 예레미야는 초토화된 유다를 보며 슬픔을 노래합니다. 하나님과 언약을 맺은 백성이 그 언약을 파기했으나, 결국은 하나님을 의지하고 소망해야 한다고 슬픔의 노래를 하고 있습니다. 또한 언약에 실패한 백성이지만 새 언약을 통해 회복하실 하나님을 의뢰하자고 노래하고 있습니다. 그 이후 예레미야는 애굽으로 강제 이주 당합니다.

에스겔 왕국, 포로시대 – 남 유다의 여호야긴, 시드기야, 바벨론의 느부갓네살

에스겔은 B.C. 597년 경 그의 나이 25세 될 때 바벨론에 포로로 잡혀갑니다. 2차 포로잡힘 때입니다.(아래 나오는 다니엘은 1차 포로잡힘 때입니다. 다니엘 이야기가 더 먼저 있었던 일인데 에스겔이 더 앞에 있습니다. 분량이 많아서 그렇습니다.) 에스겔이 포로로 잡혀갈 때 여호야긴 왕(끝에서 두 번째 왕)도 함께 포로가 되어 잡혀갑니다(왕하 24:12, 15). 그 후 5년, 약 30세 되던 해 4월 5일, 그는 바벨론 이방 땅에서 하나님의 강력한 임재를 체험합니다. 에스겔은 이제까지 다른 선지자들에게서 유래를 찾아볼 수 없는 많은 환상과 이상을 봅니다. 유다를 비롯한 주변 국가들에 대한 예언과 함께 특히 40~48장에 있는 새 예루살렘 성전의 묘사는 이스라엘의 회복을 예시하고 있습니다. 새로 제시되는 성전의 청사진은 마치 시내산에서 모세에게 베푸셨던 성막 설계도를 연상케 합니다. 하나님 나라는 새로운 차원으로 회복될 것이라는 것입니다. 성전이 회복된다는 예언은 '하나님이 통치하시겠다는 의지' 를 표명한다는 뜻입니다.

다니엘 왕국, 포로시대 – 남유다의 여호야김, 여호야긴,시드기야왕, 바벨론의 느부갓네살왕,
바사 고레스왕

다니엘은 에스겔보다도 먼저, B.C. 605년, 바벨론에 잡혀갑니다. 이것이 1차 포로잡힘입니다. 그는 상류층 귀족으로 하나님을 신실하게 섬기는 사람이었습니다. 애굽과 신흥 바벨론이 패권 다툼을 할 때 두 번의 큰 전쟁을 했는데 두 번째 전쟁인 갈그미스 전투 때였습니다. 그러므로 다니엘서는 이때로부터 고레스(바사, 이란)왕국 때까지를 배경으로 하고 있는 책입니다. 고레스왕 즉위 1년에는 포로 자유령이 선포됩니다. 다니엘은 포로였지만 정복국가에서 영웅으로 살아갔으며, 동시에 여호와 하나님을 이방 땅에 선포했습니다. 그의 깊은 기도생활은 하나님과 교제하는 비밀을 낳았고 급기야는 환상을 봅니다. 바벨론시대를 살고 있던 다니엘은 바벨론 이후 바사, 헬라, 로마

시대까지 이어질 제국의 역사를 환상가운데 미리 봅니다. 7장~12장에 나타나는 신상이 그것입니다. 다니엘서는 에스겔과 함께 묵시문학이라는 장르로 일컬어집니다.

생각점 POINT 위의 다섯 권 대선지서가 끝나면 성경목록은 호세아로 이어집니다. 소선지서의 12권을 다루어야 하기 때문입니다. 앞에서 설명했듯이 책의 분량으로 대선지서, 소선지서를 나누다 보니 대선지서에도 왕정시대, 포로시대가 있고 소선지서에도 왕정시대, 포로시대가 다 들어 있습니다. 이렇게 시대가 왔다갔다해서 헷갈리게 하는 것이 구약을 어렵게 하는 요인 중의 하나입니다.

우리는 위에서 이사야, 예레미야, 예레미야애가, 에스겔, 다니엘을 통해 유다가 망하기 전과 망한 후의 예언서들을 다뤘습니다. 그런데 지금, **이 호세아에서부터는 다시 망하기 전 왕정시대로 거슬러 올라가는 것입니다.** 더군다나 이 호세아는 유다왕국의 선지자가 아니고 북방 이스라엘의 여로보암 2세 때 북이스라엘에서 활동한 선지자입니다. 그러므로 우리는 여기서 얼른 채널을 바꿔야 합니다. "아, 소선지서를 하니까 다시 왕정시대로 올라가는 거구나…" 하면서 타임머신을 타고 거꾸로 올라가야 합니다. 이 호세아서는 B.C. 760년 경의 말씀입니다. 참고로 북방 이스라엘의 선지자는 호세아, 아모스, 요나 이 세 사람뿐입니다. 요나는 북이스라엘 선지자로서 우리가 위에서 말해 온 앗수르의 수도 니느웨를 대상으로 활동했습니다. 물론 이 때는 예레미야가 활동하던 때보다 훨씬 앞선 시대입니다. 예레미야는 유다 왕국이 멸망할 때인데 반해 호세아, 아모스, 요나는 북이스라엘이 한창 전성기로 있었던 여로보암 2세 때이기 때문입니다. 왔다갔다 정신이 없지요? **성경목록이 그렇게 되어있어서 힘든 것입니다. 자꾸 반복하는 수밖에 없습니다.**

호세아   북 이스라엘 여로보암 2세

호세아가 활동하던(B.C. 760) 여로보암 2세 때는 북 왕국 사상 최고치로 부상했던 시기였습니다. 약 40년 후에는 북 이스라엘이 망하니까, 이 때는 멸망이 가까워오던 때입니다. 바로 이때 내적으로 타락이 극에 달했습니다. 하나님과 언약백성이었던 이스라엘이 하나님을 떠난 것을 호세아와 그 아내 고멜과의 결혼생활에 은유하며 메시지를 담고 있습니다. 신랑되신 하나님께로 회개하고 돌아오라는 메시지입니다. 결국 호세아의 예언이 시작된지 40년 후에 북 이스라엘은 앗수르의 침공으로 멸망합니다.

요엘   남 유다 여호사밧왕

요엘서는 그 시대가 언제인지 명확하지 않습니다만 대체적으로 오바댜와 같은 시기인 B.C. 9세기 중반으로 잡습니다. 이 연대는 매우 앞선 연대지요? 그렇습니다. **요엘서는 오바댜와 같은 시대로 묶어서 꼭 생각하세요.** 요엘서는 매우 특별한 메시지를 담고 있습니다. 여호와의 날, 심판의 날 등 신학적인 중요한 사상이 들어 있으며 베드로는 특히 오순절 성령강림 사건의 배경 예언으로 이 요엘서를 인용해서 해석하고 있습니다.

아모스   북 이스라엘 여로보암 2세

위에서 호세아를 설명할 때 아모스, 요나와 같은 시대라고 했던 것 기억하시지요? 아모스는 남방 유다왕국 사람인데도 북 왕국 이스라엘에 대한 메시지를 하나님께 받습니다. 그래서 북 왕국에서 활동합니다. 그는 목동이었습니다. 북쪽으로 이사갔겠지요? 호세아 선지자와 같은 시기였습니다. B.C. 760년 경, 유다 왕으로는 웃시야, 이스라엘 왕으로는 여로보암 2세 때입니다. 지진이 나기 2년 전이었다고 성경은 기록하고 있습니다(1:1). 가장 부요했던 황금시대를 지나면서 그것이 원인이 되어 불법과 탐욕의 시대를 만들었던 이 사회를 향해 정의를 외칩니다.

오바댜   남 유다 여호사밧왕

남방 유다 여호람 통치때 블레셋과 아라비아인들의 침략(대하 21:16~17)이 있었습니다. 이 기록으로 보아 오바댜는 B.C. 848~841년 경의 말씀으로 봅니다. 그래서 모든 선지서 중 가장 앞선 시대로 봅니다. 위에서 요엘서를 설명할 때 이 오바댜를 함께 말했었습니다. B.C. 9세기 중반이라고 했었습니다. 에돔이라는 한 나라에 대한 예언이며 1장, 한 장으로 되어 있습니다.

요나   북 이스라엘 여로보암 2세

B.C. 760년 경 여로보암 2세 때 활동한 것으로 봅니다(왕하 14:25). 호세아, 아모스와 함께 북 이스라엘의 선지자라고 했었지요. 북 이스라엘의 전성기 때입니다. 요나는 티그리스강 상류에 위치한 앗수르의 수도 니느웨에 가서 하나님의 말씀을 전파하라는 명령을 받습니다. 약 800km 동북쪽에 위치한 이방나라 앗수르에 가서 하나님의 말씀을 선포하라는 것입니다. 그러나 요나는 동북쪽 방향의 목적지와는 반대로 서북쪽 지역에 위치한 다시스(오늘날 스페인의 타르테수스로 봄)

로 향합니다. 물고기 뱃 속에서 회개한 후 니느웨사역을 합니다. 이런 연유로 요나서는 **구약에 나타난 해외선교**라는 관점에서 오늘날 선교학적으로 매우 중요하게 다뤄지고 있습니다.

미가 남 유다 아하스, 히스기야왕

이사야 선지자의 활동 시기에 같이 사역합니다. 남유다와 북이스라엘 두 왕국에서 다 활동했습니다. 예루살렘(유다)의 왕, 지도자, 권력 계층, 부자들의 타락으로 백성들의 고난이 심했던 사회를 향해 회개를 촉구합니다.

나훔 남 유다 요시야왕

나훔의 활동시기는 대략 B.C. 663~612경으로 봅니다. 유다왕 요시야의 개혁 이후이며 앗수르의 멸망 직전의 기록으로 추정됩니다. 이스라엘을 멸망시키고 유다의 쇠퇴에 결정적인 영향을 미쳤던 앗수르도 멸망할 것이라고 예언하고 있습니다. 우주적인 하나님의 절대 주권과 공의 등 하나님의 본성을 나타냅니다. 또한 하나님의 백성들을 구원하실 사랑의 하나님이심을 보이고 있습니다.

하박국 남 유다 여호야김 왕

레위지파 출신의 선지자입니다. 유다왕 여호야김 당시 예루살렘을 배경으로 기록된 것으로 봅니다. 이때를 그저 쉽게 예레미야 시대라고 생각하면 됩니다. 신흥 바벨론에게 시달리고 있는 때라고 했습니다. 신흥 바벨론이 점점 부상해 가는 시기여서 그렇습니다. 신흥 바벨론의 부상은 곧 유다 왕국의 멸망을 가져오는 신호입니다. 바로 이런 시기에 오히려 부패한 지도자들, 불의한 자들이 득세하는 것을 보며 하박국은 고민합니다. 왜 악한 자들이 잘 되고, 의인들은 고난을 받는가 하는 **신정론의 문제**를 다룬 예언서입니다. 오직 의인은 믿음으로 말미암아 산다는 성경의 사상을 이 하박국이 불공평의 사회 속에서 깨닫습니다.

스바냐 남 유다 요시야, 여호야김왕

스바냐는 종교개혁으로 유명한 유다의 요시야(B.C. 640~609)왕 때 활동했습니다. 요시야의 종교개혁에 스바냐가 동역합니다. 그뿐만 아니라 예레미야가 활동하던 때에도 활동합니다. 예레미야 때라 하면 애굽과 바벨론 사이의 전쟁으로 새로운 기류가 형성되는 시기라고 했습니다. 남방 유다의 예루살렘이 멸망되기 이전까지 활동합니다. 그는 히스기야왕 가문과 혈연관계에 있었던 저명인사였습니다. 왕족답게 당시의 정치적 현안들을 예리하게 다룹니다. 유다와 예루살렘의 심판, 열방에 대한 심판들을 예언합니다. 그러나 결국 이스라엘을 구원하시는 구원의 하나님을 선포

합니다. 왕국시대의 소선지서로서는 마지막 책입니다.

생장점 POINT 위의 스바냐가 왕국시대 마지막 소선지서라는 것은 이제 앞으로 다뤄야 할 목록 학개, 스가랴, 말라기는 포로시대 선지서라는 뜻입니다. 사실 포로시대 선지서는 에스겔, 다니엘이 더 있었습니다. 그 두 권은 이미 앞에서 다뤘습니다. 대선지서라서 앞에 있었습니다. 이제 학개, 스가랴, 말라기만 남았지요? 지금까지 죽 선지서들 목록을 간단히 다뤘는데 역시 정신이 없으실 것입니다. 그렇지만 걱정하지 마십시오. 앞으로도 이 선지서들 얘기가 이런 저런 각도에서 또 나오고, 또 나옵니다. 그럴 때마다 이렇게 저렇게 연결되어 가면서 왕정시대와 선지서가 이해될 것입니다. 자, 이 시점에서 다시 한번 선지서들을 다음과 같이 정리하십시다.

➡ 선지서는 모두 17권입니다.

➡ 12권은 왕정시대 것이고, 5권은 포로시대 것입니다.

➡ 12권 중 호세아, 아모스, 요나만 북방 이스라엘의 선지서이고 나머지는 남방유다에서 활동한 선지자들의 책입니다(두 군데서 활동한 선지자도 있음).

➡ 북방 이스라엘에서 활동한 선지자는 호세아, 아모스, 요나인데 이 세사람은 공교롭게도 활동한 때가 같습니다. 각각 달랐다면 우리가 얼마나 복잡하겠습니까? 모두 다 북방 이스라엘의 왕 중 가장 전성기였던 여로보암 2세 왕 때입니다. 그런데 이 여로보암2세 때(B.C. 760)는 북 이스라엘이 멸망하기(B.C. 721)약 40년 전입니다. 이 말은 북이스라엘의 선지자들도 왕국 후기, 즉 나라가 멸망할 즈음에 활동했다는 말입니다.

➡ 남방 유다 선지자들도 왕국 후기에 활동하기는 거의 마찬가지입니다. 오바댜와 요엘 두 선지자만 제외하고 모든 선지자들이 유다 왕국 후기에 활동합니다.

➡ 왕국 후기의 선지자 대표는 이사야와 예레미야라고 생각합시다.

➡ 이사야 때는 미가가, 예레미야 때는 나훔, 스바냐, 하박국이 같이 활동했습니다.

➡ 결국 오바댜와 요엘을 제외한 유다 왕국 후기에 활동한 모든 선지자들이란 바로 이사야, 미가, 예레미야, 나훔, 스바냐, 하박국이라는 말입니다(여기서 나훔은 예레미야보다 조금 앞서서 활동했음).

생장점
POINT 자, 이제는 학개, 스가랴, 말라기만 남았습니다. 지금 〈선지서〉 부류의 마지막 세 권을 살펴려고 하는 것입니다. 〈역사서〉 부류의 책 중 포로시대가 무엇 무엇이었지요? 또 생각이 안나시지요? 다시 돌아가서 한번 보세요. 그래요. 에스라, 느헤미야, 에스더지요. 한꺼번에 설명했었던 부분을 다시 한번 읽어보시고 아래를 읽어보세요.

학개 / 스가랴 　바사의 고레스 이후 다리오 1세 때 (포로귀환 후)

이제 남방 유다도 바벨론에게 망했습니다. 바벨론의 느브갓네살은 3차에 걸쳐서 웬만한 남자들은 자기 나라로 다 끌고 갔다고 했습니다. 그런데 이방 땅 바벨론에서 여호와 하나님의 말씀이 학개와 스가랴에게도 임했습니다. 학개와 스가랴에게도 임했다는 말은 그 이전에도 하나님의 말씀이 임했다는 말인데 누구누구였는지 생각하실 수 있겠습니까? 그렇습니다. 다니엘과 에스겔입니다. 이 두 사람은 일찍 잡혀왔다 그랬지요? 남방유다가 망하기도 전에 말입니다.

그러던 중 바사가 바벨론을 정복하는 일이 일어났고 바사왕 고레스 원년에는 포로들을 귀향시킨다고 했습니다(B.C. 538). 일차로 귀향한 사람들 가운데 스룹바벨과 예수아가 중심이 되어 성전을 재건하기 시작합니다. 그러다가 중단하게 된다고 했습니다. 바로 이때 바벨론 땅(바사 통치 때)에서 학개와 스가랴에게 하나님의 말씀이 임했다고 했습니다. 예루살렘으로 돌아가서 **'중단된 성전건축을 다시 시작하라'** 고 격려하라는 메시지입니다. 그것이 학개와 스가랴서입니다.

그래서 학개와 스가랴는 예루살렘으로 귀향합니다. 이미 예루살렘에 귀향해서 성전을 재건하던 백성들에게 가서 힘을 줍니다. 그래서 백성들은 성전건축을 재개합니다(B.C. 520). 그리고는 드디어 성전을 완성합니다(B.C. 516). 사실은 〈역사서〉 부류에 속한 에스라서 속에 이 내용이 들어 있다고 했습니다. 즉 에스라서 내용과 짝을 이루는 책이라는 것을 다시 기억합시다. 에스라서 안에 있는 얘기이기는 하지만, 아직 에스라는 귀향한 때가 아니라고 했습니다. 에스라는 학개나 스가랴가 성전을 완성(B.C. 516)하고 나서도 약 60년이나 지나야 귀향합니다. **그러나 이 모든 얘기들은 에스라서에 쓰여져 있습니다.** 에스라가 후에 돌아와서 **정리**한 것이라고 했습니다. 학개와 스가랴서는 이렇게 에스라서와 같이 묶어서 설명할 수밖에 없습니다. 떼려야 뗄 수 없습니다. 같이 붙어 다니는 얘기라서 그렇습니다.

말라기   바사 다리오왕 2세 때 – 고레스, 다리오 1세, 아하수에로, 아닥사스다 1세 다음 왕임
(포로귀환 후)

느헤미야와 같은 시기이나 느헤미야 이후에도 활동한 것으로 봅니다. 성전도 재건하면서, 무너진 성벽도 개축하면서, 포로귀환 한 유대인들은 제사장 에스라의 가르침과 종교개혁에 힘입어 100여 년 간을 그렇게 살아갑니다. 그러나 여전히 하나님의 법도에서 떠나 범죄하고 있는 이 백성들에게 하나님께서 마지막으로 선지자를 보내십니다. 그 사람이 말라기입니다. 하나님과 언약한 백성이라는 사실을 잊지 말고 하나님의 율례를 지키며 살라는 내용입니다. 그리고 이제 **엘리야를 보내리라(말 4:5)** 는 마지막 말씀을 남기고 구약은 막을 내립니다. B.C. 430년경으로 추정합니다.

생각점
POINT 자, 일독학교 학생 여러분, 이제 드디어 "2. 구약 39권의 내용"이라는 제목의 공부가 끝났습니다. 공부를 잘하는 학생은 지금 무엇 때문에 무엇을 하고 있는지 아는 학생이라고 했습니다. 그동안 이 1과에서는 구약 목록 39권을 한권 한권 공부했습니다. 그냥 한권 한권을 공부한 것이 아니고 세 부류로 나눠서 공부했습니다. 〈역사서〉 부류 17권은 역사이기 때문에 그 흘러가는 길을 눈여겨보며 창세기부터 에스더까지 공부했습니다. 이 〈역사서 부류〉17권을 창 · 족 · 모 · 사 · 왕 · 포, 여섯 시대로 구분해서 17권이 각각 어느 시대인지 공부했습니다. 〈시가서 부류〉 5권을 아주 간단하게 다뤘습니다. 그리고는 〈예언서 부류〉의 17권을 공부했습니다. 〈예언서〉 17권은 〈역사서〉의 창, 족, 모, 사, 왕, 포 중에서 왕, 포, 즉 왕정시대와 포로시대 속에서만 살고 있는 책이라고 했습니다. 어떤 책들은 아주 간단히 설명되어 있습니다. 그러나 어떤 책들은 아주 길게 설명되어 있습니다. 왜 그런지 아시지요? 성경에서 늘 희뿌연하게 느껴지는 복잡지대는 좀 길게 설명해서 포석을 놓은 것입니다. 또 나가보십시다.

2과 역사서, 시가서, 예언서는 서로 통하지 않습니다

우리가 지난 과에서 공부한 것과 같이 구약을 17권, 5권, 17권으로 그 문학적 유형에 따라 정리만 해도 마음이 산뜻해집니다. 그리고 각 권에 대해 하나 하나 정리하고 보니 구약을 다 배운 것 같습니다. 그런데 오늘은 바로 그 〈문학적 유형〉에 따라 나눈 성경 목록이 얼마나 우리를 **답답하게 하는가**를 살펴보려고 합니다. 아무리 유형별로 산뜻하게 구분을 해 놓았어도 구약을 읽어 내려갈 때 여전히 엉켜 있는 실타래같이 느껴지는 데는 이유가 있습니다. 목록을 공부할 때 특히 왕국, 포로시대 부분의 목록들이 복잡했었지요? 거기가 막혀 있는 **체증 부위**이기 때문입니다.

나란히 붙어 있기는 해도 〈역사서 부류〉인 에스더와 〈시가서 부류〉인 욥기는 전혀 상관이 없습니다. 또 아가서를 읽다가 이사야를 읽으면 전혀 연결이 되지 않습니다. 상관이 없는 이야기이기 때문입니다. 다만 문학적으로 분류하다 보니 두 부류의 경계선에 접해 있으니까 우리는 그냥 그렇게 읽는 것일 뿐입니다. 선지서 부분들의 책도 왔다 갔다 정신이 없었습니다. 포로에 있다가 왕정으로 갔다가, 또 포로로 왔다가 왕정으로 가고 말입니다.

즉, 선지서 17권은 왕정시대와 그 이후 포로시대에 살던 선지자들의 예언이라고 했는데 왕정시대의 역사와 포로시대의 역사 자체를 잘 모르니 선지자들의 예언은 더 더욱 이해할 길이 없는 것입니다. 더군다나 대선지서들과 소선지서들 속에는 왕정시대와 포로시대가 각각 들어 있어서 이것들을 정리하기가 쉽지 않기 때문입니다. 1과를 지나왔어도 여전히 어리벙벙한 겁니다.

생 장 점
POINT 그러므로 성경을 앞에서부터 무조건 읽을 것이 아니라 읽기 전에 먼저 정리해야 할 일이 있습니다. 그것은 문학적 유형에 따라 분류된 이 세 부류를 어떻게 하면 통하게 할 수 있느냐 하는 것입니다. 이 문제가 우리 일독학교의 이슈입니다. 역사서, 시가서, 예언서를 통하게 하려면? 생각해 보십시다.

1. 구약 성경 39권을 시간 순서대로 다시 분류합시다

생 장 점
POINT 문학적 유형에 의해서 분류되어 있던 〈역사서, 시가서, 예언서〉 세 종류의 유형을 무너뜨립시다. 그리고 구약 39권 모두를 **역사적인 순서**에 의해서만 새로 **배열**해 보자는 것입니다. 시간 속에서 다시 순서를 정하는 것입니다.

그래서 사실 "분류"라는 용어보다는 "통합"이라는 말을 쓰고 싶습니다. 39권을 일단 시간 순서라는 한 가지 조건에 의해서 정리를 해 놓으면 복잡할 게 없습니다. 때로는 문학적 유형, 때로는 시간 순서, 때로는 책의 분량 등 여러 가지 조건에 의해 분류되어 있던 것을 그저 시간 순서에 의해서만 정리하자는 것입니다.

자, 이렇게 마음먹고 나면 앞으로 읽어야 할 구약이 웬지 단순하게 느껴집니다. 대충 이렇구나 하는 전체 윤곽을 일단 잡아 놓고 출발하면 전체 속에서 내가 현재 어디에 있는지를 알기 때문입니다. 마치 여행하기 전에 지도를 충분히 연구하고 떠날 때처럼 그렇게 든든하고 흥미진진해집니다. 전체가 일직선상에 보이기 때문입니다. 어떻게 하면 이렇게 될까요? 이 작업을 하려면 다음 몇 가지 단계가 필요합니다.

1) 베이스 캠프 설치

(🌱 우선 베이스 캠프를 설치합시다. 〈역사서〉를 베이스 캠프로 쓰자는 겁니다. 🌱)

39권을 시간 순서대로 다시 배열하려면 우선 39권 하나하나가 다 어느 시대의 책들인지를 알아야만 가능합니다. 그래서 1과에서 39권 하나하나를 **역사순서에 초점**을 맞춰 설명한 것입니다. 눈치 채신 분도 계시지요? 자, 그렇다면 현재 우리들 입장에서 볼 때 제일 쉽게 눈에 들어 오는 시간 순서로 된 것은 어떤 부류의 책들입니까? 그렇습니다. 〈역사서〉 부류의 책들입니다. 왜 그렇습니까? 〈역사서〉는 그 자체가 시간을 타고 흘러 내려온 것이기 때문입니다. 〈역사서〉는 시간을 타고 흘러 내려온 순서대로 이미 되어 있으니까 이 **〈역사서〉를 베이스 캠프로 쓰자**는 것입니다. 무슨 말입니까?

우선 먼저 〈역사서〉 17권을 주욱 벌려 놓읍시다. 17권이 베이스 캠프입니다. 그리고 나서 〈시가서〉의 5권, 〈예언서〉 17권을, 벌려 놓은 베이스 캠프 17권 사이사이 어딘가에 **쏙쏙 끼워 넣자**는 말입니다. 어디에 끼워 넣어야 할까요? 각각 자기 시대에 끼워 넣는 겁니다. 〈시가서〉 5권, 〈예언서〉 17권은 진공 상태에서 나온 것이 아니라 역사 속에서 나왔기 때문입니다.

> **생각점 POINT** 지금 이 설명을 하면서 역사서, 시가서, 예언서, 이렇게 셋으로 구분했던 개념을 많이 사용합니다. 그런데 이것을 막연하게 생각하실 것 같아 일부러 〈 〉에 넣어 표기하고 있습니다. 1과에서 여러분의 성경책 목록표에 초록색, 노란색, 빨간색으로 구분해 놓으라고 했죠? 이 구분이 우리 일독학교에서는 매우 중요하다고 했던 말을 기억하시죠? 이제 앞으로 〈 〉표시에 들어있는 〈역사서, 시가서, 예언서〉라는 말을 보시면 얼른 17권, 5권, 17권이라는 **복수 개념**이 떠올라야 합니다.

2) 베이스 캠프 <역사서>의 예외 목록

(❧ 그런데 〈역사서〉17권을 다 베이스 캠프로 쓰지는 않습니다. 또 정리할 부분이 있습니다. ❧)역사서 17권이 시간 순서대로 되어 있다고 생각하고 한 권 한 권 늘어 놓다보니 조금 정리해야 할 것이 있습니다. 자세히 들여다 보니 실제로 역사 속에서 일어난 일이기는 하지만 시간이 흘러가는 굵은 줄기로 보기에는 조금 성격이 다른 것들도 있고, 또 겹쳐지는 것도 있고, 〈역사서〉인데도 앞 뒤가 바뀐 목록도 있습니다. 그것은 **레위기, 신명기, 룻기, 역대상 · 하, 에스더**입니다. 한 번 살펴볼까요?

레위기는 레위지파들이 성막에서 하나님을 섬기고 제사하는 방법이 기록된 규례입니다. 시간적으로 볼 때 출애굽기 속에 들어 있는 일입니다. 그러니까 어떻게 보면 출애굽기의 부록이라고 볼 수 있겠죠? 레위기는 시간이 흘러가는 책이라고 보기보다는 레위지파 제사장들이 알아야 할 내용들을 간추려 놓은 법전으로 보십시다. 그러니 레위기에서는 **시간이 흘러가지 않는다**고 생각합시다.

신명기는 민수기 다음에 이어지는 책이기는 하지만 모세의 가르침을 따로 모아 놓은 것입니다. 광야에서 태어난 제 2세대에게 특별히 베푸신 설교입니다. 광야 40년 세월을 다 보내고 이제 모세가 하나님께로 돌아갈 날을 앞에 둔 때입니다. 장소는 모압평지입니다. 이 모압평지는 바로 앞에 보이는 요단강만 건너면 가나안의 여리고가 코앞에 놓여 있는 곳입니다. 과거 애굽 종살이 때부터 어떻게 하나님께서 그들 조상과 그들을 여기까지 인도해 내셨는가 하는 지난 줄거리를 정리하면서 하나님의 계명을 다시 가르친 내용입니다. 복습입니다. 모세의 고별설교입니다. 그러니 신명기에서도 **시간이 흘러 가지 않는다**고 생각합시다.

룻기는 사사시대 때 살았던 어느 가정의 이야기입니다. 그렇기 때문에 룻기 자체가 이스라엘 역사라는 큰 흐름은 아닙니다. 그러나 역사 속에서 실제로 일어난 한 사건입니다. 한 가정의 이야기이기는 하지만, 이 책이 역사서로서 중요한 것은 다윗을 출현시키기 때문이라고 했습니다. 왕정시대를 향해 가는데 있어서 중요한 지점입니다. 사사시대 다음은 왕정시대입니다. 그런데 그 왕정시대의 클라이막스인 다윗왕을 태어나게 하는 사건이라서 그렇다고 했습니다. 이런 상황에서 룻기는 사사시대와 왕정시대를 이어 주는 고리역할을 하고 있는 것입니다. 사사시대 속, 기드온 시대에 있었던 이야기이기 때문에 이스라엘 역사라는 큰 줄기로 보면 사사시대 속에 들어 있는 **겹쳐지는 역사**입니다.

> **생장점**
> **POINT** 흘러가는 이스라엘의 큰 역사줄기에서 레위기, 신명기, 룻기를 제외시키는 것은 별로 어렵지 않게 이해가 됩니다. 그런데 다음에 나오는 역대상·하는 조금 다른 시각에서 이해해야 합니다.

역대상·하는 어떻습니까? 열왕기상·하와 같이 왕정시대를 다룬책 입니다. 그러나 열왕기와는 다른 독특한 책이라고 설명했습니다. 왜 그렇다고 했습니까? 다윗왕을 중심에 놓고 위로는 아담에게까지, 아래로는 포로시대를 거쳐 신약시대의 유대인에 이르는 역사에 줄을 대고 있기 때문입니다. 이제 이 역대상·하의 뒤를 이어 흘러갈 역사는 포로시대 역사인데 그것은 바로 북방 이스라엘의 역사가 아닌, 남방 유다의 역사입니다. 북방 이스라엘에 이어지는 포로시대 기록은 성경에 없습니다. 소위 우리가 알고 있는 포로시대라는 것은 남방 유다계열의 역사가 이어지는 것입니다. 북방 이스라엘은 이제 포로시대 성경목록에서 사라집니다.

그러므로 역대상·하에는 열왕기에 기록된 역사가 들어 있으면서도, 역대하 끝에 포로시대 역사서 에스라서가 붙어 있다고 생각하자는 겁니다. 역대하 맨끝과 에스라 맨 앞에 있는 성경 몇 구절은 똑같은 말씀으로 되어 있습니다. 다시 말하면 이제 포로시대 역사는 역대상하라는 사기에 연결된다는 말입니다. 그러므로 역대상·하는 앞에서 설명한 레위기나 신명기, 룻기처럼 굵은 역사 줄기에서 제외시키는 것이 아니라 오히려 그 다음에 이어지는 포로시대 역사의 기관차 역할을 한다고 생각합시다. 열왕기와 겹쳐지는 역사도 있지만 그 뒤의 포로시대를 잇는 새로운 관점의 역사 기록인 것입니다. 새롭게 신약을 향해 흐르는 **견인차 역할**인 것입니다. 포로시대의 〈역사서〉인 에스라, 느헤미야, 에스더 이 세 권을 이끌어 가는 기관차가 있다면 역대 상·하라는 말입니다.

이제 **에스더서**에 대해 정리합시다. 역대상·하 이후의 〈역사서〉는 에스라, 느헤미야, 에스더라고 했습니다. 제 1과 각 권 공부에서 정리할 때 설명했던 것을 다시 한 번 유의해서 살펴 보십시오. 에스라서에는 바사왕 고레스 원년에 스룹바벨과 예수아가 1차 포로들과 함께 귀환해서(B.C. 538) 예루살렘 성전을 재건하기 시작하는 얘기가 들어 있습니다. 그러다가 중단되었는데 학개와 스가랴가 격려해서 드디어 완성하는(B.C. 516) 내용도 들어 있다고 했습니다.

그런데 에스더 사건은 **성전재건이 완성되고 나서 대략 30~40년 가량 지난 때에 바사**(페르시아, 바벨론에게 유다가 망했지만 바사가 그 바벨론을 다시 정복했음)**에서 일어난 일**(B.C. 483~474)입니다. 즉 학개와 스가랴의 활동 이후 약 30~40년이 지난 때라는 말입니다. 이 에스더 사건이 일어나고 나서 또 20~30년 가량 지나서야 에스라는 예루살렘으로 옵니다(B.C. 458).

즉 에스더 사건은 예루살렘에서 있었던 성전 재건 사건과는 전혀 관계가 없는 페르시아 궁전(수산궁)에서 일어난 일인데, 연대적으로 볼 때는 성전 재건 완성 이후와, 에스라가 귀환하기 이전, 그 사이에 일어난 사건이라는 말입니다. 무슨 말입니까? 에스더서는 에스라서가 다루고 있는 역사적 기록 기간 동안에 바사에서 일어난 한 편의 이야기라는 것입니다. 마치 사사시대에 모압에서 일어났던 한 가정의 이야기가 룻기였던 것처럼, 에스라서가 다루고 있는 시대에 바사에서 일어났던 한 여인의 역사가 에스더라는 말입니다. 그러므로 에스더서는 포로시대〈역사서〉이기는 하지만 에스라서가 다루고 있는 연대 안에 들어가는 책입니다. 장소만 바사제국 수산궁에서 일어난 일이지요. **'성전이 완성되고 나서 아직 에스라는 바사에 있을 때, 바사에서 일어난 사건이 에스더 사건이다'** 이렇게 외우십시오. 그러니까 에스더서는 에스라 시대 안에 들어 있는 역사입니다.

생각점 POINT 에스란지, 에스던지, 에스겔인지, 스가랴지, 스바냐지… 다 그게 그거 같은데 도대체 뭐가 어떻다는 건지 정신이 없으신 분들이 계시지요? 어렸을 때부터 교회생활을 하신 분들은 이렇게 저렇게 설교를 들어서 에스라! 하면 생각나는 게 있고, 느헤미야! 하면 생각나는 게 있고, 에스더! 하면 생각나는 게 그래도 있는데 교회생활하신 지 얼마 안되신 분들은 아무래도 들은 얘기가 짧다보니 그렇습니다. 듣기도 처음 듣고 선지자 이름도 많으니 헷갈리지 않을 수가 없지요. 이해합니다. 포기하지 마시고 이해되시는 만큼만 이해하시고 또 나가십시다. 이 얘기를 여기서 하는 이유는 혹시 읽다가 포기하실까봐 그러는 것입니다. 잘 이해가 안 되도 뒤에서 또 얘기가 나오니 조금만 참으시고 계속 나가십시다.

우리는 지금 시간을 타고 성경을 흘러내리는 중요한 흐름을 연결시키고 있는 중입니다. 〈역사서〉 중에서도 시간을 타고 흐르는 굵은 줄기만 찾아내려고 연구하는 중입니다. 지금까지의 설명을 이해하신 분은 포로시대의 기록으로 채택할 베이스 캠프는 "역시 에스라겠구나" 하는 판단이 생기셨을 줄 압니다. 앞에서 말했듯이 에스라는 자기가 경험한 것 뿐 아니라 경험하지 않은 앞선 세대의 사건도 기록으로 남긴 사기형식이기 때문입니다. 그리고 이 에스라서에 뒤이어 연결되는 포로시대 〈역사서〉의 마지막기록이 느헤미야입니다. 그러므로 포로시대 역사의 큰 줄기는 **에스라**와 **느헤미야** 이 두 권이구나 하고 생각해도 과히 틀리지 않을 것입니다. 에스더서는 따로 생각합시다.

3) 완성된 베이스 캠프 – 창 · 출 · 민 · 수 · 삿 · 삼 · 왕…대 · 라 · 느

위에서 한 얘기를 종합해 보니 창 · 출 (레) · 민 (신) · 수 · 삿 (룻) · 삼 · 왕 · 대 · 라 (더) · 느 입니다. 레위기는 출애굽기 밑에, 신명기는 민수기 밑에, 룻기는 사사기 밑에 종속되는 셈이라고 했습니다. 역사서이기는 하지만 레위기, 신명기, 룻기는 큰 역사의 줄기가 아니기 때문입니다. 자, 그러니 이제 이스라엘 역사의 중심 줄기를 흐르는, 진짜 알맹이 역사는 무엇 무엇입니까? 그렇습니다. '창 · 출 · 민 · 수 · 삿 · 삼 · 왕 · 대 · 라 · 느' 입니다. '창 · 출 (레) · 민 (신) · 수 · 삿 (룻) · 삼 · 왕 · 대 · 라 (더) · 느', 이 중에서 ( )를 뺀 것입니다.

생장점
POINT
이 열 개의 첫 글자로 된 말은 구약성경 목록 39권 중 역사가 흘러가는 중심 줄기입니다. 성경역사를 이루는 산맥입니다. 척추입니다. 이 흐름을 꼭 잡고 계시면 구약이 한 눈에 보입니다. 그래서 '창·출·민·수·삿·삼·왕·대·라·느', 이 열 글자는 앞으로 우리가 읽을 **'성경 읽기표'**를 만드는 기본이 됩니다. 이 열 글자를 뽑아 내려고 우리가 얼마나 많은 얘기를 했는지 모릅니다. 잠꼬대를 할 정도로 외우고, 또 외우십시오. 창·출·민·수·삿·삼·왕·대·라·느, 창·출·민·수·삿·삼·왕·대·라·느… 이렇게 말입니다. '창출민수삿삼왕 대라느'가 **베이스 캠프**입니다.

성경책명 약자표에 보면 한 자씩 글자를 따서 약자로 표시하고 있습니다. 거기에 보면 '에스라'는 '스'로 되어 있고, '에스더'는 '에'로 되어 있습니다. 그런데 사실 '에스' 두 글자가 똑같이 앞에 있는데 어떤 것은 '에'로 하고 어떤 것은 '스'로 하니까 여간 헷갈리는게 아닙니다. 외워도 외워도 헷갈리는 겁니다. 그래서 이 일독학교에서는 끝에 한 자가 다른 '라'와 '더'를 채택해서 바꾸어 쓰려고 합니다. 그래야 쉽고 명확하게 구분이 잘 되기 때문입니다. 표준새번역 성경도 그것을 택했습니다.

4) 베이스 캠프에 <시가서 5권>, <예언서 17권> 끼워 넣기

구약 39권을 시간 순서대로 연결할 수만 있다면 우리는 성경을 읽을 때 훨씬 정돈된 마음으로 읽을 수 있을 것입니다. 그래서 우리는 어떻게 하면 시간 순서대로 39권을 재배열할 수 있을까 연구 중입니다. 그랬더니 우선 시간 순서로 되어 있는 〈역사서〉부터 먼저 정리하는 게 좋을 것 같았습니다. 그래서 정리해 보았더니 '창·출·민·수·삿·삼·왕·대·라·느'가 되었는데, 이제 문제는 나머지 〈시가서〉 5권, 〈예언서〉 17권은 어떻게 처리하면 좋을까 하는 것입니다. 어떻게 하면 좋겠습니까? 생각해 보십시오. 그렇습니다. 우리가 애써서 만들어 놓은 이 베이스 캠프에 〈시가서, 예언서〉를 시대에 맞춰 쏙쏙 끼워 넣기만 하면 되는 것입니다. 이 말은 〈시가서〉, 〈예언서〉 저자들을 모두 **그들이 살던 시대로 돌려보내 드리자**는 말입니다. 그들이 '살던 시대'라는 말이 무엇입니까? '창·출·민·수·삿·삼·왕·대·라·느' 중에 있다는 말입니다. 우리가 위에서 캠프를 쳐 놓았지요? 베이스 캠프 '창출민수삿삼왕 대라느' 중 어딘가에 끼워 넣자는 것입니다. 그 분들이 쓴 글을 손에 들리워서.

그 동안 우리가 수십 년씩 예수를 믿었다 해도 "예언서 17권, 즉 대선지서, 소선지서!" 하면 기가 질립니다. 이 부분은 아예 뭐가 뭔지 모르는 곳입니다. 모세오경이나 여호수아 같은 책은 그래도 읽는 맛이나 있지만 이 부분은 영 알 수 없었습니다. 도무지 뭐가 뭔지 알 수 없는 그 답답증의 원인은 다른 게 아닙니다. 그 선지서들이 쓰여진 배경을 모르는 것이 그 첫 번째 이유입니다. 그분들이 사시던 그 시대(역사), 그 장소(지리), 그 상황(문화)을 모르기 때문입니다.

이 예언서를 쓰신 선지자들은 그분들 나름대로 살아가던 시대가 있었습니다. 일차적으로 이분들이 사셨던 삶의 환경들이 있었습니다. 이런 상황들을 모르고는 결코 어떤 예언도 이해할 수 없기 때문입니다. 진공상태에서 나온 예언이 아니라 역사적인 상황에서 나온 예언이기 때문입니다. 그러므로 일차적으로 이런 배경을 안 후 그 상황에서 그 선지자에게 주신 예언의 말씀이 무슨 뜻인지를 공부해야 합니다.

〈시가서〉의 욥기, 시편, 잠언, 전도서, 아가서도 그들이 살던 상황을 배경으로 한 자락 깔아놓고 그 위에서 이해하자는 겁니다. 사실 〈역사서〉 부류의 레위기, 신명기같은 책들 역시 그 상황(모세의 출애굽 상황) 속에서 읽으니까 그래도 연결이 되는 것입니다. 그러나 만약 선지서들 뒤에 레위기, 신명기를 따로 떨어뜨려 놓았다면 이것들이 역사적으로 어느 시대 이야기인가, 먼저 궁리해야만 할 겁니다. 우선 모세시대와 연결시키는 작업을 먼저 하지 않으면 알 수 없는 책이 되어 버리는 것이지요.

마찬가지로 〈선지서〉들의 저자들은 열왕들의 역사 속에 같이 살면서 말씀들을 받았는데, 일일이 그 열왕기 시대에 함께 붙여 놓을 수 없는 것이기 때문에 저 뒤에 따로 모아 놓다 보니 역사적인 상황과 연결이 안되어서 어려웠다는 말입니다. 앞에서 말씀드린 **"역사공부, 지리공부, 문화공부"**를 집중적으로 요하는 부분이 바로 이 부분인데 이제까지 우리가 이런 공부를 소홀히 하고 그저 무조건 읽어 내려가기만 했기 때문에 불면증 환자도 구약을 읽다가 잠들어 버린 것입니다.

그렇다면 이제 뭐가 문제입니까? 이 〈시가서, 예언서〉가 각각 어느 시대인지 아는 일입니다. 그런데 다행히 매우 간단하답니다. 아래 몇 가지만 이해하시면 문제없습니다. 이제 ①, ②를 자세히 읽어 보십시다.

① 〈시가서〉 5권 끼워 넣기

욥기 : 대체로 아브라함과 같은 시대인 족장시대 ──────▶ (역사서 – **창세기**)

시편 : 주로 다윗의 시편 ──────────────────▶ (역사서 – **사무엘상 · 하**)

잠언, 전도서, 아가 : 솔로몬의 글 ──────────▶ (역사서 – **열왕기상**)

욥기는 통상 아브라함 시대로 봅니다. 그러니 '아, 욥기는 아브라함 족장시대와 같은 때의 얘기구나' 하고 생각해 두면 됩니다. 그리고 시편은 주로 다윗의 시편이라고 일컬어집니다. 그러니 다윗 시대를 기록하고 있는 베이스 캠프인 '삼'과 붙여 놓으면 됩니다. 또 잠언, 전도서, 아가서는 솔로몬의 글이니 그가 살던 시대 열왕기상 속에 끼어 놓으면 됩니다. 아주 간단하지요? 〈시가서〉는 이렇게 매우 간단합니다.

생각점 POINT

문제는 〈예언서〉 17권입니다. 위의 ①번 〈시가서〉 5권은 간단했지만 ②번 예언서 17권은 설명을 좀 요합니다. 이 ②번 항목은 대략 다음 네 다섯 페이지 정도에 걸쳐 설명이 되어 있습니다. 지금 한번 페이지를 넘겨 보시고 이 내용이 어디까지 있는가를 우선 눈으로 훑어 보십시오. 이 일독학교를 통해 여러 번 반복해서 이렇게 저렇게 이 강의를 들으시기 때문에 결국은 다 보일 것입니다. 1과에서 될 수 있으면 시간 순서에 초점을 맞춰 설명을 해 왔기 때문에 잘 꿰어질 것입니다. 강의를 잘 들으시고, 또 혼자서도 성경 목록표를 펼쳐 놓고 요리조리 맞춰 가며 연구도 해 보십시오. 그렇게 복잡한 것도 아닙니다. 조금만 투자하면 전복을 딸 수 있습니다. 전복따러 갑시다!

② 〈예언서〉 17권 끼워 넣기

이 대목에서 꼭 짚고 넘어가고 싶은 것이 있습니다. 여기서는 '대선지서, 소선지서'라는 개념을 버리시라는 것입니다. 여러분이 지금까지 많이 들어오셨던 대선지서, 소선지서라는 말이 필요 없어지는 지점이 바로 여기입니다. 이번 일독학교에서는 그것이 하나도 중요하지 않습니다. 대선지서는 내용이 많아서 대선지서라고 했습니다. 소선지서는 내용이 짧고 적어서 소선지서일 뿐이라고 했습니다. 우리는 지금 분량이 아니고 **시간**이라는 조건으로만 정리하는 중입니다.

이 대목에서 꼭 짚고 넘어가고 싶은 것이 또 하나 더 있습니다. 〈예언서〉 17권이 다 각각 '창출민수삿삼왕… 대라느'에 흩어져 들어가지 않는다는 것입니다. 여기 저기 다 흩어져 있으면 너무 복잡할 텐데, 다행히 **'(왕) 대라느'** 요 사이 어딘가에만 끼워 들어간다는 사실입니다. '(왕)대' 도 열왕기상(대상)은 아니고 열왕기하(대하)에만 들어갑니다. 다시 말하면 〈예언서〉 17권은 왕정시대 끝 부분과 포로시대에만 해당된다는 것입니다. 앞에서 목록 공부할때 한번 말했지요? 그렇다면 문제가 간단해지지요. 우선 〈예언서 17권〉중에서 왕정시대의 것이 무엇이며, 포로시대의 것이 무엇인가만 알면 됩니다.

자, 그럼, 이 선지서 17권 목록 중 맨 처음에 있는 이사야부터 맨 끝인 말라기까지 한 번 쭈욱 훑어 보십시오. 그리고 그 중에서 에스겔, 다니엘…, 학개, 스가랴, 말라기 이 다섯 권을 찾아내십시오. 에스겔, 다니엘은 앞 쪽으로 둘이 같이 붙어 있고, 학개, 스가랴, 말라기는 맨 뒤에 나란히 붙어 있지요? 이 **5권**을 먼저 **빼내** 보십시오. 이 다섯 권이 **포로시대**의 예언서입니다. 그러고 나면 12권이 남지요? 이 나머지 **12권**이 다 **열왕기하** 시대 선지서들입니다. 이사야, 예레미야, 예레미야애가, 호세아, 요엘, 아모스, 오바댜, 요나, 미가, 나훔, 하박국, 스바냐입니다. 그런데 이사야부터 스바냐까지는 연대순으로 나열된 것이 아닙니다. 우리가 지금 쓰고 있는 성경의 목록 순서입니다. 그러면 이 하나하나의 선지서들이 과연 열왕기하 어느 왕 때를 배경으로 한 예언들일까요? 12권이 열왕기하 시대로 들어간다 하더라도 각각 어떤 왕 때, 왜 하나님이 그런 말씀을 주셨는지 알아야 하니까요.

제 1과 성경 목록을 정리해 놓은 곳으로 돌아가 보십시오. 그곳에 다 정리되어 있습니다. 성경 목록 순서를 따라 간단히 설명했기 때문에 시간 순으로 배열되어 있지 않습니다. 그러나 그것을 시간 순서대로 다시 정돈하면 오바댜, 요엘, 요나, 아모스, 호세아, 이사야, 미가, 나훔, 스바냐, 예레미야, 예레미야애가, 하박국의 순서가 됩니다. 지금 이 시점에서 다시 한 번 그 선지서 목록 하나하나를 읽어 보십시오. 다시 배우는 것이 있을 것입니다. 그리고 이 책 부록에 있는 성경 읽기표에도 열왕의 시대 순에 맞춰 선지서들을 끼워 놓았습니다. 그러니 걱정 없습니다.

이제는 아까 빼 놓은 다섯 권을 정리해야 됩니다. 이 다섯 권은 그 열왕기하 시대 이후, 포로시대 것입니다.

생각점 POINT 잠깐! 지금 우리가 뭘 하고 있는지 잊지 맙시다. 〈역사서〉 부류 '창출민 수삿삼왕…대라느' 를 베이스 캠프로 주욱 벌려 놓고 〈시가서〉 5권과 〈예언서〉 17권을 그 시대 속으로 끼워 넣고 있는 중입니다. 시가서 5권은 끝났고, 예언서 17권 중 12권은 열왕기하 동네로 들여 보냈고, 나머지 5권은 포로시대라고 했습니다. 마지막 관문이 바로 이 5권 포로시대 선지서인데 그것을 하는 중입니다. 이 고비만 지나가면 됩니다. 그런데 그것도 알고 보면 간단합니다.

〈역사서〉 부류 17권은 창족모사왕포 시대로 구분할 수 있는데 그 중 포로시대속에 세 권의 성경 목록이 들어있습니다. 세 사람의 선지자이지요. 기억나십니까? 에스라, 느헤미야, 에스더입니다. 그런데 지금 여기서 우리가 다루고 있는 포로시대 선지자는 〈역사서〉 부류 17권에 속해 있는 선지자가 아니라, 〈선지서〉 부류 17권 중에 들어있는 다섯 사람 에스겔 다니엘 학개 스가랴 말라기라는 사실을 기억하셔야 합니다.

생각점 POINT 지금 무슨 말인지 잘 모르시는 분 계시죠? 구약 목록을 〈역사서〉, 〈시가서〉, 〈예언서〉에 따라 세 가지 색깔로 칠해 놓으시라고 했었는데 그 부분을 지금 펼쳐 보십시오. 그리고 〈역사서〉 안에 들어있는 포로시대 선지자 세 사람, 〈예언서〉 안에 들어있는 포로시대 선지자 다섯 사람을 골라 내보시라는 말입니다.

그러므로 성경에 나타나는 포로시대 선지자는 〈역사서〉, 〈예언서〉 모두 합해서 여덟 명입니다. 베이스 캠프를 만들 때 등장했던 에스라, 느헤미야, 에스더는 〈역사서〉 동네이기 때문에 앞에서 이미 다루었고, 지금은 그 나머지 〈예언서〉 동네의 다섯 명(에스겔, 다니엘, 학개, 스가랴, 말라기)을 바로 그 〈역사서〉 베이스 캠프에 끼워 넣으려는 것입니다. 어느 시대로 돌려보내 드리면 좋겠습니까? 창조시대입니까? 사사시대입니까? 아니지요. 〈역사서〉 동네 중에서 포로시대 베이스 캠프 에스라와 느헤미야 사이 어딘가에 들어간다고 범위를 잡아 놓아야 됩니다(에스더서는 에스라 시대에 포함되는 시기여서 에스라 시대에 종속시켰지요?). 앞에서 이 부분을 조금씩 다뤄왔기 때문에 웬만큼 이해가 되신 분들도 계실 줄 압니다만, 요 다섯 권만 자리를 찾아 넣으면 끝입니다. 에스겔, 다니엘, 학개, 스가랴, 말라기가 에스라와 느헤미야 사이 어느 지점에 들어갈지 정리하는 것입니다.

첫 째

에스겔, 다니엘서가 시작되는 시간은 열왕기하(역대하) 끝 부분입니다. 남방 유다가 완전히 망하는 것은 B.C. 587년인데 그에 앞서 B.C. 605년, 바벨론에 1차 포로로 잡혀간 사람이 다니엘(단 1:1~6)입니다. 에스겔은 B.C. 597년 2차로 바벨론에 잡혀 갔다고 했습니다(1과에서 다룬 것입니다). 에스겔서의 분량이 다니엘서보다 더 많아서 앞에 놓여지게 된 것 같은데(선지서는 분량으로 순서가 매겨졌다 그랬지요?) 사실은 이와같이 다니엘이 먼저 포로로 잡혀 갔고, 약 8년 이후 에스겔이 2차로 잡혀 간 것입니다.(🌱 그러므로 이제부터 에스겔, 다니엘이 아니고 다니엘, 에스겔로 순서를 매겨 성경을 읽을 것입니다. 🌱) 이 두 사람이 바벨론에 거주하며 살아가던 중 하나님께로부터 말씀이 임하시는 환상을 보게 됩니다. 이것을 기록한 내용이 다니엘서, 에스겔서입니다. 왕정시대 끝, 즉 **바벨론 포로생활 초엽**에 생긴 일입니다. 포로시대 가장 앞에 일어난 일입니다.

베이스 캠프를 치면서 우리는 포로시대를 많이 공부했었습니다. 바사왕 고레스가 포로귀환 칙령을 내려서, 포로들이 고향으로 돌아갔고, 성전을 재건했고… 등등. 이런 귀향한 백성들이 예루살렘으로 돌아와 성전을 재건한 그 얘기는 이미 포로생활을 마치고 돌아왔다는 말입니다(B.C. 538). 그런데 지금 보십시오. 다니엘, 에스겔 얘기는 아직 남방 유다가 망하기도 전인 B.C. 600년 어간에 일어나는 일인 것입니다. 에스라, 학개, 스가랴, 에스더, 느헤미야, 말라기 이 여섯 권은 포로귀환 이후의 얘기이고, 다니엘, 에스겔은 나라가 망하기도 전에 잡혀가면서 일어난 일부터 기록된 책이라는 말입니다. 〈역사서〉, 〈예언서〉를 망라해서 포로시대 여덟 권 중 이 두 권(다니엘, 에스겔)과 나머지 여섯 권(에스라, 학개, 스가랴, 에스더, 느헤미야, 말라기)은 완전히 **다른 동네**라는 것을 기억합시다.

이와같이 다니엘, 에스겔서는 포로시대 예언서이지만 열왕기하의 역사가 완전히 끝나기 18년 전부터 오버 랩 되어서 그 이야기가 시작되고 있으니 포로시대 책으로서는 가장 앞에 놓읍시다. 즉 '대·라·느'에서 에스라 앞에 끼어 넣어야 할 책이 다니엘, 에스겔이라는 말입니다. 다니엘, 에스겔은 꼭 같이 붙어 다닙니다. (🌱 〈역사서〉 부류의 베이스 캠프 '… 대·라·느' 중에서 다니엘, 에스겔은 '대'와 '라' 사이에 읽읍시다. 🌱)

둘 째

그런데 **학개, 스가랴**도 꼭 같이 붙어 다닌답니다. 포로생활을 다 마치고 돌아오는 상황에서 같이 붙어 다닙니다. 학개 스가랴를 공부하기 위해서 다시 역사가 어떻게 되었는지 역사서 부류의 에스라 내용을 복습하겠습니다.(자꾸 반복할 것이라 그랬죠? 외우는 방법입니다.)

유대인들이 포로로 잡혀가 바벨론(이라크)에서 살고 있는데 바사(이란)라고 하는 나라가 이 바벨론을 침공했다고 했습니다. 그래서 그 패권이 바벨론에서 바사로 넘어 갑니다. 그런데 바사의 고레스왕이 즉위하자 바벨론 (엄밀히 말하면 바사)에 살고 있던 유대인들은 예루살렘으로 돌아가도 좋다는 칙령을 발표합니다. 새로운 식민 정책입니다. 그래서 유대인들은 다시 이민가방을 꾸려 고향으로 귀향하게 되지요? 만일 우리라도 남북이 통일되면 북한에서 피난 내려온 분들은 모두 다 북쪽으로 올라 갈 마음이 생길 것입니다. 이 예루살렘으로의 귀향을 가리켜 어떤 학자들은 "제2의 출애굽"이라고 명명하기도 합니다. "애굽의 노예 생활에서 자유를 얻어 약속의 땅으로 들어가는 것"과 "바벨론 (엄밀히 말하면 바사)의 노예 생활에서 자유를 얻어 약속의 땅 고향으로 다시 들어가는 것"을 매치시킨 것입니다. 그렇습니다. 이 포로들의 귀향은 제2의 출애굽입니다. 위대한 새 역사의 시작을 말합니다.

"예루살렘에 돌아온 유대인들은 무엇보다 무너진 예루살렘 성전을 재건하는 사역을 합니다. 스룹바벨과 예수아를 중심으로 시작하여 열심히 했습니다. 그러나 다 완성을 하지 못하고 16년 간이나 방치하게 됩니다. 그런데 저 바벨론 (엄밀히 말하면 바사) 땅에서 아직 이곳 예루살렘으로 귀향하지 못했던 사람들 중, 학개라는 사람과 스가랴라는 사람이 있었는데 이들에게 하나님의 말씀이 임합니다. '성전을 짓다 말고 멈추었다. 그들에게 가서 성전 짓기를 다시 시작하라고 격려하라' 는 말씀이었습니다. 그래서 학개와 스가랴는 예루살렘으로 돌아가 그 일을 수행합니다. 그래서 성전이 완공됩니다." 여기까지의 이야기를 기록하고 있는 사람이 바로 에스라입니다. 그러니 학개, 스가랴는 에스라와 같이 읽어야 짝이 맞겠지요?(🌱 학개, 스가랴 선지자를 에스라서 속으로 들여 보내 드립시다. 🌱)

셋 째

그리고는 **말라기**입니다(B.C. 430). 유다가 바벨론 포로로 잡혀간 때가 B.C. 600년 전후니까 구약 성경은 유다가 망하고 나서도 약 170년 동안의 역사를 더 말하고 있는 셈입니다. 말라기는 〈역사서〉의 포로시대 느헤미야(B.C. 440)와 거의 같은 시기를 잡습니다. 느헤미야 후기 시대에까지 활동했다고 봅니다. 여러분 우리가 쳐 놓은 베이스 캠프 맨 마지막에 놓여있는 성경이 무엇이었는지 기억나십니까? '대 · 라 · 느', 느헤미야입니다. 포로시대 역사서는 에스라, 느헤미야, 에스더 인데 그 중에서 에스더는 에스라 시대 밑에 종속시켰습니다. 그래서 포로시대 역사서로는 에스라,

느헤미야 두 권만 베이스 캠프로 썼습니다. (🌱 그러므로 〈예언서〉 부류 중 포로시대에 속한 가장 마지막 선지서 말라기는 느헤미야(B.C. 440) 다음에 놓이는 것입니다. 그러니까 말라기와 느헤미야는 같은 시기에 활동한 셈이지요. 🌱)

생장점 POINT 그런데도 보십시오. 구약성경을 주루룩 넘기다 보면 느헤미야는 700쪽즈음에 있고, 말라기는 1,300쪽 즈음에 있습니다. 같이 붙여서 생각해야되는 상황인데도 말입니다. 그러니 배경역사를 고려하지 않은 채 그냥 목록 순서에 의해서 선지서들을 주욱 읽으니까 다 읽고 나도 무엇을 읽었는지 이해가 안 되는 거지요. 재미도 없고, 졸리고. 언제나 그냥 "죄를 지어서", "불순종해서", "우상숭배를 해서", 이렇게 정답(?)만 머리속에 설정해 놓고 늘 그렇게 스테레오 타입으로만 성경을 읽는 거지요. 이제 우리 일독학교 학생들은 그러지 맙시다! 전복을 땁시다!

이와 같이 성경에서 가장 마지막에 등장하는 선지자들인 느헤미야, 말라기가 B.C. 400년대의 사람들이기 때문에 이 때로부터 예수님이 오시는 신약(A.D. 원년)까지를 400년이라고 대충 말하는 것입니다. 신구약 중간기라고 부릅니다.

5) 통합 총정리

우리는 아주 오랫동안 성경목록을 시간 순서로 통합하는 과정을 생각했습니다. 사실 모든 구약성경이 정확한 연대를 말해 주지 않고 있기 때문에 연대 순으로 정리한다는 것은 매우 어렵습니다. 지금까지 학자들이 연구해 오신 자료들을 기초로 했습니다만 사실 학자들 간에도 이 연도가 정확하다, 저게 정확하다 꼭 고집할 수 없어서 늘 새로 어떤 확실한 증거가 있는 자료가 발견되면 언제든지 그 자료를 받아들일 자세를 갖고 지우개를 들고 계신 것이 사실입니다. 학자들은 매우 자세하고 수준 있는 연구를 하십니다. 우린 그렇게까지 깊이 있게 알 수는 없지만 그래도 대충 기본적인 것만이라도 두리뭉실하게 정리한 것입니다. 윤곽이라도 알아야 되니까.

지금까지 우리가 구약 39권을 시간 순서로 정리한 것을 한 눈에 볼 수 있게 도표로 만들어 보았습니다. 그동안 설명을 읽고 잘 따라 오셨는지 다음 도표를 보면 테스트 해볼 수 있습니다. 이해가 되시나 보십시오.

역 사 서	시 가 서	예 언 서
㉛ 창세기	욥 기	
㉛ 출애굽기 · · · · ·(레위기)		
㉛ 민수기 · · · · · ·(신명기)		
㉛ 여호수아		
㉛ 사사기 · · · · ·(룻 기)		
㉛ 사무엘상	시 편	
㉛ 사무엘하 · · · ·㉐(역대상)	시 편	
㉛ 열왕기상 · · · ·㉐(역대하)	잠언, 전도서, 아가	
㉛ 열왕기하 · · · ·㉐(역대하)		오바댜/ 요엘/ 요나/ 아모스
		호세아/ 이사야/ 미가/ 나훔
		스바냐/ 예레미야(애가)/ 하박국
		*다니엘 *에스겔
㉐ *에스라 · · · ·*(에스더)		*학 개 *스가랴
㉑ *느헤미야		*말라기

(위에서 *표시는 포로시대입니다)

지금까지 공부를 잘 하신 분들은 위의 도표를 볼 때 얼른 이해가 가실 것입니다. 그리고 한 눈에 정리가 잘 되실 것입니다. 만약 위의 도표를 훑어 봤는데 어떤 부분은 왜 그렇게 되었는지 이해가 안 가신다면 그 부분 어딘가가 막혀 있다는 증거입니다. 그 부분을 찾아 다시 한 번 잘 읽어보십시오.

생각점 POINT 자, 이제 이 책 뒤에 있는 부록 '성경 읽기표'를 지금 열어 보십시오. 그리고 아래의 몇 가지 사항들을 성경 읽기표와 대조해 보면서 읽어 보십시오. '아~ 이렇게 성경을 읽어야 되겠구나' 하고 이해가 되시면 좋겠습니다. 총복습, 마무리 정리를 하는 것입니다.

출 애굽기 상황 속에서 나온 책이 레위기이고, 민수기 끝이 신명기지만 출애굽기를 읽은 다음에는 민수기를 읽습니다. 역사가 그리로 흘러 연결되기 때문이라고 했습니다. 민수기까지 간 다음에 레위기와 신명기를 읽어 보십시다.

그 리고 민수기에 연결해서 땅을 정복하는 여호수아를 읽읍시다. 사사시대로 연결해서 룻기도 읽읍시다. 왕정을 향해 가는 고리 역할을 한다고 했습니다.

또 한 한 인간으로서 살아간 다윗이 어떻게 그 삶의 고비고비를 하나님과 함께 했는지 보십시다. 그 때 경험한 하나님을 어떻게 한 예술인으로서 글로 표현하며 삶을 승화시켰는가도 생각합시다. 시편입니다. 그리고 이 시편을 사무엘하, 역대상하 상황과 연결해서 같이 읽어 갑시다.

열 왕기상 앞부분 솔로몬의 생애를 읽을 때 잠언, 전도서, 아가서와 함께 읽도록 되어 있습니다.

욥 기는 아브라함과 같은 시대 사람이지만 모세오경과 특별한 무슨 연고가 있는 것은 아니므로 아무때나 읽어도 괜찮습니다만 이번 성경일독학교에서는 구약 맨 끝에 읽는 것으로 그냥 배정해 놓았습니다. 그러니 아가서를 읽고 나서 욥기를 읽어도 좋습니다.

열 왕기하(대하)가 역사서의 성경목록 가운데 가장 많은 선지서 종속 목록을 거느리고 있음을 주지하십시다. 특히 열왕기하의 중반 이후부터 시작해서 남방 유다의 멸망에 관계된 예언이 대부분이므로 선지서들은 바로 여기에 거의 다 모여 있다는 사실을 잊지 맙시다. 하늘이 파란 가을 날, 땅 위에 올라 와 있는 고구마 줄기 하나를 쭉- 잡아 빼면 그동안 눈에 보이지 않던 고구마들이 주렁주렁 매달려 나오는 것처럼, 열왕기하를 쭉- 잡아 빼면 선지서 12권(포로시대 선지서만 빼고)이 주렁주렁 달려나온다는 사실을 꼭 기억하십시오, 그것도 줄기 저 끝 부분에서…

이 선지서들을 읽을 때 열왕기하를 왔다 갔다 하며 어느 왕 때 무슨 얘기인가를 생각하며 읽읍시다. 특히 이곳을 읽을 때는 제 1과 성경목록공부에 있는 선지서들을 하나하나 찾아 보며 읽읍시다. 특히 이사야, 예레미야를 주지하십시요.

열 왕기하(역대하) 끝에 와서 남방 유다가 다 망할 때쯤 되면 〈역사서〉 베이스 캠프 끝인 '… 대·라·느'의 순서 상, '대' 다음 '라, 에스라'지만 그것을 읽으면 안 됩니다. 포로에서 풀려나 돌아오는 얘기(에스라, 바사시대) 이전에, 잡혀갈 당시를 배경으로 하고 있는 바벨론 시대 포로 얘기인 다니엘, 에스겔을 먼저 읽어야 된다고 했습니다. 그리고 그 바벨론(엄밀히 말하면 바사)을 떠나 예루살렘으로 돌아와 성전을 재건하는 내용이 들어 있는 에스라를 학개, 스가랴서와 함께 읽습니다. 성전이 완성된 후 바사제국에서는 에스더 사건이 생기고 있다는 것을 기억하면서 에스더를 읽습니다. 그리고는 느헤미야가 귀향하여 성벽을 쌓는 얘기를 읽고, 맨 끝에 말라기를 읽읍시다.

생각점 POINT 여러 번 되풀이했기 때문에 지금까지 공부 잘한 모범생들(?)은 부록에 있는 성경 읽기 순서가 다 이해될 것입니다. 어떤 성경 목록들은 왜 (   ) 속에 묶여 있는지, 왜 순서는 그렇게 되어야 하는지 이해가 되실 것입니다. 구약, 그러면 늘 안개 속에 있는 어려운 책으로 생각되었던 것은 내용도 내용이거니와 성경 목록 자체가 문학적 유형〈역사서, 시가서, 예언서〉 세 동네로 따로따로 묶여 있기 때문에 역사적 흐름 자체가 쉽게 겉으로 노출되지 않아서 더 그랬습니다. 일단 구약은 역사인데 얘기가 흘러가지 않는 것 같아서 그런 것입니다. 그래서 우리는 39권 성경목록을 시간이 흐르는 순서로 다시 통합하고 재정리를 한 것입니다. 이 설명을 듣지 않고 부록에 있는 성경 읽기표를 보면 도대체 왜 그런지 이해할 수가 없습니다. 연대기 성경이 있다해도 읽어지지 않는 것은 이런 이유를 모르기 때문입니다.

지금까지 제 2과를 여행하면서 멀고도 먼 길을 왔습니다. 이 멀고도 먼 길을 오며 설명한 모든 것은 바로 다음와 같은 **성경 읽기표** 하나를 이해하게 하려는 것이었습니다. 우리가 읽을 순서입니다. 다시 한 번 한 눈에 보시고 복습해 보십시오. 그리고 〈부록 1〉, 〈도표〉를 보십시오. 한 눈에 성경목록 전체가 시대순으로 정리되어 있습니다. 이해가 되십니까?

창 · 출 · 민 · 수 · 삿 · 삼 · 왕

창세기 ⇨ 출애굽기 ⇨ 민수기 ⇨ (레위기) ⇨ (신명기) ⇨ 여호수아 ⇨ 사사기 ⇨ (룻기) ⇨ 사무엘상(시편) ⇨ 사무엘하(시편) ⇨ 열왕기상(잠언)(전도서)(아가서) ⇨ 열왕기하(오바댜, 요엘, 요나, 아모스, 호세아, 이사야, 미가, 나훔, 스바냐, 예레미야, 예레미야애가, 하박국)

대 · 라 · 느

역대상(시편) ⇨ 역대하 ⇨ (다니엘) ⇨ (에스겔) ⇨ 에스라 ⇨ (학개)(스가랴) ⇨ (에스더) ⇨ 느헤미야 ⇨ (말라기) ⇨ *욥기

(*욥기는 아가서 다음에 읽어도 됩니다)

3과 성경을 꿰뚫는 안경
(관점1, 관점 2)

우리는 지난 두 과에 걸쳐 성경목록을 하나하나 공부했고, 또 그 목록을 다시 역사적인 순서로 재통합하여 앞으로 읽어갈 순서를 만들었습니다. 성경일독학교에 등록한 학생들은 "이번에야말로 꼭 일독을 하리라!"는 무서운 각오(?)들을 가지고 들어오셨기 때문에 "왜 빨리 성경을 읽으라고 하지 않나?" 하고 답답해 하시더군요. 그런데 아직도 기다리셔야 합니다. 순서는 정해졌어도 이 상태에서 읽기 시작하면 지금까지 여러분들이 성경을 읽어왔던 그 내용 이상을 뛰어 넘을 수가 없습니다. 조각조각 읽어오던 방법 그 이상을 깨달을 수 없겠지요? 역사적인 흐름을 타고 읽은들 무슨 소용이 있습니까? 내용도 흘러야지요. 주제가 있어야지요. 주제도 흘러야지요. 진정한 저자가 하나님이시기 때문에 이런 역사적인 순서로 성경이 엮어지게 된 데에는 그 내용 또한 기가막힌 섭리로 연결되기 때문입니다.

다시 말하면 창세기 1장부터 시작되는 이 성경을 어떤 관점을 가지고 읽어야 하는가를 모른 채 읽으면 아무리 순서를 시간적 순서로 정리해 놔도 모르는 것은 여전히 모르는 것입니다. 성경이 어디를 향해 나아가고 있는지 그 내용물을 찾지 못한다는 말입니다. 금광을 아무데나 판다고 금이 나오는 것이 아닙니다. 맥을 찾아야 금이 나옵니다. 구슬이 서말이라도 꿰어야 보배라는 말도 있습니다. 구슬은 많은데 그것들을 꿸 끈이 없으면 가치가 떨어지는 것입니다. 즉 각각의 성경들이 무얼 말하는지도 알겠고, 또 그 각각의 성경들을 역사적인 순서에 따라 하나하나 배열해 놓기는 했는데, 막상 그 하나하나를 꿸 "관점"이 없으면 역시 성경을 읽어도 산만하고 복잡합니다. 우리는 이 3과에서 관점 1과 관점 2를 배울 것입니다. 이 두 가지 관점은 성경 전체의 사상을 이어주는 안경입니다.(🌱 안경을 하나 맞춥시다. 🌱) 성경을 읽을 때 관점이 생기는 것은 성경의 주제를 안다는 뜻입니다. 심청전은 효(孝), 춘향전은 절개, 성경은 예수 구원!이라고 알고 있는데 정말 그러냐 이겁니다. 교회에서 가르쳐 주니까 그런가보다 그러지, 솔직히 구약부터 순서를 따라 주욱 읽어내려 갈 때 창세기부터 그 주제(예수 구원)를 따라 읽어지냐 이겁니다.

성경은 1,600년 동안 약 40명의 인간 저자들에 의해 기록되었다고 배웠습니다. 그런데도 우리는 성경의 저자는 하나님이라고 말합니다. 하나님께서 진정한 성경의 저자라면 이 성경은 반드시 일관성이 있어야 합니다. 통일성이 있어야 합니다. 한 주제를 가지고 분명한 목적을 향해 흘러가야 됩니다. 수 천년의 인간 역사 속에서 인간저자들이 그때 그때 자기 상황에서 자기가 만난 하나님을 기록했습니다. 그 후 역사가 흘러가면서 그것들이 여기저기 흩어져 숨겨져 있기도 했습니다. 그 하나 하나의 낱권이 어느 시점에 한 군데 모아지는 때도 있었습니다(70인 역). 복음서나 편지로 쓰여진 것들은 교회사 속에서 종교회의를 걸쳐 '이것만 정경이다' 하고 최종적으로 인정한 때도 있었습니다. (🌱 제1과에서 배웠죠? 🌱) 그래서 오늘날 구약전서, 신약전서라는 한 권의 책이 되었습니다.

그런데 만약 이 성경책이 마치 어떤 한 사람이 책상 앞에 앉아 써 내려간 소설처럼 그 사건과 내용이 퍼즐 맞듯 착착앞뒤가 맞아떨어지고, 결국에 가서는 한 폭의 그림으로 한 눈에 확 들어온다면 우리는 이 책이야말로 하나님이 쓰신 책이라고밖에는 말할 수 없을 것입니다. 성경을 읽다가 어느 순간 이 사실이 뼈 속 깊이 느껴진다면 우리는 사도 요한처럼 죽은 자같이 되어 엎드러지는 경험을 할 것입니다. 우리는 성경을 읽으면서 늘 이런 심정으로 읽어야 할 것입니다. 위대한 하나님을 만나는 책이라서 그렇습니다.

가끔 갤러리에 그림을 보러 가면 환한 조명 아래 그림들이 벽에 걸려 있습니다. 음악은 처음부터 천천히 흘러가면서 감상하는데 반해, 그림은 한 눈에 확~들어오는 전체를 한꺼번에 감상하는 것입니다. 작품 하나가 액자에 끼워져 얌전하게 벽에 걸리기까지 작가는 수없는 과정을 지납니다. 제일 처음에 하는 작업은 스케치입니다. 우리도 이 성경전체 그림을 보기 전에 먼저 가장 밑바탕에 흔적도 없이 그려져 있는, 그러나 가장 중요한 틀을 찾아보려고 합니다.

1. 관점 1 : 성경은 '누가 왕이냐?'를 다룬 왕 싸움 이야기이다

'결국, 인류 역사에서 누가 왕이어야 하는가?' 를 가장 기본적인 밑그림으로 보자는 말입니다. 누가 왕이냐? 창조주이신 하나님이 왕이냐, 아니면 인간 그 누구가 왕이냐를 다룬 것이라고 성경을 크게 일단 한번 생각해 봅시다. "왕"이라는 말이 갖고 있는 의미 중 하나는 "다스림"의 개념입니다. "통치한다"는 말입니다. 그러면 이 "다스림"이라는 말은 반드시 "다스림을 받는 대상"이 있다는 의미가 내포되어 있습니다. "통치를 받는 사람들"이 있다는 말입니다. 그래서 이 "왕"이라는 말에는 "국가개념"이 있습니다. 이런 여러 생각들을 갖고 한번 출발해 보십시다.

하나님께서 아담을 창조하시고 제일 먼저 분명히 하고 싶으신 것이 그것이셨습니다. 하나님은 "통치자"이시고 아담은 "통치받는 자"라는 존재론적 규명입니다. 창조주와 피조물이라는 차이가 낳은 공식입니다. 이런 존재론적 신분관계를 확고히 설정하고 나서야 아담은 한 인간으로 그 인생을 출발할 수 있다는 것입니다. 그 당시 아담이나, 오늘 인생을 사는 사람이나, 인간이면 다 이 설정자체가 출발지점이라는 것입니다. 인생 마라톤의 출발지점이라는 말입니다. 이 설정은 계약이라는 방법으로 공증되었습니다. 쉽게 말하면 이 공증 계약서가 바로 선악과였습니다. 그게 없으면 누가 누구의 통치자인지 무엇을 물증으로 주장할 수 있습니까? 하나님은 참으로 지혜의 근본이십니다. 지혜로운 처사였습니다. 인간 사회 속에서도 주인이냐, 빌려쓰는 사람이냐 사이에 반드시 계약을 하고 물증으로 차용증서를 만드는 데 지혜의 근본이신 하나님은 당연하신 것입니다. 즉 인류역사상 최초로 누가 주인인가를 확인하는 이 작업이 하나님과 아담 사이에 있었습니다. 통치자의 자리를 가늠하는 것이었습니다. 선악과 사건입니다.(🌱 이 선악과 얘기는 맨 마지막 과에서 자세히 다룰 것입니다. 🌱)

그런데 아담은 하나님의 통치를 거부했습니다. 인격을 가진 자유인으로서 거부했습니다. 창조주 통치자를 거부하고 보니 그 이후, 그러면 누구를 통치자로 해야 하는가? 이게 문제가 된 것입니다. 누구 생각대로 해야 되는가? 당장 두 사람만 되도 등장하는 이슈가 그것 아닙니까? 누가 말하는대로 해야 맞느냐 이겁니다. 인류는 결국 힘 센 사람 마음대로 하게 되는 역사를 만들게 됩니다. 그리고 그 사람을 가리켜 왕이라고 불렀습니다. 다스리는 존재입니다. 통치하는 존재입니다. 주권을 가진 자입니다. 이 왕들은 공동체로서의 조직인 '나라', '국가'의 중심에 구심점으로 앉아 있게 됩니다(창 10장, 11장).

그러나 참 왕이신 하나님도 가만히 그대로 물러서 계시지 않으시고 나라(창 12장)를 세우십니다. 이 두 큰 대결이 결국 성경 전체를 흘러갑니다. '하나님 나라'로 표명되는 '이스라엘'을 샘플(제사장 나라)로 삼으십니다. '나라는 이래야 된다'는 표본으로 삼으시고 싶으셨던 것입니다. 모범나라로 만드셔서 세상 나라들에 속한 백성들을 하나님 나라로 돌아오게 하고 싶으신 것입니다. 이스라엘 백성들처럼 창조주를 왕으로 알고 섬기게 하시려는 것입니다. 이렇게 성경을 한마디로

"하나님나라 왕의 역사"로 보자는 말입니다. 왕은 하나님이시다! 그러니 이 왕의 나라로 와라! 이 왕께 항복하라! 이 말을 하는 것이 성경입니다.

POINT 세상나라든 하나님 나라든 '나라'를 이루려면 세가지 요소가 있어야 합니다. **주권, 국민, 영토입니다.** 우리가 초등학교 다닐 때 사회 시간에 배웠던 내용이지요? 그러므로 하나님의 나라도 이 틀로 스케치하면 끝입니다. 하나님이 왕(주권)이신 나라 이스라엘을 세우기 위해 아브라함, 이삭, 야곱, 이스라엘 백성(국민)을 만들어 가시고, 출애굽이라는 현실문제로 구원을 경험케 하시고, 가나안 땅(영토)을 주시고, 왕의 대리통치자 다윗을 세우시더니, 결국은 당신 자신이 인간의 몸을 입으시고 내려와 목숨을 바쳐서 백성을 만드는 "이상국가의 모델"을 보이시는 것입니다.

세상나라들은 백성의 목숨을 밟아야, 자신의 통치권이 생기는 모델입니다. 섬기려 하는 것이 아니라 섬김을 받는 것입니다. 가서 정복합니다. 그 땅의 백성들을 죽여 피를 땅에 쏟아야 그 정복자의 왕권이 인정되는 샘플입니다. 그러나 이 하나님의 나라 왕 예수는 자기 생명을 죽여, 피를 쏟아 바쳐서 그 백성 하나하나를 국민으로 삼는 샘플입니다. 그러므로 누구든지 이 사실을 알고 그 왕에게 항복하면 그 백성이 되는 것입니다.

예수 이름으로 오시는 하나님은 왜 진정한 왕이신가를 보여주되 탁상공론으로 하지 않습니다. 수천 년의 신구약의 역사를 통해 조금도 오차가 없이 보여주는 것이 성경의 내용입니다. 성경이 역사성을 갖는다는 것은 이렇게 중대한 요인을 함유하는 것입니다. "예수, 그가 왕이신 하나님의 나라!" 이것이 성경의 진정한 주제입니다(히 1:1~2, 요 5:39). 이것이 정말 그러한가 이 주제를 좀더 자세히 들여다 봅시다.

---

1) 창 1장~3장 – 하나님이 왕이신가, 아담이 왕인가?

'누가 왕이냐'가 성경 속을 흐르는 주제로 보자고 했습니다. 누가 누구를 다스리며, 누가 누구의 통치를 받느냐의 싸움입니다. 하나님은 창조주로서 사람을 통치할 권리가 있는 분이십니다. 그래서 첫 사람 아담은 하나님의 통치 아래 있어야 할 것임을 분명히 하기 위한 물증으로 그에게 선악과를 주십니다. 첫 번째 왕 싸움입니다. 아담은 창조주 하나님의 통치를 거부했습니다. 하나님이 왕이 아니라 자기가 왕이고 싶다는 것입니다. 자기 뜻대로 했습니다(창 1~3장). 사람 뜻대로 하기 시작한 인류역사는 하나님이 왕으로 있을 자리를 빼앗고 출발합니다.

2) 창 4장~9장 - 그럼, 사람 가운데는 누가 왕인가?

창조주 하나님을 왕으로 받아들이기를 거부한 인간은 그 이후로 늘 신경 써야하는 '이슈'가 생깁니다. 새 "왕"을 찾는 일입니다. 그러다 보니 "누가 더 낫냐? 우리 중 누가 더 크냐? 누가 누구를 다스릴 것인가?" 하는 문제가 대두되는 것이었습니다. 이 이슈를 놓고 얻은 인류의 결론은 "힘"이었습니다. 힘있는 사람이 힘없는 사람의 손에서 빵을 빼앗을 수 있게 되자 "힘"이 곧 왕을 상징하는 것으로 규명되었고, 오고 오는 인류는 "누가 힘이 센가?"에 의해 역사를 쓰게 되었습니다. 왕의 역사입니다. 시간이 흐를수록, 문명이 발달할수록 "힘"은 여러 가지 형태로 나타나기 시작했습니다. 오늘날은 지력, 재력, 가문, 심지어는 외모까지도 "힘"이 되고 있습니다.

이 힘은 인류역사의 최고 가치로 부상하게 됩니다. 먹을 것 있고, 돈 많아지고, 유명해지고 나면, 그 다음에 하고 싶어하는 것은 "다스리는 일, 왕이 되고 싶은 일이고", 천하통일을 하고 나서 그 다음에 넘겨다보는 싸움은, 첫 사람 아담이 겨루었던 대상인 하나님의 자리를 놓고 싸움하는 "하나님이 되고 싶은" 것입니다.

여기까지 토너맨트로 올라 간 사람이 예를 들면 네로 황제 같은 사람입니다. 그는 자기를 "신"이라고 했습니다. '어쩌면 인간으로서 그럴 수 있는가?' 하고 혀를 차는 사람도 있을 것입니다. 그러나 그럴 것 없습니다. 사실 우리도 능력이 없어서 가만히 있는 것이지 기회가 자꾸 주어지면 분명히 거기까지 도전할 것입니다. 아니, 이미 모든 인간은 네로처럼 신이 되어 살고 있습니다. 네로는 왕관이라도 쓰고 앉아 왕노릇 했지만 우린 누가 우리 머리에 왕관을 얹어주지 않아도 다 왕처럼 삽니다. 하나님 대신 내가 왕이 되어 내 마음대로 하며 살고 있습니다. 하나님을 왕이시라고 고백하고 나서도 매일매일 내 맘대로 하고 싶어서 순간순간 그 싸움입니다. 왕 싸움입니다. "왕싸움!" 하나님이 왕이시냐? 내가 왕이냐? 왕의 통치를 받느냐? 내 맘대로 하느냐? 성경은 그 얘기를 하고 있습니다.

3) 창 4장~10장 - 인류초기(노아시대)에 왕 노릇한 사람, 네피림과 니므롯

하나님 앞에서 누가 더 크냐의 싸움은 최초의 살인을 야기합니다. 그러면서도 자손들은 퍼져나갑니다. 혼자서는 살 수 없는 사회적 존재인 인간은 강줄기를 중심으로 정착할 수 있는 땅을 찾아 모여듭니다. 살기 좋은 환경에는 사람들이 모여들기 마련이고, 사람들이 모여들면 꼭 누가 더 센가를 겨루어야 했습니다. 그래서 인류의 역사는 전쟁의 역사라고 말합니다. 힘 겨루기를 하고 나면 "누가 가장 힘이 센 지"가 결정되었고 그 사람이 곧 "다스리는 자"가 되었습니다.

성경에는 그 사람을 **네피림**(창 6:1~4)이라고 했습니다. 하나님을 왕으로 생각지 않고 하나님의 통치 받기를 거부한 인류에게 나타난 새"왕"의 프로필, 왕의 심볼입니다. 네피림이란 "장부", "용사"라는 말로 통용됩니다만 Giant라는 말입니다. 거인입니다. 남보다 키가 크고, 몸집이 크고, 힘이 센 사람입니다. 이 사람은 자기가 살고 있는 시대의 성격을 만들었습니다. 바로 이 네피림이 만들어 놓은 시대가 노아시대였습니다.

노아가 살던 시대의 특징은 한 마디로 네피림이 다스리던 시대입니다. 그 힘 센 장부가 왕 노릇 하던 시대 성격은 패괴하고 강포하다고 했습니다. "사람의 죄악이 세상에 관영함과 그 마음의 생각의 모든 계획이 항상 악할 뿐임을 보셨다"(창 6:5)고 기록되어 있습니다. 전인적인 타락입니다. 하나님을 떠난 사람들은 이렇게 존재론적으로 악한체질이 되어 항상 악한 것을 지향해 왔다는 말입니다. 하나님은 이렇게 만들어진 사회상을 묵과하지 않으시고 홍수로 쓸어버리십니다. 참 왕은 "하나님"이라는 사실을 천명한 사건입니다(창 4장~9장).

노아 홍수가 끝났습니다. 노아의 세 아들은 새로운 조상이 됩니다. 그러나 이 세 아들들 속에 그 전적으로 타락한 인간의 속성이 여전히 남아있습니다. 특히 함에게서 그 속성이 발견됩니다. 그러면서도 여전히 이 세 아들을 통해 인류는 번성해 나갑니다. 오늘날 살고 있는 인류의 조상이 되어 지중해 연안 일대와 티그리스 유프라테스강 유역, 그리고 그 북쪽 흑해 윗 지방, 나일강 유역, 그리고 동쪽으로는 인도를 거쳐 아시아에 이르기까지 퍼져 나가 살게 됩니다.

창세기 10장 족보에 수록되어 있는 사람 이름들이 바로 이 흩어져서 그 민족의 조상이 된 명단입니다. 성경은 인류 일반역사를 자세하게 역사책처럼 다루지는 않지만 바로 이 곳 10장에는 현재 이 세상에 살고 있는 세계 족속들의 조상들이 누구인지를 말해주고 있습니다. 성경은 이 당시 인류 일반역사에 대해 이렇게 정보를 주고 있습니다(부록 2, 3 참조).

물이 있고, 들이 있고, 비가 적당히 와서 정착할 수 있는 좋은 땅이 발견되기만 하면 사람들은 꾸역꾸역 몰려들었고, 모여든 사람들은 예외 없이 "누가 제일 힘이 센가?"를 겨루어 보았습니다. 그런데 신기하게도 홍수 이후에도 네피림과 같은 사람이 사라지지 않고 다시 나타난다는 말입니다. **니므롯**입니다(창 10:8~14). 그 당시 힘이 세어서 "다스리는 자"로 등장한 유명한 자입니다. 성경에서는 이때부터 비로소 "나라(창 10:10)"라는 개념을 언급합니다. 즉 살기 좋은 어떤 땅을 중심으로 많은 사람들이 모여들어 그 무리가 "국가"로 변환할 때 그 구심점으로서 "니므롯"같은 사람이 서 있었다고 말하고 있는 것입니다(부록 2, 창 10: 8~12, '니므롯의 행적'을 참고하십시오).

4) 창 11장의 의의 – 인류 일반역사 속에서의 국가개념의 전형

생장점
POINT

바벨탑 사건은 이런 니므롯 같은 "왕"이 만들어 내는 국가개념을 설명한 사건입니다. 인류 가운데 시작된 왕싸움이 역사 속에서 이렇게 "국가"라는 형태로 조직화될 때 어떤 특성을 보여주는지를 보이는 것이 바벨탑 사건입니다. 즉, 이 세상에 존재하는 모든 나라들은 바벨탑 사건과 같은 패턴으로 나라가 형성되지만 결국은 참 왕이신 하나님의 주권 아래서 흥망성쇠한다는 것입니다. 앞으로 오고 오는 모든 나라들은 이 "바벨"이라는 나라와 같을 것이라는 것입니다.

한 나라는 세 가지 조건이 갖춰져야 된다고 했습니다. 즉 국가의 3요소는 주권, 국민, 영토 이 세 가지라고 했습니다. 이 바벨이라는 나라도 이 틀에 의해 세워집니다. 보십시오. 사람들이 살기 좋은 곳을 찾아 이동하다가 좋은 땅(시날이라는 영토)을 만나 거기 모여들었으며, 니므롯같은 힘센 왕(주권)이 자기 이름을 하늘에까지 닿게 하고, 또 흩어짐을 면하려(국민)하여 나라를 세웠다는 것입니다. 하나님이 안 계신 나라, 하나님 대신 힘으로 권리를 쟁취한 인생이 주권을 가진 나라, 인간이 자기 이름(영광)을 위해 세우는 나라입니다. 이런 '세상나라'의 샘플이 창세기 11장의 바벨탑 사건입니다. 바벨이라는 나라의 출현입니다.

이 바벨이라는 나라는 응집된 세력으로 하나님을 대항해서 나타난 나라입니다. 결국 거대한 세력을 꿈꾸는 인간의 최종 욕망을 보여주는 나라건설입니다. 하나님을 왕으로 인정하지 않는 인간의 나라들은 서로 정복하고 또 정복해서 '거대한 세력으로 천하 통일하는 것이 목표가 되어 흘러가는 역사'를 연출할 것이라는 것입니다. 그리고는 결국 하늘까지 그 세력이 닿게 하겠다는 것입니다. 창조주 하나님에게 도전한다는 것입니다. 이런 성격을 지닌 인류역사는 '바벨'이라는 최초의 거대세력을 꿈꾸며 출발해서 페르시아제국, 헬라제국, 로마제국 등 실제로 거대한 세력들을 출현시켰습니다. 중국, 인도, 한국 역사도 마찬가지입니다. 국가가 지향하는 쟁점입니다.

그러나 아무리 거대한 인간의 응집세력이라 할지라도 하나님이 흩으신다는 말입니다. 그 처음 샘플로 등장한 나라 이름 '바벨'이 왜 바벨인지 아십니까? '바벨'이란 '흩어지다'라는 뜻입니다. 결국은 언어의 혼잡으로 하나님이 흩으셨고, 그 사건 이후에 그 나라는 '바벨'이라는 이름으로 남은 것입니다. 그런데도 이 바벨이라는 나라는 구체적으로 성경역사 속에서, 또 인류역사 속에서 없어지지 않고 또 살아나고 또 살아납니다. 그게 역사입니다. 앞으로 진행될 성경의 역사에 구바벨론, 앗수르, 갈대아 왕국, 오늘날에는 사담 후세인이 통치하는 이라크라는 이름으로 나옵니다. 오늘날도 TV CNN의 톱뉴스 자리를 놓치지 않고 랭킹을 유지하고 있습니다. 유프라테스, 티그리스강 유역에 발달된 메소포타미아 문명의 모체였던 바벨문명은 오늘날까지도 이렇게 국제사회의 톱뉴스 단골손님입니다.

그렇습니다. 이 바벨문명은 인류역사의 문명을 대표하는 문명입니다. 이 문명이 사라지지 않고 어디까지 나타나는지 아십니까? 요한계시록에 이르기까지 사라지지 않고 등장합니다. "…화 있도다 화 있도다 큰 성, 견고한 성 바벨론이여 일시간에 네 심판이 이르렀다 하리로다"(계 18:10) 이 말은 성경 전체 속에서 이 바벨이라는 나라의 성격은 계속될 것이라는 말이며, 결국은 심판 받는다는 것입니다. 그러므로 이 문명 중심에 앉아 있던 세력, 여호와 앞에 특이한 사냥꾼 니므롯은 성경 초두부터 하나님을 대적하는 세력을 상징하는 세상문화, 그 자체입니다.

오늘날 존재하는 모든 나라들도 다 이 바벨이라는 나라의 성격과 다를 것이 없습니다. 힘 센 니므롯과 같은 왕이 중심이 되어서 결국은 온 세상을 통일천하하는 것이 '나라'들의 꿈입니다. 결국은 제국을 이루려는 것입니다. 그러나 이런 나라는 부패해서 하나님을 떠난 나라이므로 공평과 정의로 다스려지지 않습니다. 고아와 과부들이 굶주리며, 몇몇 힘센 기득권자들을 위해 백성들이 소모되는 나라입니다. 즉, 이 나라는 불의한 자가 득세하고, 힘없고 가난한 자들이 고통 당하는 나라입니다. 아무리 정치가 발달해서 제도적으로는 근사한 것 같아도 부패한 인간의 속성은 언제나 불의한 사회적 성격을 감추지 못한다는 것입니다. 하나님이 왕으로 통치하시기를 거부한 이 나라들은 이런 성격으로 가고 있다는 것입니다.이 사실을 성경은 '고아와 과부가 무시된다'(출 22:22, 겔 22:7)고 표현합니다.

그러나 진정한 왕이신 하나님은 이들을 보고 가만히 계신 것이 아니라 결국은 심판하시고야 맙니다. 그들이 번성하는 것 같아도 결국은 하나님의 섭리 가운데 멸망당하고야 말 것이며, 최후 심판은 반드시 있다고 하는 사실을 보여주는 것입니다. 악한 자가 득세하는 것 같아도 결국은 하나님께서 심판하신다는 것입니다. 바벨은 흩어지는 것입니다.

5) 창 11장(바벨탑 사건)에 대한 창 12장(아브라함 사건)의 의의 – 하나님도 나라를 세우심

홍수로 세상을 쓸어버리시고, 언어의 혼잡으로 사람들을 흩어버리시는 것은 무엇에 대한 "하나님의 반응"이라고 생각하십니까? 하나님께 불순종하고 출발한 인류 역사는 모든 사람이 전적으로 부패해서(창 6:5) 항상 악해왔고, 그 가운데 통치자로 군림하는 자들은 패괴하여 강포가 땅에 충만했는데, 바로 이런 시대 성격에 대한 반응이십니다. 이렇게 흘러가는 역사는 결국 심판이라는 사실을 오고오는 인류에게 계시하신 것입니다. 우리가 단순하게 생각하는 "죄를 지어서"라는 도 덕률적인 이유를 뛰어 넘어, 본래 왕은 창조주 하나님이시며, 통치는 하나님에 의해서만 이루어져 야 하는데 인간 왕(단지 힘이 세다는 이유로 포악을 일삼는)이 좌지우지하게 될 때 이 나라는 결 국은 제거된다는 것입니다. 참 왕이신 하나님의 당연한 권리에서 오는 반응입니다. 인간 왕이 다 스리는 나라는 결국 멸망한다는 것을 보이신 것입니다.

세계역사는 하나님의 영역같아 보이지 않는다고 생각될지 모르나 사실 하나님은 분명 이 원리 에 의해서 세계의 역사를 주관하고 계십니다. "하나님의 반응"인 것입니다. 이런 맥락에서 보면 창세기 6장 5절에서 시작되는 노아홍수의 원인이 그 앞 절(4절)의 네피림의 출현과 연결된다는 것이 이해됩니다. 오직 한 분뿐이어야 하는 통치자를 무시하고 힘있는 자에 의해 다스려지는 인간 사회의 패턴을 묵과하실 수 없는 하나님의 대응이 곧 "심판"이라는 것으로 나타난 것입니다. 성경 전체를 놓고 볼 때 십자가 사건이 "구원"의 전형이듯이, 노아 홍수 사건이나 바벨탑 사건은 "심 판"의 전형이 되는 것입니다.

생각점 POINT 다시 정리하십시다. 창세기 1장부터 창세기 11장까지는 인류의 일반 역 사를 다루고 있습니다. 전 세계에 대한 내용입니다. 온 세계 모든 인류는 앞으로 역 사가 흘러가면서 11장같은 나라를 세울 것이지만 결국은 하나님의 심판 아래 있다 고 하는 샘플을 보여주고 여기서 멈춥니다. 그리고 나서 등장하는 사건이 바로 여러 분이 잘 아시는 아브라함 사건입니다.

따라서 아브라함 사건 이전까지의 역사를 신화처럼 생각하면 절대 오산입니다. 12장 에서 시작되는 아브라함의 사건은 11장까지의 내용이 없으면 도저히 연결할 수가 없기 때문입니다. "그들이… 시날 평지(영토)를 만나 거기 거하고… 우리가(주 권)… 우리 이름을 내고… 흩어짐을 면하자(국민)"하고 바벨이라는 나라를 세운 것 을 염두에 두고 12장 사건을 보십시다. "여호와께서(주권) 아브라함에게 이르시 되… 내가 네게 지시할 땅(영토)으로 가라… 내가 너로 큰 민족(국민)을 이루고… 땅의 모든 족속이 너를 인하여 복을 얻을 것이니라"(창 12:1).

왜 아브라함 얘기가 11장 사건 다음에 이어질까요? 11장까지를 지나오는 동안 하나님께서 가지시는 생각이 무엇이겠습니까? "왕은 바로 나다!!!" 바로 이 사실일 것입니다. 11장까지 멸망으로, 심판으로 치달아 온 인생의 역사를 그냥 내버려두지 않으시고 간섭하시는 장면입니다. "왕은 나다! 나도 내 나라를 세우겠다!!" 바로 이 하나님의 천명이 "구원"입니다. 그래서 메소포타미아 지역에서 살고 있던 어떤 한 사람을 뽑아서 그 사람으로 시작되는 한 나라를 건설하시는 그 유명한 창세기 12장의 아브라함 사건부터를 우리는 특별히 "구원역사"라고 부릅니다. 11장까지의 "인류 일반역사"의 관점을 떠나 이제는 "구원역사"에 초점을 맞추므로 성경은 구원역사가 기록되었다고 말하는 것입니다(아담의 타락 이후에 여자의 후손을 보내시겠다는 것부터가 구원역사의 시작이라고 봅니다만, 여기선 특히 아브라함의 역사를 강조해서 여기서부터 구원역사라고 하는 것입니다).

6) 하나님이 당신의 나라를 세우시는 이유

생장점 POINT 여기서 놓치지 말아야 할 아주 중요한 한 가지 사실이 있습니다. 그것은 바로 "왜 하나님께서 아브라함으로 시작되는 하나님 나라를 세우시는가?" 하는 것입니다. 한마디로 대답하면 11장 바벨나라처럼 멸망으로 끝날 수밖에 없는 세상나라들을 그냥 그대로 두실 수 없다는 것입니다. "하나님의 사랑"입니다. 하나님 나라를 통해서 그들을 다시 품고 싶은 "하나님의 작전"인 것입니다. 아브라함으로 온 민족을 복을 받게 하고 싶으신 것입니다.

11장까지의 세상 나라들은 다 하나님 모르는 죄인들이니까 멸망하라고 놔두고 아브라함으로 시작되는 그 나라 백성들만 하나님이 사랑하시기 위해서 이스라엘 나라를 세운다고 생각하기 쉬운데 절대로 그렇지 않습니다. 선민사상, 오해입니다. 이 잘못된 구원 개념의 방정식을 버리지 않으면 앞으로 성경을 읽어 내려갈 때 혼선이 빚어집니다. 성경을 읽어도 그 맥을 잡아 읽어 내려갈 수 없는 중대한 이유가 바로 하나님께서 왜 이스라엘이라는 "하나님 나라"를 창립하시는지에 대한 이유를 모르는 채 읽기 때문입니다. 아무 관점 없이 무조건 이스라엘 역사를 읽어 내려가면 시작도 없고 끝도 없이 표류하게 되는 것입니다.

다시 말하면, 선민인 이스라엘이 이제 세계역사의 한 줄기를 잡고 흘러나갈 것인데 왜 "그 나라"가 있어야만 하느냐 하는 "이스라엘의 존재의의"를 놓치지 말아야 한다는 것입니다. 그것은 출애굽기 19장 6~7절에 있듯이 "제사장 나라"가 되게 하기 위한 것입니다. 즉 하나님의 뜻이 국법인 한 나라가 잘 세워져서 다른 나라들도 이 나라를 샘플로 삼아서 다 하나님을 왕으로 알고 살게 하기 위해서입니다. 성경은 이것을 '제사장 나라'라는 말로 표현합니다. 창조주 하나님의 존재를 선언하시는 방식입니다.

하나님이 편애하시기 위해서 그 백성들의 하나님이 된다면 우리 하나님은 유치한 신이 될 것입니다. 하나님이 건립하시고, 통치하시는 하나님 나라를 세우시는 목적은 창세기 12장 3절입니다. **모든 민족이 복을 받는 것**입니다. 아브라함을 통한 복입니다. 멸망으로 가는 인류들, 즉 모든 족속 (창 10장)을 사랑하셔서 그들을 다시 품고 싶어하시는 하나님의 사랑인 것입니다!

왜 아브라함을 택하셨는지, 왜 이삭을 바치는 사건이 있는지, 왜 요셉이 팔려갔는지, 왜 모세를 통해 구원을 경험하게 하시는지, 왜 시내산에서 계약을 맺으시는지, 왜 광야에서 훈련시키시는지, 왜 하나님 섬기는 제사법을 주셔야만 하는지, 왜 가나안 땅을 주셨는지, 왜 다윗 왕이 와야하는지, 왜 이스라엘이 멸망했고, 왜 거기서 끝나지 않고 포로시대가 있어야 했으며, 왜 그 이후에 예수께서 오셔야 했는지… 아브라함의 자손만을 위해서가 아니라는 것을 알아야 합니다.

결국, 구약의 이스라엘 백성을 부르셔서 하나님 자녀를 삼으시는 하나님의 목적이나, 오늘날 우리를 부르셔서 하나님의 자녀를 삼으시는 하나님의 목적은 정지상태로 끝나서는 안 된다는 것입니다. 그 목적은 **운동성과, 방향성이 있어서 반드시 이 "세상나라"를 향해 돌진하는 특성이 있어야** 한다는 것입니다. 구원받은 사람은 반드시 전도하고 선교하는 증인의 삶을 살아야 된다는 말입니다. 제사장 나라입니다.

7) VIEW POINT(전망대) – 창세기 11장과 12장 사이의 그랜드 캐넌

창세기 11장과 12장 사이에는 이와같이 눈에 안 보이는 거대한 분기점이 있습니다. 12장은 10장에 나타난 온 인류를 향해 방향을 돌리기 위한 작전상의 방향 전환일 뿐입니다. 우리가 미국대륙을 여행하다 보면 가끔씩 "view point" 싸인을 보게 됩니다. 드라이브하다가 잠깐 내려서 이 장소에 올라와 온 사방을 내려다 보라는 것입니다. 그러면 그 일대를 한 눈에 볼 수 있습니다. 아주 절묘한 장소입니다. 지금까지 달려올 때는 전혀 보지 못했는데 그 곳에 서면 갑자기 한 눈에 장관이 확 들어오는 것입니다.

생장점
POINT 이와같이 이제 우리는 창세기 11장과 12장의 아브라함 사건이 성경 전체를 한 눈에 볼 수 있는 "전망대"인 것을 잊지 맙시다. 11장과 12장에서 세워진 두 나라의 특성을 잊지 맙시다. 12장의 나라는 11장 바벨같은 세상 나라를 하나님께로 돌아오게 하기 위해서 세워지는 나라입니다. 튼튼한 나라로서의 면모를 갖춰 나가야 하는데 앞으로 성경이 어떻게 되어나가나 유심히 봅시다. 주권, 국민, 영토 이 세 요소를 어떻게 역사 속에서 형성해 나가는지 보십시다. 우선 아래 8)에서 간단히 정리합니다.

8) 창 12장부터 시작되는 하나님 나라

12장부터 시작되는 하나님 나라도 국가의 3대 요소인 국민, 주권, 영토에 의해 이루어진다고 했습니다. 아래 표를 보면 나머지 성경 전체가 한 눈에 들어옵니다. 우리가 앞에서 액자에 걸린 한 편의 그림에 대해 말했었습니다. 아래 ①번부터 ⑧번은 성경 전체를 그림 한 장처럼 볼 수 있는 틀입니다. 관점1이 무엇이었습니까? 그것은 '누가 왕이냐?' 라는 주제라고 했습니다. 이제 아래 ①번부터 ⑧번까지를 보십시오. 창조주 하나님만이 왕이 되어 다스려야 한다는 얘기입니다. 그것이 신구약 성경 전체의 내용입니다.

어떤 사진 작가가 땅에 눈이 녹은 장면을 찍었더니 예수님의 얼굴 모습이 되었다는 얘기를 아실겁니다. 이 장면이 담겨진 액자를 보신 분이 많이 계시지요? 어떤 사람에게는 그 예수님의 얼굴이 보이는데 어떤 사람은 아무리 해도 보이지 않는다고 합니다. 바로 그것처럼 아래 내용을 훑어 보십시오. 성경전체가 바로 이런 관점에서 한 눈에 '확' 볼 수 있는지… 간단한 스케치입니다. 대충이지만 성경의 전체 윤곽이 이렇구나 하는 것을 알면 이제 성경 일독을 향해 출발하는데 큰 도움이 됩니다.

하나님이 왕이신

① 나라의 태동 ──────────→ 국민 만들기 ──────────→ (창 12~50)

② 나라의 창건 ──────────→ 주권(법)만들기 ──────────→ (출, 레, 민, 신)

③ 나라 땅 찾기 ──────────→ 영토 만들기 ──────────→ (수)

④ 하나님나라 백성답게 살기(국민 주권 땅을 다 가진 후) ──────────→ (삿/삼/왕)

⑤ 나라의 쇠퇴와 부흥운동 ⟶ 포로잡힘 ⟶ (라/느)

⑥ 대리 통치자가 아닌 진짜 왕 예수의 출현 ⟶ (사복음서)

⑦ 새 하나님의 나라인 교회의 탄생 ⟶ (행, 서신서들)

⑧ 영원한 하나님의 나라 새예루살렘의 예언 ⟶ (요한계시록)

창세기 1장부터 12장까지의 내용이 성경 전체의 골격을 만들고 있기 때문에 그것을 이해하는 관점 1을 공부했습니다. 11장까지는 인류 일반역사를 다룬다고 했고, 12장부터는 구원역사를 다룬다고 공부했습니다. 이제 관점 2를 살펴 보십시다.

2. 관점 2: 셋 계열은 가인 계열과 섞이면 안된다, 정복해야 한다

1) 아브라함은 갑자기 나타난 사람인가? … 그는 셋 계열입니다

지금까지 살펴본 바로는 하나님의 구원 역사가 아브라함에 와서야 시작되는 것처럼 생각하기 쉬운데 사실은 11장까지의 역사 속에서도 하나님은 하나님의 사람들을 심어 놓으셨던 사실을 꼭 알아야 합니다. 어느 날 갑자기 하나님께서 아브라함을 불러 명령하시고 그에게 나타나십니다만 11장까지의 역사 속에도 아브라함처럼 하나님을 알고 예배하는 사람들이 살고 있었던 사실을 놓쳐서는 안됩니다. 이들은 거룩한 "계열"을 이루어 역사를 타고 흘러 내려 왔습니다. 어떤 "하나님의 사람들"이 있었고, 그 사람들의 영향을 받은 다음 세대가 있었으며, 이런 흐름이 계속되어 거룩한 무리의 계보를 만들었다는 것입니다. 그 "하나님의 사람들"이 누구입니까?

생각점 POINT 성경은 그 무리들의 이름을 수록해 놓습니다. 대단한 일입니다. 이것이 바로 족보입니다. 우리는 이 족보가 나오면 아주 싫어합니다. 지루하기 때문입니다. 만일 오늘날의 베스트 셀러 작가가 글을 쓴다면 결코 이런 지루한 족보를 일일이 나열하지 않을 것입니다. 그렇게 해서는 결코 베스트 셀러가 될 수 없기 때문입니다. 그러나 성경은 이 명단을 꼭 기억하고 있다가 기록하게 하십니다. 그래도 성경은 세계 베스트 셀러입니다. 사실이기 때문입니다. 역사이기 때문입니다. 이것이 바로 성경입니다. 성경이 성경인 것은 바로 이런 사실 기록이라는 점입니다. 나중에 하나님은 우리 이름도 기억하셨다가 이 거룩한 무리들의 계보처럼 생명책에 꼭 기록하실 것입니다.

자, 이렇게 한 시대를 마무리하곤 하면서 이런 거룩한 하나님의 뜻이 누구를 타고 흘러내려 가는지 반드시 짚고 넘어가는 기록습관을 눈여겨봅시다. 그리고 족보가 나왔다 하면 반드시 그 족보는 **방향성**이 있습니다. 즉, 그 족보가 가서 멈추는 **중요한 사람**이 있다는 것입니다.

일독학교 학생 여러분! 그렇다면 성경이 처음으로 소개하고 있는 족보가 누구한테서 시작해서 누구에게로 가는 것인지 눈여겨보신 적이 있으십니까? 그것은 셋으로부터 시작되는 **셋 계열의 족보**입니다(창 5장). 그런데 이 셋은 누구 대신 나타난 사람입니까? 그렇습니다. 아벨입니다. 아담이 하나님께 범죄한 이후에도 하나님께서는 그들을 떠나지 않으시고 다시 하나님과 교제를 회복할 수 있는 길을 제시하셨습니다. 구원입니다. 복음입니다. 하나님이 왕이심을 인정하는 사람들은 제물을 가지고 나가 하나님께 용서를 빌며 다시 그 하나님의 통치를 받는 그의 백성으로 살아갔습니다. 그 부류의 사람들 중 대표가 아벨이었습니다. 그러나 그 반대의 사람들은 가인이 대표로 있는 줄에 서 있는 것입니다.

오늘날도 종교전쟁이 가장 무섭습니다. 테러와의 전쟁도 그 뿌리가 그곳에 닿아 있습니다. 세상에 처음 일어난 살인도 그 싸움이었습니다. 하나님을 왕으로 섬기는 자들은 세상의 핍박을 받기 시작합니다. 그러나 결단코 이 무리들이 역사 속에서 사라지는 것은 아닙니다. 셋이라는 이름으로 부활하는 것입니다. 그래서 성경에서는 이 셋이야말로 아담을 이어가는 후손으로 의미가 있다는 사실을 족보라는 형식을 빌어 설명하고 있습니다. 보십시오, 창세기 5장 1~4절을. "아담 자손의 계보(족보)가 이러하니라… 아담이 일백삼십 세에 자기 모양 곧 자기 형상과 같은 아들을 낳아 이름을 셋이라 하였고" 이 이후로 성경은 아담이 가인을 낳았다거나, 아벨을 낳았다거나 하지 않고, 언제나 "아담은 셋을 낳았다"(대상 1:1, 눅 3:38)고 말합니다. **공식적인 성경 역사의 족보는 아담이 셋을 낳은 것입니다.**

그런데 아담을 잇는 셋의 역사가 족보를 타고 흐르다가 멈추어 서는 곳이 있습니다(창 5장). **노아입니다.** 셋의 족보는 노아까지 이르는 족보입니다. 이제부터 전개되는 중대한 사건은 노아를 통해 나타난다는 뜻입니다. 이제 노아가 주인공이라는 말입니다. 보십시오. 이 족보가 노아를 찾아내더니 계속해서 노아의 얘기를 하고 있는 것을… 노아 얘기를 하고 싶어서 셋으로부터 노아까지 온 것입니다. 거룩한 계열의 사람들입니다. 앞뒤로 이런 저런 이야기를 하고 있으면서도 그 이야기가 흘러가고 있는 방향을 잃지 않습니다. 앞으로 성경은 이 흐름을 따라 내려갈 것이라는 의지를 보인 것입니다.

그리고 10장에 다시 족보가 나옵니다. 노아부터 다시 시작되는 족보입니다. 그렇다면 이 족보도 방향이 있을 텐데 그 사람이 누구인지 발견할 수 있겠습니까? 12장의 아브라함입니다. 노아의 아들 중 셈에게 초점이 맞춰지더니 결국은 아브라함에게 가서 멈춥니다. 왜냐하면 10장이 셈의 족보로 끝나는데 11장 바벨탑 사건을 얘기한 후 11장 끝에 와서 다시 셈의 족보를 거론하면서 데라가 등장하고 아브라함이 등장하기 때문입니다.

성경에서는 이런 부류의 사람들의 신앙을 "여호와의 이름을 불렀더라. 여호와께 단을 쌓고, 하나님과 동행하며"라는 한두 마디로 요약하고 있습니다. 셋⇨에녹⇨노아⇨셈⇨아브라함… 셋 계열입니다.

2) 네피림, 니므롯 같은 사람은 갑자기 나타난 사람인가?

이 셋 계열이 아닌 나머지 사람들에 대해서는 성경이 어떻게 설명하고 있습니까? '죄를 지으면서, 이 세상 문화를 발달시키는 사람들'이라고 특징지우고 있습니다. 가인계열입니다. 그들은 이 세상 문화에 아주 뛰어났습니다. 각종 산업, 건축, 목축업, 공업, 일부다처제, 예술(창 4:16~22) 등의 원조가 되었으며, 이들 가운데 다스리는 원리가 있었다면 그것은 처음에 말했던 바와 같이 힘 센 사람이 폭군으로 군림하며 지배하는 것(창 4:23~24)이었습니다. 이들 가인의 후손은 세월이 흘러가면서 패역한 노아시대, 바벨, 소돔, 고모라, 가나안과 같은 당시로서는 매우 뛰어난 세상 문화를 창출하는 주역이 됩니다. 즉 가인의 계열을 타고 네피림과 니므롯같은 당시 폭군지도자가 나타납니다.

3) 셋 계열(하나님 나라)과 가인계열(세상 나라) 간의 긴장

기독교 세계관을 연구하는 학자들은 이 두 계열간의 긴장을 "영적 전투"라는 말로 표현합니다. 이 둘 사이는 다음 유형으로 유지됩니다.

① 세상 나라 문화가 하나님 나라 문화를 침투해서 세속화되는 유형
② 하나님 나라 문화가 세상 나라 문화를 침투해서 하나님 나라로 변화 시키는 유형

이 유형을 정리해 놓고 다시 성경 처음으로 돌아가십시오. 성경의 역사는 한마디로 "왕 싸움"

의 역사로 볼 수 있다고 했습니다. 하나님이 왕 되심을 거부한 아담의 후손들은 두 계열로 나뉘어 흘러 내려왔습니다. 하나님을 거부한 사람들은 전체가 다 하나님을 대적해야 하는데 이상하게 하나님 쪽에 속해있는 사람들이 있었더라는 말입니다.

우리는 이상하게도 하나님 쪽에 있게 되는 이 현상을 "하나님의 은혜"라는 말로 정리합니다. 그들을 받아들이시는 하나님은 "피흘림의 제사", "용서", "화해", "순종하는 삶", "하나님의 통치를 받음", "하나님의 아들들이 됨" 등, 소위 하나님과 교제할 수 있는 길을 터 놓으셨습니다. 당신이 창조하신 사람들을 버리지 않으시는 사랑입니다. 우리는 이 말을 "구원"이라고 정리했습니다. 그리고 하나님과 이렇게 교제하는 사람들은 하나님을 왕으로 인정하는 사람들입니다. 그의 통치를 받는 사람들입니다.

생장점 POINT 여기서 우리는 왜 하나님께서 이런 하나님의 백성들을 구별하시는가 그 목적을 반드시 알아야합니다. 즉 위에서 한마디로 정리한 하나님의 백성들의 그 "구원"은 방향성이 있어야 한다는 것입니다. 그것이 바로 ②번입니다. 어떤 한 개인이든 하나님 백성의 무리이든 내적으로는 속사람의 완성을 향해 나아가면서도, 또한 외적으로는 반드시 "세상나라"를 향해 나아가는 최종 방향성이 있어야 한다는 것입니다.

지금 우리는 최초의 인류 일반역사 부분을 다루면서 첫 사람 이후 번져나가기 시작한 사람들 얘기를 하는 중입니다. 오늘날처럼 수십 억이 되기 이전, 처음 소수일 때부터 인류는 이렇게 '하나님과 교제하는 길'을 알고 있었습니다. 처음 소수일 때는 전체가 다 아는 것입니다. 다만 그 길을 선택하지 않았을 뿐입니다. 셋 계열과 가인계열이 함께 있었습니다. 셋 계열 사람들은 하나님을 왕으로 인정하고, 제물을 통해 제사하며 하나님의 자녀가 되어 은혜를 입은 자로 살고 있었습니다.

"우리 나라에 복음이 들어온 것이 약 100년 좀 넘었는데, 그 이전에 전파되지 않아서 복음을 들을 기회가 없었던 사람들은 얼마나 억울한가, 그들이 듣지 못해서 구원을 못 받은건데 불공평한 것 아닌가?" 이런 질문을 하는 사람들이 아주 많이 있습니다. 이 때 거론되는 사람들이 세종대왕이라든가, 이순신 장군이라든가 그렇습니다. 우리 그 문제를 여기서 한 번 적용해 보십시다.

이순신 장군과 세종대왕만 볼 것이 아니라, 그 분들 앞 세대, 또 앞 세대, 또 앞 세대, 계속해서 올라가 보면 결국 초기 인류역사를 말하고 있는 이 곳 창세기 앞 부분에 살고 있는 조상에게 다다르게 됩니다. 그러니까 처음부터 하나님께서는 '피흘림'을 통한 하나님과의 교제방법을 제시하셨고 모든 인류는 처음부터 그 '복음'에 노출되어 있었습니다. 우리 조상도 그 끝까지 가 보면 아담에게 다다릅니다. **이순신 장군이나 세종대왕에서 끊을 일이 아닙니다.** 그 앞 세대 사람들은 어떡합니까? 또 그 앞 세대는 어떡하구요? 그러니까 사실, 인류 역사가 처음 시작하는 그 순간부터 하나님을 왕으로 인정하지 않고 그의 통치를 거부하는 사회 속에서도 다시 회복할 길은 열려져 있었는데, 시간이 계속 흐르면서 셋계열의 사람들이 이웃에게, 이웃에게, 계속해서 전파하는 사명을 감당치 못해서 끊어진 것입니다. 그러다가 하나님을 인정하지 않은 부류의 공동체가 하나님 없이 나라를 이루고 자꾸 세대가 흘러내려 가다 보니, 하나님 지식이 아예 없는 것 같이 보인 것뿐입니다.

그러므로 ②번 원리가 지배하는 사회를 유지해야 하는 것이 하나님 나라 사람들의 사명인 것입니다. 전도입니다. 선교입니다. 이 사명 자체를 모른 채 그저 살아가서 ①번의 상황이 나타났고, 그러면 반드시 나타나는 현상이 "심판"입니다. 아무리 세상이 악해도 그 가운데 하나님의 백성들이 영향력을 끼칠 수 있는 ②번과 같은 운동이 일어나고 있으면 하나님은 그 사회를 참고 기다리시지만, 소위 성, 속의 구분이 없어지면, 그 사회를 심판하십니다.

생각점 POINT 일독학교 학생 여러분! 지금 우리는 성경을 어떤 관점으로 읽어내려가야 할 것인가를 얘기하고 있는 중입니다. 하나님의 사람들은 **섞이지 말고 오히려 전파하는 사명을 감당해야한다는 것이** 성경 처음부터 붙들고 있어야 하는 관점입니다. 바로 이런 관점으로 성경을 읽으시면 이해하기 쉽습니다. 사실인지 다음의 내용을 보며 응용해 봅시다.

노아홍수 심판의 원인을 살펴봅시다

네피림이 왕노릇하던 포악한 시대가 노아시대의 성격이었습니다. 그런데 그 네피림이 어떻게 이 지상에 출현하게 되었는지 봅시다. 창세기 4장 끝과 5장에 걸쳐서 등장하게 되는 "은혜를 입은 자들"이 있었습니다. 셋에서부터 노아에 이르기까지 그들의 줄기를 통해 거룩한 백성의 성격이 유지되었음을 알 수 있습니다. 그들을 성경은 "하나님의 아들들"(창 6:2)이라고 부르고 있습니다. 셋 계열입니다. 그런데 그들이 "사람의 딸들"(창 6:2)을 좋아했고 그들이 섞여 결혼했습니다. ①

번 현상입니다. 그래서 자식들이 태어났는데 이상하게 그들이 자이언트(네피림)였습니다. 그들은 결국 고대의 용사, 장부, 유명한 사람이 되었다고 했습니다(창 6:4). 그들은 홍수를 불러 올 만큼 패역한 세상문화를 만들어 냈고, 하나님은 그들을 심판하신 것입니다.

하나님을 왕으로 섬기기 거부한 인간들에게 왕으로 군림하게 되는 왕의 심볼 네피림은 바로 이렇게 하나님의 사람들과 사람의 딸들이 섞일 때 나타난 존재들이었습니다. 그리고 이들의 다스림은 인류역사상 심판의 전형으로 나타나는 노아홍수를 자초했던 것입니다. 구원얻은 하나님의 사람들이 세상을 정복하지 못하고 오히려 역습을 당하자 심판이 온 것입니다.

소돔, 고모라 심판도 살펴봅시다

아브라함이 살았던 땅(지시하신 땅, 가나안 땅)의문화를 대표하는 것이 소돔 고모라입니다. 그 문화의 성격은 노아 때와 같았다고 말하고 있습니다. 사람들은 살기 좋은데 모여 도시를 형성하며 멸망에 그 정수리를 부딪칠 때까지 죄를 지었습니다. 소도마이(Sodomite), '소돔 사람들'이란 말은 '남색하는 자'라는 말입니다. 이 도시의 이름이 남색하는 자들의 도시라는 뜻입니다. 예나 지금이나 먹고 살만해지고 그래서 문화가 발달해 가면 그 문화의 심장부인 대도시는 이런 성적으로 타락하는 향락문화에 닿아 있는 겁니다. 그렇게 될 수밖에 없었던 것은 그들의 종교가 곧 음란 자체였기 때문입니다. 샌프란시스코나 호주만 '게이'들로 유명한 것이 아닙니다. 지금부터 4,000년 전에도 이미 그 문화는 존재했습니다. 하나님을 떠난 인류문화는 그 패턴이 이렇게 똑같습니다.

하나님을 왕으로 섬기지 않고, 힘 센 폭군들이 다스리는 나라는 이와같이 불의한 사회구조가 형성될 수밖에 없습니다. 향락과 타락이 그 사회가 가는 길입니다. 그러나 이런 나라에도 의인 10명(최소한의 공동체를 뜻함), 즉 '하나님의 아들들'이 중보하는 역할을 하고 있다면 그 나라와 사회는 유지됩니다. '하나님 나라'적인 성격을 띤 공동체가 그들 가운데 있어서 그 성격을 유지하고 그 사회를 정화하는 기능을 하고 있는 한, 하나님께서는 참고 기다리심을 알 수 있습니다. 그러나 그러지 못하고 ①번과 같은 유형이 될 때 하나님은 심판하십니다. 하나님은 의인 10명을 요구하셨습니다.

이스라엘의 멸망도 봅시다

여기서 우리는 창세기 12장에 나타나는 "하나님 나라" 이전에도 "하나님의 아들들", "은혜를 입은 자"라는 이름으로 하나님에게 속해 있던 구원받은 백성들이 있었다는 사실을 찾아내고 있습니다. 그런데 이들 중 한 사람도 구원받을 만해서 받은 것이 아니었습니다. 인과응보에 의하면 다 구원받을 수 없습니다. 첫 사람 아담이 거역할 때 모든 인류는 그 아담 안에 함께 있었기 때문입니다. 다만 "은혜"를 입은 자들이 하나님을 경외한 것입니다. 그리고 그들은 개인으로서가 아니라 "공동체"를 이루어 왔고, 하나님 나라의 성격을 갖고 있었습니다. 그들이 살고 있는 사회 속에서 하나님 나라를 전파하라는 사명을 감당하라는 것입니다. 제사장 나라입니다. 이제 이스라엘은 어떻게 했나 보십시다.

그들 역시 "이스라엘의 존재 의의"는 ②번의 사명을 감당하는 것이라는 사실을 깨닫지 못하고, 오히려 가나안의 종교와 문화에 영향을 받습니다. 그리고 하나님 나라 백성으로서 그 면모를 잃어 버리고 심판을 받아 멸망합니다. 세월이 흘러가면서 그 사명 감당하지 못하고 오히려 그 사회가 하나님의 백성들을 타락하게 만들어 버리면 하나님은 그들을 심판하실 수밖에 없으며, 그 심판 가운데서도 하나님은 반드시 그 중 얼마를 또 구원하셔서 새롭게 하나님 나라의 성격을 이어가게 하신다는 패턴입니다.

구원은 "은혜"로 받는다는 성경의 진리는 신약에서만 나타나는 사상이 아닙니다. 성경의 진정한 저자이신 하나님의 일관성 있는 구원의 도리입니다. 구원받은 자들을 붙들고 물어보면 하나같이 다 "나는 은혜로 구원받았다"고 말하지 "내가 최선을 다해, 도를 닦아서, 수행을 쌓아서, 선행으로 구원받았다"고 결코 말하지 않는다는 것입니다. "하나님이 나를 택하셨다"고 말하지, "내가 하나님을 선택했다"고 말하지 않는다는 것입니다. (🌱 그런데 이 똑같은 얘기를 '론' 자를 붙여 '예정론' 하면 금새 알러지 반응이 나타나는 사람들도 있습니다. 🌱)

다음의 발전된 사상(공의, 사랑)도 찾아내 봅시다

아 담의 타락으로 하나님에게서 쫓겨나지만(심판, 공의) 아벨, 셋을 통해 하나님과 회복하는 관계를 다시 갖게 됩니다(구원, 사랑).

셋 계열의 하나님의 아들들이 그 명맥을 잘 이어가다가 타락하게 되고 그래서 홍수를 당하지만(심판, 공의) 노아가족은 살아납니다(구원, 사랑).

노 아의 세 아들이 새 인류로 번성해 가다가 나라들로 발전합니다. 그 가운데는 니므롯이 다스리는 국가, 바벨이 출현합니다. 하나님께서 그들의 언어를 흩으시나(심판, 공의) 그 가운데 셈 계열의 아브라함을 택하여 공동체 규모인 나라를 세우십니다(구원, 사랑).

이스라엘이라는 구원받은 하나님의 백성들이 번성해 나갑니다. 그러나 열방에게 하나님을 전파하는 제사장적인 사명을 잘 감당하지 못합니다. 그리고 오히려 이웃나라의 우상을 섬깁니다. 정복을 당합니다. 세속화가 일어납니다. 이스라엘은 결국 정치적으로도 그들에게 정복 당합니다(심판, 공의). 그러나 그들 중 다윗의 혈통과 그 위를 빌어 구원자, 그리스도가 나게 하십니다(구원, 사랑).

3. 관점 1, 관점 2를 마치면서

 생장점 POINT 사랑하는 일독학교 학생 여러분!

성경일독을 하려고 하는데 아직까지 성경은 안 읽히고 창세기 1장부터 12장까지를 이렇게 오래 다루고 있는 것은 몇 가지 이유가 있어서입니다. 성경 전체의 사상을 보는 관점이 없이 성경을 읽으면 정돈이 안되기 때문입니다.

성경이 결국 말하려고 하는 '중심 주제'를 통해 성경을 읽기 시작해야 나름대로 틀이 생기는 것이지요. 그러면 하나 하나의 부분적인 사건이나 말씀들을 전체 속에서 유기적으로 연결시킬 수 있는 힘이 생깁니다.

또, 구약의 성도들이 구원 얻는 길이 신약에서 말하고 있는 구원의 길과는 다른 것처럼 이원론적으로 생각하던 것도 버리게 됩니다. 또 구약의 하나님이 신약의 하나님과 다르다고 생각하는 오해도 버리게 됩니다. 일관성있는 성경의 중심사상을 찾게 됩니다. 막연히 생각했던 선입견을 버립시다. 성경은 일관된 구원관을 말하고 있습니다.

그러니 이제 더 이상 창세기 앞부분을 신화처럼 생각하지 맙시다. 여기를 신화처럼 생각하면 그 뒤에 연결되는 모든 말씀들은 사실 눈가리고 아웅하는 식의 자가당착에 빠져버리는 우스꽝스러운 성경이 되어버립니다. 성경에는 신화가 없습니다. 사실만 있습니다. 만약 어디는 신화로 알고, 어디는 사실로 믿는다면 얼마나 어이없는 일입니까? 바로 여러분이 신화처럼 생각하기 쉬운 이 부분에 가장 깊은 진리들이 숨어 있습니다. 희귀한 생물들이 늘 손닿지 않은 깊은 곳에 숨어 있듯이, 성경 전체에서 가장 귀한 부분이 바로 이 창조시대에 숨어있습니다. 진리를 파내야 합니다.

아담, 선악과를 신화처럼 생각하면 로마서 5장의 예수 그리스도와 아담의 대조는 허구가 되어 버립니다. 또한 십자가 사건은 신화에 뿌리를 내린 이상한 구원이 되어 버립니다. 만일 어떤 분이 예수님의 십자가 구원은 믿으면서도 선악과 부분을 신화처럼 읽어버린다면 그 분의 신앙은 갑자기 이상해져 버립니다. 이렇게 이 창세기의 앞 부분은 성경 전체를 흘러가게 만드는 나침반과 같이 방향조정을 하고 있습니다. 이렇게 이 창세기의 앞 부분은 성경 전체를 보게 만드는 관점의 틀이 숨겨져 있는 보물 창고입니다

구약 성경 읽기 실제 (1)
창 · 출 · 민 · 수 · 삿 · 삼 · 왕

드디어 이제 본격적으로 성경을 읽어 내려 가십시다. 베이스 캠프인 "창 · 출 · 민 · 수 · 삿 · 삼 · 왕 · 대 · 라 · 느"를 따라 읽어 내려 가는 겁니다. 이번 일독학교에서는 성경이 시간의 흐름을 타고 어떻게 가고 있는지에 초점을 맞추고 있습니다. 그러다 보니 〈시가서〉의 시편, 잠언, 전도서, 아가서, 욥기 등 각각이 무슨 책인지 깊이 언급되지 않습니다. 또 〈예언서〉 이사야부터 말라기까지 열 일곱 권 하나하나가 어떤 내용인지 그 의미를 깊이 있게 공부하지 못합니다. 다만 〈역사서〉를 중심으로 성경이 흐르고 있는 길을 따라가며 그 〈시가서〉들이나 〈예언서〉들이 어디에 위치하는가 하는 정도만 생각해 보고 있는 것입니다. 이제 '창 · 출 · 민 · 수 · 삿 · 삼 · 왕 · 대 · 라 · 느'를 따라 하나하나 자세히 살펴 봅시다. 이 뼈대만 있으면 그 다음에 무슨 집이든 지을 수 있습니다. 자세한 것은 주석이나 낱권 공부를 통해 얼마든지 그 후에 따로 할 수 있습니다.

1. 창세기 읽기 (창 출·민·수·삿·삼·왕)

1) 창 1~11장 (창조, 타락, 노아 홍수, 바벨탑)

제3과에서 배운 내용을 생각하며 읽읍시다. 인류일반 역사입니다.

2) 창 12~20 장 (아브라함으로 시작되는 하나님의 나라)

12장의 아브라함은 갈대아 우르 사람이라고 했습니다. 이 갈대아라는 나라는 성경 역사 속에서 때로는 바벨론, 때로는 앗수르로 불리운 민족입니다. 북방 이스라엘과 유다 왕국이 이들에 의해 망하는 것이라고 했습니다. 아브라함의 때는 약 기원 전 2,000년으로 추정합니다. 본토 친척 아비

집을 떠나는 위대한 떠남이 하나님 나라의 유업을 받는 첫 출발입니다. 세상나라(갈대아)에서 떠나는 것이 하나님 나라(이스라엘) 백성이 되는 길입니다. 아브라함이 이스라엘의 국부가 됩니다. 그래서 이스라엘 국사가 시작됩니다. 이스라엘뿐 아니라 열국의 아버지가 되는 순간입니다.

하나님도 나라를 세우시는데 특히 창세기는 "국민 만들기"를 하시는 중이라는 큰 그림을 가집시다. 그러므로 **"누가 하나님 나라의 후사(기업을 물려받을 후손)인가?"**가 관건입니다. 사실 신약에 들어와서도 이 질문은 계속 되고 있습니다. 요한복음 3장의 니고데모도 그 당시의 한 석학으로서, 정치지도자로서, 또 깨끗한 심령을 가진 신앙인으로서, '하나님의 나라'라는 평생 숙원의 질문을 갖고 씨름했었습니다.

모든 인류는 결국 이 질문을 갖고 사는 것입니다. "누가 하나님 나라에 들어가는가?" "누가 구원을 받는가?" "어떻게 해야 구원받는가?" 이 질문에 대한 하나님의 답변을 구체적인 인간의 삶을 통해 하고 계신 것입니다. 누가 그 나라의 백성들인가를 보임으로써 그 구원의 원리를 한 가지씩 한 가지씩 계시해 주시는 것입니다. 아브라함의 생애가 시작되는 12장도 이런 질문을 갖고 읽읍시다.

20장까지의 아브라함의 생애는 다음 내용들입니다. 세상 나라 가운데 있던 아브라함을 "은혜"로 부르십니다. 하나님 나라를 이루는 복의 근원이 될 것을 약속하십니다. 그런데 자식을 낳을 수 없는 아브라함은 이 약속을 불가능한 것으로 생각할 수 밖에 없는 상황입니다. 그러나 아브라함은 하나님을 믿습니다. 그래서 아브라함은 "믿음"의 조상이라고 불리게 되고 신약의 로마서나 갈라디아서에서 "믿음"을 정의할 때 이 아브라함의 케이스를 꼭 갖다 대는 것입니다.

즉 누가 하나님이 세우시는 하나님 나라에 들어갈 수 있는가? 아브라함처럼 "믿음"으로 들어간다는 것입니다. 하나님 나라의 후사(아들, 하나님의 자녀)는 인간의 노력이나 힘으로 되는 것이 아니라 하나님이 출생시키신다는 뜻입니다. 사람으로는 불가능합니다. 그러나 하나님의 왕 되심을 거부한 인류 역사 속에서도 하나님 나라의 아들들이 나타날 것인데 그들의 특징은 하나님을 믿는다는 것입니다. 불가능한 상황에서의 출산입니다. 하나님이 출산하십니다. 이 나라의 백성들은 하나님에게서만 나옵니다. 거듭남의 예표입니다.

하나님 나라의 첫 백성인 아브라함에게 첫 아들(하나님의 아들, 약속의 자녀; 갈 4:28)이 반드시 출생할 것이라고 말씀하십니다. 이것을 증명하시기 위해 하나님은 계약을 하자고 하십니다. 하나님은 이 계약(창 15장)에 목숨을 거십니다. 100세나 되어 아들을 갖게 되는 과정, 소돔과 고모라 사건, 주변 연합국가들과의 전쟁, 이삭의 출생과 번제 사건 등을 통해 믿음의 조상이라고 불리우는 이유를 생각해 보고, 하나님이 앞으로 어떻게 이 약속을 이행해 나가시는지 주시하며 읽읍시다.

3) 창 21장~26장 (아들을 주심 : 이삭의 생애)

그 첫 후사는 이삭이었습니다. 대체적으로 이삭은 하나님의 아들 "예수"를 예표합니다. 이삭은 출생부터가 하나님의 방법으로 태어 났습니다. 하나님으로부터 난 것입니다. 예수님의 출생도 인간의 방법이 아닙니다. 하나님에게서 난 자입니다. 하나밖에 없는 아들을 제물로 드리는 사건은 하나님께서 독생자 예수를 제물로 내어 놓으시는 구원사역의 정점을 예표로 보이시는 것입니다. 수풀에 걸린 염소는 다시 살아나는 이삭과 부활하신 예수 그리스도를 비유합니다. 아브라함과 이삭은 자기네 인생을 그저 살았는데 그들의 생애를 통해 하나님께서는 이 하나님 나라의 특징을 계시하신 것입니다. 신비입니다.

앞으로 역사 속에 진행될 하나님 나라는 독생자를 내어 놓으시는 구원이 그 핵심이 될 것이라는 신비스러운 계시입니다. 그런데 이 핵심이 아브라함과 이삭의 생애 속에서 일어나는 사건들로 표현됩니다. 역사적 사건 속에서 정확하게 계시하시는 하나님의 섭리를 발견하며 읽읍시다. 인간이 자기 삶을 살아도(자유의지) 하나님의 계획(주권)은 이루어진다는 것입니다.

> **생장점 POINT** 만약 당신이 이 사실을 깊이 깨닫고 감사하며 이 대목을 읽는다면, 당신은 A.D. 2,000년대에 살고 있으나 성경 속에서 이 주인공들과 함께 사는 경험을 하는 것입니다. 왜냐하면 이 주인공들의 이야기는 바로 오늘 당신으로 하여금 깨닫게 하기 위해서 하나님이 기록으로 남기셨기 때문입니다. 바로 당신 때문에 남기셨다는 말입니다.

4) 창 27장~37:1 ('이스라엘' 이라는 이름으로 명명 되는 하나님 나라 – 야곱의 생애)

이삭에게서 쌍둥이 두 아들이 태어납니다. 야곱과 에서입니다. 무슨 선이나 악을 행하기도 전에 어느 하나를 선택하셔야겠다는 하나님의 뜻은 참 이해하기 힘든 것이 사실입니다. 둘 중에서 누구는 선택되고, 누구는 선택되지 않습니다. 이 하나님의 선택에서 우리가 발견할 수밖에 없는 원리가 있습니다. '하나님의 주권' 입니다. 칼빈이 얘기한 대로 이 선택에는 조건이 없다는 것입니다. 무조건적 선택입니다.

아담의 불순종으로 온 인류는 모두 다 하나님을 떠났는데 그 중에 어떤 이들(하나님의 아들들)은 하나님과 다시 관계를 회복하고 여호와의 이름을 불렀다고 했습니다. 여러분, 기억하시지요? 셋이나 에노스나 에녹이나 노아 등 하나님의 사람들은 어떤 사람들이라고 했습니까? "은혜를 입은자들"이라고 했습니다. 은혜를 입은 자들은 그들에게 공로가 없습니다. 무슨 조건이 있어서라면 그것은 이미 은혜일 수 없습니다. 쌍둥이라는 이미지는 똑같다는 것입니다. 무엇입니까? 무조건적 선택, 은혜를 이렇게 설명하는 것입니다. 인간적인 기준에서 보면 오히려 야곱이 나쁜 사람의 특징을 많이 가지고 있습니다. 모든 사람이 죄를 범하여 하나님의 영광에 이르지 못하기 때문에(롬 3:23) 하나님은 더 이상 선행으로 무엇을 판가름하지 않으신다는 뜻입니다. 하나님과 첫 관계 회복은 믿음으로, 은혜로 된다는 것입니다. **도덕률을 넘어서는 것이 성경 원리입니다.** 그래서 선, 악이라는 기준만으로 성경을 읽으면 이해가 안되는 것이 많습니다.

야곱은 에서를 피해 밧단아람으로 피신해 그곳에서 가정을 이루고 열두 아들을 갖게 됩니다. 밧단 아람에서 이 아들들을 얻습니다. 후에 모든 재산과 식구들을 이끌고 형을 피해 도망 나왔던 가나안으로 되돌아 갑니다. 이들이 후에 이스라엘 열두 지파가 되며 창세기 12장에서 출발한 하나님의 나라는 이 열두 아들의 후손들이 번성하면서 그 구성원이 됩니다. 야곱이 하나님과 겨루어 다시 얻은 이름 '이스라엘'은 하나님 나라의 이름으로 확정됩니다.

5) 창 37:2~50장 (이집트로 향하는 야곱의 식구들 – 요셉의 생애)

사실 '족장' 하면 아브라함, 이삭, 야곱까지입니다. "아브라함의 하나님, 이삭의 하나님, 야곱의 하나님"이라는 말이 이를 잘 설명하고 있습니다. 그런데 창세기는 야곱의 12아들 중 유독 요셉의 생애에 초점을 맞춰 아브라함, 이삭, 야곱 수준으로 그의 생애를 다루고 있습니다. 그 이유는 바로 이제 앞으로 진행되는 이야기가 이집트라는 곳으로 무대를 옮기게 되는데 그 역할을 하는 장본인이 요셉이기 때문입니다. 미국에 와서 살고 있는 분들은 이 상황을 잘 이해할 수 있습니다. 가족 중 한 사람이 먼저 미국에 첫 발을 디뎌서 자리가 잡히면 그 후에 한 식구 한 식구 초청해서 모든 가족이 다 오게 되는 것처럼 이 요셉이 첫 사람이 되었습니다.

앞으로 나타나는 "출애굽의 역사"는 "입(入)애굽의 역사"가 있은 다음에 생긴 일입니다. 어떻게 형들에게 팔렸으며, 어떻게 이집트에서 고생했으며, 혼자 몸에 그것도 외국에서 어떻게 "자기 조상의 하나님"을 인식했는지, 그리고 그 하나님의 뜻을 지표로 삼고 어떻게 실제 생활에서 그 말

쓴대로 살았는지를 살피면서 읽읍시다. 야곱도 부모 떠나 혼자 살며 하나님을 경험했는데, 아들 요셉은 그 아버지보다도 훨씬 성숙한 인생을 삽니다. 이집트에서 정치적으로 큰 지도자가 된 요셉은 아버지와 그 열 한 형제들을 이집트로 오게했고, 새로운 이민생활을 시작하는 내용으로 창세기는 끝을 맺습니다.

6) 창세기 결어

POINT 우리가 창세기 12장에서 처음 이슈로 생각했던 주제는 "누가 하나님 나라 후사인가?"였습니다. 누가 하나님 나라의 국민인가 입니다. 창세기가 끝나면서 그 뚜껑을 열어보니 야곱의 70식구로 귀결되었습니다. 이들로는 아직 나라를 이룰 만큼 많은 숫자가 되지는 못합니다. 하나님께서는 그의 섭리 가운데 400년이라는 긴 기간을 침묵하십니다. 가만히 생각해 보면 유목민인 그들은 풀을 찾아 여기 저기 다녀야 했기 때문에 그냥 가나안 땅에 있었으면 70식구가 여기 저기 흩어져 살게 되었을지도 모릅니다. 이집트의 고센이라는 땅을 바로가 주어서 한 곳에 모여 살았고 그래서 흩어지지 않았습니다. 이들은 생산이 중다하게 되었다고 출애굽기에서는 말하고 있습니다. 국민 만들기를 잘하고 있습니다.

하나님은 이집트를 하나님 나라 백성 만드시기 위해 가장 좋은 장소로 온상처럼 400년 동안 사용하셨습니다. 그동안 장정 남자만 60만명 정도, 전체 인구는 약 250만 명 정도까지 증가하게 됩니다. 즉 **다른 나라에 영향력을 미칠 수 있는 공동체로서 단위**가 되었다는 뜻입니다. 창세기와 출애굽기 사이에서 하나님의 후사들은 70명이 250만 명 가량으로 늘어난 것입니다.

2. 출애굽기 읽기 (창, 출 민·수·삿·삼·왕)

POINT 앞으로 전개되는 출애굽기의 이슈는 두 가지입니다.

첫째, 한 국가의 국민들이 발 딛고 살아야 하는 "땅"을 찾아 나서는 일이고,

둘째, 한 국가로 건국되기 위해 반드시 있어야 하는 "법"이 제정되는 일입니다. "법"은 준행하라고 있는 것인데 그러기 위해서는 그 백성들이 그 "법"을 우선 "이해"해야 하고(교육), 그 후에 "준수"할 실력이 있기까지 소정의 훈련과정이 필요할 것이라는 생각을 합시다.

위의 두 가지만 염두에 두고 출애굽기를 읽읍시다. 십계명이 어떻고, 율법이 어떻고 제사법이 어떻고 하는 이야기는 일단 옆으로 밀어 둡시다. 우선 한 국가가 서기 위해 당연히 있어야 할 틀을 만들어 가는 과정으로 법, 땅, 이 두 가지를 정리하고 있는 중이라고 쉽게 생각하고 출애굽기를 읽읍시다. **한 나라를 구성하기 위해 주권과 영토를 찾아가는 중입니다.**

국민들은 만들어졌습니다. 그런데 이 백성들이 이집트에서 노예로 살고 있습니다. 하나님은 그 백성들이 그렇게 사는 것을 원치 않으십니다. 그들에게 자유를 주고 싶으셨습니다. 땅을 주고 싶으셨습니다. 그들을 구원해 내시는 겁니다. 그래서 출애굽 사건은 노예 상태로부터의 자유를 주는 것이 대표 이미지인 것이 사실이지만 더 나아가 그들은 영토를 찾아 소유해야 한다는 사실이 절실한 현실이었습니다. 땅이 있어야 살지요.

그런데 이집트의 고센에서 400년을 살아온 히브리 민족이 그곳을 떠나 나오자마자 그 옆 동네쯤에 울타리가 쳐 있고 "이곳은 히브리 민족의 땅!" 하고 영토가 기다리고 있었던 것이 아니라는 데 문제가 있었습니다. 우리가 집을 지을 때 땅을 마련하면 소위 "새끼줄" 쳐 놓고 아무도 못 들어가게 합니다. 그 땅 임자인 나만 그 땅에 대해 권리가 있는 것이기 때문입니다. 열 가지 재앙으로 바로가 항복을 하고, 홍해가 갈라지고 하는 대목까지는 승승장구 흥분해서 좇아 나왔지만 막상 홍해를 건너 이집트의 위협에서 자유하게 되자 그들을 기다리고 있는 것은 "울타리 쳐 놓은 땅"이 아니라 "광야"였습니다. 생존 불가능의 땅이었습니다. 구원은 받았는데 살아가야 할 인생은 여전히 "광야"였습니다. 아직은 그 땅으로 들어갈 수 없다는 뜻입니다. 이유가 무엇일까요?

그들이 정착하고 살아갈 땅에 들어가기 전에 반드시 있어야 할 것이 있었는데 그것은 "국법"입니다. 사람들이 모여 집단을 이루는 공동체가 되었으니 무엇보다 시급한 것은 **그 공동체가 무엇에**

의해서 유지되느냐 하는 것입니다. 하나님에 대해 아무 경험이 없던 오합지졸의 이스라엘 사람들을 하나님 나라의 당당한 백성으로 만들어 가기 위해서는 무엇보다도 그 하나님의 뜻은 어떠한지를 제시하시는 것이 급선무였던 것입니다. 세상 나라들을 향해 "여기 하나님 나라가 있는데, 이런 특징이 있다!" 하고 선전하려면 그 오합지졸 같은, 방금 전에도 노예로 노동만 하던 그들에게 훈련과 교육이 필요했던 것입니다.

왜냐하면 그들이 가야 하는 땅 가나안은 아무도 살고 있지 않은 공터가 아니었기 때문입니다. 이미 고도의 세속 문화가 깊이 뿌리를 내리고 찬란한 문화와 종교를 가지고 발전하는 도시 국가가 떡– 자리를 잡고 있는 땅이었습니다. 거기를 들어가야 되는 것입니다. 그러므로 "출애굽"이라는 말은 곧 "가나안 문화 정복", "가나안 문화 파괴", "가나안 종교 파괴"라는 목표를 향해 나아간다는 뜻입니다. 젖과 꿀이 흐르는 땅 찾아 소풍가는 듯한 낭만적인 말이 아닙니다. (🌱 앞에서 관점 공부를 할 때 하나님 나라 백성의 '존재 의의'는 세상나라 정복에 있다고 말씀 드렸지요? 구원의 방향성을 잃지 말자고 그랬지요? 그 관점으로 이 상황을 보십시오. 그래서 이스라엘은 가나안과 전쟁을 하는 것입니다. 🌱)

그렇습니다. 출애굽은 **전투태세로** 들어가는 것입니다. 민수기도 **전투태세**입니다. 전투를 위해 규칙을 정해야 했고, 병력을 파악하기 위해 계수를 해야 했고, 작전을 짜야 했고, 효과적인 관리를 위해 소대, 중대, 대대를 편성하듯, 천부장, 백부장, 오십부장, 십부장을 세워야 했습니다. 그래서 성경은 그런 스토리가 불가피한 것입니다. 그들 사이에서 생길 수 있는 모든 경우의 가능한 상황, 즉 결혼 전 남녀 관계부터 시작해서 재산 문제, 형사 사건, 민사 사건 등 수도 없이 많은 일들을 해결해 주면서 또한 전투태세로 무장시켜야 하는 이중부담입니다. 분쟁이 발생했을 때 재판도 해야 했습니다. 병이 생겼을 때 대처해야 하므로 보건사회법도 있어야 했고, 몇 백만 명을 움직일 수 있는 조직과 가나안에 들어간 후에 어떻게 그 땅을 관리할 것인지에 대해서까지 아주 세심한 모든 법을 하나님께서는 친절하게 다 세세히 주셔야 했습니다. 한마디로 **사람 사이에 생기는 일들에 대한 모든 법**입니다.

그러나 이 모든 법 위에 가장 큰 법을 주셨는데 그것이 하나님과의 관계에서는 어떻게 할 것인가에 대한 **하나님에 대한 법**입니다. 그래서 십계명도 첫 번째에서 네 번째까지는 하나님과의 관계이고, 그 아래는 사람 간의 일입니다. 하나님과는 어떻게 관계하며 살 것인가, 즉 하나님과 교제하는 방법에 대해 주신 구체적인 법을 한마디로 "성막"에 관한 규례라고 할 수 있습니다.

생장점
POINT 앞으로 출애굽기 이후에 광야에서 펼쳐지는 사건들을 위에서 얘기한 관점을 가지고 편안한 마음으로 읽어봅시다. 성경이라고 해서 그렇게 특별하고 이상하게 생각할 것 없습니다. 한 나라가 존재하기 위해 필요한 것을 만드시는구나, 성막, 제사법, 절기 등 하나님 섬기는 규례가 있고, 사람 사이에 지켜야 할 규례들이 있구나 … 하고 생각합시다. 그 당시 오합지졸로 광야까지 나온 이스라엘 백성들에게는 이것이 얼마나 필요했겠나 생각하고 읽읍시다. 지겹다고 생각하지 말고 그 당시 그들의 입장이 되어서 같이 출애굽해 봅시다.

1) 출 1:1 ~ 18:27 (모세 등장, 10가지 재앙, 홍해, 시내산 도착)

히브리 민족은 이집트에서 400년 간 어떤 "신(神)개념"을 가지고 있었을까요? 히브리 백성의 **종교적 바탕색**이 무엇인지를 추적하는 것은 앞으로 매우 중요한 일입니다. 아마도 "아브라함의 하나님, 이삭의 하나님, 야곱의 하나님"뿐이었을 것입니다. 요셉 때문에 이집트에 와 살게 되었다는 이야기, 우리가 지금까지 창세기에서 배웠던 족장들의 이야기가 구전으로 전해졌을 것입니다. 모세가 아직 시내산에서 말씀을 받지 않았던 때입니다. 노예상태로 있었던 히브리 민족의 신(神)개념은 매우 저급할 수밖에 없었을 것입니다. 그저 자기 조상 아브라함, 이삭, 야곱에게 나타나셨다는 하나님 지식정도였을 것입니다. 그러니 그들은 아직 하나님이 누구신지 잘 알지 못하는 상태입니다.

이런 그들이 처음으로, 그것도 단체로, "하나님 경험"을 하는 것이 열 가지 재앙입니다. 그 재앙들로 이집트를 통쾌하게 물리치시는 것을 본 것이 그들의 하나님 경험입니다. 그들은 마지막 재앙에서 양의 피를 문설주에 발라 죽음의 사자를 지나가게 하는 "구원"을 경험합니다. 이 사건은 "유월절"이라고 해서 앞으로 이스라엘의 역사 가운데 매우 매우 중대한 역사로 자리잡게 됩니다. 즉 "유월절" 하면 "구원"입니다. 이 사건으로 이스라엘은 하나님에 대한 지식이 생기기 시작하며 하나님을 배우는 것입니다. "애굽을 이기시는 능력의 하나님!", "죽음을 지나가게 하시는 구원의 하나님!" 이렇게 **하나하나 배워 나갑니다.** 그들은 민족적으로, 단체로 구원을 경험합니다. 이 열 가지 재앙을 본 히브리 민족은 드디어 모세를 따라 나설 결심을 하게 됩니다. "우리들의 신, 우리 조상들의 신 여호와가 우리를 불러 땅을 주실 텐데 거기서 제사를 지낼 것이라더라…" 이런 여론이 형성되어 400년이나 뿌리내리고 살았던 이집트를 떠납니다.

또한 이집트의 군사들이 마지막까지 좇아와 그들을 위협할 때 그들을 홍해에 수장시키시는 하나님의 능력을 본 백성들은 그 홍해를 모두 건너면서 또한 집단으로 "세례"를(고전 10:2) 받는 경험을 합니다. 두 번째로 하나님을 경험하는 것입니다. "어린양의 피로 구원 얻은 후 물로 세례를 받는 경험"을 민족적으로 한 것입니다. 홍해라는 물이 그 동안 종살이했던 이집트로 부터 이스라엘 민족을 분리시킨 것입니다. 바로는 홍해에서 포기합니다.

그 후 수르 광야를 거쳐 아말렉과 전쟁하고 모세의 장인 이드로를 만난 후 도착하는 곳이 "시내산"입니다. 출애굽 이후 여기 시내산(19장)까지는 약 2개월이 걸립니다. 유월절 때를 출발점으로 해서 시작된 그들의 달력으로 보면 건국 제1년 3월 초입니다. 이 산은 전에 모세가 장인 이드로의 양을 칠 때 하나님을 만났던 바로 그 산입니다. 모세는 불꽃 가운데서 하나님의 임재를 경험했더랬습니다. 모세를 만나 주셨던 하나님은 이 곳에서 모든 이스라엘 백성들과도 정식으로 대면하기 원하셨습니다. 그래서 바로 이곳에서 이스라엘 백성들과 "계약"을 체결하십니다. 마치 전에 창세기 15장에서 아브라함과 "계약" 하셨듯이 똑같이 언약을 맺으시는 겁니다. 신실하신 하나님의 모습입니다. 모세를 만나 주셨던 바로 그 산에서, 아브라함과 언약하셨듯이, 같은 언약을 하시는 신실하신 하나님의 모습을 여기서 발견할 수 있습니다. 이 시내산 밑에서 일어난 일들은 신·구약 성경 전체에서도 매우 중대한 비중을 차지하고 있습니다. 이 출애굽기 중간부터 레위기, 민수기 10장까지의 장소가 시내산입니다.

사실은 이스라엘의 광야생활 중 중요한 장소는 꼭 세 군데입니다. 한 곳은 지금 여기 "시내산"이고, 또 한 곳은 민수기에 나타나는 "바란광야의 가데스 바네아"이고 모세가 마지막 고별설교를 한 "모압평지" 입니다. "시내산!" 하면, "율법!" 이라고 생각하고, "바란 광야 가데스 바네아!" 하면, "정탐꾼!" 하고 생각나야 합니다. 또 "모압평지!" 하면, "신명기!" 하고 소리치면 됩니다.

시내산에서는 약 1년(11개월 5일)을 소요하며 하나님과 언약을 맺고, 또 율법을 받습니다. 후에 바란 광야 **가데스 바네아**에서는 정탐꾼 사건으로 광야를 40년(통상 40년이라고 하나 정확하게는 약 37년 6개월임) 동안 유리 방황할 것을 선고받습니다. 그러니 시내산에서 약 1년이 지난 이후, 거의 바란 광야 가데스 바네아에서 살게 되는 것입니다. 정탐꾼 사건으로 이집트에서 나온 제1세대 (계수할 때 20세 이상이었던)는 바란 광야에서 죽고, 제2세대로 재구성되는 이스라엘 백성들은 **모압평지**에서 신명기 설교를 듣게 됩니다.

2) 출 19:1 ~ 출 40, 민10:12 (시내산에서의 중대한 일들)

	(1) 제1년 3월	▶ 시내산(시내 광야) 도착(19:1)

약 9 개 월 반 소 요

→ **모세의 1차 등산**

▷ 십계명과 몇 가지 율례(종, 살인, 손해배상, 인간과 계약, 정의와 복지,새 명절 등)를 주심(20장~23장)

→ **모세가 산을 내려옴**

▷ 백성들과 언약을 맺으심:언약서를 백성들에게 낭독(24장)

→ **모세의 2차 등산**

▷ 하나님 섬기는 법(성막 만드는 법, 제사장 규례 등)을 주심(25장~31:17)

→ **모세가 증거판 가지고 하산함**

▷ 그 동안 백성들은 금송아지를 만듦, 모세가 증거판을 깨뜨림(32장~33장)

→ **모세의 3차 등산과 하산**

▷ 두 번째 증거판과 몇 가지 말씀을 받아 내려옴(34장)
  이 때 모세의 얼굴에서 빛이 남

▷ 백성들을 모아 놓고 이제 백성들이 할 일은 "성막"을 만드는 일임을 공포하고, 기술자들을 뽑고, 그들에게 만드는 법(메뉴얼)을 자세히 일러 주고, 백성들이 헌물을 해서(성막 건축헌금) 드디어 성막을 완성함(35장~39장)

	(2) 제2년 1월1일	▶ 완성된 성막을 하나님께 봉헌함(출 40:17)

한 달 20 일 소 요

→ 🌱 **출애굽에서 민수기로 이동**

	(3) 제2년 1월14일	▶ 시내산 아래 광야에서 두 번째 유월절(민 9:1)
	(4) 제2년 2월1일	▶ 백성들 병력 인구조사(남자 20세 이상)를 실시하라고 명령하심 (민 1:1)

▷ 이 사건의 장소는 아직도 시내산 아래 광야

➡ **첫 번째 인구 조사**

(5) 제2년 2월20일 ◐ 드디어 시내산(시내광야)을 출발!(민10:11)

▷ 시내산에 도착한지 11개월 5일만에 🌱쉐키나의 구름이 떠오름
모든 텐트를 걷고 이동, 성막을 완성한지 약 7주 후의 이동임

➡ **바란 광야를 향함(민12:16)**

3. 민수기 읽기 (창, 출, 민 ·수·삿·삼·왕)

🌱 **생자점**
POINT 이 대목에서 우리는 민수기로 건너 뛰어서 그 이야기를 연결시켜야 한다고 했습니다. 기억나시지요(창, 출, 민…)? 사건의 흐름이 그래야 합니다. 레위기는 따로 떼어내서 생각하자고 했습니다. 무슨 스토리가 연결되는 게 아니니까요. 성막을 만들고 법을 받는 '출애굽'의 무드와 같은 감각을 가져야 되기는 하지만 이야기가 새로 진행되는 것이 아니라, 그냥 '법전'이구나 생각하시라 그랬지요?

성경을 보시면 아시겠지만 민수기 10장 11절까지는 아직 시내산입니다. 그래서 앞에서 〈시내산에서의 중대한 일들〉이라는 제목 하에 설명되고 있는 출애굽기의 내용들은 레위기로 건너 오는 것이 아니라, 민수기로 건너 오는 것이지요. 장소가 아직 시내산이기 때문이라고 했습니다. 이렇게 지금까지 정리한 시내산에서의 사건은 민수기 10장 11절까지 들어 있습니다. 그러므로 이제 이 민수기 읽기에서는 그 이후 10장 12절부터 시작되는 가데스 바네아, 그리고 거기서 모압 평지까지의 소위 광야생활 약 37년 6개월을 다룰 것입니다.

생장점
POINT 자, 이제 이 시내산을 출발해서 떠날 시간입니다. 그런데 '시내산'의 상 징인 '모세와 법'에 대해 한 가지만 더 생각하고 이 산을 떠나십시다.

모세는 자기가 40년 동안 은둔생활을 하던 이 미디안 지역의 시내산으로 드디어 이스라엘 군중들을 이끌고 왔을 때 매우 감격했을 것입니다. 하나님이 자기를 만나 주셨던 감격의 장소, 시내산에 왔을 때 하나님이 무언가 놀라운 일을 하실 것이라는 것을 예감했을 것입니다. 그러나 그 일이 "법"을 받는 일이라는 것은 어쩌면 상상못했을 지도 모릅니다. 그저 이 산에서 그 때처럼 하나님이 나타나셔서 예배를 받으시지 않으실까 하는 정도였을지도 모릅니다. 그러나 하나님은 이 군중에게 가장 필요한 것은 "법"이라고 생각하셨습니다.

하나님께 그저 제사 한 번 드리는 일이라 할지라도, 그 당시 히브리 민족은 어떻게 제사를 드려야 하는지도 모르는 상태였다는 것을 생각해야 합니다. 즉, 앞으로 교제하고 관계해야 할 그들의 신 "여호와 하나님"이 이들 백성들에게 가지신 계획이 그리 간단한 것은 아니었습니다. "가르쳐 가며 예배 받으셔야 할 상황"이었다는 말입니다. 가르쳐 가신다는 말은 교육해 가신다는 말입니다. 하나님의 택하신 백성은 거저 되는 것이 아닙니다. 그저 계약만 했다고 되는 것이 아니었습니다. 계약을 한 다음에는 그 하나님과 같이 살아야 하는 것입니다. 우리들도 결혼(계약)식을 하고 그냥 마는 게 아니라 그 다음에는 같이 살지 않습니까? 즉 그 하나님과 살아가며 교제한다는 뜻입니다. 본래 우리는 하나님과 더불어 교제할 수 있도록 인격적으로 창조되었기 때문에 일단 하나님과 관계가 트이면 그 다음에는 하나님과 교제하며 사는 것입니다. 그렇습니다. 인간은 그게 행복인 것입니다. 인간 최상의 행복은 하나님이 '나의 하나님'이 되는 것입니다.

이 교제하는 방법으로 하나님이 손수 연구하시고 고안하신 것이 바로 성막을 만드는 일, 제사드리는 법, 제사장의 규례, 절기에 대한 규례, 또 사람과 사람 사이에 살아가는 방법들이었습니다. 우리들은 거의 대부분 이 레위기를 몸을 비비꼬며 읽습니다만 수백만을 유지하기 위해서는 이런 법규를 만들어 주어야 하는 것이 하나님께는 맞닥친 **현실**이셨습니다.

아브라함과 약속하셔서 세우시는 하나님의 나라였습니다. 온갖 열방 나라와는 다른, 하나님이 왕으로서 통치하시는 나라답게 만들어 가시기 원하셨습니다. 하나님은 새살림 차리는 신랑처럼 기쁘셨을 것입니다. 오죽하면 하나님께서는 이스라엘 백성들과의 관계를 남편과 아내의 관계로 비유하셨겠습니까? 이 백성들과 혼인하듯 언약을 맺으셨으니 마치 신방을 꾸려나가는 심정으로 이 백성들을 상대하셨을 것입니다. 하나님은 지혜를 다 하셔서 그 당시 어느 다른 나라와 비교할 수 없는 지고한 법들을 연구하셨고, 백성들이 드디어 시내산에 도착하자 그들에게 그 법을 내려주시는 기쁨이 있으셨음에 틀림없을 것입니다.

어느 나라든 그 나라의 국법은 그 나라의 입법기관에서 만듭니다. 즉, 사람들의 작품입니다. 그러나 이스라엘의 국법만큼은 하나님께서 직접 창제하셨습니다. 모세가 연구하고 고안해서 만든 것이 아니라, 하나님께서 생각해 두신 것을 일방적으로 선포하신 것입니다. 하나님이 입법하셨습니다. 그런데 문제는 모세입니다. 모세가 과연 "신"이 만드신 이 위대한 법을 받들어 사용할 줄 아는 사람이었는가가 문제입니다. 여기서 우리는 산 위에 올라가 이 법들을 받은 모세를 생각해 보십시다. 모세는 이집트 왕실에서 당시 최고의 학문을 닦은 사람입니다. 점성술, 집필기술, 철학, 종교예법, 천문학 등 백성을 다스리기 위한 훈련을 받은 사람입니다.

사도 바울이 구약을 통달했고, 가말리엘의 문하생으로, 당시 현대 문물이었던 헬라 문화에 대해서도 익숙한 학자로서의 배경이 있었기 때문에 "예수 사건"을 비교 해석할 힘이 있었습니다. 이처럼 모세 역시 시내산에서 받은 이 "법"을 해석할 능력을 하나님의 섭리 가운데 이미 애굽에서 훈련 받았던 것입니다. 그뿐만 아니라 하나님의 특별한 섭리 가운데 지혜롭게 하셔서 하나님의 계시를 받는 통로로 구별하여 사용하신 것입니다.

우리는 출애굽기나 레위기에 나오는 수많은 율법 조항들을 그저 읽기 지루하고 재미 없는 대목으로 쉽게 취급할지 모르나 그 때 그 법이 오늘날 우리들이 읽을 수 있는 문자로 남아 있기까지는 그저 우연히 된 것이 아닌 것을 알아야 합니다. 그저 기계적으로 하나님이 부르시는 대로 받아 적었다고 생각하며 쉽게 볼 일이 아닙니다. 이런 점에서 볼 때 이 하나님의 율법이 오늘날 기록된 말씀으로 출애굽기나 레위기, 민수기, 신명기 등에 남겨져 우리가 읽을 수 있다는 것은 적어도 다음과 같은 필수적인 과정이 필요했다고 볼 수 있습니다.

첫째: 우선 모세 자신에게 '법해석 능력'이 있어야만 했습니다.
둘째: 모세가 하나님께로부터 받아 이해한 법을 백성들에게 '가르치는 과정'이 있어야만 했습니다.
셋째: 백성들이 이해한 법을 그대로 '준수하게 해야 하는 과정'이 있어야만 했습니다.

이런 과정들이 행해지는 기록이 출애굽기에서 민수기로 가며 나타나는데 그 법의 내용들은 주로 레위기에 따로 떼어 기록했고, 또한 출애굽기, 민수기에도 듬성 듬성 나타납니다. 성막을 만드는 것이나, 제사를 드리는 것이나, 안식일을 지키는 것이나 다 모세한테 배워서 처음 해보는 일들이었습니다. 그들은 배워야 했고, 외워야 했고, 늘 생각하며 지켜야 했고, 하라고 하신 그 식양대로 성막을 만들기도 해야 했습니다.

1) 가나안 땅까지의 여행경로

생장점 POINT 자, 이제 떠납시다. 시내산에서 벌떡 일어납시다. 갈 길이 멉니다. 12지파들도 이제 텐트를 거두고 있습니다. 구름 기둥이 드디어 움직인 것입니다. 이쯤에서 이제 우리는 가나안 목적지까지의 광야여행 경로를 정리하십시다. 늘 이 부분이 숙제처럼 뭉쳐있는 증세가 있으신 분은 여기서 해결을 보십시다. 아주 중요한 지점을 중심으로 윤곽을 잡는 것입니다. 그런 다음에 성경을 읽을 때 사이사이에 일어난 일들을 연결해 보십시요. 지금부터는 반드시 **지도**를 펴놓고 함께 보셔야 합니다.

이집트 고센에서 나와 라암셋(출 12:37)이라는 땅에서 시작된 히브리 민족의 가나안을 향한 경로를 보면 40년 동안 대충 "V"자를 그린다고 생각하면 우선 쉽습니다. 숙곳에서부터 동남쪽으로 내려와 시내산에서 약 11개월을 지내다가 거기서 출발하여 다시 이번에는 동북쪽으로 올라가는 경로라서 V자형이라고 본 것입니다. 사실은 이집트에서 가나안 땅 사이에 놓여있는 땅이 V자형의 시나이 반도인데, 이 반도 가상자리를 따라 V자를 그리면서 오른쪽으로 더 올라가는 코스라는 말입니다. V자형에서 왼쪽 출발지점 끝이 숙곳이고, 아래 뾰족한 부분에 해당하는 지점이 시내산이고, V자가 끝나는 지점에서 왼쪽 가운데쯤이 가데스 바네아라는 곳이 됩니다. (🌱 사실은 이 시내산과 가데스 바네아 두 군데만 찍어 놓고 무슨 일이 있었는지 안다면 광야생활이 다 보입니다. 그 수많은 여행 경로 중 이 두 곳이 가장 중요한 곳입니다. 🌱)

그런데 V자를 면적으로 볼 때 삼각형 가운데에 해당하는 큰 덩어리 땅을 바란 광야라고 부릅니다(부록 5 지도 참조). 그러므로 아래 꼭지점 부분의 시내산(시내 광야)에서 11개월을 지내다가 이제 민수기 12장에서 행진을 다시 시작한 이스라엘은 바란 광야라고 불리우는 아주 큰 광야지역을 왼쪽에 두고 북서쪽으로 훑으며 가데스로 올라가 거기서 37년 6개월을 다 보내는 겁니다. 그리고 나서는 직접 북진하지 못하고 다시 남쪽으로 내려와 에돔과 모압의 외곽을 지나 북진하다가 서쪽으로 들어가는 경로입니다. (🌱 지도를 보고 스케치를 해 놓으십시오.)

　이와같이 '이스라엘 40년 광야 여행길' , 하면 대충 오른쪽 끝이 올라간 V자를 기억하시면 됩니다. V자형을 기본으로 머리 속에 그린 다음에 다음 몇 가지만 끼워 넣으면 여행 경로가 다 보입니다. 이 여행경로가 머리 속에 있으면 모세 오경을 읽기가 매우 수월해집니다. 자세히 보십시다. 우선 광야 여행길을 간단히 요약하면 아래와 같이 박스에 들어 있는 내용입니다. 앞에서도 설명했지만 라암셋을 출발해서 **시내산, 가데스바네아, 모압평지**입니다.

라암셋(출 12:37; 니산월 15일-애굽에서의 결집장소) ⇨ 숙곳 ⇨ 홍해(출 14) ⇨ 마라, 엘림, 신 광야(출 15:22~18:27) ● **시내산**(출 19:1~2-여기까지 2개월 걸림, 그리고 여기서 11개월 5일 머뭄, 민 10:11) ⇨ 하세롯 (민 11:34~35) ● **가데스바네아**(민13~20:여기까지 약 18개월 걸림, 그리고 이 지역에서 37년 6개월 머뭄) ⇨ 에돔, 모압을 돌아감 ● **모압평지**

　🌱 배낭메고 이스라엘 백성들을 좇아가 봅시다. 🌱

지도를 보고 가나안 땅(목적지)이 어디인지 찍어 둡시다. 그러면 숙곳, 홍해바다 부근에서 출발해서 가장 단 거리의 여행경로를 그릴 수 있습니다. 열흘길입니다. 즉 지중해를 끼고 있는 해안 도로를 타고 동북쪽으로 올라가는 길입니다. 이 길을 '블레셋 사람의 길' 이라고 합니다. 그러나 이 길로는 인도하지 않습니다. 싸움 잘하는 블레셋이 그 해안도로를 점령하고 있기 때문입니다. 싸움도 할 줄 모르는 노예출신인 히브리 민족이 처음부터 겁에 질려 애굽으로 다시 가자고 할까봐 피하도록 하신 것입니다(출 13:17). 그뿐만 아니라 하나님은 곧장 가나안으로 들어가게 하시기 전에 먼저 꼭 하실 일이 있으셨습니다. 그 일은 이스라엘 백성과 정식으로 언약을 맺으시고, 율법을 주시고, 성막을 짓게 하시는 일이었습니다. 그것을 하기에 알맞은 장소 **시내산**으로 이끌어 가십니다. 여기까지 오는데 60일이 걸립니다. 그리고 이런 일을 다 마치고 나니까 11개월 5일이 지났습니다. 그리고는 이동입니다.

구름기둥은 하세롯, 엘랏을 지나 바란 광야를 왼쪽으로 두고 올라가, 북쪽 끝에 발달되어 있는 오아시스 **가데스 바네아**에 머무릅니다. 바란 광야가 북쪽으로 끝나는 지점에 신광야가 있고, 이 신광야 바로 위가 다름 아닌 가나안 땅 남쪽 경계부근입니다. 그러니까 다 온 셈이지요, 벌써. 이곳에서 모세는 정탐꾼을 보내는데 그들이 택한 정탐경로는 바로 산지에 발달된 도시들을 통과하는 '산지길'을 따라 하맛어구(갈릴리 북쪽의 단=라이스=가이사랴 빌립보)까지 갔다 오는 경로였습니다. 그런데 정탐꾼의 보고를 듣고 원망하는 **어마어마한 사건**이 생깁니다. 그 결과로 벌을 받아 37년 6개월을 가데스 바네아에서 머무르게 됩니다. 그러니까 가데스 바네아 지역 광야에서 거의 다 시간을 보낸 것입니다. 이곳에서 출애굽 1세대가 다 죽습니다. 여호수아와 갈렙과 모세만 빼고. 이스라엘백성들은 37년 6개월이 지난 후에야 가데스 지역을 뜨게 됩니다. 물론 그 동안 바란 광야 일대를 이리 저리 여행하기도 하지만 그저 전체적으로 이 지역에서 이 긴 세월을 지낸것입니다(민 14~20장). 다행히 가데스는 오아시스였습니다. 물샘이 있는 곳이어서 오랫동안 머물러 살 수 있었습니다. 가데스에 왔을 때가 출애굽한지 18개월 정도밖에 되지 않았을 때니까, 시내 산에서 약 11개월 머문 것을 생각하면 이스라엘 백성은 거의 다 이 가데스 바네아에서 광야생활을 한 셈이 됩니다.

그러면 이제 가데스 바네아에서 37년 6개월을 다 지냈다고 생각하고 그곳에서부터 출발해서 목적지 가나안을 간다고 생각해 보십시다. 가데스 바네아에서 곧장 북쪽으로 쭉~ 올라가면 가나안이 직행입니다. 가데스는 가나안 땅 남쪽 경계와 맞닿아 있는 지역이기 때문입니다. 전에 정탐꾼들이 다녀왔던 코스말입니다. 가장 빠른 지름길입니다. 이 좋은 '산지길'로 가면 직행인데 만약 이 길로 갈 수 없다면 동쪽으로 이동해서 사해바다 남쪽을 지나 '왕의 대로'라는 큰 길을 만나 북행하는 길도 있습니다. 그러나 '산지길 직행코스'에 비하면 돌아, 돌아 가는 길입니다. (🌱 지도 보고 있지요?🌱)

이스라엘 백성들은 당연히 가데스에서 출발해서 산지길로 올라가는 지름길을 택해서 올라가려고 했습니다. 그러나 그 지역, 알랏의 왕이 막아 섭니다. 그래서 모세는 할 수 없이 37년 전에 저 아래 시내산에서 서북쪽으로 올라왔던 길을 다시 되짚어 남동쪽으로 내려오게 됩니다. 결국 에돔 동쪽을 통과해서 북진하게 되는 길(왕의 대로)을 택할 수밖에 없었습니다. 그런데 문제는 사해 동남쪽에 걸쳐 자리를 잡고 있던 에돔이나 모압의 영토 안으로 들어가야만 그 '왕의 대로'를 탈 수 있습니다. 그래서 모세는 에돔 왕에게 사신을 보내어 에돔을 통과하게 해 달라고 간곡히 부탁하나 거절당합니다(민 20:1~21). **돌아돌아 가는 '왕의 대로'마저 막힌 것입니다.**

그래서 이스라엘 백성은 지름길(산지길)로도 못 가고, 에돔과 모압의 중앙을 통과하는 '왕의 대로'로도 못 가고, 그 나라 국경을 빙~돌아가는 가장 자리 광야길을 택할 수밖에 없었습니다. 그래서 엘랏까지 내려왔다가는 다시 또 북쪽으로 올라가게 됩니다. 엘랏은 에돔을 피해 내려온 가장 남단 지역입니다. 여기까지 내려온 백성들은 이 엘랏부터 다시 동북방향으로 올라 '왕의 대로'를 왼쪽으로 두고 에돔의 국경 바깥쪽으로 우회하여 북진해서 올라가는 거지요. 이 길은 대로가 아니었고 광야길, 험한 길이었습니다. 사해를 서편에 두고 남쪽으로부터 에돔, 모압, 암몬 순으로 나라들이 자리 잡고 있는 지역의 **국경 외곽길**입니다. 즉 사해, 요단강, 동편에 자리잡은 나라들 국경을 끼고 돌아, 돌아 올라간 것입니다.

이렇게 해서 에돔과 모압은 충돌하지 않고 피해서 돌았는데 문제는 그 위에 있는 아모리 족속이었습니다. 왜냐하면 이렇게 무작정 북진만 할 수는 없는 것이, 가려고 하는 목적지 가나안이 서쪽에 있기 때문입니다. 서쪽으로 가야 요단강이 나오고, 요단강을 건너야 가나안이 나오니, 또 다시 문제가 생긴 것이지요.(🌱 지도를 보면서 설명을 들으면 금방 이해가 되실텐데요 ⋯ 🌱) 그러니까 **북으로 올라 가다가 어디선가는 서쪽으로 확 꺾어져야만 합니다.**

이 아모리 족속은 사해북단의 동쪽지역에 위치하고 있었습니다. 즉 요단강을 받아들이는 사해 북쪽 바다 어구에서 남북으로 걸쳐 땅을 차지하고 있었습니다. 모세는 아모리왕 시혼과 바산왕 옥에게 '길을 내어주면 조금도 손해를 끼치지 않고 통과만 하겠노라'고 사절단을 보내지만 그들이 오히려 이스라엘을 공격합니다. 그래서 생각지도 않은 전쟁을 하게 되는데 이 전쟁으로 하나님의 섭리 가운데 **이 땅을 차지합니다**(민 21:21~35). 즉, 사해를 서쪽으로 접한 동쪽 지역 중간 부분(주로 아르논강이 경계이다)에서부터 북쪽으로 요단강 동쪽지역에 이르는 땅인데 성경은 이 지경을 앞으로 "요단 동편" 또는 "길르앗 땅"이라는 용어로 설명합니다.

가나안 땅에 들어가기에 앞서 제일 처음으로 얻은 땅입니다. 이 요단 동편의 땅은 가축 떼가 많았던 "르우벤 지파, 갓 지파, 그리고 므낫세 지파 중의 반(1/2)"이 차지하게 됩니다. 즉 이들은 더 이상 요단강 서편의 땅을 향해 여행하지 않습니다. 이곳이 바로 그들의 가나안 땅이었습니다. 다만 요단강 서편, 가나안 땅을 얻기 위해 싸워야 할 다른 지파들을 돕기 위해서, 이 세 지파의 남자 군대들만 가나안을 들어가게 됩니다(민 32:1~27). 가족들을 요단 동편에 남겨두고 정복 전쟁을 떠나는 세 지파의 남자들은 여호수아 22장이 되어서야 가족에게로 돌아갑니다. 많은 노획물을 얻어 선물로 갖고 돌아갑니다. 여호수아는 이 때 간곡히 부탁합니다. 요단 동편에 돌아가서도 여호와 하나님의 법도대로 잘 섬기라고.(🌱 사실 성경 역사도 이렇게 삼국지처럼 재미있습니다. 🌱)

이와같이 V자형에서 오른쪽 선이 더 위로 올라가는 길을 가다가 에돔, 모압을 지나 아모리 땅을 차지하고 약간의 평화와 안도의 숨을 쉬고 정착한 땅이 바로 신명기의 무대가 되는 **모압평지**입니다(신 1:4~5, 모압이라는 나라는 아모리보다 아래에 위치해 있었다. 모압평지는 아모리 땅에 있는 것이지만 이름은 모압평지이다). 모세의 설교(신명기)가 끝나면 요단강 서쪽에 있는 가나안으로 들어가기 위해 요단강을 건너야 되므로 여행경로는 모압평지까지 북상하다가 바로 이 지점에서 **서쪽**으로 확 꺾으면서 가나안땅 정복(여호수아)이 본격적으로 시작됩니다.

2) 민수기를 읽을 때 놓치지 말아야 할 중요한 사항들

① 민수기는 전반부와 후반부가 있다는 것

전반부는 '12장까지의 시내 광야에서의 사건'이라는 것을 잊지 맙시다. 민수기에 들어와서는 약 한 달 동안 시내산에 더 있는 셈인데 유월절을 지키고, 민수(계수)를 하는 거지요. 후반부인 13장부터 끝까지는 바란 광야, 가데스 바네아에서의 사건(약 37년 6개월:통상 40년)과 모압에 이르는 경로라는 것도 잊지 맙시다.

② 가데스 바네아에 도착하자마자 주신 하나님의 명령: 정탐 (13:1)

시내산을 떠나 가나안 바로 아래인 가데스 바네아까지 인도하신 것을 보면 하나님도 **곧바로 가나안에 들여보내고 싶으셨다**고 볼 수밖에 없습니다. 더군다나 도착하자마자 하나님이 주신 명령이 "정탐"이었던 것을 보면 더욱 그렇습니다. 그런데 바란 광야지역 가데스 바네아에서 37년 반이나 살았다는 사실은 광야 생활을 거의 다 그곳에서 보냈다는 뜻입니다. 그렇다면 도대체 이게 어떻게 된 일일까요? 우리 자세히 한 번 살펴보십시다. 여기도 생정점 부위입니다.

결국 각 지파 별로 선택된 12명의 정탐보고가 광야생활 40년이라는 큰 분기점을 만든 것입니다. 여호수아와 갈렙 두 사람은 가나안을 이길 수 있다고 보고합니다(13:30). 그러나 나머지 10명의 정탐꾼은 이길 수 없다고 보고합니다.(🌱 그런데 문제는 하나님의 반응이었습니다. 🌱)

우리는 성경에서 이스라엘 백성들이 범죄했을 때 하나님께서 그 죄에 대해 처리하시는 것을 많이 봅니다. 어떤 때는 죄를 지은 사람과 가족을 벌하시기도 하시고, 또 전쟁에 패하게 하시기도 하십니다. 그런데 이 정탐꾼 보고에 대한 하나님의 반응은 거의 구약에서 그 유래를 찾아볼 수 없을 만큼 굉장히 **어마어마한 심각한 반응**을 보이신 것입니다. 무엇입니까? 창세기 12장에서 아브라함과 언약하고 시작하셨던 그 **계약을 파기하시겠다**는 것이었습니다. 아브라함을 허물어 뜨리고 모세를 하나님 나라의 믿음의 조상으로 하시겠다는 것입니다. 아브라함의 자손을 다 멸절 시키고, **모세의 자손으로 다시 하나님 나라를 시작 하시겠다는 것입니다**(민14:12).

이런 하나님의 말씀을 듣고 모세는 꽉 엎드립니다. 그리고 중보합니다. 모세의 간절한 기도를 들으시고 하나님은 위의 생각을 철회하십니다. 그리고 제2안으로 제기하신 것이 두 가지입니다. "첫째, 20세 이상된 1세대는 40년 동안 여기(바란 광야 지역)서 유리방황하다가 광야에서 죽을 것이다. 그래서 그들의 말대로 가나안에 들어가지 못한다. 둘째, 20세 이하된 사람들과 앞으로 광야에서 태어나는 자녀들, 즉 제2세대들이 지금부터 40년 후 가나안에 들어간다"는 것이었습니다. 그래서 "광야 40년"이라는 말이 생긴 것입니다.

생장점 POINT

그럼 이 정탐꾼 사건이 그토록 하나님의 심각한 반응을 일으킨 원인은 무엇이라고 생각하십니까? 관점 2와 연관시켜 보십시오. 메뚜기 정체감 때문이었습니다. 그들 자신을 메뚜기라고 생각한 자존감입니다. **세상나라에 대해 하나님 나라 백성이 가져야 할 존재의의를** 자각하지 못한 것입니다. 하나님께서 아브라함부터 시작하셔서 지금까지 일해 오신 것이 무엇입니까? 하나님의 나라를 세우시기 위해서였습니다. 그 많은 세상 나라들이 있는데 왜 하나님은 또 나라 하나를 더 세우시려고 하십니까? 제사장 나라가 되게 하기 위해서입니다. 그들을 향해 하나님을 선전하게 하려는 것입니다. 구원 괜히 받은 것이 아니라, **가나안을 정복하라고 받은 것입니다**. 구원에는 방향성이 있어야 된다고 했습니다. 하나님은 세상나라와 다른 "하나님의 나라"를 세우시려고 얼마나 노력해 오셨습니까? 이제 국민 만들기가 완성되었고, 법을 주셨고, 마지막으로 '땅'을 주시려는 찰나인데 그들은 그것을 쟁취할 힘이 없었던 것입니다. 싸움에 이기냐 지냐를 떠나서 "사명감"이 없었던 것입니다. 하나님 나라 백성으로서의 자존감이 없었던 것입니다. 자신들의 존재의의를 상실하고 있었던 것입니다. 목표없이 여기까지 건성건성 따라왔던 것입니다.

"이길 수 있다"는 보고와 "이길 수 없다"는 보고는 무엇에 대한 반응인지 아십니까? 각각 그런 판단을 하게 한 중요한 관건이 무엇인지 아십니까? 아낙 자손 대장부(민 13:28, 32, 33)에 대한 반응입니다. 그 사람들이 누군지 아십니까? 하나님의 나라 백성들이 싸워 이겨야 하는 세상나라의 상징, **네피림의 후손입니다**. 정작 하나님 나라 백성이 싸워야 할 대상이 나타나자 그만 갑자기 메뚜기가 되어버린 것입니다. 자기네들을 스스로 메뚜기라고 생각하는 것입니다. 도대체 여기까지 와서 자기네들이 메뚜기라고 하면 어쩌자는 겁니까? 되돌아갈 수도 없고… 여기까지 인도해 내신 하나님이 얼마나 당황하실 일입니까? 아브라함부터 시작해서 여기까지 온 일인데, 이 땅 주시려고 여기까지 왔는데… . 그런데 문제는 이런 족장들의 보고에 대한 모든 군중들의 태도입니다. 무슨 말입니까? "그렇다! 우리는 메뚜기다!"라고 맞장구를 쳤다는 말입니다. 메뚜기라는 보고가 맞다는 거지요. 그 보고를 한 정탐꾼들의 손을 들어주었다는 거지요. **메뚜기 자존감**입니다. 애굽을 이기고 이적과 기사로 살아 여기까지 온 이스라엘 백성들인데 자칭 메뚜기 정체감을 가진게 문제였습니다. 하나님은 메뚜기의 하나님이 아니십니다. **사명없이** 살아가는 이런 세대들이랑은 절대로 가나안 정복을 못하시겠다는 것이 양보할 수 없는 하나님의 입장이셨습니다 (민 14:26~35).

그 결과 출애굽 1세대는 광야에서 다 죽을 것(민 14:30)이라는 선고를 내리십니다. 엄청난 결과지요? 하나님은 그런 사람들과 같이 일하지 않으시겠다는 의지를 표명하시는 겁니다. 그래서 그들은 출애굽 이후 40년을 광야에서 지내게 된다는 것입니다. 여기 정탐꾼 사건 때만 해도 이제 겨우 출애굽한지 1년 좀 지난 때인데 앞으로 그 긴 긴 세월을 '광야에서 보내야 하는 벌'을 받게 되는 중차대한 잘못을 저지른 것이 바로 이 **정탐꾼 사건**인 것입니다.

생장점 POINT 그렇습니다. 가나안은 아무나 들어가는 곳이 아니라는 말이지요. 여호수아와 갈렙같은 "사명"을 자각하고 하나님을 믿은 사람만 정복해서 얻어내는 땅이라는 말입니다. 적어도 그 땅을 정복해서 빼앗을 영적인 배짱이 있는 사람들이라야 가나안에 들어가서 이방종교와 **섞이지 않고** '하나님의 백성' 답게 살아낼 수 있기 때문입니다.

③ 두번째의 인구조사

시내산을 출발하기 직전에 병력을 위해 인구조사를 했었는데 그 1세대가 거의 다 죽은 이 즈음에 다시 한번 인구조사를 합니다. 제2세대로 구성되는 새로운 군대가 조직됩니다(26장).

④ 요단 동편과 요단 서편

가나안 땅 분배에 있어서 "요단 동편"과 "요단 서편"을 이해 합시다. 르우벤, 갓, 므낫세 반지파는 여기, 요단 동편에서 산다는 사실을 꼭 기억합시다. 아모리 족속이 길을 내 주지 않았기 때문에 할 수 없이 한 전쟁이었는데 땅을 얻게 되었습니다. 만약 40년 전에 산지길이나, 왕의 대로로 잘 통과해서 올라왔더라면 이 땅을 얻을 수 없었겠지요?

⑤ 민수기의 끝 모압 평지는 신명기의 무대

민수기의 끝은 모압 평지입니다. 신명기의 무대인 것을 기억합시다. 모세는 제40년 11월 첫날에 이 설교를 시작했는데 이것은 요단강을 건너기 두 달 10일 전이었습니다.

⑥ 오늘날의 지명과 차이가 있음

광야생활 여행경로에 나오는 이 책의 지명들은 비교적 그 장소가 어디인지 오늘날 알 수 있는 곳들입니다. 그러나 대부분의 그밖의 지명들은 어디인지 잘 알 수 없는 곳들이 많습니다. 특히 민수기 33장에 나타나는 애굽에서 요단(모압 평지)까지 이르는 경로의 지명들은 오늘날 잘 모릅니다. 따라서 우리가 위에서 살펴본 V자형의 여행 경로는 중요하고 명확한 몇 곳을 중심으로 대충 어림잡아 그린 경로 일뿐입니다. 그 낱낱의 장소는 잘 모릅니다.

3) 민수기를 마치며

생장점 POINT
창세기의 족장이야기나 출애굽기의 열 재앙 이야기, 또 홍해 건넌 이야기 같은 것은 쉽습니다. 그냥 단편적으로 읽으면 되지요. 그런 것에 비해 광야생활이 기록된 민수기는 대체적으로 우리 모두의 머리 속에 좀 엉켜있습니다. 그래서 창세기나 출애굽기에 비해 민수기 읽기는 좀 내용이 많았습니다.

우리는 구약을 처음 시작하면서 하나님 나라가 상대해야 할 세상나라가 있다고 했습니다. 하나님을 왕으로 인정하지 않고 출발한 인류역사의 구심점에는 네피림,

니므롯같이 힘 있는 사람들이 앉아 있다고 했습니다. 창세기 12장에서 하나님 나라의 사명은 바로 이런 나라들의 문화를 정복하고 싸워 이겨서 하나님의 주권을 회복케 하는 것이라고 했습니다(계속 반복!). 그들도 **구원의 복**을 받게하는 것입니다.

아브라함 한 사람으로부터 출발한 이 하나님 나라가 야곱의 열두 아들로 골격을 만들어 250만 명 가량의 인구가 되었습니다. 그런데 드디어 민수기에 와서 이제 한 **공동체**로서 조직을 갖춥니다. 명실공히 한 나라가 되어서 이 세상나라를 정복할 바로 "그 기회"가 주어지게 된 것입니다. 내적으로는 법으로 든든히 조직을 강화했고, 이제 드디어 하나님의 백성으로서 이 세상에 대해 한 번 할 일을 해 볼 수 있는 **절호의 찬스**가 온 것입니다. 세상문화 정복입니다. 조상들에게 약속한 땅을 주시는 장면입니다. 하나님께서 지금까지 애써 하나님의 나라를 이루신 목적이 하나님 나라를 그 곳에도 전파하고 그 영역을 넓히는 것이었는데, 막상 다 와서 뚜껑을 열어보니 이스라엘은 자격미달이었습니다. 가나안 사람들의 동태를 파악하기 위해 그 대표들이 정탐하고 나서 보인 반응으로 보아 도저히 가나안 정복은 역부족이었다는 말입니다. 그들은 아직 싸울 힘이 없는 믿음의 졸부들이었습니다.

그들을 가지고는 가나안을 정복할 수 없으므로 하나님은 그 다음 세대로 그 사명을 미루셨고, 그 다음 세대 역시 40년은 더 훈련시켜야 된다고 생각하신 것입니다.
우리가 지금까지 흔히 생각해 왔던 광야생활 40년을 하게 된 이유는 말 그대로 '더 훈련시키시려고' 입니다. 그러나 **무엇을 위한 훈련인가**를 분명히 아는 것이 중요합니다. 그냥 막연히 신앙을 훈련시키셨다든지, 믿음을 훈련시키기 위해서라든지가 아닙니다. **이스라엘인으로서의 "사명"**을 자각하고, 그 사명을 **감당하기 위한 훈련**입니다. 이스라엘의 존재의의를 따라 행하는 것입니다. 하루, 이틀이면 가나안에 들어갈 수 있는 위치, 가데스 바네아까지 다 와 가지고 광야 제2세대 이스라엘은 이제 40년 동안이나 광야에서 유리하게 되었고, 그러다가 1세대는 결국 광야에서 엎드려져 죽었습니다.

오늘도 마찬가지입니다. 구원받은 우리가 사명을 자각하지 못하고 있다면 똑같은 얘기입니다. 가나안을 정복하고 싸우는 일은 무엇입니까? 선교입니다. "선교"는 선교부원만 하는 교회 프로그램이 아닙니다. "전도"는 전도폭발팀만 하는 것이 아닙니다. 이런 "증인"의 삶을 사느냐 못사느냐는 그 **교회 공동체가 죽느냐 사느냐, 사활이 달린 이슈**입니다. 이 세상을 향해 침투해 들어가고, 전도하고, 선교하는 사명은 교회 공동체 전체가 목숨을 걸고 지향해야 하는 이슈입니다.

이렇게 세상에 있는 이들을 건져내면 그 다음에 교회 공동체가 하는 일이 **교육**(하나님의 법도를 계속 가르쳐가며 이스라엘에게 경배받으셨던 것처럼)인 것입니다. 하나님의 법이 무엇인지 가르치고, 그대로 살라고 양육하는 것입니다. 그들은 애굽에서 갓 나온 이스라엘 백성들처럼 자연석이기 때문입니다. 다듬어져야 하기 때문입니다. 훈련을 통해 깎여져야 모양이 나기 때문입니다. 그래야 비로소 하나님을 예배할 수 있습니다. 성령과 진리 안에서 예배를 드리는 것은 이처럼 구약에서도 말하고 있는 진리입니다. 그리고 선교의 사명을 감당하는 것입니다. 구원 얻은 자로서 그 얻은 구원이 지향해야 할 방향성의 자각이 없으면 그저 늘 이집트에서 먹던 수박, 마늘, 파, 부추나 생각하는 것입니다. 교회에 나와서도 이 세상 문화를 정복(전도, 선교)하는 것에는 관심이 없고, 늘 나 복 받는 것, 내 식구 잘 되는 것에만 관심이 머물러 있는 사람입니다. 그렇습니다. 나 한 사람 구원받는 것에만 관심이 있고, 나 위로받고, 나 치유되고, 나 사랑받는 것만 관심을 가진 교회 공동체는 결국 시간이 지나면서 소멸된다는 무서운 경험을 이 광야의 구약교회가 하고 있는 것입니다.

오늘 어디 250만이 모이는 교회가 있습니까? 광야의 이스라엘 교회는 그 성도가 적어도 250만명 가량이었습니다. 그러나 그들이 구원을 경험한 이래, 그 구원의 하나님을 열심히 배우고, 외적으로는 이 세상을 침노하는 증인의 삶을 살았어야 했는데 그런 태도조차 없이 **아낙** 자손을 두려워해서 원망하고 불평했을 때 하나님은 250만 명 교회 교인도 쓰지 않으셨습니다. 이 세상 살긴 살아도 하나님이 쓰실 수 없이 살다가 가는 오늘날의 성도도 마찬가지입니다. 교회 다니기는 다녀도 그저 나 한 사람 겨우 구원받고 살다가 그저 가는 것입니다.

민수기를 떠나가면서 여러분은 어떤 잔상이 남아 있습니까? 어떤 그림이 남습니까? 그렇습니다. 황혼의 들녘, 광야에 즐비하게 엎드려져 죽은 이들의 길게 드리워져 있는 주검입니다. 가나안을 향해 가겠노라고 꿈을 안고 이집트를 떠나 고생고생하며 광야까지 왔는데, **그만 그 광야가 끝이었습니다.** 목적지를 놓치지 말았어야 했습니다. 목적지를 가야하는 그 이유, 이스라엘의 존재 의의를 잊지 말았어야 했습니다. **우리는 그렇게 교회생활하지 맙시다.**

⚖ 신명기는 건너뜁니다, 레위기처럼

출애굽한지 40년 11월 1일(신 1:3)! 출애굽 당시 20세 미만이었던 새 세대들과 또 광야에서 새로 난 아이들과 모세, 여호수아, 갈렙은 드디어 사해 바다 동쪽의 모압 평지까지 올라옵니다. 위에서 살펴본 V자형에서 볼 때 오른 쪽 끝나는 지점(사해 남단 부근)에서부터 더 위로 계속 올라와 사해 오른쪽까지 가면 거기가 모압 평지라고 했습니다. 남북으로 길쭉하게 놓여있는 사해 바다의 맨 윗 부분으로 흘러들어 오는 요단강의 마지막 줄기가 드리워져 있는 지경입니다. 앞에는 요단강이 가로놓여 있고 그 요단강만 건너면 코앞에 난공불락의 여리고 성이 있습니다. 바로 여기서 죽음을 앞에 둔 모세는 그의 생을 정리하면서 지금까지 40년간 있었던 역사와 하나님의 법들을 이 새 세대에게 반드시 가르치고 기록으로 남겨야 한다는 마지막 사명을 느낍니다. 즉 모세 생애 말기, 가나안 입성 직전에, 너무 어려서 40년 간의 광야생활의 의미를 모르는 새 백성들에게 그 동안의 체험들을 다시 정리해서 가르칩니다. 이것을 가르쳤을 뿐만 아니라 이렇게 기록으로 남겼습니다. 이 설교를 듣고 있는 이들이 죽고, 계속해서 그 다음 세대들이 태어나도, 꼭 이 하나님 말씀대로 순종하기를 바라는 마음에서 그렇게 했습니다. 가나안이라는 큰 문화를 앞에 두고 이제 하나님의 싸움을 싸워야하는 사람들은 정작 이 새 세대들이었던 것이기에 더욱 절실했습니다. 앞으로 하나님 나라의 백성으로서 이 세상을 향해 제사장적 사명을 감당해야 하는 세대이기에 더욱 절박했을 것입니다. 교육이 필요했습니다.

지금까지 노예로 있던 히브리 백성을 출애굽시킨 때로부터 이 모압평지에 오기까지 법을 제정하는데 그가 쓰임 받았다는 것은 그 조상 아브라함과 언약하신 하나님의 성실하심을 이루시는 구속역사 과정 가운데 한 나라를 체계적으로 창립하는 **창건자**의 입지에서 하나님께 쓰임을 받았다는 뜻입니다.

신약에서 팔복산에 올라온 제자들에게 "산상수훈"을 "새 율법"으로 선포하시는 예수님의 사역과 대칭을 이루는 위대한 인생을 모세는 산 것입니다. 출애굽기와 레위기 민수기와는 달리, 과거를 회상하며 하나님의 율법을 정리해서 가르치는 내용인 이 신명기는 보다 원숙한 모세의 법 해석, 법 준수의 경험으로 원숙한 경지에서 신세대들에게 교육했을 것입니다.

요단강 자락을 건너 저 앞에 멀리 가나안 땅을 바라보고 있는 이 무리들, 만나와 메추라기를 먹고 광야에서 살아남은 이 신기한 무리, 새 백성 이스라엘에게 늙은 노종 모세가 베푼 이 마지막 고별 설교를 귀 기울여 우리도 한번 들어봅시다. 모세오경 총정리입니다. 앞에서 읽어 온 내용들을 복습한다고 생각하면서. 모압평지 한 귀퉁이에 그들과 같이 앉아서…

4. 여호수아 읽기 (창, 출, 민, 수 삿·삼·왕)

이제 모세의 마지막 설교가 다 끝나면 우리는 모압 들판에서 벌떡 일어나야 합니다. 성막을 가운데 모시고 동서남북으로 각각 흩어져 쳐 놓았던 텐트를 또 걷어야 합니다. 르우벤 지파, 갓 지파, 므낫세 반지파는 제외하고 말입니다. 왜 그런지 아시죠? 이 세 지파는 요단 동편 길르앗 땅에서 살기로 결정했습니다. 그래서 그들은 이 때 함께 요단강을 건너지 않습니다. 그러나 그들 중에서 20세 이상 병력들은 요단 서편 가나안 땅 정복을 도우려고 짐을 꾸려야 합니다. 사랑하는 가족들을 요단 동편에 남겨두고 긴 여행을 위해 헤어지는 겁니다.

세 번에 걸친 마지막 고별 설교를 끝으로 하고 위대한 종 모세는 죽습니다. 이제는 모세의 후임, 여호수아를 좇아 요단강부터 건너야 드디어 가나안에 들어가게 됩니다. "여호수아" 하면 얼른 "땅 찾기"가 생각나야 합니다. 사실 400여 년 전 그들의 조상 아브라함, 이삭, 야곱이 살았던 땅, 그 땅입니다. 이집트에서 종살이하다 나온 세대들의 후손, 광야에서 태어난 젊은 청년들에게 하나님께서 주시려고 하는 땅이 바로 그들 조상들이 발붙이고 살았던 땅입니다. 이미 이 사실은 아브라함에게 가르쳐 주셨습니다(창 15:16). 창세기 15장에서 하나님의 목숨을 걸고 반드시 지키리라 언약하신 그대로 이렇게 신실하게 이루시는 장면입니다. 여호수아는 약속을 지키시는 신실하신 하나님을 경험하는 책입니다(수 21:45).

그런데 전에도 말했듯이 이 땅은 아브라함 때부터 이미 가나안 사람들이 살고 있었습니다. 그냥 공터가 아니었습니다. 그러므로 "여호수아" 하면 얼른 또 "전쟁해서 땅 뺏기"가 생각나야 합니다. 얼핏보면, '왜 남이 살고 있는 땅을 빼앗나?', '거기 어린아이까지 다 전멸하라고 한 하나님의 명령은 너무 잔인한 것이 아닌가?' 하는 질문이 생깁니다.

> **생각점 POINT** 이 대목부터는 하나님이 불공평하시고, 잔인한 하나님으로 느껴져서 이런 하나님을 믿어야 되나(?) 하는 마음이 생겼었다고 말씀하시는 분들이 계십니다. 이스라엘에게 땅 뺏어 주기 위해서 다른 나라의 죄 없는 어린아이, 짐승까지 다 죽이라는 하나님의 명령은 이스라엘을 너무 편애하시는 것 아닌가 하는 질문도 생깁니다. 지금까지 이스라엘에게 공의로운 법을 주셨고, 법대로 정직하게 바로 살 것을 가르치셨던 하나님이 갑자기 여호수아에 들어와서는 폭군 하나님으로 부각되는 것 같습니다.

1) 또 다른 View Point(전망대) – 왜 가나안의 아이들과 짐승까지 전멸시키라고 하시는가?

(🌱 그렇습니다. 바로 이런 질문이 떠오르는 그 자리가 또 다른 "View Point"입니다.🌱) 창세기 11장과 12장 사이가 성경 전체를 한 번 볼 수 있는 "View Point"라고 했었습니다. 인류의 발전은 세상 나라라는 바벨탑을 향한다고 했습니다. 그러나 사실 태초부터 만물을 창조하신 진정한 주권자 하나님은 당신만이 왕이심을 그들에게 나타내시려는 목적으로 다른 스타일의 "나라"를 세우시기 원하셨다고 했습니다. 그리고 이 나라를 통해 열국이 복을 받게 하시려는 계획이라고 했습니다. 그 나라가 12장의 아브라함으로 시작되는 하나님의 나라라고 했습니다. 인류역사는 창세기 11장처럼 열심히 바벨국가를 만들면서 가니까 그 나라들 한테는 등 돌린채 오직 아브라함의 후손 이스라엘만을 편애하시려고 이 나라를 따로 세우신 것이 아니라고 했습니다. 소위 신정국가라는 독특한 나라로 창립하시고, 법을 주시고, 그 하나님을 경험하게 하므로 "신관"을 갖게 하시고, 교육하시고, 훈련하시고, 그 법대로 살게 하시는 그 모든 하나님의 열심은 **"이스라엘" 그들 때문만이 아니라고 했습니다.**

> **생각점 POINT** 그런데 지금 가나안 앞에 서 있는 이 시점이 드디어 그 과업을 수행하는

순간인 것입니다. 그동안 갈고 닦았던 하나님 백성이 그 사명을 수행해야 할 순간에 맞닥뜨린 것입니다. 이 '세상문화'를 정복하고, 하나님의 문화를 심어야하는 사명을 건 전쟁이었습니다. 적당히 '섞이기' 시작해서 구분이 되지 않는 상태가 되면 하나님은 그 하나님의 백성들을 더 이상 하나님의 백성으로 간주하지 않고 심판하신다고 했습니다(관점!).

이 원리는 창 11장까지의 하나님의 아들들, 즉 하나님을 믿는 이들의 삶 가운데서 선명하게 찾을 수 있었습니다. 고생고생하며 찾아온 이 땅은 거저 주어지는 땅이 아니라 그 땅에서 살아갈 자격을 갖춰야만 차지할 수 있는 것이기에 하나님은 그들이 하나님의 아들들답게 "영적 순수, 성결"을 계속 유지하기를 원하실 수밖에 없습니다. (🌱그 문화와 섞이면 끝이기 때문입니다.🌱)

더 자세히 보십시다. 가나안은 당시 문화가 극도로 발달한 도시문화를 갖고 있었습니다. 건물 바닥은 포장 되어 있었고, 배수시설도 되어 있었으며, 노동자들은 구리나 납, 금을 사용하는 기술이 있었습니다. 북방 메소포타미아, 구브로(유럽 방향 쪽으로 있는 섬)를 포함한 외국과 광범위한 무역을 하고 있었습니다. 40년 동안 광야에서 베두인으로 살아가며 여기까지 온 이스라엘 여자들보다 훨씬 더 예뻤겠지요? 이스라엘 여자들은 몸치장이나 제대로 했겠습니까? 광야에서 고립된 생활을 하던 그들이 볼 때는 고도로 발달된 문화였습니다. 우리가 관점 공부할 때 얘기했던 두 문화의 싸움에 부딪친 순간입니다. 역사적으로 볼 때 언제나 미개한 문화는 발달된 문화에 흡수되는 것이 원리입니다. 세계역사를 볼 때 언제나 그래왔습니다.

🌱 **생각점 POINT** 여러분, 문화의 심장은 종교입니다. 문화는 종교의 산물입니다. 가나안 사람들의 필요에 의해 만들어진 "그들의 하나님"은 **바알, 아세라**같은 것입니다. 이런 종교에서 출발한 가나안 문화는 당시 정착 문화로서 첨단을 자랑하는 상당히 발달된 문화였습니다. 여러분, 이 문화가 본래 어디서부터 유래된 것인지 아십니까? 메소포타미아에서 이사온 문화입니다. 우리가 바벨탑 사건을 공부할 때 얘기했었던 그 문화가 서쪽으로 옮겨진 것입니다. 티그리스, 유프라테스강 유역에서 시작된 바벨문화, 니므롯의 문화가 서쪽방향으로 흘러 기름진 땅, 가나안까지 옮겨온 것입니

다(이 두 지역을 일컬어 기름진 반달지역이라 일컫는다. 그 땅 모양이 반달 엎어놓은 것 같아서 생긴 이름이다). 그러므로 **가나안 문화**는 하나님을 대적하던 **바벨국가 (창 11)의 문화**입니다.

기름진 "땅"이 낳아주는 수많은 곡식과 과일과 육축들은 그들의 생명이었습니다. 그들은 이 산물들이 '암, 수'에 의해 열매맺고, 새끼친다는 사실을 깨닫습니다. 그래서 "풍요롭게 생산 잘 시키는 하나님"이 필요했습니다. 이 필요가 그들의 하나님이었고, 그들의 종교가 되었습니다. 참 하나님을 거부한 그들은 필요에 의해 이런 신을 창조했습니다. 그리고는 그 신을 "바알"이요, "아세라"라 이름했습니다. 바알은 태양신이며, **남성을 상징**합니다. 그래서 고대 종교의 우상을 보면 남성의 성기를 상징하는 우상이 많고, 여성의 가슴을 강조한 우상이 많은 것입니다. 드라빔이 그런 것입니다. 아세라는 달(moon)신이며, **여성을 상징**했습니다.

요즈음도 미국 박물관에 가보면 출토된 유물 가운데 이런 여자모양의 조그마한 신상이 얼마나 많이 전시 되어있는지 모릅니다. 그 신상 아래에는 'Fertility Goddess'라고 쓰여 있습니다. 왜 이런 남자 신과 여자 신을 만들었을까요? 생산물 때문입니다. 부요입니다. 이 두 신의 결합으로 많은 생산을 이룰 수 있다는 것입니다. 따라서 그들의 종교가 음란이었고, 음란이 곧 생활이었습니다. 그 신들에게 바치는 가장 좋은 제물은 그들의 어린 아기였고, 아기를 불 태워 드린 후 (렘 7:31; 대하 28:3)에 곧 신전의 여자 제사장(聖娼)과 성관계를 하는 것이 제사법이었습니다. 자식은 생산의 상징이었습니다. 자식은 가장 귀한 것이기 때문입니다. 헌물입니다. 가장 좋은 것을 드린다는 의미입니다. 이와같이 자기 자녀를 불살라 드렸던 이 곳 가나안 땅에서 수천의 영아 유골 항아리가 고고학자들에 의해 발굴되었습니다. 아골 골짜기입니다. 해골이라는 골짜기에서 말입니다. 정탐꾼을 숨겨주었던 기생 라합이 바로 이 성창이었다고 봅니다. 사실 오늘날 올림픽을 시작할 때 하얀 옷을 입은 여자사제들이 바로 옛날에는 그런 사람들입니다. 구약시대 뿐만 아니라, 바울사도 시대의 고린도에도 이런 신전 창녀들이 많았습니다. 당시 고린도의 아프로디테 신전에만도 1,000명 정도의 이런 여 사제(종교 창녀, 성창)들이 공적으로 성행위를 하고 있었습니다. 그리스 신화는 신화 그 자체가 아니었습니다. 실제로 지중해 연안 모든 나라에 다 퍼져 있었던 그들의 난잡한 실제 종교였습니다. 오늘날까지도 사라지지 않고 올림픽할 때마다 그녀들은 등장합니다.

생장점 POINT 가톨릭에서는 성화를 많이 사용합니다. 성모 마리아 그림이나 사도들의 얼굴을 많이 그려 성화로 사용합니다. 그런데 가나안 종교에도 성화가 있었습니다. 그들의 신전 벽에 새겨놓은 벽화가 있습니다. 그들의 신전은 주로 높은 산을 평평하게 깎은 곳에 세웠는데 그 신전의 벽에 그린 것입니다. 그런데 그 성화는 오늘날 소위 말하는 포르노 그림입니다. **성화(性 畵)가 그들의 성화(聖 畵)**입니다. 그들의 성전 벽 전체가 온통 포르노그림으로 그려져 있습니다. 음란제사의 그림으로 새겨져 있었습니다. **여리고 성**이 그런 성이었습니다.

오늘도 이런 포르노 그림이 새겨져 있는 성전이 있습니다. 네팔이나 인도에 가보십시오. 이곳의 신전들은 온통 포르노로 뒤덮여 있습니다. 그들의 성전에는 성상으로 가득 차 있습니다. 성전이니까 성상(聖像)으로 장식했는데 그것은 성상(性像)입니다. 남성과 여성의 성기를 결합해 놓은 모양입니다. 네팔의 신전이 모여있는 지역을 둘러싸고 있는 산에는 이 우상이 수천 개가 있습니다. 신전 계단 층층마다 검정색 돌로 이 형상을 만들어 놓았습니다. 사당같이 생긴 작은 집을 들여다 보아도 그 물건이 들어 있습니다.

여인들이 자기 아이들을 데리고 이 우상 앞에서 기도하는 모습을 수도 없이 많이 볼 수 있습니다. 어렸을 때부터 포르노 그림에 중독되는 것입니다. 덕수궁 건물같이 생긴 전통적인 동양 기와집 형태의 신전 지붕을 받치고 있는 수많은 나무기둥에는 형형색색의 성행위 장면이 그려져 있습니다. 동물과도 성행위를 하고 있고, 남녀 두 사람이 아닌 여러 사람의 성행위도 있고, 동성도 있습니다. 이런 신전 옆에는 요가를 하는 요기들이 머리를 땅에까지 기르고 마약을 피우며 앉아 있습니다. 마약중독 남자 성창입니다. 그 맞은편 하늘은 장작더미 위에 올려놓은 시체가 불에 타면서 뿜어 올리는 연기로 늘 뿌옇습니다. 가난에 찌들린 네팔의 하늘은 시체 태운 연기로 가득합니다. 네팔의 카투만두는 산지로 둘러싸인 분지여서 그 공기는 다른데로 빠져 나가지도 않습니다. 이런 공기를 마시며 신전 관광지를 돌아다니며 그림엽서를 파는 사람들이 있습니다. 그 그림엽서는 온통 포르노입니다. 신전 그림들을 사진찍어서 엽서로 만든 것입니다. 그들의 종교를 선전하는 엽서입니다.

여러분, 이 종교가 무슨 종교인지 아십니까? **힌두교입니다.** 오늘날 미국에서 매력적으로 부각되고 있는 젊은이들의 문화인 **뉴에이지 문화가** 그것입니다. 가나안 문화의 진원지인 티그리스, 유프라테스강 유역의 바벨문화가 동쪽으로 옮겨져서 생긴 **인더스 문명권의 종교입니다.** 바벨이라는 이름으로 시작된 세상의 문화는 서쪽으로는 가나안, 소아시아(에베소), 유럽(고린도)쪽으로 옮겨졌고, 동쪽으로는 인도문명(인도)과 황하문명(중국)권 쪽으로 옮긴 것입니다. 세계지도를 놓고 한 번 생각해 보십시오. 성경에 기록된 가나안 문화가 어디 가나안에만 있었겠습니까? 이스라엘 사람들과 관계된 종교니까 성경에 기록되어서 우리가 가나안 문화라고 말하는 것이지, 기록되지 않았어도 **당시 모든 동서의 문화들은 바로 이 가나안 문화였던** 것입니다.

　그런데 놀라운 사실이 있습니다. 앞에서 얘기한 덕수궁 모양의 신전이라는 것은 우리 나라에서 볼 수 있는 절 모양의 건물입니다. 이 불교식 건물의 그림에 새겨져 있는 **성행위의 그림들 맨 위에는 부처가 연꽃 위에 앉아있습니다.** 무얼 말합니까? 석가모니는 이 해괴망측한 **힌두교라는 토양에서 득도**한 것입니다. 그래서 서쪽의 가나안 문화와 동쪽의 불교문화가 오버랩되는 곳이 인더스 문명권입니다. 그래서 힌두교 그림과 불교그림이 같이 섞여져 그려 있습니다. 물론 석가모니는 힌두교를 저항한 것입니다. 새 종교가 나왔다는 것은 저항했다는 것입니다. 힌두교의 시바신이나 깔리신을 비롯해서 수억에 이르는 신들의 눈치를 보는 이 종교에 반기를 든 것입니다. 생노병사라는 인간의 궁극적인 딜레마를 갖고 진지하게 씨름하다가 득도했다는 것입니다. 풍요와 다산만이 인생의 전부는 아니라는 것입니다. **철학적 물음을 물은 것입**니다. 이것이 무엇입니까? **불교입니다.** 우리나라에 전해진 불교는 대승불교, 소승불교 계열입니다.경전과 참선을 강조하는 불교입니다. 그러나 성적(性的) 합일의 쾌감을 종교적 합일로 설명하는 불교계열도 있습니다. 금강승(金剛乘)이라고 부릅니다. 이런 성적인 불교는 티벳불교, 라마불교를 형성합니다. 이와같이 바벨에서 시작된 문화와 종교는 이런 모양으로 온 세계에 퍼져나간 것입니다. **창세기 11장에서 등장한 바벨문화는 정말 이 세상 일반 역사의 성격을 규정하는 View Point 지점입니다.**

가나안은 이런 땅이었습니다. 하나님이 이스라엘에게 주시려는 땅은 그저 들어가 차지하면 되는, 맡아놓은 땅이 아니라 바로 이런 극악한 종교가 화려한 문화와 함께 오랫동안 점령하고 있는 땅이었습니다. 바벨이었습니다. 세상을 상징하는 총체적 문화였습니다. 이스라엘에게는 꿈에도 그리는 낭만적인 땅이었을지 몰라도 하나님이 알고 계시는 가나안 땅은 바로 우리가 지금까지 말해왔던 "세상나라 문화"를 상징하는 악한 땅이었습니다. 이런 나라를 그냥 내버려 두시지 않는다고 했습니다. 그런 문화는 결국 '심판' 하신다고 일찍이 바벨탑 사건에서, 노아홍수에서 보여주셨습니다. **이스라엘은 하나님을 대신한 심판자로 그 가나안 땅을 밟는 것입니다.** 이 심판을 하나님 백성인 이스라엘을 통해 하시는 것입니다. 하나님의 백성들이 쳐들어가서 그들을 전멸시키고 하나님 문화의 깃발을 꽂아야 한다는 것입니다. 그런 땅이 가나안이었습니다.

그러므로 그 종교와 문화에 물들어 있는 어떤 것과도 **타협하거나 적당히 섞이거나 용납의 여지**를 보여서는 절대로 안 되는 전쟁이 바로 이 전쟁이었습니다. 만일 그들을 전멸시키지 않으면 오히려 그 문화에 역습을 당해서 그 가나안이 이스라엘을 점령할 것이기 때문입니다. 이스라엘이 사느냐 죽느냐 하는 문제가 여기에 달려 있었습니다. 그러지 않아도 광야 1세대는 이 전쟁을 할 힘이 없어 광야에서 죽었고, 이제 2세대를 40년 간 훈련시켜 여기까지 왔는데 이제 섞이면 큰일입니다. 이스라엘의 정체성이 확실히 확립되어야만 대적에게 하나님 나라를 전파할 수 있는 것입니다. 즉, 세상문화와의 전쟁에서 "완전멸절"을 요구하시는 이유는 하나님의 거룩의 수준이 완전을 요구하시기 때문입니다(다윗이 법궤를 다윗성으로 옮겨 올 때 웃사를 충돌하십니다. 웃사는 그 자리에서 즉사합니다. 초대교회 때 아나니아와 삽비라는 땅 판 돈을 속이다가 그 자리에서 즉사합니다. 성경을 자세히 보면 이렇게 하나님께서 뭔가 새로운 하나님의 사회를 시작하려고 하는 순간에는 고도의 순결과 완전을 요구하신다는 사실을 찾아낼 수 있습니다).

생각점 POINT 그러므로 바로 이 가나안의 문화를 완전히 멸망시키는 것이야말로 지금까지 고생하며 훈련한 이스라엘의 사명이라는 것입니다. 구원은 방향성이 있어야 하고 그 방향성은 세상을 정복하는 것으로 나타난다는 그 말입니다. 이 지점에서 이 "View Point"를 놓치면 앞으로 전개되는 이스라엘의 사사시대, 왕정시대의 역사들 속에서 "이방의 우상"을 섬기는 행위가 왜 그렇게도 이스라엘에게 치명적인 문제가 되는 것인지, 왜 그렇게도 하나님은 이방나라 신을 따라가는 것을 싫어하셨는지를 알 수가 없습니다. 이 "View Point(전망대)"에서 언제나 모든 역사들을 조명하며 읽어 내려가야 합니다.

*약*속대로 주시는 땅! (수 21:45)
그러나 세상나라 대적이 살고있는 땅!
그래서 정복해야만 차지할 수 있는 땅!
그리고 나서야 안식할 수 있는 땅!
그 땅이 가나안입니다.

2) 가나안 땅 구경 좀 합시다 – 지리적인 면에서 본 가나안

*가*나안 땅은 유럽, 아시아, 아프리카 이 세 대륙을 잇는 위치에 묘하게 놓여져 있습니다. 동쪽의 메소포타미아 문명권과 서쪽의 이집트 문명권 사이에서 강대국의 위협을 받을 수밖에 없는 정황의 땅이었습니다.

*가*나안 땅은 북으로는 만년설의 레바논 산맥, 남으로는 신광야(가데스 바네아 근처, '네겝', 즉 '남방'이라고 불리는 남쪽 지역), 서쪽으로는 지중해 바다, 동으로는 거대한 아라비아 사막에 둘러싸여 있습니다. 따라서 서풍은 지중해의 따뜻하고 습한 바람으로 이 땅에 비를 가져다 주고, 동풍은 건조한 사막의 바람으로 건기를 가져다 줍니다.

'*가*나안'이 구약적인 이름인데 반해 또 다른 이름 '팔레스타인'은 신약 이후의 이름입니다. 팔레스타인이라는 말은 '블레셋'에서 온 말입니다. 블레셋은 지중해의 해양 민족으로서 매우 호전적인 사람들이었습니다. 그들은 주로 지중해를 접한 해안 평지를 차지하고 살았습니다. 오늘날까지 남아있는 이름, 블레셋, 팔레스타인입니다.

*가*나안 땅은 지형적으로 여러 형태의 땅을 갖고 있습니다. 이 사실을 한 마디로 말해주는 성경 구절이 바로 여호수아 15장 21, 33, 48, 61절인데 그것은 곧 네겝(남방), 쉐펠라(평지), 산지, 광야 등입니다. 이를 신명기 1:7에서는 "아라바와 산지와 평지와 남방과 해변"이라고 표현하고 있습니다. 이 독특한 지형이 국경이 되어 가나안에는 여러 족속들이 나뉘어 살고 있었습니다. (🌱 창 20:1에도 "아브라함이 거기서 남방으로 이사하여…"라고 되어 있습니다. 이 남방(네겝)은 남쪽지방이라는 일반적인 뜻이 아니고 신광야 윗지방, 그러니까 전에 이스라엘 백성들이 약 37년 간 광야생활했던 가데스 바네아 바로 위의 땅을 말하는 고유명사입니다. 즉 가나안 남쪽 경

계지역 쯤에 위치한 지역 전체를 묶어 "남방" 이라, 그렇게 부른 것입니다. 🌱)

가나안 땅은 또한 남북으로 길게 평행으로 놓여있는 **네 가지의 긴 지대**를 연상하면 됩니다. 북에서부터 남쪽으로 내려오며 갈릴리 바다, 요단강, 사해 바다가 깊은 골짜기를 이루는데 이 지대를 '요단 골짜기' 라고 합니다. 그런데 이 요단 골짜기 왼쪽과 오른쪽으로도 각각 높은 지대가 북에서 남으로 길게 뻗어있습니다. 요단 골짜기 왼쪽에 남북으로 뻗어있는 높은 지대는 '산지' 이고, 오른쪽에 남북으로 뻗어있는 높은 지대는 '동부 고원지대' 입니다. 산지 서쪽방향으로는 내려가면서 완만한 경사지대를 이루며 넓은 평지(쉐펠라)가 발달되어 있습니다. 이 평지는 지중해와 맞닿으며 역시 남북으로 길게 펼쳐 있습니다. 즉 서쪽에서부터 보면 지중해 바다, **평지, 산지, 요단골짜기, 동쪽 고원지대**, 사막, 이런 순서로 길게 남북으로 뻗어있다는 말입니다.

① **평   지:** 블레셋의 성읍인 가사, 가드, 아스글론, 아스돗, 에그론, 욥바 등이 있습니다.

② **서쪽 고원:** 헤브론, 베들레헴, 예루살렘, 벧엘, 길갈, 세겜 등 우리에게 익숙한 성읍들은
   (산지) 주로 이 산지에 있습니다. 산성입니다. 동부 고원지대가 평지인 것과 비교해보면 이 서쪽 고지대는 산지입니다. 그래서 이방인들은 이스라엘의 하나님을 "산의 신"이라고도 불렀습니다.

③ **요단골짜기:** 북쪽의 거대한 산 레바논에서부터 발원되는 강이 흘러 내리며 골짜기를 이루다가 갈릴리 바다로 흘러 들어오고, 갈릴리바다에서 흘러내리는 요단강이 또한 남쪽으로 흘러 사해바다로 들어갑니다. 이 골짜기는 깊은 협곡을 만들며 남북으로 길게 달립니다.

④ **동쪽 고원:** 요단골짜기 동쪽 고원지역은 물이 많고 땅이 비옥했습니다. 일찍이 에돔, 모압, 암몬, 아모리 등이 자리잡고 있었던 비옥한 땅이었습니다. 이스라엘이 이 지역의 일부를 차지했습니다. 요단강의 상류인 얍복강과 또한 사해로 흘러 들어가는 야르논강이 있어 기름진 땅이었습니다. 요단강 원줄기는 북에서 남으로 흐르지만, 사해바다쯤에 이르면 이 동쪽 고원지대에서부터 흘러내리는 얍복강, 아르논강들이 오른쪽에서 흘러 들어가며 합쳐집니다(🌱 말로하면 이렇게 길고 복잡합니다. 지도를 펴 놓고 보십시오. 무슨말 인지 금방 보입니다. 지도를 사랑합시다 🌱). 길르앗 지역, 또는 요단 동편이라는 말로도 쓰여집니다.

3) 여호수아의 구조

이제 여호수아는 다음 세 영역으로 나뉘어 있음을 기억하고 읽읍시다.

들어감 ➡ 약속의 땅에 드디어 들어감(1~5장)

정복함 ➡ 약속의 땅 정복 전쟁(6~12장)

분배함 ➡ 정복한 땅을 지파 별로 분배함, 안식이 찾아옴(13~22장)

여호수아의 마지막 사명 ➡ 고별설교(23~24장)

---

4) 정복 역사의 중요한 내용들

① 요단강 도하 (3장)

모세가 히브리 민족을 이끌고 홍해를 건넘으로써 출애굽의 위대한 서막이 장식되었듯이, 여호수아에게는 요단강을 건너는 것이 가나안 정복의 출발점이 됩니다.

② 길갈 (4장~5장)

요단강 도하 후 처음으로 진을 친 장소로 이곳이 **초창기 정복의 아지트**가 됩니다. 이곳에서 단을 쌓았고, 할례를 행했습니다. 여리고, 아이, 기브온 전투를 하기 위한 **베이스 캠프**였습니다. 후에 초대 왕 사울이 이곳에서 왕으로 세움을 받는 등, 한 동안 중심지 역할을 하는 중요한 장소입니다. 여호수아 후기에는 에브라임 지파가 분배받은 지역에 있었던 "실로"라는 곳이 중심역할을 합니다. 아마 여호수아가 에브라임 지파 사람이어서 자기가 분할 받은 땅(수 19:50)에서 자유로 왕래할 수 있는 장소로 실로를 택한 것 같습니다. 이 실로에 회막을 세워 백성들이 제사 드리도록 하였고, 땅 분배를 이 장소에서 하게 됩니다(수 19:51).

③ 난공불락의 여리고성 함락 (6장)

요단강을 건너자마자 제일 처음으로 부딪힌 성이었습니다. 기생 라합과 정탐꾼의 얘기, 일곱 바퀴를 돌자 무너져 내린 여리고 성 이야기는 매우 유명합니다. 생장점 부위입니다.

④ 두 번 공격으로 함락된 아이성 (7장, 8장)

아간의 불순종으로 첫번 공격이 실패하나 두 번째는 성공합니다.

⑤ 기브온 거민: 9장

가나안 중부 지역의 기브온 거민들은 겁을 먹고 스스로 종이 될 것을 원해 이스라엘에 종속되므로 이스라엘은 기브온 지역을 얻습니다. 이들은 이스라엘을 위하여 나무를 패며, 물긷는 일을 하며 살아갑니다.

⑥ 기브온 전투 (10장)

산지에 자리잡고 있던 아모리 족속 동맹국의 왕들이(헤브론왕, 예루살렘왕, 야르뭇왕, 라기스왕, 에글론왕) 이스라엘에게 화친한 기브온을 치러 올라옵니다. 기브온이 여호수아에게 도움을 청하게 됩니다. 그래서 시작된 전투입니다. 태양과 달을 머물게 한 유명한 전투입니다. 이 전투로 그 유명한 **남방 유다 지역**의 성읍들을 얻습니다. 이밖에도 "산지와 남방과 평지와 경사지"의 모든 왕들을 쳐서 성읍들을 빼앗고 길갈 진으로 돌아갑니다.

⑦ 메롬 물가의 전투 (11장)

이번에는 북방 연합군과의 전쟁입니다. 가나안의 수많은 성읍이 이스라엘에게 점령되었다는 소식을 들은 북방 연합군들이 이스라엘과 싸우려고 메롬 물가에 집결합니다. 메롬은 갈릴리 북쪽 지역이었습니다. 지금까지는 남부지역을 점령한데 반해 이번 전투는 **갈릴리 북부지역**을 쟁탈하게 되는 전투입니다.

⑧ 남겨진 땅의 의미 (예를 들면 블레셋)

여호수아 11장의 메롬 물가의 전투까지 읽고 나면 모든 정복전쟁이 끝난 것처럼 느껴집니다. 왜냐하면 12장에서 그 동안 빼앗은 성읍들을 총정리하고, 14장부터는 그 성읍들을 지파별로 나누고, 다 나눈 다음에는 여호수아가 마지막으로 당부하는 설교를 하고 여호수아서가 끝나기 때문입니다.

그러나 아직 다 정복하지 못하고 남은 땅들이 있었는데(수 13:1~6, 삿 3:1~3) 블레셋이 거주하던 지중해 서남부 해안지역, 페니키안들(베니게 사람들)이 거주하던 지중해 북서부에서부터 갈릴리 북쪽 전 지역, 갈릴리 바다를 끼고 오른쪽으로 동전 모양으로 붙어있는 그술이라는 땅 등이 그것이었습니다. 블레셋은 워낙 호전적인 해양민족(해적)이었고, 갈릴리 북부의 산지 거인(네피림,아낙 자손)들은 철기를 사용했고, 전차부대가 있는 강한 민족들이었기 때문입니다(삿 1:19). 이 지역들은 **다윗시대에 가서야** 완전 정복당합니다.

생각점 POINT 특히 "블레셋"은 앞으로 이스라엘이 가나안 땅에서 살아가는 동안(사사시대, 왕정 초기) 가장 괴롭히는 대적국가로 등장합니다. 이 말은 히브리 민족 역사 속에서 "애굽정복", "가나안정복"에 이어 이제 "블레셋 정복"이 이슈가 된다는 뜻입니다. 그만큼 가나안 땅에 정착한 이스라엘에게는 블레셋이 민족적 숙제였습니다. 그러므로 **"블레셋으로부터 이스라엘을 구원시키는 자"가 앞으로 도래하는 이스라엘 왕정시대의 "왕의 프로필"**이 되는 것입니다. 그런데 블레셋을 대표하는 골리앗이 누구인지 아십니까? **네피림, 아낙 자손**입니다. 그래서 골리앗과의 싸움은 성경역사의 흐름을 잇는 중대한 싸움이 됩니다. 다윗이 골리앗과 싸운 싸움은 생각보다 이렇게 의미가 깊습니다. 따라서 이제 여호수아 이후 사사시대를 거쳐 다윗이 새 별처럼 떠오르는 그 시대까지 성경에 등장하는 **세상나라의 상징은 블레셋**이 됩니다.

그러므로 앞으로 사무엘서에 등장하는 다윗의 전쟁도 '하나님 나라가 세상 나라를 어떻게 정복하는가'에 초점이 맞춰지게 된다는 것을 잊지맙시다. 다윗은 세상을 정복하는 하나님나라 싸움을 이제 싸울 것입니다. 룻기, 사무엘의 주인공인 다윗의 싸움입니다. 그렇기 때문에 다윗의 적은 그 한 사람 개인의 적이 아니요, 하나님의 적이 되며, 다윗의 원수는 하나님의 원수가 됩니다. 이런 관점에서 다윗의 시편을 읽어야 "다윗이 원수를 진멸"해 달라고 기도하는 기도를 이해하게 됩니다. 아니면 다윗이 원수를 망하게 해달라는 기도 시(詩)들은 **유치하게 들릴** 것입니다.

⑨ 결국 아낙 자손을 무찌르는 의미 (수 14:6~15)

하나님이 정복하기를 원하시는 세상나라 왕의 상징으로 보아왔던 네피림이 어떤 모양으로 이 시대에 나타나는가 잘 살펴봅시다. 그들은 "아낙 자손"이라는 이름으로 산지에 거했으며, 철기 문명을 사용하고 있었습니다. 정탐꾼 사건이 무엇입니까? 네피림의 후손, 아낙 자손을 보고 무서워서 생긴 불신앙 때문이었고, 그 불신앙의 대가가 그저 간단히 몇 명 벌받는 것 정도로 그친 것이 아니라 1세대가 결국 다 가나안에 못 들어가고 광야에서 죽게 되며, 그 다음 세대마저도 40년 동안 광야에서 지내며 훈련받게 되는 결과를 초래할 만큼 매우 중대한 사건이 된다고 생각했었습니다. 그렇게 이스라엘 광야세대의 운명(?)을 바꿔 놓았던 자들이 바로 그 네피림, 아낙 자손이었는데 여기 여호수아에서 **그 아낙 자손을 무찌른 내용을 결코 간과하지 않고 드러냅니다.** 재미있는 것은

"그들은 우리 밥이다"(민 14:9)라고 선언했던 "갈렙"이 그 믿음대로 가나안에 들어왔을 뿐 아니라, 이 아낙 자손을 쳐서 이겼고 그 땅 헤브론을 차지합니다(수 14:6~15).(🌱 성경은 이와같이 전체가 흐름이 있고, 의미를 갖고 연결됩니다. 관점을 갖고 성경을 꼭꼭 씹듯이 읽으면 그다지 어렵지 않습니다. 특히 우리는 성경의 역사흐름을 따라 읽고 있기 때문에 줄기를 잡고 있습니다. 정말 잡고 있습니까?🌱)

⑩ 레위 지파의 땅 분배에 대하여 (21:1~41)

레위 지파는 다른 열 한 지파와는 달리 땅을 분배받지 못합니다. 즉 다른 지파들처럼 어느 한 군데를 지정해서 레위 지파의 땅으로 정해준 것이 아니라, 나머지 지파들 가운데서 48 성읍을 구별해서 뽑아 레위지파에게 그 자손별로 나누어 줍니다. 이로 인해 레위 지파는 각 자손별로 여기저기 흩어져서 살게 됩니다.

생각점 POINT 그런데 이 시점에서 가만히 생각해 보십시다. 레위 지파는 성막을 중심으로 수종들며 살라고 하신 것인데 여기 땅 분배에 오니까 레위 지파들을 흩으십니다. 지금까지는 모세나 여호수아 등 강력한 지도자를 두셔서 한 나라를 창건하는데 사용하고, 이제 그들에 의해 나라가 반듯하게 섰습니다. 그런데 여호수아 말기에 와서는 레위 지파들을 전국에 적당히 흩으십니다. 여러분, 하나님이 왜 이 레위 지파를 흩으시는지 생각해 보신 적이 있습니까? 여호수아가 죽은 이후 사사시대로 접어드는 상황을 대비하신 하나님의 조치입니다. 아래를 읽으면서 여호수아 이후 시대를 바라보시는 하나님의 포석을 눈치채 봅시다.

우리는 모세가 율법을 받아 백성들을 가르치고 교육하는 내용을 출애굽기, 레위기, 민수기에서 읽었습니다. 그렇기 때문에 이제 여호수아 이후, 사사기부터 등장하는 백성들도 다 그걸 알고 있는 사람들이라고 생각할 수 있는데 사실은 그렇지 않습니다. 착각입니다. 성경을 읽는 사람은 우리이기 때문에 성경 속에 등장하는 주인공들은 다 그 사람 그대로인 것같이 생각하기 쉬운데 착각이란 말입니다. 우리가 앞에서 율법의 내용을 읽었을 뿐이지 막상 여호수아서에 등장하는 사람들은 그 내용을 새로 배워야 하는 새 사람입니다. 모세가 가르쳤던 사람들은 다 죽었습니다. 이 말은 모세나, 여호수아가 백성들을 가르쳤던 것처럼 누군가가 새로 태어나는 백성들을 가르치는 사람이 있어야 된다는 사실입니다. 누군가가 이 기록된 책들을 갖고 가르쳐야 되지 않겠습니까? 그렇습니다. **하나님께서는 그 가르쳐야 할 책임을 레위 자손들에게 맡기시는 것입니다.** 그래서 그들에게는 땅을 분배하지 않으시고 흩으시는 것입니다. 온 이스라엘 12지파 곳곳에 두시고 그곳에서 하나님의 말씀을 연구하고 백성들을 가르치라는 것입니다(레10:11). 레위 지파를 흩으시는 것은 **'앞으로는 기록된 말씀'** 으로 통치하시기 위한 포석입니다. 그런데 레위 지파들이 이런 사명을 잘 감당하지 못한 것이 분명합니다. 사사시대가 혼돈인 것을 보면 알 수 있습니다. 여호수아가 죽은 이후의 시대를 그리고 있는 사사기에 들어가 보면 그 사실을 알 수 있습니다. 특히 마지막 부분 즈음에 있는 두 이야기가 그렇습니다. 그 시대를 풍미하는 대표적인 사건입니다. 미가의 신상 사건과 어떤 레위인 첩 사건입니다. 이 두 이야기는 다 레위 지파가 주인공입니다. 레위 지파가 무얼하며 살고 있었는지를 보여주는 사건들입니다. 한 마디로 형편없이 부패했습니다. 레위 지파 사람들은 이스라엘 48개 성읍에 흩어져 살면서 자기 주변의 이스라엘 백성들에게 하나님의 말씀을 연구해서 가르치고, 제사장으로서 하나님의 법도를 지키고 전수하는 역할을 하라고 하신 것입니다. 농사도 안 짓고 일도 안 하면서, 열한 지파가 열심히 일해서 가져오는 십일조 받아서 그냥 놀고 있으라고 흩어놓으신 것이 아닙니다. 당시 실로에 성막이 있었지만 하나님은 레위 지파를 온 지역에 흩으신 것입니다. 즉 여호수아 이후 이스라엘을 하나님 나라답게 선도할 책임은 이 **레위 지파**에게 있었다는 말입니다. 부지런히 연구하고 가르쳤어야 했습니다.

⑪ 땅 분배이후의 지도(수 15장~19장)를 외웁시다

생장점
POINT 한 번만 외워 놓으면, 성경읽기, 만사가 형통합니다. 이스라엘이 가나안 땅을 찾아 올라가는 동안에는 우리도 V자형을 그리며 지도를 옆에 끼고 읽어 왔습니다. 그런 것처럼 이스라엘이 가나안 땅을 드디어 정복하고, 그 땅에 들어가 정착한 이후로는 성경을 읽는 우리도 이제 그 12지파별로 어떻게 땅을 분배받았는지 알아야 합니다. 어느 지파가 대충 어디 쯤에 살게 되었는지를 외워 놓읍시다.

　앞으로 나오는 성경의 내용들은 이 열두 지파와 관련된 지명과 인명이 붙어 나오는 것이 많습니다. 예를 들면 "에브라임 산지에… 엘가나(사무엘의 아버지)라 하는 자가 있으니"(삼상 1:1), 이렇게 말입니다. 이는 다 열 두 지파 별로 분배 받은 땅을 기준으로 설명하기 때문에 그렇습니다. 그렇기 때문에 이제부터는 이 열 두 지파가 어디 어디에 있는지 알아두어야 합니다. 특히 유다지파가 어디있는지, 또 에브라임 지파가 어디 있는지는 꼭 눈여겨 보아두어야 합니다.

지도에서 어디쯤 위치하고 있는지를 모르면 이제부터 진행되는 이스라엘 역사의 반 이상은 껍질만 읽게 될 것입니다. 조금 번거로운 것 같아도 성경목록 외우듯 12지파 지도를 한번 외우면 앞으로 전개되는 구약성경 혈액순환이 잘 됩니다. 이 지도를 모르면 사사시대, 열왕시대의 그 재미난 이야기들이 꼭꼭 막혀서 까만 것은 글자요, 하얀 것은 종이일 뿐, 자꾸 딴 생각만 나다가 졸릴 뿐입니다. 성경이 졸린 이유 중에 하나가 우선 지명을 모르니까 사건이 생겨도 어디서 어디로 흘러가는지 알 수가 없어서 그런 것입니다. 머릿속에 남는 것도 없고, 가슴에 남는 것도 없이, "나 몇 장 읽었다!" 하는 기록만 남길 것이 아니라, 달고 맛있게 꿀송이처럼 먹으려면 이런 지도를 꼭 외워야 합니다. 기왕에 읽을 바에야 잠깐 외우는 수고를 하고, 많은 것을 얻는 것이 현명한 방법일 것입니다. (🌱 전복 땁시다! 🌱)

⑫ 여호수아 죽음 후에 곧 배교한 이스라엘 (23장~삿 2:10~15)

여호수아도 모세가 죽었듯이 죽습니다. 그 백성들을 이끌어 가나안 땅에 들인 후 수많은 전쟁과 땅 분배를 마치고 죽습니다. 아브라함 때부터 시작하여 오늘날까지 있었던 하나님의 모든 역사들을 회고하면서, 이 땅 가나안의 신들을 섬기지 말고 "모세의 법"대로 순종하며 여호와만 섬기라는 내용으로 유언합니다. "이 후손들이 하나님을 섬기며 잘 살아야 할 텐데…" 하는 간절한 마음을 갖고 눈을 감으나, 그 세대가 간 이후부터(수 24:31)는 여호와 하나님을 배반하고 가나안 종교로 돌아가는 배교 현상이 일어납니다. 기가 막힌 일입니다. 하나님의 뜻을 따라 사는 것이 이렇게도 힘듭니다. 구원받았던 노아의 아들 가운데서도 또 다시 배교가 일어나 바벨탑을 쌓았던 일이 **생각납니다.** 말세에 믿음을 보겠느냐 하는 말씀도 **생각납니다.** 초대 교회가 지나고 기독교가 로마의 국교가 되고 안정을 얻으니까 곧 타락한 교회 역사가 **생각납니다.**

 **생각점 POINT** 그런데 이렇게 아무리 사람들이 배교하고 하나님을 떠나도 그 하나님의

나라는 오늘날까지 이 세상에 존재하고 있는 사실 또한 **기가 막힌 일입니다.**

하나님의 열심입니다. 이런 하나님과 그 백성들 간의 엎치락 뒤치락 하는 패턴을 전형적으로 그리고 있는 장면이 바로 여호수아에 이어지는 사사기 그림입니다. 그럼에도 불구하고 하나님의 나라는 어떻게 이어져 흘러내려 가는가, 그 줄을 놓치지 맙시다. 시대시대마다 새롭게 하나님의 사람들이 일어납니다. 그 하나님의 사람들은 패역한 백성들을 위해서 일하게 합니다. 이제 사사기, 사무엘상·하를 읽어 내려 갈텐데 이런 줄을 놓치지 말고 가 보십시다.

하나님 나라 백성으로서 타민족에 대하여 제사장 나라, 맏아들 역할을 해야 하는 적극적인 사명은 고사하고, 오히려 다른 신, 다른 문화에 먹히는 위험한 상태로 사사시대는 시작됩니다.

5. 사사기 읽기 (창, 출, 민, 수, 삿 삼·왕)

⚖ 하나님이 최초로 원하셨던 정치형태 ⇨ 지방자치 사사시대 형태

지금까지의 성경내용을 한 마디로 간추립시다. 복습이 중요합니다. 이야기가 흘러가고 있기 때문에 흐름을 놓치면 연속극 중간에서 보는 것처럼 힘이 듭니다. "아브라함을 통해 '백성'을 만드셨고, 모세를 통해 '법'을 주셨고, 여호수아를 통해 '땅'을 주셨다"고 했습니다. 규모가 제대로 갖춰진 반듯한 나라를 이루었습니다. 세상을 향해 영향력을 미칠 수 있는 단위가 된 것입니다. 한 두 사람 개인의 힘으로 영향력을 미치는 데는 한계가 있습니다. 하나님은 국가를 쓰시기 원하셨고, 지금까지 일을 해 오셨습니다.

이제 사사시대를 공부합시다. 사사시대부터는 모든 것이 다 갖춰진 국가로서 이제 그 국가의 사명을 따라 이방나라에 영향력을 미치며 하나님 나라 백성답게 **살면 되는 것**이었습니다. 안정된 국가 모양이 된 이후 어떤 방식으로 이 국가가 **유지**되기를 하나님이 원하셨는지를 이 사사기를 통해 우리는 알 수 있습니다. 무슨 말입니까? 이 세상에 있는 어느 나라이든, 나라라면 그 나라를 유지하는 **정치방식**이 있습니다. 왕정이 있습니다. 입헌군주제가 있습니다. 사회주의 체제가 있습니다. 민주주의를 채택하기도 합니다. 하나님이 건설하신 이 '하나님 나라'는 어떤 방식으로 유지되기를 원하셨을까를 생각해 봅시다. 물론 우리가 아는대로 이스라엘에는 왕이 있었기 때문에 하나님이 원하시는 정치구조는 '왕정' 이라는 생각이 날지도 모르겠습니다. 그러나 또 우리가 아는대로는 하나님이 '왕' 세우기를 기뻐하시지 않은 점으로 보아 그것도 아닌 것 같습니다. 그럼 하나님이 정말 원하셨던 정치구조는 무엇이었을까요? 그 힌트가 사사시대 정치구조에 담겨있습니다.

우리는 얼핏 '사사시대' 라는 것이 왕정으로 넘어가기 위한 과도기인 것처럼 생각할 수 있습니다. 아직 때가 안 되서 왕이 세워지지 않았으니까 미숙한 시대라고 생각될지도 모르겠습니다. 또 언제나 주변 국가들에게 시달림을 받는 사건으로 점철되어있는 사사시대 성격 때문에 부정적인 인상이 있을 수도 있습니다. 그러나 하나님께서 본래 원하셨던 정치형태는 이 사사시대와 같은 시스템이었다는 점을 놓쳐서는 안됩니다. 무슨말입니까? 12지파별로 분배 받은 땅에서 레위지파들이 말씀을 가르치고, 또 그 말씀을 따라 성숙하게 행하기 때문에 구태여 누가 간섭하지 않아도 **자유인으로 사는 사회**입니다. 하나님만 왕인 줄 인정하는 사람들은 그 하나님의 법을 통해 자세히 사는 방법을 배웁니다. 그리고 말씀대로 살아 갑니다. "알아서 잘 하는" 성숙한 자유인이 되기를 원하신 것입니다.

생각점 POINT 이 세상에는 소위 생각하는 사람들이 만들어 놓은 인간 샘플이 있습니다. 어떤 사람처럼 되어야 하는가, 또는 어떤 사람이 모델인가, 어떤 사람들을 만들면 그 사회는 유토피아인가, 이상국가인가 그런 것입니다. 어떤 철학자는 이 사회에 '초인' 이 필요하다고 그랬고, 어떤 사람은 '성인' , '군자' 라는 표현을 쓰기도 했고, 어떤 사람은 '자유인' 이 필요하다고 그랬습니다. 사람으로서 '되어야 하는 모델은 무엇인가' 입니다. 성경은 혹시 어떻게 표현하는지 아십니까? 창세기 초두부터 나타나는 말입니다. **"하나님의 아들들"**입니다. 또 신약의 표현을 빌리자면 산상수훈의 **'복있는 사람'** 바울이 찾아낸 **'새 사람'** 입니다. 하나님의 법도를 이해한 "하나님의 아들들"이 모인 사회는 구태여 어떤 한 사람이 힘이 세다는 이유로 구심점을 만들어 왕노릇(맹자는 이 개념을 '패도정치' 라고 불렀습니다.)을 하지 않아도 그 사회가 유지되는 것입니다. 하나님만 왕이신 줄 알면 나머지는 알아서 각자 자기 소견에 옳은 대로 행해도, 하나님의 뜻에 어긋나지 않는 그런 사회입니다. 성숙한 사회입니다.

"그 때에 이스라엘에 왕이 없으므로 사람이 각각 그 소견에 옳은 대로 행하였더라"(삿 21:25)라는 말씀은 이 시대를 특징 지워주는 유명한 구절입니다. 이 말씀에 스며있는 아이러니가 읽어지십니까? '진정한 왕은 하나님이시기 때문에, 이스라엘에 왕이 없어서 사람이 각각 그 소견에 옳은 대로 행해도 그게 곧 하나님의 뜻대로 한 것이더라' 이런 버전으로 읽을 수도 있고, '진정한 왕은 하나님이신데 그것도 모르고 이스라엘에 왕이 없다고 생각해서 사람이 각각 그 소견에 옳은 대로 행하였더니 엉망이었더라' 로 읽어지기도 하는 것입니다. 하나님은 첫 번 버전을 원하셨습니다. 이 말이 사사시대의 특징을 말해주기를 원하셨던 것입니다. 하나님이 왕이신데 왕인줄 모르고, 하나님의 법이 주어졌는데 그 법대로 할 줄도 모르고, 그저 자기 생각대로 살았다는 말은 창세기에서 처음 성경을 풀어나갈 때 성경은 한마디로 "왕 싸움"이라고 설명한 그 지점에 다시 부딪혔다는 말입니다.

> **생각점 POINT** 이 땅 위에 진정한 이상국가가 있다면 창조주 하나님을 왕으로 인정하고 그 통치를 받아들이는 국가라는 것입니다. 강력한 중앙집권체제가 없이 자유롭게 사는데도 훌륭하게 유지되는 사회입니다. 이 나라의 국민은 하나님의 아들들이라고 불러줍니다. "하나님의 아들들"이 국민으로 있는 그 나라를 "이상국가, 유토피아, 천국, 하나님의 나라"라고 부르는 것입니다.

정치구조도 역사를 타고 발달해서 오늘날에 이른 것입니다. 그러나 오늘의 시각에서 보더라도 이런 정치시스템을 제시한다면 그것은 **이상국가, 유토피아**라고 말할 것입니다. 그런데 지금부터 3,250년 전에 이런 국가를 건설하시려는 것이 **하나님의 꿈**이셨습니다. 애굽을 이기고, 홍해를 육지처럼 건너, 광야에서 굶어죽지 않고 40년을 견디며, 강한 민족들을 기적적으로 싸워 이기면서 "한 이상한 민족의 대이동"을 만방에 선포하며, 그 민족의 신은 "여호와"라는 소문을 낳으며, 드디어 그 가나안의 강한 정착국가들을 밀어내고 땅을 차지한 이 위대한 백성들을 향하신 하나님의 계획은 땅을 확보한 이후 이런 **이상국가를 실현하시는 것**이었습니다.(🌱 이상 국가, 교회입니다. 🌱)

그러니까 '사사'라는 말이 붙어있어서 '사사'들이 주인공이 된 시대같이 느껴집니다만 사실은 이 '사사'는 존재하지 않았어야 되는 사람들이었습니다. 사사도 필요 없고, 인간 왕도 필요 없는 구조가, 하나님이 본래 원하셨던 정치구조라는 말입니다. 즉, "범죄⇨외적침입⇨간구⇨회개⇨사사의 구원"이라는 사이클로 구성된 이 사사시대는 결국 범죄가 없었다면 사사가 굳이 필요하지 않았을 것이기 때문입니다. 12지파 별로 각각 나눠준 땅에 흩어져서 결혼도 하고, 아이도 낳고, 농사도 짓고(만나를 안 먹어도 되고), 가축도 키우면서 여호와께 순종하며, 모세의 율법을 지키며, 이웃나라 사람들에게 그 사는 방법이 다르다는 것을 보여주고, 선전도 하고, 증거하면서, 또 아직 다 정복하지 못한 땅들을 정복하면서 그렇게 **행복하게 살아가면 되는 것**이었습니다. 열두 지파라는 지방자치제 형태를 갖추되 "진정한 왕은 하나님"이라고 알고 사는 것입니다. 백성들이 다 알아서 스스로 순종해 살면 구태여 인간 왕이 통제하는 시스템이 없어도 되는 "자유"를 구가하는 최고의 정치형태를 지닌 국가로 살아갈 수 있다는 뜻이었습니다.

하나님이 본래 다른 나라들처럼 인간 왕을 두는 것을 원치 않으셨다(삼상 8장)는 것은 바로 '하나님이 원하시는 정치구조는 하나님을 왕으로 아는 지식이 강처럼 흘러 모든 백성이 당연히 하나님만을 왕으로 섬기며 살기를 원하시는 것이었다'고 눈치채야 합니다. 하나님을 왕으로 모시고 각각 지파마다 자기들에게 맞게 오십부장이든, 백부장이든, 장로든, 족장이든, 단지 백성을 섬기기 위해 질서 유지상 필요한 구조만을 갖고 살아가기를 원하신 것이 하나님의 본래 의도였다는 것입니다.

그러나 이스라엘백성들은 안식이 주어지자 가나안의 신, 바알과 아세라의 번뜩이는 향락문화에 빨려들어 세상문화를 재미있어하며 **"섞이기 시작"**했습니다(관점공부). 그들을 사랑하시는 하나님은 외세를 끌어들여 이스라엘에게 고통을 주셨고, 정신을 차린 이들은 그때서야 그들의 하나님께 회개하고 기도했고, 그때마다 구원자로서의 "사사"를 보내셨던 것입니다.

이런 초점을 가지고 사사기를 읽어봅시다. 되풀이되는 패턴을 읽으며 하나님의 오래 참으심과 사랑을 같이 읽읍시다. 어떻게 해서든지 기회를 주면 그 사명을 감당할까 싶으셔서 또 기회를 주시고, 또 기다리시는 하나님의 애틋한 마음을 읽읍시다. 하나님이 그 백성들을 향하여 얼마나 오래 참으시며 여기까지 오셨는가도 생각하며 읽어봅시다. 그리고 백성들이 이렇게 실패해도 이 하나님의 나라가 어떻게 이어져 나가는지 정신을 바짝 차리고 그 길을 놓치지 맙시다.

1) 사사기 구조

① 여호수아서 연결선 상에서 본 정복 (삿 1:1~2:9)
여호수아가 앞장서서 땅을 정복한 이야기는 여호수아에 기록되어 있지만, 지파별로 정복한 전투들은 다 일일이 성경에 기록되지 않았다고 봅니다. 여기 사사기 1:1~2:5 까지는 유다 지파가 앞장서서 자기네가 살 땅을 정복한 기사와, 갈렙의 가문에서 아낙 자손을 정복한 내용들을 언급하고 있습니다. 그런데 이 기록은 이미 여호수아서에 그 내용이 있습니다. 사사기를 기록한 저자는 기록으로 남길 때 여호수아서에 기록된 내용들에 연이어 땅 정복기사를 남긴 것 같습니다.

> 생각점,
> POINT 이렇게 사사기는 여호수아서의 연결선상에서 가나안 정복과 그 이후의 생활을 보여주고 있다고 생각해야 합니다. 여호수아, 사사기, 룻기, 사무엘서 전체를 그저 **사사시대적**이라고 뭉뚱그려 생각하자고 한 말이 이 말입니다.

② 사사들이 등장하게 된 배경 (삿 2:9~3:6)

③ 사사들의 활동과 업적들 (삿 3:7~16:31)

옷니엘 ⇨ 에훗 ⇨ 삼갈 ⇨ 드보라(바락) ⇨ 기드온 ⇨ 돌라 ⇨ 야일 ⇨ 입다 ⇨ 입산 ⇨ 엘론 ⇨ 압돈 ⇨ 삼손

사사시대의 사사들은 위와 같은데 대체적으로 열두 지파별로 나타난 것 같습니다. 이들 중 크게 활동한 대표적인 사사들은 옷니엘, 에훗, 드보라, 기드온, 입다, 삼손 등입니다.

④ 사사시대를 대표하는 두 이야기(삿 17장~끝)

2) 사사시대를 대표하는 두 이야기

> 생각점,
> POINT 우리는 성경에 익숙하지 않기 때문에 어떤 스토리는 그 주인공들이 잘했다는 건지 잘 못했다는 건지조차도 분간 못할 때가 많습니다. 사사기 17~18장의 '미가와 단 지파 이야기'만 해도 그 스토리를 읽으면 감을 잡기가 어렵습니다. 우선 그 스토리를 간단히 살펴봅시다.

"에브라임 산지에(✿ 지도를 외운 사람은 에브라임 지파가 어디 있는지 감이 잡히지요? ✿)미가라는 사람과 어머니가 살고 있었는데 그 어머니가 큰 돈을 잃어버렸습니다. 그런데 알고 보니 그 아들 미가가 훔쳐간 것이었습니다. 양심의 가책을 받은 미가가 이 사실을 어머니에게 고백했더니 다시 찾은 것이 감사해서 그 돈 중 일부로 신상을 만들었습니다. 그런데 마침 유다 지파 땅 베들레헴에 살고 있던 한 레위 청년이 있을 곳을 찾아 헤메다 에브라임 산지의 미가집에 이르게 됩니다. 마침 레위인인 것을 안 미가는 이 사람을 제사장으로 받아들입니다. 그리고 자기 집에 있게 합니다.

한편 다른 모든 지파들이 땅을 분배받아 정착한 이 때에 '단' 지파만은 변변히 거할 땅이 없었습니다. 블레셋 지방 쪽에 분배받긴 했으나 그 지방 사람들이 워낙 강해서 그 땅을 차지하지 못하는 것입니다. 그래서 새로운 땅으로 이주하려고 정탐꾼들이 정탐하다가 '라이스' 라는 땅(신약시대 때는 이곳이 가이사랴 빌립보입니다)을 찾아 그곳으로 이주하게 됩니다. 이들이 이주할 때 에브라임 산지의 미가네 집에서 제사장 노릇하던 레위인과 미가의 신상을 가로챕니다. 단 지파 사람들이 앞으로 정착할 땅에서 제사장을 시키겠다는 것입니다.

위의 얘기가 사사기 저자에게까지 알려졌다는 것은 그 당시 그만큼 유명했던 톱뉴스였기 때문일 것입니다(19~21장의 얘기도 마찬가지). 그런데 이 이야기를 읽으면 **이 주인공들의 신앙이 뒤죽박죽**되어 있다는 것을 발견하게 됩니다. 돈 훔쳐 간 사람을 저주했던 어머니가 막상 그 범인이 아들이었다는 것을 알고 나서 한 말이 "내 아들이 여호와께 복 받기를 원하노라"였습니다. 또 도로 찾은 은을 하나님께 구별해서 바치는 심정으로 "이 은을 여호와께 거룩히 드리노라" 라고 말합니다. 이런 내용들을 보면 이들은 하나님을 믿는 사람들이었고, 그 하나님을 잘 섬기고 싶어하던 사람들이었음을 눈치챌 수 있습니다. 그런데 문제는 어머니 돈을 훔치는 아들, 하나님께 감사하는 표시로 우상을 만드는 어머니, 여호와를 잘 섬기기 위해 에봇(대제사장이 입는 옷인데 우림과 둠밈이라는 판결판이 있음)과 드라빔을 만들고, 이런 우상을 모시기 위해서는 '레위인이 필요하다'는 아이디어, 모세의 법도대로 바르게 하나님을 섬길 줄 모르고 우상을 모셔놓고는 하나님을 섬기겠다고 들어앉는 레위인, 하나님 잘 섬기겠다고 남의 집에서 우상을 훔치고 사람을 납치해서 제사장을 삼겠다고 하는 단 지파 사람들, 이런 모든 것들을 보면 뒤죽박죽인 것을 알 수 있습니다. 미가와 단지파 이야기를 읽으면서 "아! 이 시대는 정말 혼란하고 무지몽매하고 무정부 상태구나!" 하고 분별하면서 읽어야지 미가의 어머니가 은을 거룩히 하나님께 구별하여 드린다고 해서 "아! 나도 이 어머니처럼 하나님께 늘 감사히 드려야지… 하고, 아멘!" 하면 안됩니다.

2,000년대의 사람들이 사는 모습이 어떤지를 알기 위해서 여러 연구를 할 수 있겠지만 영화나

TV 드라마 한 편을 보면 대충 감을 잡을 수 있습니다. 그런데 사사시대 때도 비디오 테이프(①~
④번)가 있습니다. 위의 미가와 단지파 사건 한 편(🌱 비디오 테이프 ①번 🌱)만 보면 사사시
대를 살던 사람들이 어떤 정도의 신앙을 가지고 어떤 사회생활을 하고 있었는지를 알 수 있다는
말입니다.

비디오 테이프 ②번이 또 있습니다. 뒤에 나오는 레위인 첩 사건입니다. 한 레위인이 첩과 갈등
하며 살아가고 있었습니다. 도망간 첩을 데려오는 길에 첩이 윤간을 당해 죽습니다. 그러자 그 레
위인은 그 시체를 열두 토막을 내서 각 지파로 보내고, 그 일로 동족 상잔의 비극이 발생하는 사건
을 연출합니다. 성경에도 이런 엽기가 있습니다. 위에서 레위 지파들은 십일조로 살면서 하나님의
법도를 연구하고 살펴서 하나님의 뜻대로 이 특별한 백성들을 가르치고 이끌어 나가야 하는 사명
이 있었다고 설명한 바 있습니다. 그런데 그 사명을 감당하지 못하고 있음을 고발하는 이런 내용
이 이렇게 사사기 뒤에 붙어있는 것입니다.

🌱 생각점 POINT

그렇습니다. 위의 두 이야기까지만 읽으면 정말 소망이 없습니다. 그런
데 이 두 이야기에 이어 매우 희망적이고 감동적인 한 이야기가 나오는데 그것이
"룻기"입니다. 비디오 테이프 ③번입니다. 어떤 면에서는 이 다윗왕의 할머니들의
감동적인 이야기가 미가와 레위인 두 이야기 뒤에 붙어있었더라면… 하는 생각도
듭니다. 그리고 또 사무엘같은 좋은 레위인도 있었습니다. 그 이야기는 비디오 테이
프 ④번 입니다. 이 이야기도 사사기 뒤에 붙어 있었다면 사사시대가 절망적으로 보
이지 않았을 것입니다. 그렇습니다. **하나님의 나라는 이렇게 하나님이 일으키시는 "하
나님의 사람"들에 의해서 계속 이어져 가는 것입니다. 결코 사라지지 않고 이어져 가는
것입니다.**

⚖️ 룻기 요약

"룻기는 다윗 왕을 등장시키는 책이다"라고 할때, 우리는 얼른 이 룻기의 주인공들이 어느 지
파이며, 그 살던 땅은 대충 어디쯤이겠구나 하는 감이 잡혀야 합니다. 웬만한 분들은 생각해 낼 수
있을 것입니다. 다윗 왕은 예수님의 조상이니까 유다 지파이고 유다 지파는 사해바다 왼쪽 편에
자리잡은 베들레헴, 예루살렘 등이 있는 땅을 차지했었습니다. (지도가 머리에 그려져야 합니다.

그래서 12지파 지도를 한 번 고생스러워도 외워두는 것이 필수적이라고 한 것입니다. 모압으로 가려면 '요단강 건너편으로 갔겠구나' 하는 상상도 할 수 있고, 그래야 성경을 읽어도 재미있습니다.) 또 B.C. 1,010년에 통치를 시작한 다윗의 연대를 연구해 보면, 그 증조 할머니가 되는 룻의 시기를 추적할 수 있습니다. 사사시대 중 **기드온** 때입니다.

이 때 유다 베들레헴에 살고 있던 엘리멜렉과 나오미는 흉년이 들어 굶어 죽게 되자 두 아들을 데리고 동편 모압나라로 이민을 갑니다. '베들레헴' 은 떡집이라는 뜻입니다. 즉 하나님의 나라 백성들이 살고 있는 곡창지대마저 흉년이 들었다는 것은 영적으로나 육적으로나 '몰락' 을 암시합니다. 그런데 얼마 있다가 이 집의 가장인 엘리멜렉이 죽고 두 아들마저 몇 년 후에 죽습니다. 하나님의 기업이 있는 가나안 땅이 흉년이요, 그것을 피해 모압에 왔지만, 남편과 두 아들을 잃었다는 것은 철저한 '몰락' 을 상징하는 장면입니다.

여기 등장하는 나오미 가정은 그 당시 **이스라엘의 정황**을 상징적으로 보여줍니다. 한 집안에서 아들이 끊어졌다는 것은 이스라엘에서 죽음을 의미합니다. 왜냐하면 아들 앞으로만 땅이 등기되기 때문입니다. 그러므로 나오미는 모든 소망이 끊어진 것입니다. 그런데 고향 베들레헴에 풍년이 찾아왔다는 소식을 듣습니다. 죽음과 같은 몰락을 경험하면서도 그 상황을 허용하신 이스라엘의 신 여호와를 떠나지 않고 물질이나 외형적인 것을 초월한 자부 룻은 귀향하려는 시모 나오미를 좇아 이스라엘로 돌아오기를 선택합니다. 빵을 구하는 믿음이 아니라 참 신이 여호와이심을 깨달은 진정한 신앙인이었습니다. 세상적인 소망이 끊어진 절망 속에서도 아무것도 바라지 않고 오직 참 신이신 여호와를 섬기고 싶어서 **이스라엘 총회**(하나님 나라)에 들어오고자 한 것입니다. 바로 이 여인에게 하나님께서는 보아스라는 친족을 만나게 하셔서 그 당시 사회보장 제도였던 계대결혼을 하게 하신다는 스토리입니다. 이 일로 룻은 예수님 족보에 등장하는 영광을 안게 됩니다. 비디오 테이프 ③번입니다.

생장점 POINT

우리가 사사시대에서 살펴본 바와 같이 그렇게 우매하고 난잡했던 이스라엘이었는데 그 "몰락" 의 상황 속에서도 룻과 같은 이방 여인을 통해서 "다윗" 을 주신다는 사실은 하나님의 놀라운 섭리입니다. 하나님 나라라는 큰 위대한 역사 줄기가 암울한 절망에 부딪힌 것 같아도, 막다른 골목 같은 상황에서도, **구원이 있다는 말입니다.** 새순이 돋는 구원입니다. 언제나 이와같이 "은혜" 로써만 하나님의 나라는 계속 이어지는 것입니다. 인간으로서는 할 수 없는 것을 하시는 것입니다.

롯기는 짧은 책이지만, 커다란 두 물건을 조인트할 때 쓰는 작은 '나사못' 과 같습니다. 사사시대와 왕정시대를 잇는 **황금고리입니다. 예수님의 족보를 잇는 책입니다.**

6. 사무엘상 · 하 읽기 (창, 출, 민, 수, 삿, 삼 왕)

여호수아, 사사기, (롯기), 사무엘상의 시대적 배경은 쭈욱 통해 있는 같은 시기라고 했습니다. 하나하나 따로 떨어진 것처럼 생각하지 말고 쭉 붙어있는 것으로 생각하라고 그랬지요? '모세오경이 한 덩어리이듯이 '여호수아, 사사기, (롯기), 사무엘상이 같은 묶음이다' 라고 정리만 해도 성경에 대한 부담이 확 줄어들 수 있습니다. 같은 동네라는 말입니다. 또한 열왕의 역사가 있는 열왕기상 · 하가 또 다른 배경입니다. 그러니까 구약 성경을 그저 한 마디로 쉽게 "모세오경 한 덩어리, 사사시대 한 덩어리, 왕국시대 한 덩어리, 그리고 포로잡힘" 하면 끝입니다.

이 '사무엘상 · 하' 는 차라리 '다윗상 · 하' 라고 이름 붙이는 것이 좋을 만큼 다윗왕의 풀 스토리라고 했습니다. 왕의 이야기라고 해서 다윗 왕의 이야기가 열왕기상 · 하에 있는 것이 아니고, 사무엘 상하에 들어있다고 했습니다. 물론 사울 왕의 생애와 겹쳐 있는 것이 사실이나 그 주인공은 다윗입니다. 다윗을 알고 싶으면 사무엘상 · 하 읽어야 합니다.

생장점 POINT 지금까지 줄거리 → 또 복습하자는 속셈: 사실 여기까지 줄거리 얘기해 보라면 할 수 있어요?

구약 성경은 한 편의 대하 소설 이상으로 그 내용이 방대하며 짜임새가 완벽합니다. 특히 우리가 지금 따라 내려오고 있는 구약성경 목록은 '역사서' 의 내용이기 때문에 책이름들은 달라도 그 이야기가 계속 이어지고 있습니다.

아브라함이 이삭을 낳았고, 이삭이 야곱을, 야곱이 12아들을 낳아 이집트에서 400년 간 지났고, 그 동안 250만 가량의 인구로 불어납니다. 이집트에서 노동력을 착취당하는 노예로 전락한 아브라함의 후손들은 "구원" 받지 않으면 안될 처지가 됩니다. 이 때 구원자로 모세가 나타났고 열

번째 재앙, 문설주에 바른 양의 피로 이집트의 압제에서 구원받습니다. 출애굽한 이스라엘백성들은 홍해를 육지처럼 건넜으며, 시내산에서는 율법을 받으면서 하나님과 정식으로 그 백성되기를 계약합니다. 백성도 있고, 법도 있는데 땅이 없었던 이스라엘은 살 땅을 찾아 가나안을 향합니다. 그러나 정탐꾼들이 '아낙 자손에 비하면 메뚜기같은 이스라엘' 이라고 불신앙의 보고를 하자 하나님께 벌을 받아 40년을 광야에서 더 살게 됩니다. 모세가 죽은 후 여호수아와 제2세대가 가나안을 정복하게 되며, 12지파별로 땅을 분배받아 안식을 누리게 됩니다. 그러나 여호수아가 죽은 후 이스라엘은 하나님이 명령하신 땅을 모두 정복하지 않았을 뿐만 아니라, 가나안의 종교와 문화에 유혹받습니다. 그래서 하나님을 믿는 것인지 우상을 믿는 것인지 분간이 가지 않는 혼돈과 불순종의 상태, 무법천지와 같은 상황에 빠집니다. 이때마다 사사가 일어나서 구원하지만 이스라엘은 하나님을 왕으로 모시고 12지파별로 자유를 구가하며 살기에는 역부족이었습니다. 이에 따라 사회 분위기는 "왕이 있었으면…" 하는 여론이 팽배하게 됩니다.

1) 이 지점에서 사무엘은 누구인가?

사무엘은 왕정을 수립하는데 하나님께 쓰임받은 마지막 사사입니다. 사사기 끝 부분에 룻의 스토리가 붙어있어도 괜찮을 뻔했다고 했습니다. 이와같이 사무엘의 이야기도 사사기 뒤에 붙어있는 이야기라 해도 될 것입니다. 12사사의 행적이 사사기에 기록되어 있지만 사실은 사무엘도 사사이기 때문에 내용상으로는 사사기 뒤에 넣어도 무난할 것이라는 말입니다. 다만 그 한 사람이 초대 왕 사울과 2대왕 다윗을 왕되게 하는 데 중대한 역할을 감당하는 내용이라 그 분량이 많았을 뿐입니다. 또한 지금까지는 사사시대였던데 반해 이제는 왕정시대로 넘어가는 과도기이므로 다른 사사들과는 달리 그 역할이 독특했습니다.

사사시대에 에브라임 산지에서(지난 번에 미가 신상 사건도 이 에브라임 산지였다) 엘가나를 아버지로 한나를 어머니로 해서 태어난 사무엘은 일찌기 여호수아가 실로에 세웠던 회막에 드려져서 훈련을 받게 됩니다. 한나 역시 성숙한 인격을 가진 여인은 아니었으나 그래도 신상을 만들었던 미가 어머니와는 비교해 볼 점이 많습니다. 같은 시기, 같은 장소에 살았는데 사무엘의 어머니 한나는 그래도 "실로"라고 하는 정통성 있는 장소를 중심으로 하나님을 바르게 섬겼고, 미가 어머니는 그 아들을 위하여 신상을 자기 집에 만들어 놓았다는 것도 매우 대조적입니다.

가나안 문화가 팽배해 있던 당시에 하나님 문화를 잊지 않고 고수하며 모세의 율법을 연구하며 제사법대로 제사 드리려고 노력했던 이런 무리들에 의해서 성막 중심의 하나님 문화가 그래도 **전수**되어 내려져 온 것입니다. 하나님과 바르게 통했던 사무엘, 그는 혼탁한 사회 속에서도 하나님께 바르게 쓰임 받았습니다. 다른 레위인들의 삶(미가 사건, 레위첩 사건)과 비교해 볼 때, 이 레위인 사무엘은 하나님 편에 선 사람이었습니다. "순종이 제사보다 낫다"(삼상 15:12), "주 하나님은 중심을 보신다"(삼상16:7)하는 말씀은 **율법의 정신을 깊이 소화해 낸 사람만이 전할 수 있는 메시지인** 데 사무엘은 그걸 해냈습니다. 미가 사건과 비교해 봅시다. 얼마나 차이가 나는 신앙입니까?

> **샌각점 POINT** 그러므로 사무엘의 생애를 읽을 때에는 사사기를 계속 읽는다고 생각하면서 다른 사사기 내용들과 통합해 가면 깨달아지는 것이 많습니다. 비록 모세를 만나보지는 못했다 할지라도 사무엘은 모세율법을 열심히 연구했으며, 하나님 섬기는 도리를 깨달아 그런 인생을 살았습니다. 사무엘 역시 '기록된 말씀'을 통해 하나님을 배운 사람입니다. 앞에서 레위 지파에게는 땅을 분배하지 않았다는 부분을 공부할 때 얘기했었습니다. 이제는 '기록된 말씀'이 이스라엘을 통치해 나가기를 원하셔서 레위지파를 48개 성읍에 흩어 놓으셨다는 얘기 말입니다. **이런 점에서 볼 때 결국 믿음이란 '하나님의 기록된 말씀'을 믿는 것입니다.** 체험을 통해서만 하나님을 만나는 것이 아닙니다. 성경의 인물인 사무엘도 그 한 시대 앞인 모세가 경험했던 이적들과 기사들은 경험하지 못했는데, 다만 기록된 것을 믿어서 깨달았을 뿐입니다.

꿈에도 그리던 가나안 땅에 들어간 이스라엘은 이런 훌륭한 지도자들을 통해 다시 하나님 나라가 전파되었던 것입니다. 즉 미가까지만 보면 실망이지만 룻기를 보면, 또 이 사무엘을 보면 희망입니다. 그들은 평범한 자기네들의 인생을 살았지만 룻은 룻대로, 사무엘은 사무엘대로 하나님 나라 역사에 있어서 **중요한 위치**를 확보하는 결과를 낳는 인생을 살았습니다.

2) 사무엘상 · 하의 중요한 스토리들

워낙 내용이 많지만 하나하나 읽어보면 재미있는 이야기입니다. 사무엘의 생애, 사울의 생애, 다윗의 등장, 다윗의 초년기, 다윗의 중년기, 다윗의 말년기 등 여섯 부분으로 나누어 놓고 읽어보면 구분하기가 쉬울 것입니다.

① 사무엘의 생애 (삼상 1:1~8:22)

사무엘의 출생과 유년기 ⇨ 엘리 집안의 몰락 ⇨ 사무엘의 사역 시작과 미스바 성회 (🌱 미가신상 사건도 있었지만, 사사시대 때에 이런 뜨거운 영적 부흥회도 있었군요. 🌱) ⇨ 왕을 요구하는 이스라엘 백성

오늘날도 중국에는 교회 지도자가 부족해서 한 목회자가 여러 지역을 순회하며 목회한다고 합니다. 사무엘도 이 우매한 사사시대 백성들을 가르치기 위해 해마다 벧엘과 길갈과 미스바로 순회하여 라마로 돌아왔다고 했습니다(삼상 7:16~17). 이 지역은 가나안 땅 중부 쯤에 분배된 에브라임과 베냐민 지역에 있는 성읍들이었습니다.

② 사울의 생애(삼상 9:1~15:35)

초대 왕이 된 사울 ⇨ 암몬 자손을 물리친 사울왕 ⇨ 사무엘의 마지막 설교 ⇨ 블레셋과의 전쟁 ⇨ 사무엘의 죽음

모세시대에는 블레셋이라는 나라가 등장하지 않습니다. 여기 다윗 시대에는 바벨론이라는 나라가 등장하지 않습니다. 성경을 읽다보면 이방나라들이 등장하는데 다 그게 그거 같아서 아무 감각 없이 스쳐 지나가듯 하면 안됩니다. 적어도 어느 나라가 어느 시대에 등장하는가 쯤은 대충이라도 익히는 것이 앞으로 성경을 일독, 이독 계속해 나갈 때 매우 필요합니다.

12지파의 지도를 외웠듯이 이 나라들도 대충 어느 지점쯤에 있는 나라이며, 이스라엘의 어느 시대와 맞물리는지 공부해 놓아야 합니다. 우리 귀에 익숙한 여러 다른 나라들이 있는데 여기 왕국시대 초기에는 "블레셋"이 이스라엘의 최강적이었다고 했습니다. 이들은 함 자손으로 애굽혈통의 해양민족입니다. 일찌기 헷 족속(힛타이트)에게서 철기 문화를 배워서 당시로서는 싸움 잘 하는 나라였습니다. 특히 평지 해안 지역은 다윗왕 때에 와서야 정복되는 강한 사람들이었고, 오늘까지도 "블레셋⇔팔레스타인"은 이스라엘과 상극이 되어 남아 있습니다. 앞으로 사울왕이나 다윗 왕이나 다 이 블레셋으로부터 어떻게 이스라엘을 구원할 것인가가 중요한 관건이 된다고 했습니다.

③ 다윗의 등장 (삼상 16:1~31:13)

기름부음을 받은 다윗 ⇨ 사울의 궁전에서의 다윗 ⇨ 골리앗을 이긴 다윗 ⇨ 다윗과 요나단의 우정 ⇨ 사울을 피해 도망 다니는 다윗 ⇨ 다윗의 블레셋 망명 ⇨ 엔돌의 무당 ⇨ 길보아 전투와 사울의 죽음

성장점 POINT 이스라엘 백성이 처음으로 하나님 나라 싸움을 싸우기 위해 정탐했을 때 부딪힌 문제가 무엇이었지요? 가나안 땅에 처음 발 딛으면서 만났던 아낙 자손 네피림이었습니다. 이스라엘은 그들을 무서워했습니다. 이 아낙 자손은 하나님 나라가 싸워야 할 세상 나라의 왕을 상징하는 사람들이라고 했습니다(관점1). 그런데

다윗(구약 이스라엘 역사의 클라이막스)이 데뷔하는 전쟁도 블레셋의 싸움을 돕우는 네피림 장군 골리앗과의 싸움이었습니다. 골리앗의 키는 2m 96cm라고 합니다. 성경은 골리앗을 아낙 자손이라고 소개하고 있습니다. 다윗 역시 하나님 나라 백성으로서 아낙 자손과 붙었던 것입니다. 그의 이 아낙 자손에 대한 태도를 보십시오. 이전에 여호수아와 갈렙이 정탐 후에 선포했던 "그들은 우리의 밥이다"라고 한 그 믿음의 배짱과 똑같은 말을 하고 있습니다(삼상 17:45~47). "너는 칼과 창과 단창으로 내게 오거니와 나는 만군의 여호와의 이름 곧 네가 모욕하는 이스라엘 군대의 하나님의 이름으로 네게 가노라… 온 땅으로 이스라엘에 하나님이 계신 줄 알게 하겠고…"

우리는 성경에 맥이 있다고 했습니다. 그것을 쉽게 "왕 싸움이다"라고 했었습니다. 누가 왕이냐의 싸움이라고 했습니다. 타락한 인간은 결코 누구 위에 올라앉아 왕노릇 할 수 있는 존재가 못됩니다. 그럼에도 불구하고 인간은 너, 나 할 것 없이 모두가 다 스스로 자칭 왕이 되어 살아가고 있다고 했습니다. 그러나 하나님이 가만히 계실 리가 없으십니다. 아브라함을 택하여 한 나라를 세움으로 다른 세상 나라에 대하여 참 왕의 모습을 보이므로 하나님이 왕이신 나라를 모델로 제시하고 싶으셨다고 했습니다. 그래서 다른 모든 나라들도 이스라엘 나라처럼 도덕적으로나 인격적으로나 사회적으로나 국가적으로나 하나님의 법대로 통치되는 나라들이 되기를 원해서 이스라엘을 택하여 열심히 지금까지 일해오고 계신 것입니다. 다른 나라들도 그렇게 되는 것을 소위 '복받는 것'이라고 했습니다. 아브라함으로 시작된 복이 바로 그 복입니다. 인간을 하나님처럼 지으셨으되 하나님의 대리통치자(창 1:28)로 위임하셨듯이 다윗이 인간 왕이지만 **참 왕의 대리통치자**로 쓰시는 것입니다. 하나님 나라 왕은 세상나라의 네피림을 이와 같이 역사 속에서 반드시 심판하십니다.

④ 다윗, 왕으로서의 초년기 (삼하 1:17~7:29)

사울과 요나단을 위한 애가 ⇨ 유다의 왕이 된 다윗 ⇨ 이스보셋의 내란과 암살 ⇨ 이스라엘 전체의 왕이 된 다윗(통일왕국의 왕) ⇨ 예루살렘 점령과 블레셋 격퇴 ⇨ 예루살렘으로 법궤를 옮김 ⇨ 하나님이 다윗과 언약을 맺으심

다윗은 어느 한 날 이스라엘의 왕이 되는 것이 아니었습니다. 사울왕을 피하는 길고 긴 방랑의 세월이 흐르는 동안 자기 지파 유다로부터 온, 이스라엘 사람들에게, 괜찮은 사람으로 부각되기까

지는 시간이 필요했습니다. 그러는 동안에 많은 부하들이 모여들었고, 온 이스라엘에 그의 지도력이 인정됩니다. 처음에는 유다지파 가운데서 먼저 왕이 되어(삼십 세 때) 헤브론에서 7년 반 동안 다스리고, 그 후에 나머지 지파들이 다윗에게 찾아와 왕권을 인정합니다. 이렇게 해서 온 이스라엘의 왕이 되어 32년 반 쯤 더 다스리는데, 총 40년이 됩니다. 그때까지도 예루살렘에는 여부스 족속이 살고 있었습니다. 그런데 다윗이 이 여부스를 드디어 점령하여 수도로 삼고 하나님의 법궤를 이 성으로 옮겨 옵니다. 그래서 이 성을 다윗성이라고 부릅니다.

몇 가지 실수로 하나님께 벌을 받기도 하지만 범죄했을 때 어떻게 깊이 회개하는 삶을 살았는지까지 우리에게 좋은 예를 남겨 놓았습니다. 하나님과 늘 깊이 교제하는 삶을 살며 하나님을 즐거워했습니다. 범죄하여 하나님과의 관계가 끊어져도 구로하는 여인처럼 고통하며 다시 하나님과 회복합니다. 이런 모습을 나타내는 시편을 읽어보면 그가 얼마나 하나님을 구하는 삶을 살았는지 보여줍니다.

생각점 POINT 하나님은 아브라함과, 또 모세와 계약하셨듯이 잊지 않고 이 중요한 대목에서 그와 똑같이 언약을 하십니다(삼하 7장). "네 집과 네 나라가 내 앞에서 영원히 보전되고 네 위가 영원히 견고하리라"(삼하 7:16) 이 말씀이 구약에서 차지하는 위치는 대단합니다. 이 말씀은 쉽게 두 가지입니다. 하나는 다윗왕조를 무너뜨리는 역성혁명(왕조멸망)이 결코 일어나지 않을 것이라는 말씀입니다. 이 약속대로 북방 이스라엘은 왕조가 아홉 번 바뀌지만, 남방 유다 다윗의 왕조는 바뀌지 않고 다윗의 자손으로만 왕이 이어집니다. 두 번째는 또한 다윗의 위(왕 혈통)는 영원토록 끊어지지 않고 계속되리라는 말씀입니다. 이 다윗의 위는 예수 그리스도에서 이어 가시는 왕권을 의미하게 됩니다. 신약에 와서 "다윗의 자손 예수 그리스도여 나를 불쌍히 여기소서!"와 같은 내용으로 예수님께 간구했던 사람들이 있습니다. 그 사람들은 사실 이런 구약의 역사를 안 사람들이며 "다윗의 위를 이어 오실 왕이 바로 예수 당신입니다"라고 고백하는 의미 있는 외침입니다.

다윗은 왕으로 재임하는 동안 그 이전 사사시대에 다 점령치 못한 땅 뿐만 아니라 그 외에도 더 많은 땅들을 점령하여 많은 나라들이 다윗을 섬깁니다. 율법대로 다 지켜 행하며 하나님의 뜻에 순종하면 복 주시겠고, 그러지 못하면 대적에게 잡히리라 하신 말씀 그대로, 철저히 순종한 다윗

같은 사람에게는 이와 같이 넓은 땅을 주셨습니다. 그동안 남겨 있었던 여부스(예루살렘, 시온성), 블레셋 해안 땅, 남동쪽의 에돔땅, 모압(모세가 비껴갔던 땅), 그 위의 암몬, 갈릴리 바다 옆에 동그랗게 붙어있던 그술땅부터 그 위 북쪽의 넓은 땅(아람, 시리아)까지를 차지했습니다. 이 면적은 가나안 땅 정복기에 비해 약 3배에 해당하는 넓이입니다.

사무엘서를 읽어가면서 '사사시대의 불신앙 세대들이 하나님을 잘 섬기지 못한 것과 비교해서 다윗의 신앙적 태도를 주의 깊게 찾아내는 데' 관심을 두면 좋습니다. 사사시대라는 그 불신앙의 세대 가운데서도 다윗은 하나님을 배웠습니다. 율법을 연구했습니다. 하나님을 찬양하는 시를 썼습니다. 정말 대단한 사람입니다. 하나님은 이런 사람을 통해 하나님 나라를 이어가십니다. 다윗 왕은 이와같이 이스라엘의 왕 중의 왕이요, 예수님을 예표하는 왕이요, **구약 역사의 클라이막스**입니다.

⑤ 다윗왕의 중년기(삼하 8:1~19:43)

다윗의 전쟁업적 ⇨ 므비보셋 이야기 ⇨ 암몬과 아람 격퇴 ⇨ 밧세바 사건 ⇨ 솔로몬 출생 ⇨ 압살롬의 반역 ⇨ 다윗의 망명 ⇨ 암살롬의 패망 ⇨ 다윗의 예루살렘 귀환

⑥ 다윗의 말년기(삼하 20:1~끝)

세바의 반역 ⇨ 3년 기근과 사울 가문 처단 ⇨ 다윗의 노래 ⇨ 다윗의 유언과 공적 ⇨ 인구조사와 재앙

생장점
POINT 사무엘서를 읽으면서 시편을 읽도록 해 놓았습니다. 그냥 읽을 때와는 다른 감동이 있을 것입니다. 특별히 가끔씩 부제가 붙어있는 시(예를 들면 34편은 다윗이 아비멜렉 앞에서 미친 체 하다가 쫓겨나서 지은 시) 들을 찾아 그 때 상황을 읽고 나서 읽으면 좋을 것입니다.

7. 열왕기상·하 읽기 (창, 출, 민, 수, 삿, 삼, 왕)

창·출·민·수·삿·삼·왕에서 "왕"까지 왔습니다. 우리는 성경을 목록 순서대로 읽을 것이 아니라 먼저 시간이 흐르는 순서대로 역사를 읽어 가면서 중간 중간에 그 시대 속의 산물인 문학

이나 예언들을 연결해서 읽자고 했습니다. 그래서 "창·출·민·수·삿·삼·왕"이라는 흐름을 따라 성경을 정리하며 여기 마지막 "왕"에 와 있습니다. 구약 성경 중에서 가장 많은 종속 성경을 거느리고 있는 책이 열왕기합니다. 고구마 줄기 같아서 죽 잡아 빼면 예언서 12권이 주렁주렁 달려 올라온다고 했지요? 드디어 그 유명하고 복잡한 열왕기에 왔습니다. 정신을 차리십시다. 이제 이 열왕기의 역사를 어떻게 정돈해야 할지 잘 생각해 봅시다. 공부를 잘하는 학생은 어느 한 군데만 집중적으로 잘 알고 있지 않다고 했습니다. 전체 속에서 어떤 위치를 차지하고 있는지 그 의의를 잘 알아야 한다고 했습니다. 자, 이제 열왕기를 어떻게 정복할 수 있을까요? 창세기나 출애굽기 얘기는 그래도 줄기가 있어서 읽어지기라도 하는데 이 열왕기는 줄기가 없이 복잡한 느낌이 있어 정복하기 어려울 것 같습니다만 그렇지 않습니다. 착각입니다.

열왕기상의 경우, 가만히 그 역사를 들여다 보니, 거의 대부분 **"솔로몬, 여로보암(북이스라엘), 아합(북이스라엘)의 기록"**일 뿐입니다. 열왕기상이 총 22장으로 되어 있는데 이 세 사람에게 할애된 것이 무려 20장 분량입니다. 그러니 간단하다는 거죠. 나머지 2장은 그 사이사이의 왕들을 북이스라엘, 남유다를 오가며 아주 간단히 몇 절에 요약했을 뿐입니다. 아합왕이 죽으면 열왕기상이 끝납니다. 열왕기상은 이와같이 분열왕국의 진상을 설명하는 초두부터 계속 **북이스라엘에 초점을** 맞추고 있는 것만 주지하십시오.

또 한 가지 주지할 것은 아합왕을 거쳐 열왕기하 13장의 여호아하스(요아스)까지의 **엘리야와 엘리사의 활동**입니다. 열왕기하가 총 25장으로 되어 있는데 13장이면 반을 지난 것이고, 열왕기상·하를 통털어 볼 때는 75% 분량을 넘은 셈입니다. 그러니까 열왕기상에서 솔로몬과 여로보암을 얘기하고는 지금 이 중간 부분은 엘리야와 엘리사 중심으로 일어난 왕들의 역사를 얘기한다는 말입니다. 엘리야나 엘리사가 함께 활동하지 않은 그밖의 왕들은 남북을 오가며 간단간단히 처리하는 형식을 취하고 있습니다. 엘리야, 엘리사 선지자를 중심으로 이 열왕기의 가운데 부분을 할애하고 있다는 것은 열왕기 중간 부분도 북방 이스라엘 중심의 역사라는 뜻입니다. 엘리야와 엘리사는 북방 이스라엘의 선지자이기 때문입니다. 그리고 북방 이스라엘의 역사는 열왕기하 17장에서 끝납니다.

이렇게 북이스라엘이 멸망하는 시점에 오면 이제는 당연히 **남방 유다의 역사만 남습니다.** 유다의 어느 왕인가 봤더니 히스기야왕입니다. 이 히스기야왕부터, 남방 유다가 멸망하는 조짐을 보이는 요시야왕을 거쳐서 여호야김, 여호야긴, 시드기야왕에 이르면 열왕기하가 끝납니다. 그러므로 바로 이 히스기야왕 때부터 비로소 우리 성경목록에 나오는 남방 유다 말기 선지자(이사야, 미가, 나훔, 예레미야, 하박국, 스바냐)들이 등장하게 되는 것입니다. 열왕기하에 와서야 〈예언서〉 부류의 책들이 끼워 들어간다는 말이 이 말입니다. **열왕기 중간부분에서는 엘리야와 엘리사 중심의 사기**

를 기록했다면, 이렇게 열왕기하 뒷 부분에 오면 기술 선지자들 중심의 사기를 기록했다고 보면 되는 것입니다.

생 각 점
POINT 한 마디로 얘기하면 열왕기는 사가가 분명히 편파적인 기록을 한 셈입니다. 사도행전도 그렇죠? 말이 사도행전이지 바울행전이라 해도 과언이 아니지 않습니까? 왜 그렇습니까? 저자의 관점 때문입니다. 하나님의 섭리 가운데 열왕기는 그렇게 기록되도록 하신 것입니다. 북방 이스라엘의 여로보암2세 같은 왕은 전성기를 이룬 왕임에도 불구하고, 또 41년 동안이나 치리했음에도 불구하고 단 일곱 절로 그의 사적을 정리해 버립니다. 즉 대부분의 열왕기 왕들은 이처럼 몇 절에 그 치정을 함축시켜 버렸습니다.

그렇다면 우리는 여기서 열왕기를 어떻게 이해해야 할지 감 잡히지요? 모든 왕들의 기록을 말 그대로 열(列)왕 식으로 순서를 따라 줄줄 공부하는 종렬식 공부보다는 **세 덩어리**로 요약하려고 합니다. 물론 '성경 읽기표' 순서에는 역사 순서대로 되어 있지만 전체를 세 큰 덩어리로 요약하고 열왕기를 대하면 그렇게 산만하지는 않을 것입니다. 성경이 그렇게 하고 있습니다. 우리가 이스라엘의 광야생활을 지나올 때도 큰 흐름 몇 가지만 살펴 본 것처럼 여기서도 그렇게 하자는 말이지요. 그럼 어떻게 하면 될까요? 위에서 간단히 살펴보았듯이 크게 세 부분 정도로 나누어 정복하는 겁니다. **머리와 몸통과 꼬리입니다.**

"머리, 몸통, 꼬리" 하니까 이상하지요? 〈부록 9〉를 열어보십시오. 우리가 이렇게 요약한 열왕기의 역사를 대략이라도 한 눈에 볼 수 있겠나 싶어 그림으로 그렸습니다. 그런데 다 그리고 보니 물고기하고 비슷하게 생겨서 그만 "머리, 몸통, 꼬리" 하게 된 것입니다. 정말 그렇습니다. 지금까지 열왕기를 대략 설명드린 것을 염두에 드시고 **이 그림을 여러분의 열왕기 파일에 저장해 보십시오.** 그리고 나서 조금씩 조금씩 정보를 첨가하십시다. 열왕기의 머리, 몸통, 꼬리 세 부분에서 〈시가서〉와 〈예언서〉가 모두 나왔으니 이 기본 틀을 정복하지 않으면 시가서와 예언서가 길을 잃습니다.

(역사공부 열심히 해야한다고 한 말 기억하시죠? 또 전복 따러가자는 말 기억하시죠? 여기 열왕기 부분을 가장 기본적인 틀이라도 잡아놓으면 조금씩, 조금씩 읽을 때마다 또 깨달아지고, 또 깨달아집니다. 그래서 재미가 나고 또 재미가 나기 시작합니다.)

손님이 오실거라서 시장을 갔다 왔다고 칩시다. 생대구, 도토리묵, 깻잎, 삼겹살, 마늘, 게, 풋고추, 사태고기, 호박, 오징어채, 부추, 어묵, 포도, 오이, 설탕, 무, 소금, 수박, 새우, 자두, 햄, 파, 쌀, 오렌지 쥬스, 명란젓, 상추, 갈치, 수박, 콩나물, 간장을 사왔습니다. 자동차 트렁크에서 하나하나 꺼내서 부엌에 쌓아 놓았습니다. 산더미 같이 쌓여있는 이 음식들은 하나같이 비닐봉지에 들어 있습니다. 겉에서 얼핏 보면 뭐가 뭔지 도대체 알 수가 없습니다. 파인지 부추인지, 새우 봉다리인지 생태 봉다리인지, 도토리 묵인지 두부인지, 자두인지 마늘인지, 호박인지 무인지, 삼겹살인지 사태고긴지, 비닐에 다 싸여 있으니까 손에 잡히는 감각만으로는 구분이 안됩니다. 물론 쌀은 압니다, 너무 분명하니까. 물론 수박도 압니다, 너무 분명하니까. 그러나 거의 대부분은 물컹거리는 손 감각만 가지고는 알 수가 없습니다. 어떻게 해야합니까? 하나하나 다 열어 보아야 합니다. 비닐을 벗겨 버려야 합니다. 눈으로 하나하나를 확인해야 합니다. 그것으로 끝입니까? 아닙니다. 그 다음에는 각각 같은 종류끼리 분류해서 제 자리에 착착 집어 넣어야 합니다. 양념들은 양념끼리, 야채는 야채끼리, 냉동실에 넣을 것은 냉동실에 넣고, 쌀은 쌀통에 부어야 합니다. 자! 이렇게 다 정리를 했습니다. 정돈된 후에야 요리도 나오는 거지요. 이제 재료가 정리됐으니 하나씩 하나씩 솔~솔~ 요리를 하기만 하면 됩니다. 하나씩 요리가 나오는 것 재미난 일입니다. 먹자고 한 일입니다. 우리 몸을 위해서도 이렇게 수고해야 입으로 들어가는 게 있습니다. 음식을 만드는 어머니들은 이렇게 냉장고에 요것 조것 정리해서 넣어 놓았을 때 느끼는 재미가 있습니다.

성경 속에도 엄청난 재료들이 산더미처럼 쌓여있습니다. 어떤 것은 수박처럼 탁 눈에 보입니다. 그냥 쭉 쪼개서 먹으면 그만인 것도 있습니다. 어쨌든 잠언같은 말씀은 누구나 그냥 읽으면 그래도 눈에 들어옵니다. 어떤 것은 냉동실에 넣어야 합니다. 지금 당장은 도저히 먹을 수 없습니다. 사골 뼈 같은 거지요. 언젠가 여유 있을 때 꺼내서 고고(?), 또 고고(?), 며칠을 그렇게 해서 우리고 또 우려야 조금씩 국물이 나오는 것도 있습니다. 단 번에 안되지요. 로마서 같은 거지요. 수박 겉 핥기 식으로 한번 푸르르 끓인다고 그 뽀얀 국물이 안나오지요. 로마서, 한 번 읽는다고 읽는 즉시 깨달아지지 않습니다. 이렇게 성경은 대부분 요리를 해야 합니다.

열왕기가 정말 그런 재료들이지요. 손이 많이 가는 만두 재료처럼 말입니다. 김치통에서 김치 꺼내야지요, 김치 물에 씻어야지요, 곱게 다져야지요, 꼬-옥 짜야지요, 숙주나물 씻어야지요, 물 끓여야지요, 데쳐야지요, 다시 꼬-옥 짜야지요, 두부 으깨야지요, 꼬-옥 짜야지요, 소고기, 돼지고기 곱게 다져야지요(물론 요새는 간 고기를 팔지만), 거기다 양념해야지요, 이 모든 재료들을 다 섞어서 마늘 다져 넣어야지요, 후추, 참기름, 소금 넣고 간 맞춰야지요, 계란도 툭~ 깨서 넣어야지요, 그 다음에 잘 골고루 섞어야지요, 두부 같은 거 덩어리 없게 손끝으로 비벼야 되지요, 그 다음에 꼭꼭 눌러놔야 되지요, 그것뿐인가요? 밀가루에 물을 조금씩 부어가며 반죽 만들어야지요, 골고루 반죽이 되게 계속 치대야지요, 그 다음에 반죽을 길쭉하게 만들어서 칼로 송송 썰어 동글동글하게 해 놔야죠, 방망이로 하나하나 밀어야죠, 그 다음에 하나하나 만두를 만들어야죠, 사태고기를 넣고 국물 만들어야지요, 고기 건져서 썰어야지요, 그 국물에다가 만두를 집어 넣어야지요, 간을 맞춰야지요, 끓어야죠… 그래야 만두가 입으로 들어오는 겁니다. 이북식 만두입니다. 아니, 열왕기 만두입니다.

우리 일독학교 학생들이 열왕기 공부하기 힘드실까봐 잠깐 만두빚는 얘기를 했습니다만 열왕기를 깊이 있게 연구해 놓은 전문서적들의 내용에 비하면 정말 우리가 할 공부는 미미한 것입니다. 바닷가의 모래알 같은 정보지만 그래도 우리 작은 것에서 부터라도 출발해 봅시다. 방법이 무엇입니까? 또 하고, 또 하는 것입니다. 솔직히 우리 이 책 한번 읽는다고 저절로 머리에 들어옵니까? 어림도 없는 일입니다. 또 하고 또 하는 것이 길입니다. 역사공부 열심히 하자 그랬지요? 구약이 어렵게 느껴지는 것은 이 가장 기본적인 투자를 안하고 성경을 읽어서 그랬다 그랬죠? 사골 뼈를 그냥 깨물어 먹으려는 사람이 있다면 얼마나 이상하겠습니까? 그런데 많습니다. 투자하고 시간을 써야 합니다. 기본적으로 공부할 것은 공부해야 합니다. 바로 여기가 거기입니다. (🌱 전복따러 갑시다. 🌱)

1) 머리부분 (왕국의 분열 : 왕상 1~15장)

① 솔로몬의 통치 (왕상 1:1~11:43)

머리 부분은 솔로몬의 통치로 시작합니다. 왕위 계승 투쟁, 솔로몬의 지혜와 내각구성, 성전건축과 봉헌, 솔로몬의 영화와 쇠퇴의 역사를 다루고 있습니다. 특히 솔로몬은 처음에는 하나님께 순종하는 정치를 했으나 정략결혼에 의해 맞아들인 수천의 왕비와 궁녀들이 가져온 우상을 겸하여 섬기면서 타락합니다. 그는 취임 후 제4년에 성전건축을 시작해서 7년 동안 완성합니다. 그 이후 약 13년 동안 자신의 궁궐을 짓습니다. 솔로몬도 다윗처럼 40년을 통치하는데 그 중 약 24년을 성전과 궁궐을 짓는데 소요합니다. 외적으로 성전과 궁궐을 짓는데 소요했으면 이제 나머지 약 16년 동안은 여호와의 말씀대로 순종하며 백성들을 다스리는 시기여야 하는데 그만 배교를 합니다. 열왕기상은 이와같이 솔로몬의 이야기로 출발합니다.(🌱 역대상은 솔로몬의 얘기로 출발하지 않는다고 했지요? 아담의 족보부터 나온다고 했습니다. 🌱)

② 나라가 갈라짐 (왕상 12~15)

그런데 솔로몬의 아들 르호보암 때에 그만 왕국이 분열되는 아주 중대한 사건이 일어난다고 했습니다. (🌱 남북이 갈라진 것조차 모르시는 분들이 사실 많이 계십니다. 또 르호보암과 여로보암이 각각 두 왕국의 왕이 되는데 둘이 형제라고 생각하시는 분들도 계시는데 그렇지 않습니다.⋯ 보암,⋯보암 하니까 그래 보이는 것일 뿐이죠. 🌱) 르호보암은 솔로몬의 아들이니까 다윗의 혈통이고요, 여로보암은 솔로몬의 부하였는데 반역을 한거죠. 열왕기 역사 중간 중간에 어느 왕이 어떻고 저떻고 하는 여러 얘기들은 다 몰라도 괜찮을 수 있습니다. 그러나 여기서 **솔로몬 이후 남북으로 갈라서는 사건**은 앞으로의 역사가 흘러가는데 있어서 매우 중요한 분기점이 되니 꼭 기억하셔야 합니다.

솔로몬의 아들 르호보암이 왕이 되는 순간에 남북이 갈라졌기 때문에 우리는 일반적으로 르호보암의 잘못으로 남북이 갈라졌다고 생각합니다. 그런데 이 분열은 그 원인이 솔로몬에게 있었다는 사실을 놓쳐서는 안됩니다. 솔로몬은 20년 동안을 건축에 매달렸습니다. 백성들에게서 세금을 거두고, 부역을 하게 했습니다. 그래서 솔로몬 말기에는 노역에 시달린 백성들이 솔로몬 정권에 반감을 갖게 되었습니다. 여로보암은 솔로몬의 노역담당 장관이었는데 백성들의 노동력을 담당하는 일을 하면서 이 사실을 읽습니다. 반란의 기미를 눈치챈 솔로몬은 여로보암을 애굽으로 추방하지요. **아버지가 물려준 정치적 반감을 안은 채 르호보암은 출범한 것입니다.**

사실 르호보암의 할아버지 다윗 왕이 열두 지파의 왕으로 인정받게 되었던 것도 하루아침에 단번에 된 일이 아닌 것을 우리는 압니다. 사울 왕에게 시달리다가 먼저 유다 지파만의 왕이 됩니다. 유다 지파만의 왕으로서 7년 반 지났을 때 비로소 나머지 지파들이 그 밑에 들어오게 되어 통일하게 되었습니다. 이 말은 다윗왕의 출범부터가 **이미 두 그룹이 따로따로 들어와 합쳐졌다**는 뜻입니다. 언제든지 이 두 그룹은 갈라설 수 있는 위험요소를 품고 있었던 것입니다. 다윗왕은 잘 지냈는데 그 다음 대인 솔로몬에 오니까 나중에 붙었던 열 지파 그룹에서 벌써 반감이 생긴 것입니다. 이 정황을 르호보암이 파악하고 처리했어야 했는데 르호보암 역시 지혜롭지 못했던 것입니다. 이런 사회 현상을 읽지 못하고, 젊은 사람들의 어드바이스를 택한 르호보암은 자기가 속해 있는 유다와 베냐민을 제외한 나머지 열 지파를 결국 잃고 맙니다. 분열되는 과정에서 다행히 전쟁은 없었습니다. 그래서 나라가 나누어집니다. 본래 금이 간 채 있던 상황이었는데 망치로 내리친 셈이 된 것이지요(왕상 12장).

북방 열 지파는 솔로몬 정부의 노역담당이었던 여로보암에게 왕이 되어주기를 바랍니다. 그래서 그는 열지파와 줄이 닿아 결국은 나라를 떼어 갑니다. 그런데 예루살렘이 갖고 있는 종교, 문화의 기득권이 여로보암에게는 스트레스였습니다. 여로보암은 르호보암 계열이 정통인 것을 알았습니다. 무엇보다 걱정되는 것은 "이 10지파 백성들이 하나님을 섬기러 예루살렘으로 갈지도 모른다는 것"이었습니다. 바로 얼마 전까지만 해도 그들은 피땀을 흘려 솔로몬 성전을 지었습니다. 그들의 손으로 지었더랬습니다. 이제 성전이 완공된지 얼마되지 않은 이때이니 얼마나 그 아름다운 성전에서 예배드리고 싶었겠습니까? 비록 나라가 쪼개져서 지금 나뉘어 있지만 그 예루살렘 성전을 향한 그리움은 말로 다 할 수 없었을 것입니다. 이 사실을 눈치 챈 여로보암은 금송아지 제단을 고안해 냈습니다. '이는 너희를 애굽에서 인도하여 올린 너희의 신'이라고 하면서, 북쪽의 국경지대에 위치한 '단'과 남쪽 유다 국경 쪽으로 '벧엘', 이 두 군데를 예루살렘처럼 성지로 만들었습니다. 또 산당을 지어 레위 자손이 아닌 보통 사람으로 제사장을 삼았습니다. 또 유다 절기와 비슷하게 절기를 만들어 유사종교를 창시합니다. 바로 이것이 열왕기에서 북방이스라엘의 죄악을 말할 때 언제나 등장하게 되는 그 유명한 **"느밧의 아들 여로보암의 죄"**입니다(왕상12:30). 느밧의 아들 여로보암의 죄라는 말은 그 이후 '북이스라엘 왕국의 특징'을 말하는 매우매우 유명한 관용어구가 되어버렸습니다. 북이스라엘의 초대왕 여로보암 이래로 살았던 왕들은 이 '여로보암의 죄'에서 떠나지 않고 '여로보암의 길'로 갔다고 표현되고 있습니다.(예:왕상15:34…)

솔로몬왕 때까지 불려오던 '이스라엘'이라는 나라 이름은 야곱의 열두 아들 전체를 지칭하는 것이었지만, 바로 이 분열 시점부터 **'이스라엘'하면 '북방 이스라엘'을 지칭하게 된다는 사실**을 잊지 맙시다. 이것이 머리부분의 역사입니다. 이 이야기는 꼭 알아야 합니다. 열왕기상 22장 중 14장이 이 이야기에다 할애하고 있습니다. 북 이스라엘 중심입니다.

2) 몸통부분 (왕상 16장~왕하 15:12)
– 아합왕, 엘리야, 엘리사 중심의 왕사 : 북이스라엘의 오므리왕조와 예후왕조

열왕기의 가운데 부위도 **북이스라엘 중심의 역사**입니다. 남방 유다 역사도 물론 나오지만 북쪽에 관심을 두는 것이 분명합니다. 아합왕과 엘리야, 그리고 엘리사를 중심으로 일어난 역사에 초점을 맞추기 때문이라고 했습니다. 이 엘리야와 엘리사의 사역현장은 곧 아합왕의 왕조인 오므리왕조와 그 다음 예후왕조입니다. 위의 소제목은 그걸 말해주는 것입니다.(🌱 간단한 제목이지만 한참 쳐다보며 생각하십시오. 그냥 술렁술렁 넘어가면 역시 정리가 안됩니다. 그리고 또 아래 소 제목도 한번 읽어보십시오. 🌱)바로 요때, 오므리 왕조 말기, 즉 엘리야 승천 후 엘리사가 사역 시작할 그 즈음이 〈예언서부류〉 오바댜와 요엘이 끼워 들어가야 하는 자리입니다. 엘리야가 승천한 이후 엘리사가 한창 북이스라엘에서 활동하는 동안, 남방 유다에서는 오바댜와 요엘이 그 주변 국가에 대한 예언을 받은 것입니다.(🌱 지금 곧 부록 성경 읽기표 23일, 24일 있는 곳을 보십시오. 부록 열왕 대조표로도 확인해 보십시오. 🌱)

① 오므리 왕조(아합)의 역사:엘리야, 엘리사의 사역 (왕상 16~왕하 8장)
√ 〈예언서부류〉의 (오바댜), (요엘)이 끼어 들어가는 자리

말이 오므리 왕조이지, 그저 아합왕의 역사가 주를 이룬다고 했습니다. 아합왕은 오므리 왕조를 시작한 오므리의 아들입니다. 분열왕국은 초대 이스라엘왕인 여로보암, 그의 아들 나답(여로보암 왕조)을 지나서 바아사, 엘라(바아사 왕조: 여기서 바아사 왕조라고 하면 바아사가 나답에 반역해서 새 왕조를 세웠다는 말이지요)로 이어집니다. 그런데 시므리라는 엘라왕의 부하가 반역을 해서 엘라를 죽였습니다. 이 때, 역시 엘라 왕의 부하였던 오므리가 이 시므리를 죽이고 왕이 되었습니다. 이것이 오므리 왕조입니다. 오므리가 시므리를 죽인거지요. 이런 과정을 거쳐 왕이 된 오므리는 아주 탄탄한 왕조로 자리를 잡습니다. 이 **오므리의 아들이 아합왕**이지요. 그런데 바로 이 아합왕이 열왕기의 중간 부위를 거의 다 점유하고 있다는 말입니다. 몇 절밖에 안 차지하는 왕들도 있는데, 아합은 열왕기상을 **일곱 장**이나 차지하고 있습니다. 그래서 그 밖의 왕들은 역시 왔다갔다 하며 그 사이사이에 조금씩 끼워져 있다고 보시는 겁니다. 하나님의 나라 백성들이 싸우지 말고 잘 지냈으면 우리도 성경 읽기가 좀 수월할 텐데 안타깝게도 갈라진 남북을 오가며 이렇게 성경을 읽어야 합니다. 예를 들면 "이스라엘 왕 아무개 몇 년 때 유다 왕 아무개가 예루살렘에서 왕이 되니라…" 또는 "유다 왕 아무개 몇 년에 아무개의 아들 아무개가 사마리아에서 이스라엘 왕이 되어 몇 년을 치리하니라…" 이런 구절로 열왕기상·하의 스토리가 연결된다는 말입니다. 그러니 아합을 중심으로 성경을 읽되 남북으로 갈라진 두 왕국을 왔다 갔다 하며 그 역사를 짚어

나가는 **사기형식을 의식하며 읽는다**는 겁니다.

아합왕 하면, 똑같이 떠오르는 여자가 있습니다. 그의 아내 **이세벨**이지요. 이 여자는 페니키안입니다. 두로와 시돈이라는 도시가 있는 갈릴리 북서쪽 지중해 연안 나라입니다.(🌱 신약에 '수로보니게' 여인 얘기 아시죠? 자녀의 떡을 빼앗아 개에게 주겠느냐고 예수님이 말씀하시니까 개도 주인의 상에서 떨어지는 부스러기를 먹고 삽니다 하고 말했던 그 여인이 페니키안입니다. 이방인이라는 말입니다. 이 '보니게' 가 바로 '페니키아' 입니다. '수로보니게' 하면 '시리아 계열의 페니키안' 이라는 말입니다. 🌱)

이세벨은 지독한 **바알** 숭배자였습니다. 그녀가 섬기던 바알은 바알-멜칼트라는 신인데 두로의 바알신이었습니다. 통상 성경에서 불리우는 바알은 아니지만 같은 성격의 바알입니다. 이와같이 나라들은 달라도 바알이 편만했던 시대입니다.

이세벨이 북방 이스라엘 왕 아합에게 시집을 오게 된 것은 아합의 아버지 오므리가 페니키아와 동맹을 맺고 무역하는 것이 계기가 되어서입니다. 오므리의 후손들은 4대를 거쳐가며 왕이 됩니다. 오므리 왕조입니다. 그러니 아합도 오므리 왕조이지요. 아합은 자기가 하나님 나라의 대리 통치자로 앉아 있을뿐이라는 사실을 인정하지 않았습니다. 참 왕이신 하나님의 법도대로 나라를 다스리지 않았습니다. 하나님의 나라를 선전하고 덕을 전하는 제사장 나라로 존재해야 할 이스라엘이 오히려 세상 나라에 먹히는 정치를 하고 있는 것입니다.

이세벨이 들여온 **바알은 가나안 종교의 대표적인 우상**이라고 했습니다. 그런데 **이 우상이 어떤 경로로 왕궁까지 들어오게 되었는가를 자세히 보이는 것이 아합왕의 역사입니다.** 이스라엘의 대적인 바알이 어떻게 이스라엘 왕궁에 들어오게 되었는가를 보여준다는 말입니다. 하나님 나라의 존재 의의가 무엇입니까? 세상 나라에 하나님을 전하는 것입니다. 그런데 오히려 세상 나라가 하나님 나라를 위협하는 상황이 된 것입니다. 여로보암이 하나님의 길로 가지 않더니 몇 대가 지나지 않아서 이제는 바알이 왕궁까지 들어와 판을 치게 된 것입니다.

머리 부분에서 나라가 갈라지고 북이스라엘이 율법을 왜곡하고 여로보암의 길로 간 것을 얘기했는데, 여기 중간 몸통 부분에 오면 이 북이스라엘의 아합왕은 이방 나라의 공주 이세벨이 들여온 바알을 섬기게까지 되는 것입니다. 머리부분에서는 여로보암이 스타트를 잘못해서 왜곡되게 하나님을 섬기더니만, 몸통부분에서는 아합이 이방신 바알을 들여와서 백성들을 죄악에 빠지게 했다는 것을 보인 것입니다. 물론 아합왕 이외에도 남북의 여러 왕들이 이 몸통부분에 있습니다. 그러나 그 어떤 사건 보다도 바알종교가 이스라엘 궁궐까지 들어오게되는 사건은 매우 중대한 사건이라고 성경은 말하는 것입니다. 그래서 **바알의 왕궁유입 과정을 대서 특필**하는 것입니다. 그래서 아합왕이 열왕기 몸통을 차지하는 것입니다. 그런데 그것뿐이 아닙니다. 더 놀라운 사건이 이어집니다.

이후에 이 아합과 이세벨 사이에서 난 딸 '아달랴' 는 남방 유다의 제5대 왕 여호람의 아내가 됩니다. 즉 남방 유다의 제4대 왕 여호사밧이 자기 아들 여호람의 아내로 아합과 이세벨 사이에서 낳은 딸, 아달랴를 며느리로 맞은 것입니다. 물론 이 아달랴(🌱 여자:성경을 읽다보면 여자이름인지 남자 이름인지 몰라서 얘기를 잘 연결 못시키는 것 같아서… 🌱)는 남북이 평화적인 관계를 가지려고 정책적으로 남방 유다가 북이스라엘로부터 맞아들인 며느리입니다. 그런데 **남방 유다가 아달랴를 며느리로 맞이했다는 것은 이세벨의 피를 받아들였다는 말입니다.** 이말은 남방 유다도 **바알**에 접속되어 왕궁이 더럽혀진다는 뜻입니다. 급기야는 남방유다까지. 여호사밧이 이세벨의 피를 가진 아달랴(여자)를 며느리로 들임으로 인해 급기야는 남방유다 왕궁에서는 살벌한 유혈극이 일어납니다. 여호람과 아달랴(여자) 사이에서 난 아들, 아하시야가 전쟁중 살해되자 이 아달랴(여자)는 **다윗 혈통을 없애버리려고 쿠테타를** 일으킨 겁니다, 여자가. 다윗의 씨를 말리려고 다윗 혈통을 모두 다 죽이는 피비린내 나는 구테타를 자행한 것이지요. **엘리야를 죽이려 했던 이세벨의 피가 그 딸 아달랴를 타고 흘러서 이번에는 다윗의 씨를 다 말리려고 한 것입니다.** 그러나 그 가운데 요아스가 극적으로 구출되어서 유모와 함께 여호와의 전에서 6년을 숨어 지내게 되고 그 6년 동안 아달랴(여왕)는 남방 유다의 왕노릇을 하게 됩니다. 물론 하나님의 섭리 가운데 요아스는 아달랴 여왕을 제거하고, 그 다음 남방 유다 왕국의 왕으로 등극하여 극적으로 다윗의 혈통을 이어갑니다. '다윗의 위가 영원하리라' 한 그 말씀(삼하 7:13~16)이 이렇게 위태로운 역사 속에서 하나님의 섭리 가운데 이루어진 것입니다.

🌱 생각점 POINT

여기서 가만히 생각해 보십시오. 열왕기 몸통 부분의 역사는 북이스라엘 아합왕이 이세벨을 맞음으로부터 시작된 '바알' 이라는 세상 나라의 독이 결혼이라는 길을 타고 이번에는 남방 다윗계열의 피에 섞이더니 이제는 아예 남방 유다의 씨까지 말리려는 역사로 이어지는 내용을 담고 있는 것입니다. 하나님의 아들들이 사람의 딸들의 아름다움을 보고 그들을 아내로 맞이해서 피가 섞이더니 그들에게서 네피림이 나온 역사가(창 6장) 생각납니다. 하나님의 나라는 **섞이면 안된다**는 말을 기억하실겁니다(관점2). 이렇게 열왕기의 몸통 부분은 '아합' 의 치정을 기술하면서 하나님의 나라가 어떻게 이 가나안 종교와 싸워 승리하는가를 보이고 있습니다. **엘리야**가 그 싸움을 싸우는 것입니다. 다윗은 골리앗과 싸웠는데 이번에는 엘리야가 이세벨과 싸웁니다. 또 하나님이 숨겨두신 7,000명이 그 싸움을 싸웁니다 (왕상

19:18). 엘리사도 있습니다.

북이스라엘의 역사 몸통 부분에서 가장 연관된 외국 나라는 "아람"이라는 나라입니다. 이 나라는 "수리아"라는 이름으로도 씁니다. 사실 수리아, 앗시리아, 앗수르 하면 그게 그거 같아서 헷갈리기 쉬운데, 앗시리아, 앗수르는(같은 나라임) 저 동쪽으로 더 가서 유프라테스강 유역의 나라입니다. 그런데 이에 반해, "수리아"는 "아람"이라고도 불리는 갈릴리 북쪽에 자리잡고 있는 나라입니다(다윗 왕은 이 지역까지 영토를 확장했었다. 신약에서는 바울이 예수믿는 사람을 잡으러 가려고 했던 다메섹이 있는 나라이다). 문둥병에 걸렸던 나아만 장군이 이 나라 사람입니다. 그러므로 수리아와 아람이 나오면 "아! 이스라엘 북쪽에 있는 나라구나!"하고 생각하면 되고, 앗수르 하면 "아! 저 동쪽으로 한참 가서 있는 메소포타미아 사람들이구나!"하고 생각하면 됩니다.(🌱 '앗' 자가 앞에 붙어있으면 '큰 나라' 구나 이렇게 생각하고 외워보십시오. 🌱)여로보암의 아들 나답 때부터 연관된 이 아람은 그 이후 열왕기 중간 부분에 계속 등장합니다 (꼬리부분에는 앗수르가 등장합니다).

결국 이 아람과의 전쟁에서 아합이 비참하게 죽는 장면으로 열왕기상은 막을 내립니다. 그리고 곧 이어 열왕기하는 1장 1절에서 "아합이 죽은 후에…"라는 말로 서두를 엽니다. 마치 열왕기상이 "다윗왕이 나이 많아 늙으니…"하고 시작하듯이 말입니다. 이렇게 **열왕기상과 열왕기하의 스토리를 잇는 사람이 아합왕**입니다. 아합왕이 중심인물입니다. 악역의 주인공입니다. 그리고는 그 다음 장 열왕기하 2장에서 엘리야의 승천이 이어집니다. 개가 아합왕의 피를 핥는 **아합왕의 죽음**(왕상 22:38)과 병거타고 하늘로 올리우는 **엘리야의 승천**(왕하 2:11)이 여기서 **절묘하게 대칭**을 이룹니다. 갈멜산에서 두 세력이 싸웠는데 이렇게 마지막을 고합니다. 하나님 나라의 싸움을 싸우는 엘리야와 세상 나라의 상징인 바알을 택했던 아합의 대조입니다.

아합의 죽음, 엘리야의 승천이라는 막이 내리면 엘리사가 등장합니다. 즉 열왕기하가 시작되는 것입니다. 그리고는 뒤이어 13장까지 걸쳐 엘리사가 하나님의 싸움을 싸웁니다. 오므리 왕조의 아합을 엘리야가 상대했다면 아합 이후의 아하시야, 여호람왕(🌱 역시 오므리 : 지금 북이스라엘에 대해 얘기하고있는 중입니다! 🌱) 부터 예후 왕조까지는 엘리사의 사역현장입니다.

이렇게 엘리사가 북이스라엘에서 열심히 사역하는 동안 남방 유다의 **여호람왕 즈음에 오바댜와**

요엘에게 하나님의 말씀이 임합니다. 이세벨의 피를 이어받은 아달랴 여왕의 역사까지 이어지는 남방 유다 때입니다. 성경읽기표에 갑자기 나타난 오바댜와 요엘을 당황하지 말고 같이 읽어봅시다. 시간 순서에 의해서 끼워 넣은 것입니다.

② 예후 왕조의 역사: 엘리사의 사역 (왕하 9장~15:12)

오므리 왕조를 심판한 예후 왕조

북이스라엘에서 가장 강력한 왕조는 위의 오므리 왕조와 그 다음 왕조인 예후 왕조라고 했습니다. 네 번째 왕조, 다섯 번째 왕조입니다.(🌱 자꾸 반복하는 이유를 아시죠? 🌱)열왕기의 몸통 부분을 알려면 이 두 왕조는 적어도, 반드시 알아야 합니다. 왜냐하면 예후 왕조가 오므리 왕조(아합)를 멸망시키기 때문인데, 이 멸망은 어쩌다가 된 것이 아니고, 이렇게 될 것을 엘리야가 예언(왕상 19:15~17, 21:21~24)했기 때문입니다. 아합과 엘리야의 스토리가 흘러가다가 결국 엘리야의 예언대로 말씀이 응했다는 것은 하나님이 진정한 왕이시라는 사실을 **드러내는 것**이기 때문이라는 말입니다. 열왕기 역사를 기록한 **역사가의 의도**입니다. 이 역사가를 통해서 하나님이 이 사실을 밝히 주장하시는 것입니다. 예후왕조의 역할은 아합의 역사를 심판하는 역할입니다. 예후에 의해 아합의 집은 뿌리 채 멸절당합니다. **바알 숭배의 결과는 심판이라는 뜻입니다.**

예후 왕조의 여로보암 2세 ✓ 선지서 부류 (호세야), (아모스), (요나)가 끼어 들어가는 자리

이 몸통 부분에서 마지막으로 한 가지만 짚고 넘어가야 할 것이 있습니다. 여로보암 2세라는 왕입니다. 예후 왕조에는 다섯 명의 왕이 있었다고 했지요? 다섯 번째 왕조이며 동시에 다섯 명의 왕으로 되어 있는 거지요. 그런데 이 왕조 가운데 네 번째 왕이 바로 북이스라엘의 전성기를 이루었던 여로보암 2세입니다. 41년을 치리했습니다. 가장 오래 통치한 왕입니다. 그래도 치정은 아주 짧게 그려져 있다고 했습니다. 그는 북이스라엘의 북부 국경지대를 솔로몬이 가졌던 땅 수준으로 회복한 왕입니다(왕하14:25). 고고학 발굴은 아모스의 의분을 격발시켰던 사치스럽고 거짓된 종교를 증명하고 있습니다(암6:1이하). 왜 이 여로보암의 사치와 향락과 죄악에 대해 아모스가 외치고 있을까요? 바로 이 상황에서 아모스가 받은 말씀이기 때문입니다. 〈역사서〉 부류인 열왕기상에는 여로보암왕에 대해 길게 말하지 않지만 〈예언서〉 부류인 아모스와 호세야에서는 이런 죄악에 대해 말씀하신 것입니다.(🌱 성경읽기표를 보시면서 이 부분을 **아모스, 호세아서** 등과 연결시켜 가면서 읽읍시다. 예후왕조의 네 번째 왕, 여로보암 2세의 이 상황을 염두에 두시고, 또 엘리야 승천 후 엘리사가 활동하던 때에 이들에게 하신 말씀인 것을 기억하시고 읽읍시다. 엘리사와 같은 시기에 기술 선지자로서 활동했다는 생각을 갖고 이 역사적인 상황 가운데서 아모스와 호세아를 같이 읽읍시다. 🌱)

요나선지자도 바로 이 때 사람입니다. 요나는 저 동북쪽에 자리잡고 있는 앗수르(🌱 이제 열왕기 후반에 계속 나타나는 강대국, 바벨론과 같은 혈통의 메소포타미아 문명권의 후예, 그러니까 창세기 11장의 바벨탑 사건 이후 계속된 나라🌱)의 수도 니느웨에 가서 회개를 촉구하는 말씀을 선포하라는 예언을 받고 그렇게 갈등하고 고생합니다. 이 싸움은 창세기 11장과 12장에서 하나님 나라가 싸워야 하는 그 싸움입니다. 하나님 나라의 존재 의의는 세상 나라를 상징하는 바벨이라는 이름의 창세기 11장 나라에게 하나님이 왕이심을 선포하는 것이라고 했습니다.(🌱 관점 공부🌱) 여기 이 지점에서 요나는 이스라엘의 존재의의가 바로 그 일인 것을 잊지 않도록 하시기 위한 하나님의 열심을 일깨워주는 선지서입니다. 결국 요나의 표적은 이 하나님 나라의 진정한 왕이신 예수께서 죽으시고, 사흘만에 부활하시는 복음의 핵심을 담고 있는 표적입니다.

성경은 이와같이 기가 막히게 짝을 이루는 것이 많습니다. 요나서를 읽으면서 아브라함을 통해 나라를 세우시겠다고 약속하시던 우리의 왕 하나님의 심정을 함께 읽읍시다. 이삭과 야곱을 통해 백성을 만드시며 당신의 나라를 만들어 가시던 하나님의 꿈을 생각하며 읽어봅시다. 요나서를 읽으면서 바로를 물리치고, 법을 주시고, 땅을 주시고 번듯한 나라를 세우시며 포부를 가지셨던 우리 하나님을 생각해 보십시오. 이제 분열왕국의 역사를 내려다 보시며 바알을 섬기는 왕들의 역사 속에서도, 엘리야를 통해서, 엘리사를 통해서, 포기하지 않으시고 당신의 나라를 이루어 가시는 하나님의 열심을 읽어봅시다. 하나님 나라의 존재의의는 세상 나라를 향해 그 하나님을 선전하는 것이라고 했습니다. 그 꿈을 잃지 않으시는 이 왕은 사랑이십니다. 요나를 이방 나라의 상징인 바벨론(앗수르)으로 보내시며 **외로운 싸움을 싸우시는 하나님의 심정**을 읽읍시다.(🌱 하나님의 싸움을 싸워야하는 이스라엘의 왕 여로보암 2세는 향락으로 죄를 먹고있는데, 그래도 요나를 붙들고 씨름하시는 하나님을 읽읍시다. 요나! 구약의 선교사입니다. 하나님 백성들의 존재의의를 잊지 말라고 보여주는 구약의 외로운 싸움입니다. 요나! 그나마 그 역할 잘 못해서 하나님을 슬프게 합니다. 우리는 하나님을 기쁘시게 해 드립시다. 🌱)

③ 몸통 부분 마무리
이런 내용들을 심지처럼 가슴에 두고 비록 복잡하지만 열왕기 중간 부분을 읽어내려 갑시다. '하나님 나라'가 어떻게 이 왕정시대를 지나가는지 줄기를 놓치지 말고 읽어내려 갑시다. 어떻게 해서든지 하나님의 나라를 없애려는 영적 전쟁이 계속되어 나가지만 하나님은 그 시대마다 '하나님의 아들들'을 남겨두셔서 이 하나님 나라를 계속 이어 나가고 계십니다. 아브라함에게 약속하셨던 나라입니다. 예수님이 외치셨던 천국(마 4:17), 그 하나님의 나라입니다. 바울이 일평생 증거했던 내용, 그 하나님의 나라(행 28:31)입니다. 새예루살렘성을 지으시고 보좌에 앉아 계신 어린양 예수를 보았던 사도 요한의 하나님의 나라(계 21장)입니다. 창조주 하나님만 왕이십니다. 그분에게만 통치권이 있습니다. 성경은 그래서 창세기 1장부터 계속 그 얘기를 이렇게 해 가고 있는 겁니다.

3) 꼬리부분 (왕하 14장~왕하 끝) – 북이스라엘, 남유다의 멸망

'지금까지 계속 북방 이스라엘 역사만 얘기하면 남방 유다 역사는 도대체 언제 얘기할 건가(?)', 이 생각이 나시지 않습니까? 유다에 대해서는 지금까지 별 얘기가 없었는데 꼬리부분 제목을 보자하니 남유다의 멸망이군요. 그렇다면 인제 와서 망한 얘기만 하자는 건가(?)... 그렇습니다. 성경이 그렇게 하고 있습니다. 북 이스라엘이 이렇게 가다가 먼저 망하고 나면 이제 남는 것은 남방 유다이니 그럴 수밖에 없겠죠? 조금만 기다려 보십시오. 이제 이후부터 귀에 못이 박히도록 유다 얘기만 나올 것입니다. 비록 열왕기하 성경은 유다가 망하는 내용을 분량적으로 많이 다루지는 않습니다. 그럼에도 불구하고 왜 남방유다 얘기가 많이 다뤄진다는 것일까요?

나머지 <예언서> 부류 책들이 유다가 망하는 것에 연결되어 있기 때문입니다. 더군다나 포로시대가 그 멸망에 붙어있기 때문입니다. 만일 유다 멸망에 대해서 호지부지하면 이사야, 미가, 나훔, 스바냐, 예레미야, 예레미야애가, 에스겔, 다니엘, 에스라, 느헤미야, 에스더, 학개, 스가랴, 말라기가 보이지 않습니다. 그러니까 구약성경은 왕정시대 말기 남방유다가 망하는 얘기를 아주 많이 하고 있는 셈입니다. 열왕기 자체 안에서는 우리가 위에서 살펴본 대로 북방 이스라엘 얘기에 많이 초점이 맞춰져 있는 것이 사실이지만, 북 이스라엘 얘기는 거기서, 그걸로 끝입니다. 북방 이스라엘 얘기는 성경에 더 이상 나타나지 않습니다. 그럼에도 불구하고 열왕기하 다음에도 성경목록은 많이 남아 있다는 말입니다. 포로시대를 거치며 나타나는 선지서들이 다 유다 얘기이니까 사실은 엄청나게 남방 유다와 관련된 얘기를 많이 하는 셈이지요. 이 실태를 파악해야 합니다. 우리가 구약을 힘들어 한 이유 중의 하나가 이 꼬리부분 유다의 멸망을 선지서와 포로시대에 관련시킬 수 없어서 그런 것일 수 있습니다.

생각점 POINT 그렇습니다. 열왕기는 갈라지는 얘기, 갈라져서 세상 나라의 상징인 바알이 들어온 아합 이야기, 그리고 그 우상숭배로 망하는 얘기로 되어 있습니다. 이제 망하는 얘기를 하십시다. 이제 엄청나게 많이 남방 유다 망하는 얘기를 듣겠구나 하고 마음의 준비를 합시다. 하나님이 시작한 나라가 왜 망해야 하는가도 같이 생각 해 봅시다. 여기서 망한다고 진짜 망하는 것인가도 생각해 봅시다. 망하자고 시작한 나라가 아닌데.

　자, 여기서 우선 북 이스라엘 망하는 얘기를 마저합시다. 북 이스라엘은 B.C. 931~721까지 210년 동안 유지된 나라입니다. 그런데 이 짧은 기간 동안 아홉 번이나 역성혁명이 일어납니다. 쿠테타가 일어난거죠. 앞에 등장했던 시므리같은 왕은 단 7일 동안 왕이 되었다가 살해됩니다. 살룸은 1개월, 스가랴(🌱 북이스라엘 왕임, 선지자 아님 🌱)는 6개월, 또 2년 동안 왕노릇한 왕도 네 명이나 됩니다. 이 말은 얼마나 나라가 안정되지 못하고 혼란을 거듭했는가를 보여주는 증거입니다. 쿠테타에 쿠테타를 잇는 역사인 셈이었습니다. 그래도 이 중 오므리 왕조가 4대를 흘러갔고, 이 왕조를 뒤엎은 예후왕조가 최장 기록인 5대를 왕노릇한 것입니다. 가장 오래 왕노릇한 사람은 여로보암 2세, 41년 동안이라고 했습니다. 북 이스라엘에서 가장 전성기였습니다. 바로 이때 아모스, 호세아, 요나 선지자가 활동했다는 것을 정리했습니다. 어쨌든 북이스라엘은 210년 동안 19명의 왕이 있었습니다.

　그러니까 북 이스라엘 얘기를 횡렬식으로 해 봐라 하면, 간단하게 다음과 같이 말할 수 있겠지요? "여로보암①이 다윗 가문에 반역해서 열지파로 북 이스라엘을 시작했다. 여로보암의 아들 나답②이 그 이후 왕을 계승했지만 바아사③가 반란을 일으켰고 그 후 아들 엘라④가 계승했다. 그런데 엘라의 부하 시므리⑤가 반역을 하자 또 다른 부하였던 오므리⑥가 그를 살해하고 7일만에 왕위를 또 빼앗아서 오므리 왕조가 시작되었다. 그 아들 아합⑦을 시작으로 손자 아하시야⑧ 증손자 여호람⑨까지 네 왕에게 계승되지만, 예후⑩가 오므리 왕조를 빼앗는다. 그래서 예후왕조를 시작했다. 예후 왕조는 여호아하스⑪ 요아스⑫ 여로보암2세⑬ 스가랴⑭에 이어 다섯 명이 왕이 되는 최장기록왕조가 되었다. 그리고는 살룸⑮이 반란, 므나헴⑯이 또 반란을 일으켰다. 므나헴이 아들 브가히야⑰에게 왕위를 넘겨주나 했더니 또 베가⑱가 쿠테타를 일으켰고 그 후 호세아⑲도 또 반란을 일으켰는데 그가 북이스라엘의 마지막 왕이었다."

　여기서 보면 강력한 왕조였던 예후 왕조의 마지막 왕 스가랴쯤 오면 19명의 왕 서열 중에 벌써 열네 번째가 됩니다. 우리가 앞에서 아합 얘기를 했습니다만, 열왕기를 시작하면서 여로보암이 지나면 아합 얘기가 나오고 이 아합을 예후가 멸망시키는데 이 예후 왕조도 지나가면 벌써 열다섯 번째 왕이라 이말이지요. 예후 왕조의 스가랴왕 이후에 다섯 명이 더 왕노릇하다가 북 이스라엘이 망하는데 그 중 네 명이 다 쿠테타입니다. 사실 맨처음 여러보암이 나라를 시작하고 그 아들이 계승한 이후에도 한 왕만 빼놓고 세 왕이나 반란으로 왕권을 빼앗았지요? 그런데 이 열아홉 명의 왕들 중 단 한 명의 왕에게도 하나님께서 "선하다"고 칭찬하실 수 없었습니다. 하나님은 이 나라를 하나님의 나라라고 남겨두실 수가 없으셨습니다. 계속 반란에 반란을 거듭하다가 그만 나라가 약해지고 앗수르가 쳐들어온 겁니다.

① 북이스라엘의 멸망 (왕하 14~17장)

엘리사의 죽음을 기점으로 북이스라엘의 역사는 남방 유다 왕들 사이를 오가며 얘기하다가 여러 번의 쿠테타를 거쳐 마지막 왕 호세아에 이릅니다. 여러분이 성경을 읽을 때는 이 중심 줄기를 설정한 이후 각각의 왕들의 얘기를 사이사이에 넣으면서 읽으시라고 했지요?

남방 유다는 바벨론이 쳐들어 와서 앞으로 망하지만(B.C. 587), 지금 여기 마지막 북이스라엘의 왕 호세아는 앗수르가 쳐들어와 망합니다(B.C. 721). 남방 유다가 망하기 약 130년 전, 먼저 망하는 거지요. 북이스라엘의 마지막 왕 호세야 때에 오면 여로보암 2세 때 가졌던 영화에 비해 나라가 쪼그라져 있었습니다. 앗수르가 북방 갈릴리와 요단 동편을 이미 점령한 것입니다. 호세아는 앗수르에 대항해서 반란을 기도합니다. 이 때 앗수르는 디글랏빌레셀을 이어 살만에셀 5세(B.C. 727~722)가 계승하는 시점이었습니다. 호세아는 당시 힘없는 애굽과 손을 잡고는 앗수르에 조공을 못바치겠다고 큰소리 친 것입니다.(🌱 남방유다도 그랬습니다. 마지막에 친애굽이냐, 바벨론이냐를 선택하느라고 여호야김 왕궁은 그렇게 시끄러웠습니다. 똑같지요? 이 멸망기는 당시 세계의 기류가 나일강 유역 애굽 문명권과 유프라테스강 유역 메소포타미아 문명권이 부딪히는 싸움이 났더래서 그랬습니다. 🌱) 그러자 B.C. 724년에 살만에셀 5세가 이스라엘로 밀려왔습니다(왕하 17:3~6). 그제서야 겁이 난 호세아는 그동안 밀린 공물들을 챙겨서 마중을 나갔지만 살만에셀은 호세아를 포로로 잡았고, 수도 사마리아는 포위됩니다. 2년 동안 사마리아는 강력히 저항하지만 결국 B.C. 721년에 무너집니다. 주권이 앗수르에 넘어간 것입니다.(🌱 **바로 이즈음에 이사야는 남방 유다의 히스기야왕 시대에 열심히 사역하고 있습니다, 미가도.** 🌱)사마리아 성이 무너지자 앗수르에서 총독이 파견됩니다. 정복국가들이 늘 하는 일입니다. 요단 서편의 이스라엘 역시 앗수르의 한 주에 불과한 도시로 전락해 버립니다. 많은 사람들이 앗수르에 포로로 잡혀가기도 했지만, 남아있기도 했습니다. 그런데 앗수르는 식민(植民)정책으로 그 주변의 여러 나라를 정복해서 잡아온 다른 포로들을 북이스라엘에 이민시킨 것입니다. 왕하17:24에 의하면 구다, 아하, 하맛, 스발와임 등에서 왔다고 했습니다. 상류층 외국인들이었습니다. 이 인구 혼합정책은 종속된 백성들이 반란을 일으킬 수 없도록 하자는 것입니다. 디글랏빌레셀 3세가 일찌기 제정한 것입니다. 그러지 않아도 북방 이스라엘은 남방 유다에 비해 비주류에 서서 바알을 섬기고 하나님을 배반해 왔는데 이제 이 이방 사람들이 들어와 섞이면서부터는 더더욱 비참한 종교적 폐해를 가져옵니다. 이 외국사람들은 자기들의 각종 신을 다 가지고 들어와서 예배했습니다. 이렇게 섞이면서 **다신종교 사회**가 되어버립니다(왕하 17:29~41). 그 땅에 남아있던 북이스라엘 사람들은 이방 사람들과 결혼을 하기 시작했고 시간이 흘러가면서 인구혼합정책은 목적이 달성되어 간 것입니다. 혼혈이 되면서 태어난 후손들은 신약에 이르러 "**사마리아인**"이라는 이름으로 불려지게 됩니다. 이렇게 해서 분열왕국 북이스라엘은 종말을 고합니다.

② 남방유다의 꼬리부분 요약 (왕하18~25장 끝)

✓ 선지서부류(이사야), (미가), (나훔), (스바냐), (예레미야),
　　(예레미야애가), (하박국)이 끼어 들어가는 자리

생장점 POINT

우리는 지금까지 북방 이스라엘 얘기만 했습니다. 성경이 대체적으로 거기에 초점을 맞추고 있기 때문이라고 했습니다. 그러나 역대상·하라는 책이 있다는 사실을 잊지 마십시오. 지금 우리는 열왕기, 즉 '창·출·민·수·삿·삼·왕'에서 '왕'을 공부하고 있는 중이라서 그렇지, 사실은 왕정이후 포로시대는 완전 남방유다의 얘기이기 때문에 역대상·하는 그 포로시대를 이어가려고 완전히 남방 유다 얘기만 하고 있다는 것 말입니다. 그러므로 남방 유다의 역사는 역대상·하에서 빛을 보는 역사입니다. 북방 이스라엘 중심으로 기록된 열왕기를 읽고 나면 그 다음에 역대상·하를 읽을텐데 그 때 남방 유다의 역사를 다시 보충하시는 겁니다. 열왕기에서는 북방이스라엘을 우대하고, 역대상·하에서는 남방 유다를 우대한다고 생각하면 쉽지요. 북방이스라엘이 망하면 이제 남방 유다만 남습니다. 북방 이스라엘이 망할 때 남방 유다에서는 어떤 일이 벌어지고 있을까요? '**두 묶음이다**' 하고 정리하십시오. 부록 물고기 그림을 한 번 다시 살펴 보십시오.

북이스라엘이 끝난 지점에서 남으로 내려와 보면 거기 여러분이 잘 아시는 유명한 왕이 있습니다. 히스기야왕입니다. 열왕기하 17장에서 사마리아에 심기운 이방 백성들의 얘기가 끝나면 곧

18장 히스기야왕으로 얘기를 연결시키기 때문입니다. 그리고는 세 장에 걸쳐서 그 역사를 기록합니다. 그러니까 **북방 이스라엘이 끝나면 히스기야왕이다**, 이렇게 간단히 생각하면 됩니다. 그리고 이 즈음에 이사야와 미가 선지자가 있었다고 생각하시면 되고요. 〈선지서〉 부류의 이사야, 미가가 끼어 들어가는 자리라는 말입니다.(🌱 여기까지 한묶음입니다. 🌱)

그리고는 역시 종교개혁으로 유명한 요시야 임금 얘기가 중요하게 다뤄집니다.(🌱 바로 이 때부터 나라가 멸망하는 시드기야왕까지 한 묶음으로 생각하면 됩니다. 🌱) 이때는 예레미야를 중심으로 나훔, 스바냐, 하박국이 선지자로 활동합니다. **〈선지서부류〉 나훔, 스바냐, 예레미야, 하박국이 끼어 들어가는 자리입니다.** 여기 끼어 들어서 하시는 말씀이 무엇입니까? 그래도 하나님이 희망을 버리지 않으시고 이들과 하시는 말씀이 무엇입니까? "그러다 망한다...... 그러지 마라, 나만 왕이다, 날 믿어라, 그러다 망한다, 그러지 마라, 그러다 망한다, 그래도 내 백성이니 구원하겠다, 심판하겠다, 그러나 구원하겠다, 심판하겠다, 그러나 구원하겠다.…" 한마디로 계속 이 얘기라고 생각하면 됩니다.

열왕기에서는 그다지 남방 유다 얘기를 중요하게 다루지 않아 보여도 북이스라엘이 망하고 히스기야왕 시대에 돌입하고 나면 정신이 없어집니다. 그동안 숨어있던 것 같은 선지서들이 이 때 와르르 나와서 그렇습니다. 와르르 나와서 하시는 말씀은 그저 다 그 얘기입니다. "내가 왕이다. 나에게 돌아와라. 회개해라. 안그러면 그러다 망할라, 그래, 내 백성이니 그래도 구원하리라. 그래도 **심판**은 하겠다. 그러나 다시 **구원**은 하겠다.…" 그 말씀입니다. 그러니 가만 정신을 차리고 생각해 보면 그렇게 정신 사나울(?) 것도 없습니다.

🌱 생장점, POINT "아! 그동안 북방이스라엘 얘기만 계속 하다가 그 나라가 망하니까 이제 남방에다가 초점을 맞추는구나! 어느 왕 땐가 보니 히스기야 왕 때구나! 어? 그런데 가만히 보니, 이 그 유명한 선지자 이사야가 미가와 함께 이 때 활동한 거구나! 그리고 요시야왕 때부터 멸망의 조짐이 있구나! 시드기야왕 때 가서 망하는데 이 혼란한 때에 그 유명한 예레미야 선지자가 활동했구나! 나훔, 스바냐, 하박국과 함께! 계속, '심판하지만 구원하신다' 는 말이구나. 회개하라는 말씀이구나." 요 말만 할 수 있으면 열왕기하와 선지서들이 있는 꼬리 부분 역사는 정리되는 것입니다.

그렇습니다. 열왕기하 18장부터 25장까지 남방 유다의 멸망부분을 간략하면 이렇게 두 묶음의 얘기입니다. 남방 유다의 꼬리부분을 **히스기야왕 시대**와 **유다멸망 시대** 이 두 부분으로 생각합시다. 이 두 묶음을 다른 말로 하면 이렇습니다. 히스기야왕의 아버지 아하스⑫부터, 히스기야⑬, 므낫세⑭, 아몬⑮에 이르기 까지는 **앗수르**한테 시달리는 역사입니다. 그 이후 유다 멸망이 가까워오는 요시야⑯, 여호아하스⑰, 여호야김⑱, 여호야긴⑲, 시드기야⑳까지는 **바벨론**한테 시달리다 결국 망했다는 얘기입니다.

그도 그럴것이 북방 이스라엘이 앗수르한테 망했는데 앗수르가 북방 이스라엘은 정복하고 바로 그 아래 남방 유다를 가만 놔두겠습니까? 당연한 흐름이지요. 그러니까 북방 이스라엘이 망하고 나면 히스기야왕 즈음인데 아몬에 이르기까지 앗수르가 계속 괴롭힌다 그 얘기입니다. 그런데 그러다가 두 번째 묶음인 멸망시기에 이제 '앗수르'는 사라지고 '바벨론'이 등장한다는 사실에서 우리는 눈치채야 할 게 있습니다. 앗수르를 바벨론이 정복해 버렸다는 말입니다. 그래서 이제는 앗수르 대신 바벨론이 남방 유다를 괴롭히고 정복하게 되었다는 것이지요.

③ 예루살렘 성전이 파괴됨

마지막으로 '성전' 얘기를 하십시다. 유다의 멸망은 예루살렘 성전이 파괴되는 것으로 끝을 맺기 때문입니다. '성전'이 무엇입니까? 이것을 알려면 모세로 돌아가야 합니다.

출애굽한 이스라엘백성은 홍해를 건너자마자 동남쪽 시내산으로 내려갔습니다. 하나님께서 동북쪽의 블레셋 사람의 땅으로 가는길이나, 수르광야길(가나안 직행길)로 인도하지 않고 시내산으로 인도하셨기 때문입니다. 결국 성막을 만들게 하시려고 그런 것입니다. 여기에는 중요한 의미가 있습니다.

이 시내산은 전에 모세가 양을 칠때 불타는 떨기나무를 통해 하나님을 경험했던 장소입니다. 툿모세(바로)가문의 정적으로 몰려 미디안으로 쫓겨온 이후 평범한 범부로 살아가는 모세는 그의 일생을 걸고 고민했을 것입니다. "우리 히브리 민족의 하나님은 누구인가? 그리고 나는 누구인가?" 하고 말입니다. 그러던 어느날 하나님은 당신을 "여호와, 스스로 있는자"로 소개 하십니다. 우리말 성경에는 '스스로 있는자(출3:14)'로 번역했지만 영어성경에는 'I am who I am'으로 번역되어 있습니다. 그러나 사실은 이말을 'I will be who I will be'라는 to be 동사의 미래형으로 해석해야 합니다. 왜냐하면 원문에는 미래형으로 되어있기 때문입니다. 이 말은 지금까지는 하나님께서 초월신의 개념으로 이해되던 엘로힘,엘리온,엘샤다이 등의 하나님 이름으로 계시되었었는데, 이제 여기서 소개되는 이름은 '내재하는 신' 이라는 뜻입니다. 이것은 '언약의 하나님' 이라는 말입니다. 이스라엘 가운데 거하시면서(샤켄) 시시콜콜 간섭하시며 인도하실(미래형) 하나님을 소개하는 뜻입니다. 언약백성에 대한 하나님의 이 태도는 "그들 가운데 거하시는(샤켄하시는) 하나님" 으로 계시되는 것입니다. 이것을 "아도나이(주, Lord)사상" 이라고 부릅니다.

3과에서 관점을 공부할 때 우리를 통치하실 하나님만 '왕' 이라고 했습니다. '하나님의 통치가 이루어진다' 는 말은 '우리 가운데 하나님께서 왕으로 임하신다' 는 말입니다. 내 삶에 왕으로 임하셔서 작은 신음에도 반응하시는 하나님으로 거하신다는 것이지요. 바로 이 사실을 처음으로 소개하는 장면이 떨기나무사건입니다. 높이 계시는 하나님이 스스로 낮추시고 우리와 같이 사시겠다는 선언입니다. 그런데 바로 이 사실을 가시적으로 증명하시려고 한 것이 성막입니다. 성막안에 갇혀계실수 없는 하나님인데 스스로 이 안에 들어와 거하시겠다(말씀이 육신되어 우리 가운데 거하시매)는 선언입니다. 그래서 성막을 만들어 봉헌하는 날 '쉐키나(샤켄)의 구름' 이 성막위에 뜬 것입니다.

이렇게 이스라엘 가운데 임재하시며 통치하신다는 상징으로 만들어진 성막은 다윗과 솔로몬에 의해 예루살렘에 세워지므로 명실공히 성전이 됩니다. (🌱 우리는 보통 솔로몬이 성전을 지었다고 생각하지만, 실제로는 다윗이 지은셈 입니다. 왜냐하면 다윗은 성전 터를 매입했고, 건축헌물을 모두 준비 했으며,건축 설계도까지 하나님으로부터 받았기 때문입니다 🌱).

그런데 이제 여기 유다가 멸망하는 이 시점에서 바로 그 성전이 무너진 것입니다. 무슨말입니까? 하나님의 백성들로서 그의 통치를 거부했다는 증거입니다. 더 이상 하나님이 그들 가운데 왕으로 계시기 어렵다는 물증입니다. 이제 우리, 여기 비참하게 무너져 내린 폐허조각들위에 잠깐 앉아 생각해봅시다. 이 무너진 예루살렘 성전이 포로시대를 거치며 다니엘,에스겔,에스더,학개,스가랴를 통해 다시 재건된다는 사실을… 그리고 복음서의 예루살렘 성전을 청결케하신 사건, 계시록의 새 예루살렘 성전까지 멀리 포석해 봅시다. 성경에 나타난 모든 성전개념을 연결해서 한 번 곰곰 생각해봅시다. 무슨 뜻입니까? 하나님의 나라는 결코 없어지지 않는다는 사실입니다. 그가 왕으로 계속 통치하신다는 뜻입니다. 이것이 정말 그러한지 계속 나아가 봅시다. 이제 그 긴 4과, 창출민수삿삼왕 읽기 대단원의 막을 내립니다. 성전파괴로 끝나는 열왕기하가 성전재건으로 이어지기위해 어떻게 역대상하가 쓰여졌는지 5과, 대라느로 가 봅시다.

생장점
POINT

마지막 잔소리입니다. 나라 이름과 왕이름이 나오면 아예 신경을 끄고, '이스라엘은 아군, 나머지 모든 나라는 몽땅 다 적군' 하지 맙시다. 성경을 읽어가실 때 간단한 이런 사항들만이라도 알고 성경을 읽으면 다른 세계가 시작됩니다. 나라 이름들을 꿰 맞춰 가며 역사가 어떻게 흘러가며 하나님이 시작한 이 나라가 어떻게 되어가는지 눈에 불을 켜고 성경을 읽어봅시다. 대하드라마 한 번만 빠져도, 지난 줄거리 어떻게 됐지(?)하며 열심히 추적하는데 그것처럼 성경도 눈에 불을 켜 봅시다. 역사를 짚어가며 읽으면 우선 기본적으로 읽는데 안정이 됩니다.

열왕기하에서 나라가 망하게 되는데 성경책 분량으로 보면 1/3 정도까지밖에 안 와있습니다. 그렇습니다. 아무리 성경책이 2/3의 분량이 남아있어도 "아! 거의 다 끝나가는구나!" 이렇게 생각해야 합니다. 또, "음… 다음에 나오는 역대상·하는 열왕기상·하를 다른 각도에서 본 얘기지…" 하고 생각합시다. 책의 분량은 많이 남아있어도 내용은 끝나간다는 사실을 기억해야 합니다. 이제 '대·라·느'로 넘어갑시다.

구약 성경 읽기 실제 (2)

대 · 라 · 느

⚖️ 다시쓰는 창 · 출 · 민 · 수 · 삿 · 삼 · 왕[창 / 출 / 민 / 수 / 삿 / 삼 / 대]

구약의 역사를 크게 두 덩어리로 보자고 했습니다. 하나는 '창 · 출 · 민 · 수 · 삿 · 삼 · 왕' 이고, 다른 하나는 '대 · 라 · 느' 라고 했습니다. 앞의 4과에서 우리는 '창 · 출 · 민 · 수 · 삿 · 삼 · 왕' 을 끝냈습니다. 이제 '대라느' 한 덩어리를 읽으려고 합니다. '왕' 과 '대' 는 왕사를 기록하고 있는 책입니다. 그런데 왜 이렇게 '왕' 과 '대' 를 떼어 놓습니까? 성경이 열왕기하에서 역사를 끝내주면 우리도 거기서 끝나겠는데, 성경은 열왕기상 · 하와 같은 왕국시대를 역대상 · 하에서 또 한번 쓰면서, 그 이후의 역사를 말하고 있기 때문입니다. 그 이후의 역사, 즉 포로시대의 주인공들이 '열왕기' 만을 가지고는 만족하지 못하는 것입니다. 이것이 어디 포로시대 주인공들만 만족하지 못하는 것이겠습니까? 그렇지 않지요. 하나님이 그러신 겁니다. 나라가 멸망하지만 그게 끝은 아니라는 신호일 것입니다. 하실 말씀이 있으신 겁니다.

나라가 망하는데도 하나님이 하실 말씀이 있으시다는 것은 그것 자체가 희망입니다. '하나님께서 아직 누군가와 말씀하신다' 는 것은 희망입니다. 포로시대지만, 정복국가 땅에 잡혀간 신분이었지만, 하나님은 그들과 말씀하셨다는 것입니다. 다니엘, 에스겔, 에스라, 느헤미야, 에스더, 학개, 스가랴, 말라기 이런 사람들이라고 했습니다. 북이스라엘도 망했고, 남방 유다도 망했는데 그 이후 하나님께서는 북이스라엘 사람들에게는 말씀하시지 않으시고 남방 유다 사람들에게만 말씀하셨습니다. "네 위가 영원하리라"고 다윗에게 약속하신대로 이제 다윗의 혈통으로 이어지는 왕권을 통해 하나님의 왕 되심이 이어진다는 선언입니다.

그래서 자세히 들여다 보니 열왕기 기록과 역대기 기록이 똑같지가 않고 다르다는 것입니다.

어떻게 다른가 하면, 역대기에서는 분열왕국 이후, 북방 이스라엘의 역사는 쏙 빼고 남방 유다만 기록한 것입니다. **그렇다면 그것은 매우 의도적입니다.** 그리고 알아차릴 수 있습니다. 이건 분명히 남방 유다 사가(史家)가 남방유다만의 역사를 남기고 싶어했다는 것을. 그런데 통상 우리는 그 사람을 **에스라**로 보는 것입니다.

생각점 POINT 여러분, 지금 성경을 열어 역대하 맨 끝 마지막 두 절을 찾아보십시오. 그리고 연이어 붙어있는 에스라 맨 앞과 비교해 보십시오. 똑같지요? 그렇습니다. 비록 나라는 잃었지만, 그래서 비록 포로시대(에스라, 느헤미야, 에스더)라는 수치스러운 역사지만, 기록으로 남길 필요성을 느낀 사람 에스라가 멸망 이후의 역사를 재조명하며 포로역사를 역대하 끄트머리에 연결시킨 것입니다. 그러면서도 역대상 맨 앞의 내용은 열왕기상 맨 앞의 내용처럼 솔로몬 이야기가 아니고 아담이 나온다고 했습니다. 그것은 바로 아담 얘기가 시작되는 창세기 맨 앞, 그러니까 창세기부터 다시 쓰고 싶은데, 사실 그렇게 다 못하니까 **족보로 대치시킨 것입니다.** 다시 말하면 창·출·민·수·삿·삼·왕 대신에 창·출·민·수·삿·삼·대(역대상·하)를 쓴 것입니다. 이것은 사실 '**대·라·느**'라고 해도 과언이 아닙니다. 왜냐하면 '대'는 아담부터 시작되니까요. 그러므로 이스라엘 역사를 가장 작은 단위로 축소시킨다면 '대·라·느'라고 볼 수 있습니다. 이 안에 진정한 왕이신 하나님의 역사 전체가 다 들어있는 셈입니다. 이해가 되십니까?

그러므로 역대상·하는 매우 독특한 위치에서 앞으로 흘러갈 '하나님의 나라'의 방향을 **재조정하는 책**입니다. 눈에 보이는 나라는 망했지만 그 안에 이루시려고 하는 '하나님의 나라'는 남은 자들을 통해서, 그루터기를 통해서 이어가시는 것입니다. 그 남은 자란 다름 아닌 포로로 잡혀간 유다 지파의 후손들(북방 이스라엘 아닙니다)이라는 말입니다. 하나님은 포로로 잡혀간 이들 가운데서 그 옛날 모세에게 주셨던 율법을 열심히 연구하고 살아보고 가르치는 자들을 일으키신 것입니다. 다시 시작하시는 겁니다. 에스라가 바로 그런 사람이었습니다.

사실 에스라는 포로로 잡혀간 사람이 아닙니다. 포로로 잡혀간 사람들의 후손입니다. 그가 태어나 보니 페르시아였습니다. 남방 유다가 포로로 잡혀간 것이 약 B.C. 605년 경부터인데 에스라가 예루살렘에 귀환하는 것은 B.C. 458년이니 포로로 잡혀간 때로부터 약 150년이나 뒤에 예루살렘에 돌아온 사람입니다. 이 말은 에스라는 페르시아에서 태어난 사람이라는 말입니다. 그런데도 에스라는 거기서 모세를 연구한 것입니다. 유다 사람들은 모세오경을 다 가지고 포로로 잡혀간 것입니다. 에스라는 율법에 능한 학사(學士)라고 했습니다. 또 제사장이라고 했습니다. 남의 땅에서 제사장 역할을 감당했습니다. 하나님의 나라는 비록 외적으로 바벨론 통치하에 들어갔고, 페르시아(오늘날의 이란)에게 넘어갔지만 이렇게 남은 자들을 통하여 회복하는 운동이 있었던 것입니다. 포로시대 지도자들을 사용하신 것입니다. 우리가 성경을 대할 때 아스라히 느껴지는 에스겔, 다니엘, 에스라, 느헤미야, 에스더, 학개, 스가랴, 말라기 이런 책들의 주인공들이 그런 삶을 사신 것입니다.

기관차와 같은 책, '역대하' 뒤에 붙어서 이 포로시대 책들이 연결되는 것입니다. **포로시대는 역대상·하 기관차에 달려 붙어간다고 생각하십시다.** 이제 읽어 내려갈 역대상·하가 비록 바로 전에 읽었던 열왕기상·하 하고 똑같은 내용이라 지루할지라도 역대상·하에 대한 이런 새 관점을 가지고 다시 하나하나 짚어가며 읽읍시다. 그래야 역대상 앞에 나오는 족보들, 포로에서 예루살렘에 돌아온 사람들의 명단(대상 9장, 에스라의 민수기), 그리고 다윗에게 연결되는 왕의 역사, 그 이후로 솔로몬을 좇아 르호보암, 아비야, 아사, 시드기야로 이어지는 왕사를 읽을 수 있습니다. 열왕기상·하에는 북방 이스라엘에 초점이 맞춰져 있었는데, 이제 이 역대기에서는 이렇게 **남방 유다의 왕사만** 주욱 읽을 수 있습니다. 구약 전체를 복습하듯 읽읍시다. 🌱 '포로갔다 돌아온 사람들로 하여금 다시 자기네들의 역사를 정리하게 하고, 하나님 나라 백성의 정체성을 갖도록 하느라고, 다시 쓴 책이구나.' 🌱 이렇게 생각하면서 읽읍시다. 역대상·하의 전체 구조는 아담으로부터 다윗까지의 족보(대상 1~9장), 다윗의 통치(대상 10~29장), 솔로몬의 통치(대하 1~9장), 유다 열왕들의 역사(대하 10~36장)로 되어 있습니다.

1. 역대상·하 읽기 (대 라·느)

1) 역대상·하 자세히 보기

역대상·하는 창세기부터 다시 시작하는 책이라고 했습니다. 그래서 아담의 족보부터 새로 시작합니다(대상 1:1). 족보형식을 빌어 창세기부터 시작된 이스라엘의 역사를 정돈합니다. 그리고 다윗왕국으로 이어지는 다윗의 계보를 기록하므로 앞으로 진행해 나갈 방향이 **유다왕국의 후손으로 오실 왕 "예수"로 향하고 있습니다.** 왜냐하면 포로시대 주인공들의 후손들이 바로 400년의 암흑기를 지나 신약시대 무대에 등장하는 주인공들이기 때문입니다. 이 역대상·하 이후 등장하는 포로시대의 백성들이 예루살렘에 귀환해서 대를 이어 400년을 살다보니 무대는 어느덧 신약의 배경이 되어버리는 것입니다.

역대상·하의 중심인물이 다윗왕이라는 사실도 바로 이 역대상·하가 예수님을 향하여 방향을 조정하고 있다는 증거입니다. 또 역대기는 열왕기하와는 달리 특별히 성전에서 수종드는 레위인들의 활동조직, 제사드리는 성전문화를 중점적으로 기록하고 있습니다. 하나님 문화의 중심은 성전입니다. 이것을 강조한 것이 역대기의 특징 중 하나입니다. 열왕기 끝날 때 생각했던 성전 개념에 연결해 보십시오. '하나님 나라는 하나님이 왕이지만 인간 왕이 있다면 이래야 된다' 하고 샘플이 되는 왕 다윗이 그 동안 사사시대를 거치면서 해이해졌던 성전문화를 확립한 것입니다.(🌱그래서 역대상·하를 다윗의 시편 중 성전에 올라가는 노래 부분과 같이 읽도록 여러분의 성경읽기표에 정리해 두었습니다.🌱) "아브라함(창세기)과 다윗(역대상·하)의 자손 예수 그리스도의 족보라"(마 1:1) 이렇게 **역대상·하는 예수 그리스도를 향하고 있습니다.**

위의 성전문화와 제사장문화를 이루어가는 역사는 다윗왕까지의 얘기입니다. 그 이후 솔로몬의 역사를 거쳐(열왕기에서 다뤘지요?) 남북이 갈라집니다. 열왕기의 머리 부분의 분열역사는 여로보암 얘기로 가득 차 있었습니다. 북이스라엘 중심의 역사입니다. 그런데 이제 우리는 남방 유다의 역사만 다루는 역대기에 있기 때문에, 르호보암 이후 남방 유다의 역사를 간단하게 살펴보려고 합니다. 열왕기에서는 북이스라엘 역사 사이사이에 살짝 살짝 끼워있던 얘기들인데 여기서는 그 역사만 죽 이어 나오는 거지요.

르호보암으로부터 출발하는 남방 유다왕국을 네 가지의 특징을 붙여 구분하면 쉽습니다. 남북 갈등시기, 남북 동맹시기와 선한 왕들의 시기, 앗수르에게 시달리는 시기, 바벨론에게 망하는 시기, 이렇게 네 시대로 나눌 수 있습니다.

① 남북 갈등시기

처음에는, 말 그대로 분열되다 보니, 남북이 원수관계입니다. 왕국으로서는 초대왕 르호보암(1대), 아비얌(2대), 아사(3대)왕까지가 긴장하면서 지나갑니다. 이 아사(3대)왕은 남방 유다에서 처음으로 선한 왕이라고 칭찬들은 왕입니다.

② 남북동맹시기와 선한 왕들의 시기

그러다가 북이스라엘과 갈등 관계가 사라집니다. 남북이 화해하는 시기입니다. 우리나라도 남북이 나뉜 지 50년이 되니까 서서히 화해하는 것처럼, 싸웠던 사람들이 지나가고 다음 세대들이 오면서 또 다시 그 원수관계는 무마되곤 했습니다. 일본과 한국도 그렇지요? 다 그런 겁니다.

열왕기의 몸통 부분을 얘기할 때 말씀드렸지만 북이스라엘 아합왕의 아내 이세벨이 딸 아달랴를 유다의 여호사밧(4대)의 아들 여호람(5대)에게 시집보내면서 남북이 평화시대를 누립니다. 정략결혼이지요. 그런데 문제는 아달랴와 여호람 사이의 아들 아하시야(6대)가 북이스라엘 예후의 부하들에게 잡혀서 살해되자 이후 아달랴(7대) 여왕이 다윗의 혈통을 끊어버리려는 시도로 요아스(8대)를 제외한 왕족을 몰살하는 비극을 낳았다는 사실입니다. 아합왕은 자기 아내 이세벨을 통해 북이스라엘에 바알을 들여오는 장본인이 되어 이스라엘을 우상숭배로 빠지게 하는 주범이었을 뿐만 아니라, 자기 딸을 남방유다에 시집을 보내고 여기 남방유다에 바알사상을 들여오는 역할까지 한, 대단한 악역의 왕입니다. 그래서 열왕기의 몸통 부분은 아합왕의 역사로 대표되고, 엘리야는 이에 맞서 싸운 것입니다. 이와같이 남방 유다는 이스라엘과 평화하는 시기 동안 바알세력에 휘말리게 되어 혈통까지 끊어질 위기로 휘몰리다가 겨우 빠져나옵니다.

그런데 보십시오. 이렇게 극적으로 살아남은 요아스가 북이스라엘의 혈통을 타고 유다에 흘러들어온 **바알종교 세력을 척결하는 대단한 종교개혁**을 일으킵니다. 하나님의 섭리라고 말하지 않을 수 없겠죠. 그 이후 요아스의 아들 아마샤(9대)를 거쳐 웃시야(10대), 요담(11대)으로 이어지는 왕들은 하나님의 뜻을 좇아 순종하는 **선한 왕**으로 일컬어집니다. 폭풍을 지나고 나서는 오히려 하나님을 순종하는 세력이 형성됩니다. 남은 자들입니다.

③ 앗수르에게 시달리는 시기
요담의 아들 아하스(12대), 즉 히스기야왕(13대)의 아버지때로부터, 므낫세(14대), 아몬(15대)에 이르기까지는 앗수르에게 시달리는 시기라고 정리하자고 했습니다. 물론 히스기야도 선왕입니다. 북이스라엘을 정복한 앗수르가 남방 유다까지 괴롭히는 시기입니다. 그러다가 이 앗수르도 결국 신흥 바벨론에게 망한다고 그랬죠? 바로 이때 이사야, 미가가 활동한다 그랬습니다. 한 얘기 또 하고, 한 얘기 또 합니다(🌱 저절로 외워지는 방법 🌱).

④ 바벨론에게 망하는 시기
그래서 요시야(16대), 여호아하스(17대), 여호야김(18대), 여호야긴(19대), 시드기야(20대)는 바벨론에게 시달리게 됩니다. 앗수르가 쓰러져 가니 애굽도 넘본다고 했습니다. 그래서 애굽과 바벨론 틈새에서 고통당할 때에도 하나님은 예레미야, 나훔, 스바냐, 하박국 선지자들과 말씀하시면서 이 하나님의 나라를 인도해 가십니다.

2) 「바벨론에게 망하는 시기」 자세히 보기
– 열왕기하, 역대하, 예레미야를 참조해야 함

① B.C. 609년 : 제1차 애굽 대 바벨론 전쟁 (대하 35:20~36:5)

- 애굽과 바벨론의 패권 전쟁 틈에 애굽이 요시야(16대)를 죽임
- 백성들이 그 아들 여호아하스(17대)를 급히 왕으로 세움
- 애굽이 여호아하스를 폐위하고, 여호야김(18대)왕을 새로 세움
- 그래서 여호야김, 애굽에 종속됨

약 600년 간이나 앗수르는 메소포타미아 일대를 다스려 왔다고 했습니다. 그런데 남쪽 갈대아에서 형성된 신흥 바벨론 세력이 위로 치고 올라왔습니다. 나보폴라살이라고 하는 왕이었습니다. 느부갓네살왕의 아버지입니다. 앗수르의 중요한 도시들을 차례로 치고 올라오다가 유프라테스강 상류와 티그리스강 상류 사이에 위치한 갈그미스를 점령하는 전쟁을 합니다. 앞에서도 말했듯이 이집트와 메소포타미아는 서로 넘보는 사이인데 지금 앗수르가 쓰러져가는 시점에 애굽도 그 틈에 패권을 차지하겠다고 나서서 애굽과 이 신흥 바벨론이 붙은 겁니다. 메소포타미아 지역에서 애굽 쪽으로 있는 마지막 요새와 같은 성 갈그미스에서였습니다(지도를 참조해 보십시오). 이 전투가 B.C. 609년에 발생합니다.

애굽 군대가 갈그미스까지 가려면 수 백 마일을 동북진해야 합니다. 그리고 남방 유다 땅을 거쳐가야 합니다. 바로느고가 북이스라엘 영토인 므깃도라는 곳에 가 있을 때 남방 유다의 왕이었던 요시야(16대)가 군대를 이끌고 뒤쫓아 갑니다. 그런데 불행하게도 이곳에서 **요시야는 죽습니다.** 예레미야는 이를 위해 애가를 지어 부릅니다(대하 35:25). 요시야를 죽인 후 바로느고의 군대는 전쟁 목적지인 갈그미스로 올라갔고, 왕을 잃어버린 남방 유다는 급히 서둘러 요시야의 아들 여호아하스(17대)를 왕으로 삼습니다. 바로느고는 신흥 바벨론과 갈그미스에서 접전한 후(무승부) 애굽으로 내려가는 길에 자기 허락 없이 세워진 왕 여호아하스(살룸)를 폐위시킵니다. 3개월만에 왕이 바뀌는 거지요. 바로는 **여호아하스의 형이었던 여호야김(18대)**을 대신 왕으로 앉혀놓습니다. 자기 수하에 놓고 조정하자는 겁니다. 이때부터 유다의 여호야김왕은 애굽에 조공을 바치며 **애굽의 지배하에** 들어갑니다.

② B.C. 605년 : 제2차 애굽 대 바벨론전쟁 (대하 36:6, 왕하 24:1상반까지)

✓ 〈예언서 부류〉의 (다니엘)이 끼어 들어가는 자리

- 제2차 전쟁에서 바벨론 느부갓네살 승리
- 느부갓네살이 예루살렘 1차 침공
- 애굽을 섬기던 여호야김, 이번에는 바벨론을 섬겨야 하는 신세
- 다니엘 등 포로들이 잡혀감: 바벨론 1차 포로
- 여호야김, 이번에는 바벨론에 종속됨

여러분, 여기서 B.C. 605년까지는 유다가 애굽에게 복종해야 했다는 사실을 놓치면 안됩니다. 그래서 여호아하스 왕은 애굽에 포로로 잡혀갔고 여호야김은 애굽에 조공을 바쳐야 하는 상황이었다는 것을 배경으로 기억하십시오. 그러던 차에 또 애굽과 바벨론 사이에 전쟁이 났는데 이번에는 **바벨론의 느부갓네살이 이겼습니다(B.C. 605).** 그러자 느부갓네살은 예루살렘도 침공합니다. 여호야김이 왕이 된 지 만 3년 됐을 때입니다. 그러니 이번에는 바벨론 말을 들어야 하는 신세가 된 것입니다. 여호야김 왕궁은 이렇게 **애굽과 바벨론 사이를 왔다갔다하며 고생합니다.** 과연 누구 편에 붙어야 옳을지 정략적으로 고심하게 되는 상황이었습니다. 바로 이 때 **예레미야** 선지자가 있었다고 했습니다. 예레미야 22장을 읽어보십시오.

느부갓네살이 이 전쟁을 하는 동안 자기 아버지 나보폴라살이 바벨론에서 죽습니다. 그는 급히 바벨론으로 돌아가면서 그 동안 애굽을 섬기고 있던 여호야김한테 단단히 경고를 합니다. 쇠사슬에 묶여있던 여호야김을 풀어주며 "이제부터는 나를 섬겨! 배반하면 안돼!" 하고 말입니다. (역대하 36장 6절에 보면 "바벨론 왕 느부갓네살이 올라와서 치고 저(여호야김)를 쇠사슬로 결박하여 바벨론으로 잡아가고…"로 되어 있어서 여호야김이 바벨론으로 잡혀간 것 같은데 번역이 잘못됐습니다. 저를 결박하여 '잡아가고' 보다는 '잡아가려고 쳤다' 로 하는 것이 옳습니다. '끌고 가고자 쇠사슬로 묶었다' 고 번역할 수 있는데 그렇게 하지 않고 '쇠사슬로 묶어서 끌고 바벨론으로 잡아갔다' 고 되어 있습니다.

여호야김의 그 후 역사를 보면, 그는 3년 후에 바벨론을 배반하게 됩니다. 그러자 느부갓네살은 각국의 부대를 보내서 유다를 치는데 이 통에 죽는다고 보는 것이 옳습니다. 예레미야의 예언대로 성문 밖에 그 시체가 던져진 것입니다(참고 김홍전, 열왕의 역사). 여호야김왕을 체포해서 쇠사슬로 묶어 놓았었는데 애굽을 배반하고 느부갓네살을 섬길 것을 다짐받고 그를 놓아준 것입니다. 그래서 이때부터 여호야김은 느부갓네살을 섬기는 거지요. 느부갓네살이 애굽과의 전쟁에서 이렇게 승리하고 돌아가면서 유다까지 얻어가는 것입니다. 그는 쓸만한 사람들을 포로로 잡아갑니다. 바로 이때 섞여있던 사람이 **다니엘과 그 친구들**입니다(단 1장). 그러니 다니엘은 나라가

아직 완전히 망하지도 않은 B.C. 605년에 제일 먼저 잡혀 간 포로 중 한 사람이었습니다. **자! 이제부터 다니엘은 바벨론에 있는 겁니다.** 다니엘이 잡혀간 후에도 유다 왕국의 여호야김은 이제 바벨론 눈치를 보며 3년을 흘러갑니다.

③ B.C. 602~597년 : 여호야김이 바벨론을 배신함 (왕하 24:1하반~16)

√ 〈예언서 부류〉의 (에스겔)이 끼어 들어가는 자리

- 느부갓네살, 주변국가에 특공대를 보냄
- 여호야김(18대) 사망
- 여호야긴(19대) 즉위, 느부갓네살의 예루살렘 2차 침공
- 느부갓네살이 여호야긴을 폐위, 시드기야왕(20대)을 세움
- 여호야긴(19대), 에스겔 등 포로를 잡아감(2차 포로)

B.C. 602~597년 사이 이야기 (왕하 24:1하반~9)

여호야김은 3년 간 바벨론 느부갓네살을 섬기다가 배반합니다. B.C. 605~602까지는 바벨론을 섬겼는데 그 후 바벨론을 배반합니다. 바로 이 때 예레미야는 바벨론을 섬기라고 권고하지만 매국적인 언사라고 핍박을 당합니다. 친애굽파가 득세한 것입니다. 근간 몇 년 동안 애굽과 바벨론 사이를 오가며 괴롭힘당한 유다는 어느 쪽에 붙느냐를 놓고 궁궐이 시끄럽습니다. 바벨론을 섬긴 지 3년이 되자 드디어 친애굽파가 이깁니다. 그러자 느부갓네살은 주변의 갈대아 부대, 아람 부대, 모압 부대, 암몬 부대 등을 파견해서 유다를 칩니다(왕하 24:2). 바로 이 때 여호야김이 비참하게 죽은 것 같습니다(렘 22:18~19). 그는 11년 동안 왕노릇했는데 예레미야의 예언대로라면 성 문밖에 그 시체가 내던져진 것입니다. 여호야김이 죽자 백성들은 그의 아들 여호야긴(19대)을 왕으로 옹립합니다(대하 36:8). 지난번 요시아왕(16대)이 므깃도에서 애굽왕 바로느고에 의해 죽었을 때도 백성들은 얼른 그의 아들 여호아하스(17대)를 왕으로 옹립하는데 옹립된 지 3개월 만에 바로느고가 돌아와서 그를 애굽으로 잡아가고, 그의 형 여호야김 (18대)을 앉혀놓고 자기 말 잘 듣게 한 것 기억하시지요? 그것과 똑같은 일을 느부갓네살이 지금 하고 있습니다. 느부갓네살이 보낸 주변 국가의 군대들에 의해(게릴라전 같은 것으로 생각됨) 여호야김이 죽자 백성들은 여호야긴(19대)을 왕으로 추대한 것입니다. 여기까지가 B.C. 602~597까지 얘기입니다.

B.C. 597년, 여호야긴왕 3개월 (왕하24:10~16)

그리고 B.C. 597년 어느날, 이 여호야긴이 왕으로 추대된 지 3개월 됐을 때 이번에는 느부갓네

살이 직접 쳐들어 온 겁니다. 제2차 침공입니다(왕하 24:10) 여호야긴은 얼른 항복합니다. 아버지 여호야김이 배반한 결과 그 아들이 징치를 받는 것입니다. 성경은 이 징치가 100년 전 왕이었던 "므낫세(히스기야 아들)의 죄값이라"고 기록하고 있습니다(왕하 24:3). 느부갓네살은 여호야긴 대신 그의 숙부, 즉 작은 아버지인 시드기야(20대:요시아의 아들)를 왕으로 세워놓고(왕하 24:17) 여호야긴의 온 집안을 바벨론으로 잡아갑니다(왕하 24:15). 이 여호야긴 왕가뿐만 아니라 유다왕국의 모든 실권자들인 고급 인력, 병력, 기능공 등 약 일만명과 예루살렘 성전의 금기명들과 왕궁의 보물들을 바벨론으로 가져갑니다(왕하 24:8~16). 이것이 바벨론 2차 포로 잡힘입니다. 시드기야왕은 바벨론에게 충성을 맹세했고, 느부갓네살은 바벨론으로 떠납니다.

바로 이때 **에스겔**이 그 중에 들어 있었습니다. **다니엘은 이미 B.C. 605년 1차 포로로 잡혀가 바벨론에 있을 때입니다.** 그러니까 다니엘과 에스겔은 같이 붙어다닙니다. 포로잡혀 갔다 돌아오는 B.C. 500~400년 사이의 등장인물 에스라, 학개, 스가랴, 에스더, 느헤미야, 말라기 등과는 완전히 다른 동네 사람들인 것을 분별하십시오. 그래서 역대하를 읽고 나서는 다니엘과 에스겔을 읽는다고 했던 것입니다.

🌱 다른 동네: (다니엘, 에스겔)…(에스라, 학개, 스가랴, 에스더, 느헤미야, 말라기) 🌱

④ B.C. 597~587년 : 시드기야왕(20대)의 배반과 유다멸망 (왕하 24:17~25:21)

- 시드기야가 바벨론을 또 배반함
- 느부갓네살의 예루살렘 침공(제3차)
- 시드기야는 바벨론으로 잡혀가고 유다는 멸망함(3차 포로)

반란을 일으킬 가능성이 있는 똑똑한 귀인들이 다 바벨론으로 잡혀가고(2차 포로), 그저 평범한 백성들, 힘 없는 사람들을 대상으로 나라를 다스린 사람이 마지막 왕 시드기야입니다. 그는 느부갓네살왕에게 한 번 소환을 당해(렘 51:59) 국정을 보고하고 또 조공을 바치고 돌아온 적도 있었습니다. 그런데 그 후에 다시 마음이 미혹을 받아 애굽왕 바로와 비밀히 내통하다가 느부갓네살을 배반합니다. 그러자 느부갓네살은 다시 군대를 이끌고 올라와 예루살렘을 포위합니다. 유다는 버티다가 함락됩니다. 예루살렘 성전은 불탔고, 완전히 함락됩니다(렘 39:2).

3) 다니엘, 에스겔 읽기 (포로시대 View Point)

창세기 12장에서 희망을 갖고 출발한 우리 "하나님의 나라"는 이렇게 세계 역사의 한 모퉁이에서 흔적도 없이 사라질 것 같은 위기를 맞습니다. 애굽에서 종되었던 민족을 출애굽시키셔서 법을 주셨고, 땅을 주어 살게 하셨는데, 이제 바벨론에 또 다시 종이 되는 원점에 와 있습니다. 제자리 걸음을 한 것 같습니다. 하나님 나라로서 사명을 감당치 못하고 결국은 분열되고, 급기야는 각각 멸망해 버리는 역사로 왕정은 막을 내립니다.

> **생장점 POINT** "하나님 나라는 정말 사라지는가? 아브라함에게 약속하시고, 모세를 통해 법을 주어 창립하셨고, 땅까지 주어 살게 하셨는데, 왜 하나님은 당신의 왕국이 세상나라에 멸망당하도록 하시는가? 과연 이 멸망이 끝인가? 세계역사 속에서 이제 이런 모습으로 하나님 나라는 사라지는가?" 이런 질문을 품어야 합니다. 흐지부지 망할 나라를 왜 시작하셨겠습니까? **바로 이 질문이 떠올라서 고민이 되어야 다니엘과 에스겔을 읽는 겁니다.** 무슨 얘기입니까? 하나님의 나라는 재건된다는 메시지가 다니엘과 에스겔입니다. 그러나 이 지점부터가 어떻게 해서 이 나라가 이어져 나가는지 볼 수 있는 또 다른 View Point(전망대)입니다.
>
> 여러분이 아시다시피 에스겔, 다니엘 하면 좀 선입견이 있습니다. 이런 책들에 대한 우리 느낌은 레위기라든가 신명기에서 느끼는 부담과 또 다른 무엇이 있습니다. 그렇지 않습니까? 레위기가 좀 지루한 느낌이라면 에스겔, 다니엘, 또 신약의 요한계시록의 부분 부분은 한마디로 '좀 이상한(?) 책, 무슨 말을 하는지 비몽사몽인 것 같이 느껴지는 책', 뭐 그렇지 않은가 싶습니다.

① 묵시

그렇습니다. 이 다니엘서라든지, 에스겔, 요한계시록 같은 책을 그래서 독특하게 부르는 이름이 있답니다. **"묵시문학(Apocalyptic)"**이라고 불리우는 장르입니다. '묵시' 란 꿈과 환상의 문학으로 보통 천상의 왕의 권력에 대해 말하며 미래적 구원의 완성을 묘사합니다. 하나님만이 진정한 왕이시며 역사를 주관하시는 왕중의 왕이시며 이방 제국들은 정해진 때에 심판을 받고 종말을 고하게 된다는 내용을 이루고 있습니다. 또 이 거대한 종말의 때에는 새 창조가 이뤄지며 죄악과 고통이 사라지고 죽음마저 정복될 구원의 완성이 온다는 내용을 담고 있습니다. 하나님 왕국의 궁극적 승리를 말합니다. 우리가 성경의 내용을 하나님이 왕이심을 드러내는 왕싸움이라고 쉽게 보자고 한 이야기 생각나십니까? 결국 그가 왕이십니다. 그런데 그는 이 땅의 역사 속에서뿐만 아니라 천상 세계 속에서도 왕이시기 때문에 그의 군대와 그의 보좌를 우리 식으로 묘사하려면 힘듭니다.

(🌱 그래서 이런 책들을 쓰신 분들도 이 내용을 이해하고, 경험하고 쓴 것이 아니라 스크린에 비친 그림을 보듯이 본대로 묘사한 것입니다. 보기는 봤는데 그 보여진 것들을 나름대로 언어행위로 묘사한 것입니다. 다니엘이나 에스겔에 그런 장면들이 있는 것입니다. 🌱)

② 느부갓네살아, 왕은 나다!

(🌱 지금 이 남방 유다가 망해서 구약을 마무리지으려는 순간에 바로 그런 장면을 하나님께서 보이신 것입니다. 이 하나님의 나라는 결코 망하는 것이 아니라는 사실을 천명하신 것입니다. 🌱) 이 세상 마지막 종말과 겹쳐서 미래사까지 다 알고 계시는 역사의 주관자이심을 증명하시는 것입니다. 하나님의 왕 되심을 무엇으로 더 이상 드러내시겠습니까? 다니엘과 에스겔은 실제로 그 나라가 망해서 포로로 잡혀 이방 땅에 끌려가 있는 포로의 신분입니다. 그런데 바로 그 곳에서 하나님께서 침묵하지 않으시고 하신 말씀이 이 말씀입니다. 보통 하시는 말씀이 아니라 온 우주 만물 모든 나라들의 왕 중 왕은 하나님이시라고 말씀하신다는 말입니다.(🌱 "왕은 나다!!" 🌱) 창세기에서 했던 얘기지요?

유다를 정복한 느부갓네살이 잠자다가 꾼 꿈도 아시는 하나님이심을 나타냅니다.(🌱 "느부갓네살, 네가 왕이냐? 내가 왕이다! 내 나라만 영원하다!" 🌱) 이 말씀이 그 꿈 사건입니다. 당시 세상나라의 '니므롯'과 같은 성격의 사람 느부갓네살은 밤에 잠자다 꾼 꿈 속에서 '앞으로 전개될 세계역사의 흐름'을 봅니다. 그는 한 신상(단 2:31)을 봅니다. 왕권이 변하고 변하다가 결국은 '사람의 손으로 아니하고 산에서 뜨인 돌이 금, 은, 놋, 철로 된 신상(여러 왕국들을 상징)을 부숴 뜨리고야 마는것'을 봅니다. 하나님의 왕국만이 영원하리라는 환상을 당시 세상나라의 대표, 바벨론의 느부갓네살에게 보여주신 것입니다.

그 꿈을 보여주신 하나님께서 다니엘에게 해석하게 하십니다. 우리가 남방유다의 마지막 꼬리 부분을 공부할 때 무참하게 짓밟고 다 끌고갔던 그 대왕이, 지금 그 잡아온 포로의 말에 경청하고 있습니다. 이 다니엘은 느부갓네살 때뿐 아니라 바벨론 이후 고레스왕 때에도 환상을 봅니다. 특히 마지막 12장에서는 요한계시록의 장면을 연상케 하는 환상을 봅니다. 실제로 다니엘서는 요한계시록을 함께 읽으면서 해석해야 되는 책입니다. 바벨론이 메대와 파사에게 망하고 이후 알렉산더대왕 그리스에게 왕권이 이양되고, 로마까지 이어지는 '거대세력'(창 11장 바벨의 성격)을 꿈꾸는 자들이 있겠으나 결국은 멸망할 것이고 '내 나라'만 영원할 것이라는 말씀이 다니엘서의 내용입니다.

에스겔은 어떻습니까? 다니엘이 12장의 기록을 남긴데 반해 에스겔은 48장을 기록했습니다.

에스겔은 다니엘보다 약 8년 가량 늦게 바벨론으로 잡혀가는데 이렇게 많은 환상을 보았습니다. 물론 다니엘은 다니엘대로 활동했고, 에스겔은 에스겔대로 환상을 보았는데 그들이 결국 말하려는 것은 하나님의 나라가 영원하리라는 것입니다(여러분, 이 나라 백성이 되고 싶지 않으십니까? 이미 백성입니까? 대단한 특권입니다).

③ 인자(人子)라는 사람

특히 에스겔서에는 아주 독특한 내용과 사상들이 많이 나타나는데 그 중 대표적인 것이 "인자(人子)"라는 사람의 등장입니다. 그런데 다니엘서에도 이 '인자'가 나타나는데 묘한 관계가 있습니다. 하나님께서 에스겔을 '인자'라고 부르시며 환상을 보여주십니다. 그래서 이 인자라는 말은 에스겔서에 93번이나 나타납니다. 여기서 인자는 인간의 모습을 보이는 '사람의 아들'의 의미로 연약한 이미지를 가지고 나타납니다. 그런데 이 '인자'라는 호칭이 다니엘서에 나타날 때는 연약한 '사람의 아들'의 모습이 아니라 영광스러운 '하나님의 아들'(단 7:13, 8:15~19)의 모습으로 나타나는 것입니다. 하나님의 모습으로 나타나는 '인자(人子)'라는 말입니다. 여러분, 이 '인자'라는 말은 **예수님께서 당신 자신을 자칭하실 때 사용하셨던 용어입니다**(🌱 이 '인자(人子)'를 '인자(仁者)'로 생각하시면 안됩니다. 예수님은 어진 사람, 좋은 분이시니까 당신이 그냥 그렇게 당신 자신을 가리켜 말씀하셨나 보다 하면 틀린 생각입니다 🌱). 신약의 예수님 시대를 알려면 남방 유다가 무너지고 포로가 되는 바로 그 순간의 책이라고 볼 수 있는 에스겔, 다니엘에 계시하신 그 '인자'의 의미를 알아야 한다는 말입니다.

🌱 **생각점**
POINT 앞에서 얘기한 에스겔, 다니엘이 본 환상을 정리해 보면 이렇습니다. "이제 남방 유다는 망해서 다 포로로 잡혀가고 나라가 없어지는 것 같지만, 결코 그렇지 않다. 이 하나님의 나라는 이스라엘 한 나라에 국한되는 이 땅의 나라가 아니요, 사실은 '영원한 나라'이다. 그리고 그 나라에 이제부터 등장할 어떤 존재가 있는데 그가 '인자'다"라는 것입니다. '인자'가 가지는 깊은 뜻이 무엇일까요? 아무리 생각해도 다니엘이 본 그 존재는 하나님 같은 존재인데, 또 아무리 생각해도 그 존재는 결국 사람이라고 말할 수밖에 없는 존재라는 말입니다. 사람한테 사람이라고 하는 것은 당연하지요. 사람한테는 '인자, 사람의 아들'이라고 강조할 필요가 없습니다. 사람은 사람의 아들이니까요. 그런데 다니엘에 나타난 이 사람은 너무너무 하나님 같은데 결국은 인자라고 붙여서 '사람'이라고 했다는 말인 셈입니다. 하나님 이라고 하자니 그렇고, 또 사람이라고 할 수도 없는데, 결국은 '사람'이라고 부르는 것 같은 고심하는 흔적이 묻어 있습니다. 그런 존재가 '인자'인데 예수께서 그 용어 를 사용하신 것입니다. 대단한 얘기 아닙니까? 신약에 와서 조직신학적으로 얘기하 는 '예수의 신성과 인성', '중보자' 이런 개념들은 신약에만 있는 내용이 아니지요?

④ 왕은 왕궁이 있어야…성전 건축

그뿐 아니라 이 새 왕, 이 영원할 하나님 나라의 왕 인자는 만국을 심판하는 심판주가 되신다는 사실을 계시합니다. 에스겔은 예루살렘뿐 아니라 그 주변의 이방나라들이 어떻게 될 것인지를 예 언하며 그 모든 나라들 위에 뛰어난 왕의 좌소가 지어질 것이라고 말합니다. 왕의 임함은 심판과 구원으로 이루어지며, 그 왕이 임하는 왕좌는 재건될 것이라는 것입니다. 왕이 임하면 심판과 구 원이 이루어집니다. 재판을 합니다. 그리고 다스립니다. 그 왕의 새로운 궁궐이 무엇입니까? (🌱 '회복되는 성전 개념' 입니다. 🌱)

🌱 **생장점 POINT** 위에서 다니엘과 에스겔서가 말하고 있는 내용을 또 다시 한 문장으로 말하라면 이렇습니다. "이제 우주의 진정한 왕이 인자로 임할텐데 그가 임하면 심판 과 구원이 있을 것이며 이 사실을 증명하기 위해 그의 왕궁, 즉 성전이 회복될 것이 다." 유다가 망했는데도 그 상황 속에서 던지는 메시지는 "하나님의 나라, 안 망한 다"는 말인데, 그럼 무엇으로 그게 증명되는가? 앞으로 포로들이 70년이면 다시 예 루살렘으로 돌아와 그 "왕이 통치하는 좌소", 왕이 왕권을 행사하는 장소인 성전을 회복하는 역사가 일어날 것이라는 말입니다. 아! 그렇습니다. 나라가 망하는 순간이 지만 이 꿈과 환상이 바벨론 포로들에게 들려졌기 때문에 그 포로들은 바벨론에 잡 혀가 살면서도 한 가지 비전이 있었던 것입니다. 무엇입니까? 성전 재건입니다.

그래서 역대하 다음에 연결되는 역사는 포로시대 역사라 할지라도 그 중심사상이 "성전재건" 인 것입니다. 그래서 역대하 다음에 연결되는 〈역사서〉 부류 '에스라' 라는 책은 이슈가 성전을 재건하는 것입니다. 그래서 그 같은 시대의 선지서부류 책인 학개와 스가랴도 성전재건은 중단하지 말아야 한다는 메시지를 담고 있는 것입니다. 또 느헤미야도 무너진 성벽을 개축하느라 애를 쓴 것입니다. **그래서 이 모든 포로 이후의 책들은 외적으로는 '눈에 보이는 성전을 개축하고, 내적으로는 그 왕의 통치를 받기 위해 사회가 개혁되는 역사'들로 그 내용이 이루어져 있는 것입니다.** 성전개축, 하드웨어입니다. 율법대로 살기, 소프트웨어입니다. 성전개축, 왕이 통치하시겠다는 사인입니다. 문들아, 머리를 들라, 영원한 왕이 들어가신다! 그가 왕으로 임재해서 그 나라가 다시 설 것이라는 것입니다.

사랑하는 일독학교 학생 여러분!

하나님의 통치를 받는다는 사실은 그 나라의 국민이 된다는 것입니다. 모세도 노예로 있었던 히브리 백성들을 이끌어 제일 처음 데리고 간 곳 시내산에서 성막을 건축했습니다. 시내산에 제일 먼저 백성들을 데리고 가신 하나님, 왜 그러셨습니까? 왜 성막을 지으라고 하셨습니까?(🌱하나님이 다스리시겠다는 말입니다. 왕으로 임재하신다는 말입니다. 그가 통치하신다는 말입니다. 그와 교제한다는 말입니다. 그가 내재하는 하나님으로 언약관계에 들어가 함께 산다는 말입니다.🌱) 그래서 이스라엘 백성에게 영적인 아내라고 하신 것입니다. 그가 남편이라고 한 것입니다. 초월신의 개념으로 저 멀리, 손에 닿지 않는 곳에 계신 하나님이 아니라 우리네 인생살이 안에 들어와 함께 거하시며 인도하시는 하나님, '여호와', '주, Lord'가 되어주시겠다는 말입니다. 아도나이 사상이라고 했습니다. 그래서 성막을 완성하고 나니까 쉐키나의 구름이 그 위에 머물렀습니다. 히브리말 '샤켄'은 '거한다'는 말에서 나온 말입니다. 그 백성들 가운데 '거하신다, (dwell)'는 사실을 눈으로 보여주는 증거가 그 '구름기둥'이라고 했습니다. 하나님은 처음부터 이 아브라함의 자손들과 특별한 관계를 맺으시고 샤켄하시며 왕으로 임재하시므로 언약백성인 것을 표명하신 것입니다. 이 왕의 임재를 유한한 인간들에게 가시적으로 볼 수 있게 하시기 위해 지으라고 하는 것이 바로 성막, 성전이라는 말입니다. (🌱이 얘기 기억나시죠?🌱)

🌱 **생장점 POINT** 애굽에서 포로로 있던 백성들이 그들의 왕의 사랑과 통치를 받고 있다는 상징으로 이렇게 성막을 지었는데, 이번에는 바벨론 포로로 있다가 다시 자유를 얻고 돌아와 그 왕의 통치를 받는다는 상징으로 성전을 개축하라는 말입니다. 앞으로 포로시대를 이끌어갈 '성전개축'이라는 이슈는 이와 같이 성경 전체에 흐르는

> 왕권 회복을 상징하는 작업입니다. 포로시대, 하면 성전개축입니다. 포로귀환한 백성들이 해야 할 일은 무너진 돌들을 다시 줍는 일입니다. 하나하나 쌓아 올라가며 그들은 회복을 경험합니다.

에스라, 느헤미야를 읽을 때 이런 시각으로 (🌱읽읍시다.🌱) 성전을 재건하는 작업이 이와 같은 하나님의 의지에서 나온 일인 만큼 그 의미를 가슴에 품고 (🌱읽읍시다.🌱) 영원할 하나님 나라를 바라보며 (🌱읽읍시다.🌱) 그 나라의 백성이 되었다는 감사함으로 (🌱읽읍시다.🌱) 그렇게 열심히 일하셔서 오늘 우리까지 그 나라의 백성이 되게 하셨다는 생각을 하며 감격하며 (🌱읽읍시다.🌱) 졸면서, 그냥 장 수 채우려고 (🌱읽지 맙시다.🌱)

2. 에스라, 느헤미야 읽기 (대·라·느)

1) 당시의 정복국가들에 대하여

우리는 일독학교에서 대충이라도 역사를 알면서 성경을 이해해 보려고 노력하는 중입니다. 그러다 보니 포로시대 속에 섞여있는 수많은 외국나라 이름들이 마음에 걸립니다. 바벨론, 갈대아, 메대, 파사… 성경에 나오는 나라이름은 이 정도지만 포로시대가 지나고 나서는 더 많이 등장하게 됩니다. 어쨌든 에스라, 느헤미야 등 포로시대 본문에 들어가기 앞서 적어도 이 포로시대의 바벨론왕국을 중심으로 그 당시 패권다툼의 상황을 조금은 알아야 에스라를 읽든 학개를 읽든 이해가 되기 때문에 조금은 이 공부에 투자해야 합니다. 사실은 앞에서 지금까지 기회 있을 때마다 여러번 이 부분을 얘기했기 때문에 웬만한 분은 거의 상황을 이해했을지도 모릅니다. 자꾸 반복해야 무의식적으로라도 이해되니까 여기서 또 다시 다른 각도로 생각해 봅시다.

본래 이 바벨론(오늘날에는 이라크)은 메소포타미아 문명권의 민족 중 한 나라입니다. 역사 속에서 이 민족은 앗수르(북쪽지역), 바벨론, 갈대아(남쪽지역으로 아브라함의 고향 우르 왕국지역)라는 이름으로 나타납니다. 때로는 앗수르와 바벨론(마치 북방 이스라엘과 남방 유다처럼)으로 분열되기도 하고, 또 때로는 구 바벨론 왕국이라는 통일 왕국으로 오다가 B.C. 1200년 경부터는 앗수르가 약 600년 동안 권력을 확장해서 북방 이스라엘을 정복한 B.C. 722년경 까지는 앗수르 대제국을 이루게 됩니다. 그런데 그 후 갈대아 왕조가 이 앗수르를 장악하여 신 바벨론 왕국

(갈대아 왕국)을 세우게 되는데 바로 남방 유다가 이들에게 정복당하는 것이라고 했습니다. 이 때 이 왕국의 왕이 바로 느브갓네살이었습니다.

그런데 혜성처럼 나타난 **신 바벨론 왕국**은 90년도 못되어 그만 멸망합니다. 이 바벨론을 정복한 나라가 바로 **메데 바사**(메디아 제국과 파사—페르시아—제국의 합성어이며, 오늘날의 이란)입니다. 티그리스강 동쪽에 자리잡고 있었던 민족입니다. 이 바사제국은 불과 100년 전까지만 해도 수천 년을 그저 자기 조상들의 땅에서 자기네 나라 하나 유지하며 살아왔었는데 그야말로 어느 날 갑자기 폭발적으로 비대해집니다. 이 때의 왕이 바로 우리가 많이 들었던 이름, '고레스' 왕입니다 (🌱별지 부록: 성경 역사와 세계 역사 대조표🌱) 바사는 그 당시의 큰 나라였던 애굽, 그리고 이스라엘과 남방유다를 정복한 상태에 있는 바벨론, 베니게 등을 포함하여 수많은 나라들을 짓밟으며 그 당시 세계역사상 유래를 찾아볼 수 없는 강대국으로 올라섭니다. 바로 이 때 성경에 등장하는 왕들이 "고레스, 다리오 1세, 아하수에로, 아닥사스, 다리오 2세" 등인 것입니다.

고레스는 피정복국가들에 대해 우호 정책을 폅니다. 이전 정복국이었던 바벨론에 의해 포로로 잡혀와 바벨론 땅에 살고 있던 유대인들에 대해서도 호의를 베풉니다. 그래서 바사왕 고레스 원년 (B.C. 538)에 유다인들에게 영을 내려 예루살렘성을 재건하라고 했습니다. 그러면서 바벨론이 빼앗았던 성전의 기명들까지 돌려주는 친절을 잃지 않았습니다. **이 칙령에 의해 시작되는 것이 "포로 귀환"이라는 역사적 전환**이었습니다. 고레스는 고레스의 인생을 살았지만 하나님께서는 그의 생애를 하나님 나라가 회복되는 예언을 이루는 데 쓰신 것입니다.

2) 에스라는 누구인가?

다니엘, 에스겔을 읽고 나면 이제 그들이 보여준 환상대로 예루살렘에 올라가 성전을 재건하는 역사가 나와야 순서가 맞지요? 그렇습니다. 그래서 그 내용이 들어있는 에스라서를 읽는 겁니다. 그런데 에스라서를 쓴 에스라는 사실 성전을 재건할 때 있었던 사람이 아니라고 했습니다. 성전이 다 완성된 이후에 예루살렘에 도착한 사람입니다. 그럼에도 불구하고 성전재건의 역사를 기록했다고 했습니다. 포로시대를 집대성한 독특한 인물인 셈입니다. 그러므로 에스라가 누구인지 한번 보면서 포로시대의 〈역사서〉 에스라와 느헤미야를 중심으로 〈예언서〉인 학개, 스가랴, 에스더, 말라기 등을 살펴봅시다. (🌱복습, 여기가 늘 문제였더랬습니다. 지금쯤이면 이제 이 역사가 외워지는 분이 계실지도 모르겠습니다. 반복! 반복!🌱)

성전이 완공된 지 약 60년이 지난 때니까 두 세대가 지나가고 있던 때입니다. 다니엘과 에스겔이 포로 1세대라면 에스라나 느헤미야는 그 포로 1세대들이 바벨론에 살면서 자식을 낳고, 낳고,

또 낳은 포로 3대나 4대쯤 될 수 있을지 모르겠습니다. 왜냐하면 성경에 나타난 이 두 그룹(다니엘, 에스겔과 에스라, 느헤미야)의 연대가 B.C. 605년과 B.C. 440년, 즉 약 160년 정도의 차이가 나기 때문입니다. 에스라도 바벨론 포로로 살다가 처음으로 귀향한 무리들, 즉 1차 포로 귀환자들이 귀국(B.C. 538년)하고도 약 80년이 지나서야 예루살렘에 돌아온 사람입니다. B.C. 458년의 일이지요. (🌱그래서 다니엘과 에스겔 동네는 에스라, 느헤미야, 학개, 스가랴, 말라기와는 다른 동네라 그랬지요? 포로로 잡혀가는 초기와 포로로 살다가 귀환하는 시기 사이에 있는 시간적인 갭을 곰곰 생각하면서 요리 조리 맞춰봅시다. 왜 이렇게 자꾸 잔소리(?)를 하느냐 하면, 성경은 역사 속에서 일어난 일을 배경으로 하고 있기 때문에 이 역사를 외면하면 길을 잃습니다. 한 권 한 권이 단편 소설처럼 따로 떨어진 책이 아니라 대하소설처럼 붙어있기 때문입니다. 그래서 길을 잃을까봐 자꾸 자꾸 말하고 또 말하고 하는 것입니다. 작전입니다. 🌱) 1차로 포로 귀환해서 돌아온 사람들은 많이 죽었을 것이고, 후손들이 또 그 땅에서 살아가고 있었을 것입니다. 그러다 보니 민족적인 사명이나 하나님의 말씀대로 사는 일에 또 흐지부지해져서 심지가 흔들리는 사회상을 이루고 있었습니다. 그리고 누군가 율법에 능한 지도자가 없었기 때문에 백성들은 말씀으로 교육되지 못한 것입니다. 성전은 재건되었으나 지도자가 없었습니다.

에스라는 태어나 보니 페르시아 땅입니다. 그는 자기가 바벨론 포로로 잡혀온 사람들의 후손이라는 사실을 자각합니다. 이때는 이미 고레스왕이 자유령을 내려서 많은 사람들이 예루살렘으로 귀환한 시점이었습니다. 그는 귀환한 백성들이 하나님의 율법을 준수해야만 한다고 생각합니다. 그들을 부흥시켜야 한다는 자각을 합니다. 그래서 예루살렘행을 결심하고 페르시아를 떠난 것입니다. 이 일에 사명을 느낄 수밖에 없었던 것은 그가 여호와의 율법에 익숙한 학사였기 때문입니다. 그는 열왕의 시대에 허물어졌던 모세율법의 정신을 다시 찾아냅니다. 포로시대라는 열악한 환경 속에서도 **평생 모세율법을 연구했고, 순종해 온 사람이었습니다. 포로시대의 모세이며, 여호수아이며, 사무엘 같은 사람입니다.** 그 많은 모세율법의 법 조항을 조목조목 연구했습니다. 마치 시내산에서 하나님의 율법을 처음 받았을 때 모세가 그 법을 해석할 능력을 갖춘 학자로서 그가 먼저 이해하고 백성들을 가르치고 준행하도록 훈련시킨 것과 **똑같은 작업**이었습니다.

마치 모세가 광야에서 백성들을 계수하여 지파별로 백성들을 정비했고 "족보"로 남겼듯이, 에스라도 귀환한 백성들을 중심으로 족장들의 **계보를 정리하는 작업**도 잊지 않습니다. **포로시대 민수기 개념**입니다. 그가 이런 작업을 집대성한 것이 바로 역대상·하라는 사실은 이미 우리가 알고 있습니다. 에스라는 무엇보다도 그들의 혈통이 이방민족과 섞이는 것에 대해 매우 민감했습니다. 일찍이 북방 이스라엘이 앗수르에 의해 피가 섞였는데 남아 있는 유다인마저 혼혈되는 것을 결코 용납

할 수가 없었습니다. 이방인과 결혼한 사람들의 아내를 돌려보내는 장면을 오늘날의 우리가 보면 에스라가 너무한거 아닌가 하는 생각이 드는 것이 사실입니다. 애들은 어떻게 되나, 아내가 쫓겨갈 때 그 아픔이 얼마나 클까, 과연 종교적인 문제로 가정이 깨져야 하나, 이런 생각이 들기 때문입니다. 요즈음도 미국에서는 불법체류자로 발각되면 식구들에게서 떼어 냅니다. 자기 나라로 쫓아 보냅니다. 이런 사건을 접하게 되면 평범한 우리들로서는 안됐다는 생각을 할 수밖에 없는 것입니다.

그러나 그 당시 상황은 유대인의 순수성이 유지되냐 아니냐가 판가름나는 위기상황이었습니다. 가나안에 처음 입성했던 조상들에게도 하나님은 그 땅 백성들을 다 죽이라고 하셨었습니다. 잔인한 하나님인 것 같지만 그 지점이 전체를 보게 하는 View Point라고 했습니다. 섞이지 않게 하시려고 그랬다고 했습니다. 섞여버리면 북방 이스라엘의 사마리아 사람들처럼 될 수 있는 상황이기 때문에 섞인다고 하는 것이 위험한 조건이 되기 때문이었습니다. 포로시대를 거쳐 혼나는 경험까지 한 유대인이 결국 여기서 섞인다면 모든 것이 제자리로 또 돌아가 버리는 것이기 때문입니다.(🌱하나님 나라는 섞이면 안된다고 했지요? 관점2를 기억해야 합니다. 관점은 성경을 해석하게 하는 틀입니다.🌱) 에스라는 이 사실을 자각한 것입니다. 하나님의 사람입니다. 원리를 안 사람입니다. 성전을 다 지은 후에 백성들의 삶을 지도한 특별한 사람입니다. 에스라는 '선지자 중 한 사람이구나' 하고 여러분이 그저 가볍게 생각해 왔을지 모르지만, **성경역사 속에서 생각보다 아주 중요한 위치를 점하고 있습니다.**

또 에스라는 약 160년 쯤 전에 에스겔과 다니엘이 본 환상을 알고 있었을 것입니다. 다시 회복케 하시는 하나님의 나라를 그 예언서들을 통해 알고 있었을 것입니다. 이사야나 예레미야의 예언 뿐만 아니라 에스겔, 다니엘을 통해 계시된 환상을 통해 분명한 방향을 제시받았을 것입니다.

3) 에스라서 읽기

그래서 다니엘서와 에스겔서를 읽고나서 에스라서를 읽을 때는 이런 에스라의 특징을 알아야 합니다. 다니엘서와 에스겔서가 '성전재건' 이라는 실제적인 사명을 제시하고 있기 때문에 이스라엘 백성들은 방향이 잡힌 것입니다. 한 공동체가 **공동의 사명을 자각**하고 한 마음이 되어서 포로시대를 지나갈 수 있었던 것입니다. 그런 의미에서 에스겔, 다니엘과 에스라는 연결되는 얘기입니다.

생각점
POINT 성경일독학교를 처음에 시작하면서 제기했었던 문제가 생각납니다. "과연 성경이 하나님의 말씀이고 진정한 저자가 하나님이시라면 성경은 일관된 주제와 통일성을 갖고 있어야 되지 않을까?" "비록 시대가 다르고, 인간 저자의 문화, 성격, 교육 정도, 삶의 환경이 달라도 성경 한 권 한 권을 일맥 상통하게 하는 연결 포인트가 있어야 되는 것 아닐까? 마치 한권의 책처럼…" 정말 이어져가는 길이 보이셔야 합니다.

① 바벨론(바사)에서의 제1차 귀환 (1~2장) : B.C. 538년

바벨론 제국이 무너집니다. 600년 정도의 역사를 자랑하던 '앗수르 제국'을 무너뜨리고 혜성처럼 역사무대에 떠올랐던 '신흥 바벨론'도 무너집니다. 앗수르나 바벨론이나 오늘날의 이라크 사람이라고 했습니다. 그런데 약 90년 정도를 지나는 동안, 바벨론 동쪽 그러니까 티그리스강 동쪽에서는 '메대'라는 이름으로 한 세력이 떠올라 얌전히 실력을 키우고 있었습니다. 그러다가 고레스라는 사람이 메대도 점령하고, 신흥 바벨론도 점령한 것입니다. 우리가 잘 아는 '페르시아 제국'을 건설한 것입니다. 앞에서 공부해서 생각나시죠?

고레스는 유다민족에게는 특별한 사람입니다. 하나님이 그의 마음을 감동시켰다고 에스라서는 말하고 있습니다. 이 고레스는 바벨론을 정복하자마자, 즉 자기가 왕이 된 원년에 유다포로들을 자유하게 합니다.(생각해 보십시오. 모세는 애굽에서 종살이하던 히브리 백성들을 자유하게 하는데 얼마나 힘들었습니까? 바로가 이들을 안 보내려고 나라를 다 들어먹었는데 이 고레스는 하나님의 감동으로 그냥 보낸 것입니다. 하나님의 섭리입니다.) B.C. 538년의 일입니다. 처음 바벨론에 포로로 잡혀가던 B.C. 605년에 대비해 보면 약 70년이지요? 그렇습니다. 선지자들의 예언대로 바벨론 70년의 포로 이후 예루살렘으로 돌아오리라고 한 예언대로 성취된 것입니다(렘 25:11~12, 29:10). 이렇게 해서 고레스가 칙령을 내리고, 유다인들이 돌아왔는데 그 명단이 조사되어서 기록되었습니다. 에스라가 이 때 예루살렘에 돌아온 것은 아니지만(제2차 포로귀환 때 돌아왔음), 이 모든 것을 기록으로 남겼다고 했지요?

② 성전 재건과 예배 회복 (3~6장) : B.C. 516

✓ 포로시대 〈예언서〉 부류, (학개), (스가랴)가 끼어 들어가는 자리

✓ 포로시대 〈역사서〉 부류, (에스더)가 끼어 들어가는 자리

70년 간의 포로생활을 마치고 돌아온 유다인들은 황폐해진 성읍들을 돌아보고 그들이 살아갈 집과 마을을 보수하면서도 전체가 공통적인 목표를 가지고 한 일이 있었는데 그것이 바로 예루살렘 성전을 재건하는 일이었다고 했습니다. 포로생활을 겪으면서 그들은 그들의 하나님 여호와께로 돌아가야 된다는 사실을 깨닫게 된 것입니다. 에스겔, 다니엘이 큰 역할 했었지요.

스룹바벨과 예수아가 지도자가 되어 귀환한 유대인들은 성전을 재건합니다. 예수아는 성전제도를 재확립시키는데 중요한 역할을 합니다. 예루살렘에 돌아오자 일부 족장들은 자원하는 마음으로 성전 건축헌금을 합니다. 건축에 필요한 자재들을 레바논에서 수입하는데 뱃길을 택해 지중해로 운반하기도 했습니다. 그런데 북방 이스라엘 땅에 살고 있던 사마리아인들은 예루살렘에서 성전이 건축된다는 사실을 알고 스룹바벨과 족장들을 찾아가서 자기들도 성전을 건축하는 일에 동참케 해 달라고 합니다. 그러나 유다 지도자들은 그들이 이스라엘이 패망한 이후 혼혈이 되었기 때문에 거절합니다. 그러자 사마리아인들은 이때부터 성전건축을 방해하는 세력이 됩니다. 그래서 성전건축이 어려워집니다. 방해세력이 나타나자 해이해진 백성들은 자기들의 집과 농경지를 돌보는데 주력하게 되었고 결국 성전 건축은 기초를 놓은 단계에서 그만 중단되어 16년 동안 방치하게 됩니다.

그런데 아직 바사 땅에 머물러 있던 학개와 스가랴의 격려로 또 다시 힘을 내어 B.C. 516년 경 완성을 봅니다. **이 때 (학개), (스가랴)를 읽자고 했습니다.** 바로 이 순간에 읽는 것입니다. 우리는 앞서서 열왕기하를 공부할 때 많은 선지서를 그 시대로 돌려보냈었습니다. 그런데 바로 그때 덩그러니 남아서 지금까지 역사시대로 못 돌아간 선지서들이 있었는데 그분들이 바로 이 (학개), (스가랴), (말라기)입니다. (에스겔), (다니엘)은 포로로 잡혀가면서부터 시작되는 얘기라서 유다가 망할 즈음에 그 시대로 돌려보냈지요? 우리가 잘 압니다. 그런데 이 **(학개), (스가랴), (말라기)는 예루살렘 귀환 때의 예언서이기 때문에 아직 차례가 안 돌아갔던 것입니다.** 앞에서 개론적으로 한 번 공부했기 때문에 대충 생각이 나실 줄 압니다. 그런데 지금 이 학개와 스가랴가 자리를 찾았습니다.(🌱이런 자리매김을 하면서 여기서 학개와 스가랴서를 읽어도 좋고, 아직 에스라가 돌아오지 않아서 에스라서가 끝나지 않았기 때문에 에스라서를 다 읽고나서 학개와 스가랴를 읽어도 좋습니다. 🌱)

또 학개와 스가랴가 돌아와 성전이 완공되고(B.C. 516) 난 이후, 바사땅에서는 에스더 사건이 일어납니다. 아하수에로왕 때입니다(B.C. 483~474). 그러니까 아직 에스라가 돌아오지 않은 때입니다. 역사적 순서를 따지자면 **이렇게 에스라서를 읽는 중에 학개, 스가랴가 끼어들어가고, 그 다**

음에 에스더 사건이 일어납니다. 에스라서는 아직 끝나지 않았는데 말입니다. 아직 에스라가 예루살렘에 돌아오지 않았는데 말입니다. 그래서 어쩌면 에스라도 바사에서 일어난 이 에스더 사건을 경험했을지도 모릅니다.(🌱이런 자리매김을 하고 에스라서를 다 읽으면, 에스더서를 읽으십시오. 에스라가 돌아오기 전 일어난 일이지… 하는 생각을 하면서 말입니다. 에스라, 에스더 헷갈리지요?🌱)

③ 바벨론(바사)에서의 제2차 귀환과 에스라의 사역 (7~10장) : B.C. 458년

드디어 에스라는 제2차로 예루살렘에 귀환합니다. 1차로 귀환한 백성들이 성전을 재건하기 시작했고, 중단했지만 다시 완공된 사실을 다 알고 있었던 상황입니다. 성전이 완공되고도 한 60년쯤 지나서네요. 아닥사스다왕의 허락을 받고 많은 귀환자들을 인솔해서 예루살렘에 돌아옵니다. 처음 고레스왕이 칙령을 내려 자유를 선포한지 80년이 흘렀고 왕이 바뀌었는데도 이 아닥사스다왕이 포로들을 보낸다는 조서를 내린 것은 참 감사한 일입니다. 유다백성들은 계속해서 대가 거듭하면서도 예루살렘을 그리워하고 있었습니다.(🌱'예루살렘(시온)의 회복'을 꿈꾸며 자손을 교육해 왔습니다. 이런 유다인들의 민족의식이 바로 에스라 때부터 확고히 섰다고 역사가들은 봅니다. **유대교라고 불리우는 오늘날의 종교의 기원을 그래서 이 포로기로 보는 것입니다.** 구약성경 전체의 역사를 유대교라고 잘못 생각하는 사람들이 있는 것 같은데 사실은 바로 이 포로기에 형성된 유대인들의 공동체 운동이 **유대교**로 명명된 것입니다. 🌱)

여기 아닥사스다왕의 조서 원문이 7장 12~26절까지 있는데 바로 이 부분이 **아람어**로 되어있는 부위입니다. 구약성경이 거의 다 히브리어로 되어있지만 일부 아람어로 되어있다고 한 그 중 한 부분입니다. 에스라는 히브리어에도 능통했고 아람어도 잘 쓴 것 같습니다.

그는 혼혈 결혼을 하고 있던 1차 귀환백성들의 사회를 개혁합니다. 그래서 그의 지도로 사회가 정화됩니다. 구약의 역사가 계속 그래왔듯이 하나님 나라의 공동체는 그 사회가 어느 정도 지나면 또 다시 부패하고 타락하는 현상을 보입니다. 그렇습니다. 하나님의 나라는 예수님의 비유처럼 늘 알곡과 가라지가 섞여있고, 염소와 양이 있으나 그 공동체를 유지하시며 하나님 나라의 성격을 이어가십니다.

4) 느헤미야서 읽기

히브리어 원전에는 원래 에스라서와 느헤미야서가 한 권의 책으로 되어 있다고 했지요? 그래서 많은 학자들은 느헤미야도 에스라가 기록한 것이라고 봅니다. 70인역은 에스라를 '에스라 제1서',

느헤미야를 '에스라 제2서' 라는 표제를 달고 있습니다. 그만큼 에스라는 포로시대 때의 위대한 지도자였습니다. 즉 이 두 책은 분리할 수 없이 같이 가는 책입니다. 사실 이 두 권의 책이 포로시대 역사를 다 말하고 있습니다.(🌱에스라가 귀환한 지 13년 후에 느헤미야는 귀환합니다. 일찍이 예루살렘 성전은 재건되었고 그후 약 **100년 후에** 성벽을 재건할 사명을 자각하고 귀환한 것입니다. 우리는 성경의 얘기니까 다 평면적으로 보여서 그 사람들이 그 사람들 같아 보이고, 다 같은 시대 사람들처럼 보이지만, 성전을 재건한 포로귀환 1세대들은 다 가고 그 **다음 세대들이** 다시 성벽을 재건하는 것입니다. 마치 가나안 땅을 정복한 것이 출애굽 2세대들이었던 것처럼 말입니다.🌱)

에스라와 느헤미야는 같은 시대에 같이 활동합니다. 그래서 늘 같이 붙어다닙니다. 마치 에스겔과 다니엘이 같이 붙어있듯이 에스라와 느헤미야는 같이 붙어있습니다.

① 3차로 귀환한 유대인들과 성벽재건 (1~7장) : B.C. 445

느헤미야는 제3차로 귀환하는 유대인 포로들과 함께 예루살렘에 도착합니다. 그런데 그는 바사의 아닥사스다왕의 명을 받아 유다의 총독이라는 직임으로 공적인 임무를 띠고 12년 동안 사역합니다. 그는 예루살렘 성곽을 중건하고, 개혁 운동을 일으킨 후 일단 페르시아로 돌아갔다가 한 번 더 예루살렘에 와서 사역합니다. 예루살렘성은 성전을 중심으로 하고 있는 보다 넓은 지역입니다. 수도 예루살렘은 성곽으로 둘러싸여 있었습니다. 우리나라에도 남한산성이라는 성벽이 있듯이 예루살렘도 성벽으로 둘러싸여 있었는데 전쟁 중에 다 무너져 내린 것입니다. 울타리 없는 집처럼 된 예루살렘 성을 울타리 치는 작업이 느헤미야의 사명이었습니다.

포로이후 사역을 총 정리한다면 다음과 같습니다. 1차로 귀환한 스룹바벨과 유대인들은 "예루살렘 성전"을 재건하는데 힘썼고, 2차로 귀환한 에스라와 유대인들은 율법을 준수하는데 힘썼고, 3차로 귀환한 느헤미야와 유대인들은 "예루살렘 성벽"을 개축하는 데 힘쓴 것입니다.

② 에스라와 느헤미야의 공동사역 : 종교개혁 (8~13장)

성벽을 다 완성한 후 에스라와 느헤미야는 공동사역을 합니다. 율법책을 낭독하고, 회개하며, 개혁을 위한 서약을 하게 합니다. 또 귀환한 사람들을 위해 거주지를 배정해 줍니다. 외적인 성곽을 보수할 뿐만 아니라 영적인 보수에도 힘씁니다. 통치질서를 바로 잡기 위해 인구조사를 실시하고, 초막절을 지키며, 레위지파를 정비하여 제사제도를 확립합니다.

5) 말라기 읽기

이와 같이 3차에 걸쳐서 대거 돌아온 포로들은 돌아와 성전을 재건하고, 율법을 따라 삶도 개혁하고, 성벽도 재건하며 살아갑니다. 사실 구약은 에스라와 느헤미야의 활동이 그 마지막 무대입니다. 비록 나라의 주권은 빼앗겼어도 회복시키시는 하나님의 섭리로 다시 옛 땅에 돌아와 성전을 회복하고, 하나님을 경배하며 살 수 있는 사회가 정착된 것입니다. 에스라와 느헤미야가 없었다면 신약시대를 이어갈 주인공들은 나타날 수가 없었을 것입니다. 물론 아직도 이방에 흩어져 살고 있는 유대인들이 많이 있습니다. 그러나 일부 이렇게 돌아온 유대인들이 나름대로 하나님 중심으로 살아가는 사회를 만든 것입니다.

그런데 바로 이 때 **말라기가 나타납니다.**(🌱내용적으로는 이렇게 느헤미야와 가장 밀접하게 붙어있는데, 느헤미야는 성경 727쪽 정도에 있고 말라기는 1,327쪽 정도에 있습니다. 그러니 구약, 하면 헷갈렸습니다. 🌱) 느헤미야가 성벽을 완성한지 10년 후쯤으로 봅니다. 약 B.C. 430년경입니다. 고레스 칙령이 발표된 지 약 150년 가량 흘러간 때입니다. 그 동안 3차에 걸쳐서 포로들이 귀향했고, 성전과 성벽이 재건되었고, 율법대로 사느라고 무던히도 노력해오는 중입니다. 또한 족보를 보완했고, 유월절을 지키고, 이방인과 결혼한 유대인 명단을 공개해서 그 이방여인들을 추방하는 굉장한 사회개혁을 시행하기도 했습니다. 회개하는 심정으로 온 백성들은 율법대로 준수하려는 의지를 갖고 노력했습니다.

그러면서 이들이 바란 것은 메시야 왕국입니다. 성전이 재건되고 나면 메시야 왕국이 오리라는 소망을 품었던 것입니다. 솔로몬의 성전에 비하면 초라하기 짝이 없는 성전을 바라보며, 그래도 학개나 스가랴, 에스겔, 다니엘 등에게 임하셨던 말씀으로 위로를 받으며, 더 큰 하나님의 영광이 나타나기를 바랬던 것입니다. 그러나 세월이 흘러가도 임하리라던 그 큰 영광이 임하지 않게 되자, 유대인들은 하나님의 사랑을 의심하기 시작했고(1:2), 하나님의 공의로운 통치에 회의를 품게 되었습니다(2:17). 새로 형성된 포로시대 문화를 하나님 중심으로 잘 유지해야 하는데 제사장들부터 부당한 행동을 하는 것을 볼 때 말라기는 그들을 질책합니다. 제사를 소홀히 하고, 계약을 파괴하고 율법을 행하지 않는 제사장들을 꾸짖습니다. 잡혼과 이혼이 끊이지 않으며, 십일조와 헌물을 소홀히 하는 백성들을 또한 꾸짖습니다. 말라기는 이런 점들을 지적합니다.

생장점
POINT
그리고는 가장 마지막으로 말라기에게 하신 아주 유명한 말씀이 있습니다. 말라기는, 즉 구약은, 이 약속으로 끝을 맺습니다. 말라기 4장 5~ 6절입니다. "보라 여호와의 크고 두려운 날이 이르기 전에 내가 선지 **엘리야를 너희에게 보내리니** 그가 아비의 마음을 자녀에게로 돌이키게 하고 자녀들의 마음을 그들의 아비에게로 돌이키게 하리라 돌이키지 아니하면 두렵건대 내가 와서 저주로 그 땅을 칠까 하노라 하시니라" 이 엘리야는 신약의 **세례요한을 지칭하는 말이며**, 세례요한 이후에는 "예수님"이 오십니다. 이 포로귀환의 백성들이 형성한 새로운 하나님 문화는 이제 향후 400년 정도 더 흘러가다가 신약시대를 맞이합니다. 뭔가 새로운 시대를 기다려야 된다는 여운을 안고 이렇게 구약은 막을 내립니다. 이 새로운 시대는 '엘리야의 출현'이라는 분명한 방향을 제시합니다. 이 **'엘리야의 출현'**은 망망한 대해의 등대 불빛이 되었습니다. 그것을 바라보며 신약을 향해 역사는 흐릅니다.

⚖ 구약 성경 읽기를 마치며

구약이 말하려고 하는 것은 이스라엘이라는 국가가 아닙니다. 물론 이 국가를 빌어 메시야 예수를 보내시는 도구로 사용하셨습니다. 그리고 그 나라를 통해 세계 역사 속에서 하나님을 소개하셨고 하나님이 어떤 분이신지를 계시하셨습니다. 그러나 우리가 〈관점2〉를 공부할 때 생각한 대로 "하나님의 백성들"이라는 공동체가 있어도 그 공동체가 세상문화 속에서 하나님 백성다운 사명을 감당하느냐 못하느냐가 관건인 것입니다. 아무리 이름이 '하나님의 백성들'이라 할지라도 그 맛을 내지 못하면 길에 버리우는 것이며, 심판당하는 것이며, 도끼로 찍히는 것입니다.

신약의 세례요한의 설교나 예수님의 설교에 나타난 이 원리는 사실 구약성경 역사 전체가 말하고 있는 구약의 요점정리인 것입니다. 구약역사의 핵심입니다. 하나님 나라의 존재방식입니다. 구약의 히브리 민족으로 대표되는 이스라엘이라는 역사가 구약 전체인 것처럼 생각되지만, 사실은 이스라엘의 역사는 구약 역사의 일부분일 뿐입니다.

성경역사 초기의 셋 계열의 사람들도 사람들의 딸과 섞여서 하나님 나라 백성이라는 정체성을 잃어버릴 때 심판이 왔습니다. 그러나 그 중에 참 이스라엘, 남은자, 그루터기와 같은 신실한 백성들을 구원하시는 구원의 역사가 있었습니다. 셋 계열이 와해될 때 그 가운데 구원받은 그룹이 노아의 식구들입니다. 그러나 이 노아의 식구들도 그 후손이 퍼져나가면서 다시 섞입니다. 그러나 그 가운데서도 셈의 줄기를 통하여 아브라함을 구원하시고 이스라엘이 시작된 것입니다. 구약의 분량이 거의 다 이스라엘 역사로 할애하고 있지만, 사실은 이스라엘이라는 공동체 역시 그 정체성을 잃어버리는 역사를 답습한 것입니다. 하나님은 이 때 역시 노아 때처럼 심판하신 것입니다. 나라가 없어져 버린 것입니다. 신약에 와서 바울이 깨달은 대로 참 감람나무 가지도 아끼지 않으시고 찍으셨다는 말도 이 말입니다.

그러므로 본질적으로 하나님의 나라 백성들은 "이스라엘"같은 외적으로 보이는 공동체가 아니라 '그 공동체 안에서 언제나 소수로 남아 깨어있는 참 하나님의 백성들이 참 이스라엘이구나' 하는 사실을 잊지 맙시다. 그루터기, 남은자, 알곡과 가라지 비유를 잊지 맙시다. 무서운 얘기입니다. 하나님께서는 거룩한 무리, '하나님의 나라' 라는 공동체 단위로 분명 일을 하십니다. 그러나 그 공동체가 하나님 나라로서의 존재의의를 잃어버리고 그 사명을 감당하지 못할 때에는 심판하십니다. 그러나 그 가운데는 꼭 신실한 주의 백성들이 있었고 그들을 통해 그 나라는 계속 이어져 온 것입니다.

예수께서 역사를 찢고 그 안으로 들어오셔서 구원역사의 전형(지금까지는 그림자)을 완성하십니다. 그래서 신약의 교회가 탄생합니다. 교회라는 이름의 새 이스라엘 공동체가 탄생하는 것입니다. 이제는 구약의 이스라엘이라는 제한된 범위에서의 하나님 나라가 아니라, 열방을 품는 이스라엘입니다. 이 초대교회는 피를 많이 쏟습니다. 참 하나님 나라 백성들이 하나님 나라를 전파하기 위하여 쏟았습니다. 그러나 로마가 기독교를 공인하고 국교로 인정하면서 점점 하나님의 사람들은 찾기가 힘들어지게 되어갔고 교회는 또 부패합니다. 이런 역사 속에서 '기독교' 라는 이름으로 남아있던 하나님의 나라는 공동체로서는 번듯했지만 마치 구약의 이스라엘처럼, 노아 공동체처럼, 섞이기 시작했습니다. 하나님께서는 그렇다고 그들에 연연해 하시지 않으십니다. 그 가운데서도 참 이스라엘을 찾으십니다.

마틴 루터를 통해 본래의 성경중심의 교회를 회복케 하셨습니다. 형식과 전통에 매여 있던 교회모습에서 말씀 중심의 교회로 회복케 하셨습니다. 우리는 지금 바로 이 시대의 하나님의 사람들로 여기 있는 것입니다. 내가 누구입니까? 바로 (🌱 이 교회시대라는 하나님 나라 공동체의 일원으로 이 시대를 살아가고 있는 하나님의 사람입니다. 섞이면 안됩니다. 세상문화를 사랑하면 안됩니다. 세상을 정복하고 증인의 삶, 전도하고 선교하는 삶을 살아야하는 것입니다. 성경은 처음

부터 선교를 말하고 있는 것입니다. 민족을 향해 하나님 나라가 침투하는 것입니다. 🌱)

生長점 POINT 세상문화가 무엇인지 구별할 생각조차 안하고 살면 안됩니다. 이런 의식조차 없이 복 받기만을 위해 교회 다니면 하나님 관심 밖의 사람이 될 수도 있습니다. 하나님의 나라는 마치 어부가 고기를 잡아 큰 것은 모으고 작은 것은 버리는 것과 같다고 했습니다. 하나님의 나라는 알곡과 가라지가 있다고 하셨습니다. 하나님의 나라는 열매가 없을 때 찍어 불에 던지운다고 했습니다. 의식있는 하나님의 사람으로 살아가는 것이 사실 얼마나 중요한지 모릅니다. 우리는 섞이지 맙시다. 분명한 하나님 나라 백성으로서의 정체성을 가지고 세상 민족을 향해 침투해 들어가야 합니다.

신·구약 중간시대를 알아야 신약이 열립니다

말 라기 선지자에게 여호와의 신이 감동되어 말씀이 임한 이후에는 어느 누구에게도 계시가 내리지 않았습니다. 구약시대에 그 흔했던 수많은 선지자들의 활동이 더 이상은 나타나지 않습니다. 약 200년 간의 포로 귀환의 역사 속에 함께 하셨던 하나님은 그 이후 침묵하십니다. 마치 애굽에 내려간 야곱의 70 식구 얘기가 있은 이후 모세가 등장하기까지 약 400년 동안 무슨 일이 있었는지 성경이 침묵하는 것처럼 말라기 이후 예수님이 등장하기까지 약 400년 동안 성경은 역시 침묵합니다. 그래서 이 400년의 기간을 **암흑시대**, 또는 **신·구약 중간시대**라고 일컫습니다. 하나님의 계시가 끊어져서 암흑시대라 일컫기도 하지만, 실제적으로도 이 시대에 대해서는 글로 기록된 자료가 가장 빈약한 시대이기도 합니다. 그리고 성경책에서 구약과 신약 사이는 한 장 차이지만 그 사이에 숨겨져 있는 400년의 역사는 구약을 읽던 우리의 관점을 당황하게 만듭니다. 웬지 신약은 구약과는 다르다는 느낌이 있습니다. 어쨌든 구약보다는 좀 수월한 느낌이 오는 것도 사실이지만 말입니다. 복잡한 역사얘기가 없어서 좋고, 읽으면 그래도 깨달아지는 예수님의 말씀이 있어서 친근하기도 합니다.

그러나 이렇게 읽는 신약은 겉으로 그냥 읽어서 얻는 깨달음의 한계를 넘어설 수가 없습니다. 구약을 역사적인 배경과 연결해서 읽지 않으면 윤리와 도덕률을 깨닫는 수준 정도의 교훈밖에는 얻기 힘들고, 눈에 안보이게 깔려있는 수많은 신약의 사건들과 예수님의 교훈은 그래서 읽어도 읽어도 어려울 때가 많은 것입니다.

가장 큰 문제 중 하나는 신약의 배경이 되는 정치구조, 사회구조, 영적인 상황을 모른다는 사실입니다. 역사는 연결된 것이고 흘러온 것이지 어느 날 갑자기 나타난 것이 아니기 때문에 신약에 나타나는 기원 후의 역사, 소위 A.D. 원년이라 불리우는 예수탄생의 역사도 과거에 끈이 매달려 있다는 것입니다. 이 끈은 바로 구약 이후 400년 동안 성경이 침묵한 그 기간 동안의 것입니다.

구약은 구약인가보다 하고, 신약은 신약인가보다 하지만, 신·구약 그 사이는 도대체 무슨 일이 일어났는지 배울 기회가 많지 않습니다. 그러다 보니 구약의 선지서 부분처럼 바로 이 신 구약 중간 부분도 안개에 싸여있는 동네처럼 늘 뿌연 느낌이 있음을 부인할 수 없습니다. 이 부분도 우리가 조금 투자해서 공부해 놓으면 신·구약이 뻥 뚫리는 장소입니다. 우리는 성경에서 말하지 않고 있는 이 기간 동안의 역사를 이스라엘이 소장하고 있는 그들 나름대로의 역사기록, 세계역사들, 또 역사가들이 기록한 책들을 통해서라도 정리해 두어야 합니다. (🌱 전복따러 갑시다!! 🌱)

⚖️ 신약시대에 나타나는 성경의 주인공들

이제 우리는 새로운 시각을 가져야 합니다. 바벨론이 예루살렘을 파괴했다는 것은 이제 '국가'가 사라졌다는 것입니다. 국가가 사라졌다고 하는 것은 그 국가를 이루고 있던 제도나 조직도 이젠 옛날 같은 형태로는 재조직될 수 없다는 말입니다. 그런데 바벨론에 잡혀가 살고 있던 유대인들은 유다의 지도층들이었습니다. 이들은 유다에게 새로운 방향을 제시합니다. 이들에 의해서, 이전의 국가조직처럼은 못 돼도, '새로운 공동체' 가 형성되는 것입니다. 이 새로운 공동체를 만드는 데 혁혁한 활동을 한 사람이 바로 에스라와 느헤미야였다는 것은 이미 공부했습니다.

이제 중간기 시대를 공부하기 위해서 우리가 그려놓아야 할 그림이 있습니다. 지금 이 중간기 시대의 사람들이 **어디 어디에 흩어져 있는 중인가를 염두에 두는 일**입니다. 왜냐하면 신약에 들어가서 나타나는 사람들은 팔레스타인 지역뿐만 아니라 그 일대에 흩어져 살고 있는 디아스포라들이기 때문입니다. 신약의 등장인물들이 갑자기 나타난 사람들이 아니라 이 중간기 시대로부터 이어져 내려간 사람들이기 때문입니다.

먼저 아주 옛날에 앗수르에 망했던 **북방 이스라엘 사람들은 무얼 하고 있는지** 생각해 봅시다. 우물가의 사마리아 여인 얘기를 보면, 그 당시 그들의 예배장소가 있었다고 말하고 있으니 분명 그들은 그들 나름대로 하나님을 믿는 신앙을 견지하고 있었음에 틀림없습니다. 남방 유다가 포로귀환해서 성전을 재건하려 할 때 사마리아 사람들이 같이 하고 싶어했지만 단호히 거절하는 얘기가 에스라서에 기록되어 있습니다. 그런데 신약에 보면 '이 산' (요4:20)이라고 표현된 그리심산에 예배처소가 있다는 것을 알 수 있습니다. 그렇습니다. 그들은 오랫동안 폐허가 되어있던 세겜(그리심산)을 복구해서 그들 나름의 종교와 문화의 중심지로 키워나간 것입니다. 마치 남방유다가 예루살렘 성전을 재건했던 것처럼, 그들도 바사제국 말기 즈음에 건설 허가를 받아 시작한 것 같습니다. 그들은 나름대로 이 중간시대를 **세겜중심의 종교문화**를 이루며 살아왔습니다. 또한 성경의 사본 중에는 사마리아 사본이라는 것이 있습니다. 그들도 나름대로 모세오경을 읽으며 하나님을 섬겨온 흔적이 이렇게 있습니다.

북이스라엘의 멸망이후 성경은 유다 중심으로 흘러가기 때문에 기록이 없어 우리가 알 수 없지만 신약에 와 보니 예수님이 자라나신 땅은 북방 이스라엘의 갈릴리입니다. 갈릴리는 팔레스타인 땅 북부지역의 한 도입니다. 그런데 사마리아인과는 상종을 안하고 돌아다니는 유대인들이 **북부 갈릴리 지역에는 살고 있더라** 이말입니다. 우리가 지금까지 구약을 공부한 것으로 보면 북방의 10지파들이 살고 있던 땅에는 북이스라엘 사람만 살 것 같았는데, 막상 신약에 오니까 북방땅에도 유다지파 요셉과 마리아가 살고 있는 겁니다. 분명 어느 때부터인지 이 북부 갈릴리쪽에도 정착하게 되었던 것입니다. 여러 차례에 걸쳐 바사에서 귀환한 백성들은 나름대로 살 곳을 찾아 여기저기 흩어진 것 같습니다. 에스라서 명단에 나타나는 귀환백성들은 주로 레위지파 중심의 지도급 인물과 예루살렘 지역에 살았던 유대인들인데 이들의 후손들은 시간이 지나면서 **북쪽 지역으로도 퍼져나가 정착한 것입니다.** 사마리아 땅에 살고 있거나, 북방 이스라엘 땅에 살고 있거나, 남방 유다 지역을 중심으로 흩어져 살고 있거나, 이 사람들은 모두 다 **팔레스타인 땅 덩어리 안**에서 살아가는 사람들입니다. 그들에게서 후손이 퍼져나와 계속해서 신약까지 흘러간 것입니다. 또, 팔레스타인 땅, 가까이로는 요단동편 베레아지역(모압), 데가볼리(갈릴리 동북쪽 이방땅), 지중해 연안의 두로와 시돈 지역에도 유대인들이 흩어져 살았습니다. 예수님의 생애 마지막 3개월 간은 베레아지역에서 사역하시는데 회당에서 가르쳤다고 되어 있습니다(눅 13:10).

그런데 이 사람들 말고 또 있습니다. 디아스포라들입니다. 즉 포로로 잡혀갔거나 일찍이 팔레스타인 땅을 벗어나 **외국에 흩어져서 계속 거기에 정착해 살고 있는 사람들** 말입니다. 예를 들어 많은 사람들이 애굽으로도 흩어졌고, 또 우리가 아는대로 바벨론 포로로 잡혀간 사람들은 메소포타미아 지역에서 나름대로 살게 됐고, 에스더서에 있는대로 바사(이란)의 수사성에도 유대인 무리들이 살았습니다. 바벨론, 바사의 세력이 지나고 그리스, 로마로 이어지면서 **터키** 지역(소아시아, 에베소), **유럽**(첫 성 빌립보, 데살로니가, 마게도냐, 아테네, 고린도 지역 등), 그리고 이탈리아 **로마**에도 유대인들이 살았습니다. 물론 러시아 쪽으로도 흘러가 산 유대인들이 있습니다.(🌱 심지어는

일본에도 유대인들이 흘러들어 갔다는 사실을 전시해 놓은 사진을 박물관에서 본 적이 있습니다. 🌱)

바울사도가 이방을 전도할 때 먼저 회당에서 복음을 전도한 것을 보면, 위에서 설명한 세계 여러 지역에 흩어진 유대인들이 그들 나름대로 **회당을 중심으로 하나님을 섬기며** 살아가고 있었다는 것을 보여줍니다.

자, 그럼 이렇게 온 세상에 흩어지게 된 400년 동안 유다는 어떤 나라에 종살이를 하면서 흘러가게 되는지 그 역사를 자세히 훑어봅시다. 우리의 목적지인 신약시대에 오면 로마가 주인으로 앉아있습니다. 그러면 400년 동안 어떤 나라들이 이 유다의 주인으로 행세했는지 그 역사를 살피면서 그 정치적 소용돌이 속에서 이 유대 공동체는 어떻게 몸살을 하면서 살아남는지 보십시오. 이 공부를 하면서 또한 예수님 시대에 나타나는 헤롯, 분봉왕, 대제사장, 바리새파, 사두개파, 가이사 등등 수많은 시대적 배경들도 간단하게나마 살펴봅시다.

1. 바뀌고 바뀌는 팔레스타인 땅의 패권

포로로 잡혀간 유대인들은 70년 간 **바벨론**에 종살이를 합니다. 그 후 구약이 끝날 때는 바사의 통치를 받는 것으로 되어있는데 바사통치를 받은 총 연수는 약 200년입니다. 그러다가 B.C. 336년 경 그리스 헬라의 알렉산더 대왕이 바사를 점령해서 약 30년 간 지배권이 넘어갑니다. 그후 알렉산더의 부하였던 **프톨레미**가 이집트지역을 점령하면서 가나안 땅을 차지하게 되어 100년을 지배합니다. 그리고 나서 역시 알렉산더의 부하 중 한 사람이었던 **셀레우코스**(🌱 프톨레미와 맞수였음 🌱)가 팔레스타인 땅을 프톨레미에게서 빼앗는 바람에 이번에는 셀레우코스 왕조에게 넘어갑니다. 그리고 셀레우코스(셀주크 왕국)왕조가 약 34년 간 지배합니다. 그런데 바로 이 때 유다의 **마카비**가 B.C. 165년에 셀레우코스에 대항하는 독립전쟁을 일으켜 성공합니다. 그후 약 100년간을 유대는 독립국가로 있다가 B.C. 63년 로마의 폼페이 장군에게 예루살렘을 점령당하므로 그 유명한 **로마**제국의 수하에 들어갑니다. 그리고 예수님이 오십니다. 이것을 다시 한번 정리하면 다음과 같습니다.

바벨론(70년)⇨ 바사(200년)⇨ 헬라 그리스의 알렉산더 대왕(30년)⇨ 이집트의 프톨레미왕조 (100년)⇨ 앗수르 바벨론 통치자 셀레우코스왕조(34년)⇨ 유다가 독립함(100년)⇨ 로마의 점령(B.C. 63년)⇨ 예수탄생 (B.C. 4년) (별지부록, 성경역사와 세계역사 대조표를 참고하십시오.)

1) 첫째 주인 : 바벨론

바벨론은 70년 동안 유다를 지배합니다. 바벨론의 마지막 왕 나보니두스(벨사살)는 혜성처럼 나타난 페르시아 고레스에게 패합니다. 이 기간 동안 예루살렘에 남아있는 유대인들은 근근히 그저 개인적인 삶을 유지하는 것이지 특별한 집단이나 공동체 운동도 없습니다. 바벨론으로 잡혀간 고급 인력들은 나름대로 왕궁에 등극되기도 합니다. 이때 다니엘과 에스겔을 통해 하나님이 역사하시기 시작합니다. 이곳에 잡혀온 레위인, 제사장을 중심으로 율법이 가르쳐지고 핍박 속에서도 하나님을 신앙하는 사람들을 통해 **유대인으로서의 정체의식**을 고수합니다.

2) 둘째 주인 : 바사 (페르시아)

성경에 나타나는 포로시대의 주인공들은 주로 바사, 즉 페르시아의 왕들을 많이 배경으로 하고 있습니다. 포로에게 자유령을 내렸던 고레스를 비롯해서 다리오 1세, 아하수에로, 아닥사스다 1세, 다리오 2세, 아닥사스다 2세를 거쳐 다리오 3세에 이릅니다. 이 왕들 사이에 함께 살았던 유대 지도자들은 다니엘, 스룹바벨, 예수아, 학개, 스가랴, 에스더, 에스라, 느헤미야, 말라기 등입니다. 그러니까 **포로시대의 거의 대부분의 선지자들은 바사의 영향력** 밑에 있었던 셈입니다. 우리는 이 동안에 일어났던 성경의 사건들을 기억할 수 있습니다. 예루살렘으로의 포로귀환, 성전재건, 성곽재건, 개혁운동 등을 통해 새로운 포로귀환 공동체가 생기는 기간입니다.

후대에 이르러 역사는 이 공동체를 '유대교'라고 명명합니다. 구약의 왕국시대까지는 '유대교'라는 이름을 쓰지 않습니다. '나라'가 없어진 이후 과거 왕국의 조직이 아닌 새 공동체그룹이 형성되면서 '유대교'라는 이름으로 일반 역사 속에 남게 되었다는 것입니다. 이렇게 명명되게 된 가장 큰 중심 인물은 에스라라고 했습니다. 새로운 정체성을 띄고 역사에 등장하게 된 다윗의 후손, 유대인입니다. 에스라의 위치가 얼마나 대단했나에 대해서는 앞에서 말씀드렸습니다.

그러면서도 외적인 그들의 생활도 점점 달라지기 시작합니다. 페르시아 말기(에스라 후 100년) 즈음부터는 유다는 자체의 화폐를 찍어내고 내국세를 징수하는 정도의 권한이 허용된 것으로 보입니다. 유다의 제사장 가문 이름의 인(印)들이 찍힌 항아리 손잡이가 발견된 것을 보면 이미 이때부터 제사장들이 바사의 총독으로서 행정관 역할도 한 것이 아닌가 보입니다. 또한 이 때는 이미 대다수의 유대인들이 히브리어 대신 그 당시 공용어였던 아람어를 쓰고 있었던 것을 알 수 있습니다. 일상적 공용어로는 **아람어**를 썼지만 히브리어도 기독교 초기까지 계속해서 쓰이게 됩니다.

그러면서도 앞으로 다가올 **헬라문화도** 주변을 공격해 오고 있었습니다. 우호적이든 적대적이든 페르시아와 헬라는 자주 접촉을 하고 있었기 때문에 그랬습니다. 아직 헬라가 페르시아를 정복하기 전이라 해도 이미 문물은 사람들의 일상생활 속에 침투하기 시작했습니다. 상인, 군인, 학자 등이 오고 갔고, 헬라의 공예품들과 그릇들이 뵈니게 항구를 거쳐 유다로 쏟아져 들어왔습니다. 이것은 이제 유대인들이 헬라문화에 **접속**하게 된다는 것을 의미하게 됩니다.

3) 셋째 주인 : 그리스 (헬라)

사실 바사의 마지막 왕인 다리우스 3세와 그리스 마게도냐의 알렉산더는 같은 시기에 왕으로 즉위했습니다. 각각 자기 나라에서 왕이었지요. 그런데 이제 그 패권이 알렉산더에게로 넘어갑니다. 여러분도 잘 알다시피 알렉산더는 어렸을 때 철학자 아리스토텔레스에게 배운 사람입니다. 학문과 문화, 철학에 일찍 눈이 떴던 알렉산더는 온 세상을 헬라화시켜야 한다는 분명한 꿈을 갖고 대단한 열정으로 세상을 정복해 나갔던 사람이었습니다. B.C. 333년 이수스 전투로 페르시아군을 패주시킨 후, 뵈니게, 두로, 이집트가 차례로 그의 지배에 들어갔습니다. 이 과정에서 팔레스타인(유다)도 그의 수하에 들어갔습니다. 그 후 그의 정복은 동방으로 방향을 틀었습니다. 바벨론 지역을 공격해서 수사(에스더 궁이 있던 곳)까지 점령했고 멀리 **인더스강까지** 건넜습니다. 그런데 뜻하지 않게 병에 걸려 서른 세 살이 채 못되어서 죽었습니다(B.C. 323). 정말 짧고 거창하게 산 사람입니다. 그의 저돌적인 공격은 동방지역에 **새로운 획**을 그었습니다. **헬라화**입니다. 당시로서는 온 세상을 완전히 헬라화하는 바탕을 만들어 놓았습니다. 비록 그는 갔어도 그의 부하들이 이 빼앗은 땅들을 맡아서 다스리게 되었기 때문입니다.

4) 넷째 주인 : 프톨레미 왕조

온 세상을 다 얻다시피 통일천하를 한 알렉산더는 그 어마어마한 땅들을 정복했지만 갑자기 죽는 바람에 후계자를 정하지 못했습니다. 그러자 그의 부하 장군들 사이에는 서로 권력을 잡으려는 투쟁이 시작됩니다. 그러나 그 중에 두 사람이 가장 큰 권력을 갖게 되는데, **프톨레미와 셀레우코스**였습니다. 프톨레미는 이집트 지역을 차지하게 되었고, 셀레우코스는 바벨론 땅을 갖게 됩니다. 이 두 경쟁자는 팔레스타인과 뵈니게를 탐냈는데 결국 프톨레미 손에 들어갑니다. 그래서 팔레스타인은 '**헬라인이 다스리는 이집트**'의 속국이 됩니다. 이 왕조는 100년 동안 팔레스타인을 다스립니다. 헬라의 속국이었을 때는 팔레스타인에 이렇다 할 중요한 사건이나 자료들이 없는데 반해 이 프톨레미 왕조는 유대 공동체에 많은 영향을 미칩니다.

그렇지 않아도 과거 수백년 동안 유대인 디아스포라들은 이집트에 거류민으로 살고 있었는데, 기록에 의하면 프톨레미 1세가 팔레스타인 원정 중에 많은 포로들을 끌고 왔다고 합니다. 그밖에도 생활 터전을 찾아 이민 간 사람들도 있었습니다. 일찍이 프톨레미 1세는 알렉산더 대왕을 기념해서 지중해를 낀 해변에 알렉산드리아라는 도시를 개발해서 수도로 삼았습니다. 이 도시는 오늘날까지도 대도시로 일컬어지고 있습니다. 예수님 당시에는 이 도시에만도 약 백 만 명의 유대인 디아스포라가 있었다고 하니 대단히 많은 유대인들이 이집트에 있었던 셈입니다. 우리가 사도행전에서 만나는 아볼로라는 사람도 알렉산드리아 출신(행 18:24)이라고 말하고 있습니다. 이렇게 이집트에 살고 있는 유대인들은 그 동안 히브리말로 쓰여진 구약성경을 가지고 그 땅의 공용어인 **헬라어로 된 구약성경**을 만들게 됩니다. B.C. 3세기 경, 프톨레미 2세의 명령에 의해 히브리어로 된 구약성경을 헬라어로 번역했습니다. 이 최초의 번역본을 '**칠십인경, 혹은 칠십인역**' 이라고 한다고 앞에서도 말씀드렸습니다. 알렉산더가 세계를 헬라화시켰기 때문에 유대인의 점유물이었던 구약성경도 헬라어로 번역된 것입니다. 이는 앞으로 신약시대에 와서 온 열방에 복음이 전파되도록 하는 예비 작업이 되었습니다. 유대인들이 섬기는 여호와 하나님을 접하게 된 이방인들도 직접 헬라어 성경을 읽을 수 있게 되었고, 경건한 이방인들이 생기게 된 바탕이 되게 한 것이라고 볼 수 있습니다.

5) 다섯 번째 주인 : 셀레우코스 왕조

① 선왕들의 호의정책

알렉산더 대왕의 유력한 두 부하가 있었다고 했지요? 한 사람은 앞에서 얘기한 프톨레미 왕조를 이룬 프톨레미 1세이고 또 한 사람은 셀레우코스 1세라고 했습니다. 그러니까 **셀레우코스 왕조도 헬라 사람의 왕조**입니다. 알렉산더 대왕은 역사의 무대에서 일찍 사라졌지만 그의 부하들이 곧이어 이집트와 바벨론 두 큰 덩어리 땅들을 차지했기 때문에 알렉산더가 원했던 대로 사실은 **헬라화가 된 셈**입니다.

자, 여러분이 알다시피 이집트와 바벨론 사이에 끼어있는 땅이 바로 팔레스타인이라 그랬지요? 그렇기 때문에, 늘 양 쪽의 갈등을 불러일으키는 위험성을 안고 있었습니다. 셀레우코스 왕조의 왕들은 프톨레미 왕조가 팔레스타인을 '훔친 것' 으로 여겨왔습니다. 그래서 언제든지 그것을 빼앗으려 했습니다. 그래서 100년이 지나는 동안 계속해서 엎치락뒤치락 이것 때문에 싸워왔는데 드디어 셀레우코스 왕조의 안티오쿠스가 이집트 군대를 격파하고, 그들을 팔레스타인에서 몰아냈습니다(B.C. 198). 우리가 성경에서 알고 있는 '안디옥 교회' 같은 이름도 사실은 이 안티오쿠스 가문의 이름입니다. 이들은 수리아 안디옥, 비시디아 안디옥 등 '안디옥' 이라는 이름의 도시를 16개나 건설합니다. 어쨌든 이 전쟁으로 셀레우코스 왕조는 팔레스타인을 자기네 영토로 통합해 버립니다.

셀레우코스 1세는 유대인들에게 호의를 갖고 다스리기 시작했습니다. 포로 석방령을 내렸고, 세금도 면제해 주었습니다. 율법을 따라 그들의 하나님 여호와를 섬길 수 있도록 해 주었고, 제의 지원을 위한 국가 보조비도 약속 했으며, 제의 종사자들은 세금을 면제해 주기도 했습니다. 지금까지 유대인 공동체에 의해 마련되었던 제단용 땔감(느 10:34)도 면세 대상이 되었습니다. 성전 수리공사비도 보조받게 되었습니다.

그러다 보니 유대 공동체는 역사가 흘러가면서 **알렉산더, 프톨레미, 셀레우코스,** 이 세 왕조로부터 결국 **헬레니즘 문화의 공격**을 받게 되는 정황이 된 것입니다. 온 세상이 헬라화 되는 추세였기 때문에 유대인들도 알게 모르게 이 문화에 노출될 수밖에 없었습니다. 팔레스타인 땅 안에도 헬라식 도시들이 여러 개 세워졌습니다. 헬라의 문화는 발달된 문화였습니다. 이런 상황 속에서도 경건한 유대인들은 하나님을 섬겨왔습니다.

② 안티오쿠스 4세의 잔인한 유대교 탄압

그런데 위기가 닥칩니다. 안티오쿠스 4세 에피파네스에 이르렀을 때 유대인을 잔혹하게 핍박하는 정책으로 돌아서는 것이었습니다. 지금까지는 왕들이 정복민들에게 호의적이었는데 이 왕은 태도가 변한 것입니다. 그래서 중간기 역사 중에 아주 중대한 사건이 일어나게 하는 장본인이 됩니다. 그의 핍박을 대항해서 유대인들이 투쟁을 하게 되는데 그 결과 유대의 독립을 가져오기 때문입니다. 마카비 전쟁입니다.

이 안티오쿠스 4세가 유대인을 핍박한 데에는 이유가 있었습니다. 그의 선왕 안티오쿠스 3세는 그 당시 점점 무서운 속도로 세력이 확장되어오고 있던 **로마**와 자꾸 격전을 했는데 결국은 패하게 되었습니다. 그로 인해 막대한 조공을 로마에 바쳐야 하는 신세가 됩니다. 돈이 많이 들어가는 거지요. 그러니까 피정복 국가로부터 세금을 뜯어내고, 갖은 방법으로 돈 되는 것을 갈취할 수밖에 없는 악정을 합니다. 신전들을 습격해서 금붙이를 빼앗아 갔습니다. 예루살렘 성전도 예외는 아니었지요. 로마에 조공을 바치게 된 상황뿐만 아니라, 이집트의 프톨레미 6세도 다시 팔레스타인을 찾고 싶어서 위협하고 있던 중이었습니다. 그러다보니 안티오쿠스 4세는 우선 내정을 정돈해야 되겠다고 생각하고 여러 도시국가 같은 정복국들을 '헬라'라는 구심점으로 통일시키려 합니다. 그래서 우선 종교적으로 헬라의 신들(그리스 신화 아시죠?)을 섬기도록 강권하기 시작합니다. 그래서 자기 자신을 제우스 신이라고 자칭하며 가시적인 신격화를 합니다. 이런 정책을 정복민에게 감행할 때, 유대인들의 형편은 어땠는지 아십니까? 순수하게 하나님을 잘 섬기고 있어도 시원치 않을 판에, 오히려 유대 공동체는 타락으로 썩고 있었습니다. 헬라화를 은근히 받아들이는 세력도 있었고, 이들은 자연히 셀레우코스 왕실에 비위를 맞추려고 애를 썼으며, 그러다 보니 왕실은 돈을 많이 갖다 바치는 사람을 끼고 정치를 하는 겁니다. 대제사장직을 싸고 암투를 벌이는 거지요. 나체로 참석하는 헬라식 운동경기를 열기도 했고, 그러다보니 할례의 표시가 부끄러워 재수술을 받는 헤프닝도 있었다고 합니다.

안티오쿠스 4세는 B.C. 167년 급기야 유대인 양민들을 급습하여 학살합니다. 그의 부왕이 내렸던 유대인들에 대한 특혜를 폐지하고 유대교의 모든 관습을 금하는 칙령을 공포했습니다. 희생제사를 금지했고, 안식일과 절기 지키는 것을 금했고, 율법의 사본들을 파기하는 명령을 내렸고, 할례를 금지시켰습니다. 어길 경우 사형에 처한다고 방을 붙였습니다. 이교의 제단들을 도처에 세웠고, 예루살렘 성전 안에 제우스 신의 제단을 세우고 숭배하게 했으며 돼지고기를 제물로 바쳤습니다.

6) 마카비 혁명

① 하스모니안 왕조와 헤롯왕조

유대인들은 이 잔인한 탄압에 무장을 하고 궐기하게 됩니다. 이 때 율법과 언약에 열심이었던 제사장 가문에 속한 **맛다디**아라는 사람은 그의 아들들(요한, 시몬, 유다, 엘르아살, 요나단)과 함께 이 탄압에 대항하여 투쟁합니다. 결국 이들의 활동으로 **안티오쿠스 4세에게서 독립**하게 되는데 이를 가리켜 우리는 흔히 **마카비운동**이라고 부릅니다. '마카비' 란 맛다디아의 셋째아들 유다의 별명인데 '쇠망치' 라는 뜻이라고 합니다. 이 승리로 마카비 가문은 **100년 동안 독립**을 합니다. B.C. 166년 유다의 마카비가 앗수르의 안티오쿠스 4세를 물리치고 나라를 되찾은 후 그 다음 해인 B.C. 165년에는 예루살렘 성전을 깨끗하게 하는데 바로 이를 기념하는 명절이 신약에도 나오는 **수전절**입니다. 그 때 이래로 마카비의 후계자들이 계속해서 유대인들을 다스리게 되었는데 이 왕조를 **하스모니안 왕조**라고 합니다.

이렇게 해서 제4대까지 내려왔을 때는 예루살렘 동남쪽의 이두메(에돔지역)까지 정복하게 됩니다. 이 때 이 지역을 다스리기 위해 총독을 두었는데 그 사람이 바로 **안티파스**(B.C.78년 사망)라는 사람이었습니다. 그는 본래 에돔을 다스리던 왕이었습니다. 바로 이 사람이 예수님을 죽이려 했던 **헤롯(대헤롯:마 2:1~12)의 할아버지**입니다. 이렇게 해서 유다 역사에 등장하게 된 헤롯가문이 후에는 점점 로마세력이 커진다는 정세를 파악하고는 자꾸 친 로마 정책을 폅니다. 그러다가 로마를 등에 업고 마카비 왕조에 반역합니다. 로마와 손을 잡고 출발한 헤롯 왕조는 후에 **유대의 왕자리를 빼앗아 왕**이 됩니다. 그러니 헤롯가문은 유대인이 볼 때는 반역자인데, 그 밑에 복종해야 하는 기가막힌 관계를 갖고 출발합니다. 이렇게 해서 예수께서 탄생하시는 그 시각에 **유대의**

왕으로 에돔 사람 헤롯대왕이 있었고, 그 위에 **로마**라는 큰 지배세력이 버티고 서 있게 된 것입니다. 유대인들은 이제부터 '이중 지배구조의 압제' 라는 틀 속에서 고통을 당하게 됩니다.

> ### 생각점 POINT
> 이와같이 셀레우코스 왕국(앗수르 지역)의 안티오쿠스 4세(에피파네스)와의 전쟁으로 독립을 얻어낸 유다 마카비 혁명의 역사는 앞으로 전개될 신약시대의 정치 구조에 큰 영향을 끼칩니다. 왜냐하면 어떻게 신약에 헤롯가문이 등장하게 되는지 그 연고를 말해주기 때문입니다. 마카비 시대와 관련되어 탄생되는 헤롯 왕조의 가문을 이해해야 신약시대의 정치 판도가 보이기 시작합니다.

② 마카비 시대의 유대교 부흥

마카비 운동의 시작은 다섯 형제의 아버지 맛다디아였습니다. 유대 공동체 내에서는(🌱 국가가 아니기 때문에 그렇게 부른다고 했지요?🌱) 제사장들이 중심인물이었기 때문에 늘 신정적 통치가 있었고, 그 사회를 내적으로 이끄는 지도급은 성전중심의 지도자들이었습니다. 잔인한 안티오쿠스 4세의 학정은 성전을 핍박하는 것이었기 때문에 그것과 더불어 싸웠다는 것은 **성전문화를 고수했다는** 것입니다. 이 전쟁에서 승리한 유대인들은 그래서 제일 먼저 **성전을 청결케 했던** 것입니다. 그러다보니 율법과 성전을 중심으로 더욱 더 열심을 내고 부흥하게 되는 문화를 낳게 됩니다. 지금까지 여러 종주국에 지배를 받아오다가 마카비 자유시대에 이르렀으니 얼마나 하나님을 잘 섬기고 싶었겠습니까? 그래서 이 '마카비 시대' 는 소위 '유대교가 제도적으로 다져지는 시대' 라고 일컬어집니다. 바로 이 마카비 시대 속에서 발전된 유대교가, 에스라시대 이후로, 신약시대 즉 예수님 시대의 영적 배경이 되었습니다.

이들이 하나님의 백성으로서 정체성을 나타내기 위해 반드시 어떤 특성을 드러내게 되었는데 그것은 '율법 중심' 이었습니다. 왜냐하면 일찍이 에스라와 느헤미아에 의해 주도된 이 새 공동체는 '토라' 를 연구하고 가르치고 지키는 일이 가장 기본이 되었기 때문입니다. 당연히 그들의 개혁운동의 핵심은 '율법' 이었습니다. 즉 안식일, 할례, 정결의식, 십일조, 성전과 제사규례 등을 강조함으로써 정화된 '새 이스라엘' 공동체의 특성이 드러나는 것이었습니다. 바로 여기서 새로 '이스라엘' 이라는 이름이 재정의되게 되었습니다. 안티오쿠스로부터 독립한 이 이스라엘은 이제 어엿한 **국가적 실체가** 되었습니다. 그런데 이 때 불려지는 "이스라엘"이라는 말은 "율법을 중심으로 결속한 유다의 남은 자들의 나라"를 가리키는 것이었습니다. 그래서 '율법'은 유일무이한 최고가치가 된 것입니다. 율법은 그들의 상징이었습니다.

율법을 높이다보니 그 율법에 나타나는 **제사행위**는 당연히 아주 중요한 요소가 되었습니다. 더군다나 이번 마카비 혁명을 주도한 맛다디아 가문은 아론 계열의 대제사장 혈통이었습니다. 그래서 하스모니안 왕조는, 왕이요, 대제사장 역할을 하는 유대 공동체의 정신적 수장이 될 수밖에 없었습니다. 이렇게 흘러가는 역사는 후에 이들 유대 공동체 내에서 **'누가 대제사장이냐?'**가 곧 **'누가 권력가냐?'**로 대치되는 역사를 낳고 맙니다. 우리는 예수님께서 그의 공생애 첫 유월절에 예루살렘에 올라가셔서 성전 안에서 제물을 사고 파는 사람들을 내쫓은 사건을 압니다. 그 때 그 성전도 바로 이 흐름을 타고 흘러내려 가다가 또 부패하기 시작한 대제사장 부류들이 장사를 하고 있어서 그랬던 것입니다.

7) 여섯 번째 주인 : 로마

"로마는 하루 아침에 이루어지지 않았다"라는 말이 있습니다. 세계사에서 가장 유명한 제국이었던 로마도 처음 B.C. 8세기 경에는 이탈리아 반도의 중간 쯤에서 생겨난 작은 도시국가였습니다. 도시국가 로마는 점점 힘이 강대해져서 B.C. 270년경에는 드디어 이탈리아 반도를 통일했습니다. 이러면서 잡아온 노예들을 검투사로 만들어 즐겼는데 이런 노예들을 특별히 '스파르타쿠스', 즉 '검노'라고 불렀습니다.(🌱 영화로도 나왔었죠? Gladiator, '검투사' 영화였습니다. 🌱) 그런데 이 검노들이 반란을 일으킵니다. 검노들이 뭉쳐서 반란군이 되었고 급기야는 그 수가 10만이나 이르게 됩니다. 이 반란군을 진압하기 위해 원로원은 폼페이, 크랏수스를 임명했고 이들은 성공리에 검노들의 반란을 진압합니다. 그 후 이 두 사람은 한 사람을 더 가입시켜서 원로원을 누르고 그 유명한 '3두정치'라는 걸 합니다. 그 한 사람이 바로 케자르, 즉 **율리어스 시저(가이사)**였습니다. 가이사는 이렇게 해서 등장합니다. 그 후 가이사는 갈리아(지금의 프랑스 지역, 북이탈리 지역) 지방에 쳐들어가서 엄청난 숫자의 부족들을 평정합니다.

폼페이 장군 역시 여러 지역에 출정(出征)해서 나라들을 합병합니다. 그는 특별히 동방으로 진출해서 터키 지역과 수리아 등지를 정복합니다. B.C. 64년에 다메섹을 점령한 후 수리아 주(州)를 만들더니 1년 후에는 그 아래로 눈을 돌려 유다를 정복합니다. 이 찬스를 놓치지 않은 에돔 총독이었던 안티파터는 폼페이를 도와 예루살렘을 정복하는데 일조를 합니다. 역사가 요세푸스는 이 전쟁으로 1만 2천 명이 죽었다고 기록하고 있습니다. 마카비 혁명으로 시작된 유다의 독립이 약 100년 후 다시 로마에 의해 무너지는 순간입니다. 즉 **B.C. 63년에 폼페이 장군이 예루살렘 성을**

함락시킨 이 사건을 시작으로 로마 통치시대를 연 것입니다. 마카비 하스모니안 왕조의 힐카누스 2세는 항복을 하고 조공을 바치기로 합니다. 이로 인해 힐카누스는 더 이상 왕으로서가 아니고 "대제사장"으로서 유다를 다스리게 됩니다. 폼페이가 그렇게 임명했습니다. 그리고 안티파터(안티파스의 아들, 대헤롯의 아버지)는 "집정관"이라는 이름으로 유대지역을 다스리게 해 주었습니다. 이때로부터 마카비 수하에 있었던 헤롯 가문은 공공연히 유다지역의 정치가로 등단하기 시작한 것이었습니다.

그 후 폼페이와 가이사는 패권을 놓고 싸웁니다. 결국 가이사는 이집트에서 폼페이를 죽입니다. 가이사는 여기서 그 유명한 클레오파트라를 만납니다. 이 일로 이집트 프톨레미왕조의 클레오파트라는 여왕이 됩니다. 프톨레미 왕조라는 이름으로 흘러오고 있었던 이집트 기억하시죠? 가이사는 그 후 아프리카와 스페인 싸움에도 승리하여 로마의 영토를 넓혀 나갑니다. 그리고는 최초로 로마를 통일천하하는 주인공이 됩니다. 유대의 힐카누스 2세와 에돔사람 안티파터는 이제 가이사를 섬기게 됩니다. 가이사는 마카비 가문의 힐카누스 2세를 한 지역의 총독 정도로 임명을 했고, 안티파터를 사실상 유대의 행정관으로 임명을 합니다. 안티파터의 세력이 점점 확장되는 것입니다. 안티파터는 그의 작은 아들 헤롯 (이하 나오는 헤롯은 대헤롯)을 갈릴리 총독으로 임명합니다.

그러던 중 가이사는 그의 충신이었던 부루투스에 의해 살해되어 일생을 마감합니다(B.C. 44년). 가이사는 최초로 천하통일을 하긴 했어도 황제라 칭함을 받지는 못했습니다. 가이사가 죽은 후, 로마의 힘 싸움은 가이사의 양아들이었던 옥타비아누스와 또 역시 가이사의 신하였던 안토니우스 두 사람에게로 옮겨갑니다. 그러는 와중에 안티파터는 살해를 당했고, 그의 아들 대헤롯은 정치적으로 곤궁에 빠집니다. 파르티안들(Parthians, 바대. 오늘날 이란 북부지역, 오순절 사건 때 여기서 온 사람들도 베드로의 설교를 들었다.행 2:9)이 헤롯을 공격한 것입니다. 그런데 문제는 유다 마카비 하스모니안 가문 중 한 사람인 안티고누스가 이 파르티안들과 합세를 한 것입니다. 헤롯은 결국 이집트로 도망가 있다가 로마로 들어가 있게 됩니다. 그러는 동안 유다 마카비 가문의 안티고누스는 다시 하스모니안 왕조로서 유다를 통치하게 됩니다.(🌱 B.C. 40년 경:너무 복잡하시죠? 다 몰라도 괜찮습니다. 하여튼 그렇다는 것입니다. 🌱)

로마로 간 헤롯은 대단한 로비활동을 합니다. 만약 자기를 유대의 왕이 되게 해 주면 돈을 내겠다고 합니다. 이런저런 이유로 로마 원로원은 헤롯을 유대의 왕으로 임명합니다. 지금 쫓겨온 신세인데 왕으로 임명했다는 말입니다. 현재 유다 땅은 유대인 안티고누스가 차지하고 있습니다. 그뿐만 아니라 유다 백성들은 헤롯 가문을 '에돔의 종놈들'이라고 증오하고 있습니다. 그런데도 로마가 헤롯을 정식 '왕' 으로 임명한다는 것은 무슨 뜻일까요? "지금 유대인들이 차지하고 있어도 다시 뺏어라. 뺏을 때 도와주지!" 그런 뜻이겠지요. 헤롯은 다시 싸워서 이 땅을 얻어야 했습니다. 결국 헤롯은 로마군의 지원을 받아 마카비 하스모니안 왕조 계열의 마지막 통치자 안티고누스를 죽이고 예루살렘성을 빼앗습니다. 이 때 헤롯을 도와준 사람이 안토니우스였습니다. 헤롯은 안토니우스에게 대단한 충성을 맹세했겠죠? **이렇게 해서 헤롯은 명실공히 "유대의 왕"으로 등장하는 것입니다. B.C. 37년의 일입니다.** 이 때부터 에돔사람 헤롯가문은 "유대의 왕" 으로 다스리게 됩니다. 그는 이렇게 B.C. 37년부터 예수님이 탄생하시던 B.C. 4년까지 유대를 통치합니다. 대헤롯은 이런 배경을 가진 사람입니다.

동부지역(수리아, 터어키 등 지중해 동쪽 내륙)을 장악했던 안토니우스는 그만 이집트에 있는 클레오파트라와 사랑에 빠집니다. 가이사의 양아들 옥타비아누스는 악티움이라는 곳에서 '클레오파트라와 안토니우스의 연합군' 과 해전을 벌입니다. 그런데 옥타비아누스가 이 전쟁에서 승리를 거두므로 명실공히 옥타비아누스는 로마의 대권을 차지하게 됩니다. 최초의 황제, **아우구스투스**입니다. **예수님 탄생 시기의 로마 황제입니다.** 이때에 아구스도(아우구스투스)가 영을 내려 천하에 있는 사람들은 다 호적을 하라고 하는 바람에 요셉과 마리아도 그들의 고향 베들레헴으로 내려갔습니다(눅 2:1).

이렇게 황제 명칭을 최초로 가진 사람이 가이사의 양아들 옥타비아누스(아우구스투스: '숭고한 사람' 이라는 칭호를 나중에 받음)였지만 '가이사' 라는 이름이 통상 '로마황제' 를 상징하는 칭호로 쓰입니다. 그래서 성경에서도 '가이사' 하면, 황제를 가리킵니다.

2. 신약에 등장하는 주요 직책들

⚖️ 헤롯왕? 분봉왕? 총독? 산헤드린 공의회? 대제사장? 서기관? 바리새파? 사두개파? 열심당? 엣센파?…

 로마 한 나라만 관계되어 있어도 괜찮겠는데 헤롯까지 끼어있어서 이

토록 로마 황제와 헤롯 가문을 공부하는 것이 길었는데 예수님이 활동하시던 때에
는 황제와 대헤롯만 있었던 것이 아닌게 또 문제입니다. 분봉왕들도 있고, 총독도
있고, 대제사장도 권력자 같고, 산헤드린 공의회도 있었고, 바리새파, 사두개파, 서
기관, 열심당 등 수많은 그룹에 정신이 없을 지경입니다. 그렇지만 어떻게 하겠습니
까? 성경을 안 읽을거면 몰라도 읽어야 되니 우리 조금만 더 힘을 내서 따라가 봅시
다! 전복 따야지요!

1) 헤롯

성경에는 예수님이 탄생하실 때 나타났던 대헤롯(Herod Great, B.C. 37~4)도 헤롯왕이라고
말하고, 또 예수님이 사역하시던 30세 어간에 있었던 헤롯 안티파스(🌱 Herod Antipas, B.C. 4
~A.D. 39:대헤롯의 아들, 아켈라오 동생, B.C. 78년에 사망한 최초의 에돔 왕 안티파스와 이름
은 같지만 4대째 내려온 때임 🌱)도 헤롯왕이라고 지칭합니다.

대헤롯 은 우리가 지금까지 공부해서 알다시피 소위 헤롯가문을 유다에 튼튼히 '왕'으로
자리매김을 한 사람이었습니다. 그리고 왕이 된 이후에도 약 30년 이상을 다스린
사람입니다. 마치 남방 유다를 쳐들어온 애굽과 바벨론이 자기 말 잘 듣는 왕을 세워놓고 떠났던
것과 똑같은 그런 식으로 된 왕이지요. **식민 백성은 유대인이요, 꼭뚝각시 왕은 에돔사람이요, 실권
자는 로마인 셈입니다.** 그는 B.C.37~4년까지 유대를 다스렸습니다. 예루살렘 성전을 재건하기 위
해 건축도 시작했고, 여러 도시들을 세워 나가고 그랬습니다. 그러다가 그의 통치 말년에 예수님
의 탄생을 둘러싸고 있는 사건에 등장하는 것입니다. 자기가 왕인데, 어떻게 해서 얻은 "유대인의
왕" 자리인데, 자기 말고 누군가 "유대인의 왕"이 난다니, 이 대단한 헤롯이 가만 있을 리가 없지
요. 유아들을 다 살해하라는 명령까지 냈는데 그만 자기가 죽어버립니다. B.C. 4년 봄에 죽었기
때문에 예수님의 탄생 년도를 B.C. 4년이라고 하기도 하고, 그보다 더 일찍인 B.C. 5년 겨울로 잡
기도 하는 것입니다. 어쨌든 그래서 이 대헤롯의 죽음이 예수님의 탄생 년도를 계산하게 해 주는
것입니다.(🌱 참 흥미롭습니다. "유대인의 왕" 예수께서 나타나시자마자, "유대인의 왕" 대헤롯
이 죽는다는 사실이…🌱)

그러니까 예수께서 **성인(30세)으로서 활동하시는 때는 더 이상 이 대헤롯 왕 때가 아닙니다.** 그의

아들들이 다스립니다. 그런데 문제는 아들이 여럿이었다는 겁니다. 안티파스, 빌립, 아켈라오입니다. 누구 한 사람을 지명해서 왕을 잇게 했으면 우리도 안 복잡할텐데, 대헤롯은 아들 셋에게 골고루 나눠주겠다고 유언을 합니다. 그러지 않아도 복잡한데 그 쪼그만 땅을 또 조각조각 나눠 따로 다스리게 해 놨으니 우린 여간 골치 아픈게 아닙니다. 안티파스에게는 갈릴리와 베레아 지역(요단 동편)을 줍니다. 빌립에게는 갈릴리 북동부 지역을 물려줍니다. 그리고 아켈라오에게는 유다, 사마리아, 이두메(에돔지역)의 통치권을 줍니다. 아켈라오에게 반을 주었고 나머지를 두 아들에게 준 셈입니다. 이렇게 나눠진 땅을 다스리던 왕들을 가리켜서 **'분봉왕'** 이라고 부르는 것입니다. 대헤롯이 유언했다고 다 그대로 되는 것이 아니라, 최종적으로는 **로마의 인가**를 받아서 되는 것인데 '분봉왕' ethnarch는 '왕 king' (대헤롯 같은)보다는 낮은 지위입니다. 한국말로는 똑같은 분봉왕이지만 '분봉왕 ethnarch' 는 '분봉왕 tetrarch' 보다 높은 지위로 불리던 명칭입니다. 아켈라오에게는 ethnarch를, 빌립에게는 tetrarch라는 명칭으로 허락합니다.

아켈라오 는 마태복음 2장 22절에서 한 번 성경에 언급됩니다. 이집트에 피난갔던 예수님의 가족이 유대지역으로 들어가지 않고 갈릴리로 올라가 살게 된 경위를 말해주는 장면입니다. "그러나 아켈라오가 그 부친 헤롯(🌱 대헤롯이겠다는 생각이 나야합니다. 🌱)을 이어 유대의 임금됨을 듣고 거기로 가기를 무서워하더니…" 유대 예루살렘과 사마리아와 에돔지역을 분할받습니다. 유대지역은 아켈라오 영역이었습니다.

빌립 이 다스리던 **갈릴리 북동부** 지역은 주로 **이방사람**들이 사는 곳이었습니다. 데가볼리 지역입니다. 우리가 잘 아는 '가이사랴 빌립보' 는 그가 세운 도시였습니다. 이것 역시 로마황제 가이사를 기리기 위해서 지은 도시였습니다. 이미 '가이사랴' 라는 도시(🌱 건축광 아버지 대헤롯이 세웠음. 바울이 예루살렘에서 체포된 후 로마에 재판 받으러 가기 전에 2년 동안 억류되어 있던 곳 🌱)가 지중해 연안 해변에 있었기 때문에, 그 도시와 구분하기 위해 자기이름도 붙여서 '가이사랴 빌립보' 라고 명명했습니다. 북쪽의 헐몬산 자락에 있는 휴양도시입니다. 예수님도 제자들과 함께 가이사랴 빌립보에 가셔서 '사람들이 나를 누구라 하느냐?' 고 묻기도 하신 그 곳입니다.

헤롯 안티파스 는 **예수님의 고향 갈릴리와 베레아를 다스렸던 대헤롯의 아들 분봉왕**입니다. 그렇기 때문에 예수님의 공생애 삼 년 중에 나오는 헤롯왕은 바로 이 헤롯 안티파스를 가리킵니다. 그는 예수님의 고향인 갈릴리 분봉왕이었기 때문에 이 사람에 대한 언급이 세 번 있습니다. 그는 헤롯 빌립(분봉왕 빌립은 아님, 다른 빌립)의 아내 헤로디아와 결혼한 헤롯왕입니다. 그래서 세례 요한은 이 사건을 질책합니다. 결국은 이 헤롯이 세례요한을 죽인 장본인입니다. 세례요한의 참수 이후 예수님의 활동이 활발해지자 죽었던 요한이 살아난 것 아닌가 싶어서 매우 초조해 하기도 한 사람입니다(눅 9:7). 그리고 예수님을 매우 보고 싶어하기도 했습니다. 그러나 예수님은 이 헤롯을 가리켜 여우라고 불렀습니다. 교활한 사람이었습니다. 마지막에 예수님은 이 헤롯에게 심문을 받습니다. 그도 아버지를 닮아 건축광이었습니다. 갈릴리에 디베랴라는 도시도 건설했습니다.

헤롯 아그립바

예수님의 공생애 동안 나타났던 헤롯가문들은 그 후 사도 바울이 선교하는 동안에도 계속 나타납니다. 예수님의 승천이후 사도행전으로 들어가면서부터는 다른 헤롯왕들이 나타나지요. 이 때 나타나는 헤롯왕가의 이름이 바로 아그립바입니다. 이 사람들은 우리가 위에서 살펴본 아켈라오나 빌립, 안티파스 같은 분봉왕들의 자식이 아닙니다. 헤롯 아그립바는 대헤롯의 아내 마리암네 1세가 낳은 아리스도불의 아들입니다. 아그립바 1세는 야고보를 칼로 죽이고, 베드로를 옥에 가두고, 결국은 충이 먹어 죽은 헤롯왕(행 12장)입니다. 처음으로 아그립바라는 이름으로 성경에 등장한 인물입니다.

그 후 어린 왕자가 왕위에 올라 헤롯 아그립바 2세가 됩니다. A.D. 55년경에 이르면 갈릴리와 데가볼리, 베레아 지역을 다스리는 분봉왕이 되며 헤롯 가문의 마지막 왕으로 A.D. 100년 경까지 다스립니다. 사도바울이 예루살렘 성전에서 체포된 것 아시지요? 이미 1, 2, 3차 선교여행을 다 마치고 예루살렘에 헌금 전달하러 갔다가 체포된 얘기 말입니다. 데살로니가서, 갈라디아서, 고린도서, 로마서 편지를 이미 다 쓴 시점이지요. 바울은 자기가 로마 시민권을 가진 사람이라고 말하면서 가이사에게 상소하겠다고 해서 일단 가이사랴 감옥에 억류됩니다. 바울이 가이사랴 감옥(유대총독 관저가 있었다)에 있는 동안 유대지역의 총독으로 있었던 벨릭스의 후임으로 베스도가 부임합니다.(🌱 빌라도 다음에 나타난 총독이겠구나 생각이 나시죠? 🌱) 이 부임을 축하하기 위해 아그립바 2세가 가이사랴로 방문오는데 이때 바울이 그들 앞에서 간증을 합니다. 그 유명한 바울의 개인 구원 간증이 이 아그립바 2세 앞에서 한 간증입니다(행25~26장). 아그립바2세는 "네가 적은 말로 나를 권하여 그리스도인이 되게 하려 하는 도다… 이 사람이 만일 가이사에게 호소하지 아니하였더면 놓을 수 있을 뻔하였다"(행 26:28, 32)고 말했던 사람입니다.

2) 총독

방금 위에서도 총독이 등장했지만, 그럼 총독은 또 뭘까요? 로마지배 아래 있었을 뿐만 아니라, 헤롯이 왕으로 있었고, 거기다가 또 유대자체에도 세력들이 있었기 때문에 신약시대의 배경이 이다지도 복잡합니다(🌱 조금만 더 해봅시다. 🌱). 보통 전쟁을 해서 나라를 빼앗으면 그 나라를 다스리기는 다스려야 하니까 누군가 통치자를 임명해야 합니다. 그런데 통상 정복자의 말을 잘 듣는 사람을 통치자(king, ethnarch, tetrarch)로 새로 세운 다음에, 그 사람을 조정하는 것입니다. 우리가 구약을 배울 때 애굽의 바로느고가 백성들이 세운 여호아하스는 잡아가고, 여호야김을 왕으로 세웠던 것 기억나시지요? 또 바벨론의 느부갓네살도 여호야긴은 잡아가고 그 아자비 시드기야를 대신 왕으로 세웠던 것 생각나시지요? 그것처럼 자기 말 잘 듣는 왕을 만들어 놓고 원격조정하는 것이 보통 하는 식민정책입니다. 그런데 **마땅히 세울 왕이 없을 때는 본국에서 사람을 파견합니다.** 그 사람을 **총독**이라고 불렀습니다. 포로시대 때 느헤미야는 총독이었습니다. 예수님을 십자가에 못 박은 사람을 빌라도 총독이라고 말합니다. 그럼 왜 분봉왕이 있었는데 또 총독도 있었을까요? 그것은 이런 연유입니다.

대헤롯이 아들들에게 땅을 분배하고 죽었다고 그랬습니다. 그런데 그 중 아켈라오는 유대와 사마리아와 에돔지역을 통치하는 분봉왕이었는데 그만 정치를 잘 못했습니다. 너무 야만적인 독재 정치를 했습니다. 가이사(아우구스투스)는 유화정책으로 다스리라 그랬는데 그러지 않았습니다. 백성들은 폭동을 일으켰고 이 때 아켈라오는 2,000~3,000명을 죽였습니다. 이 일로 유대는(예루살렘 지역) 혼란해졌습니다. 폭동은 더 심하게 번져갔고 로마의 개입으로 진정됩니다. 유대지역 백성들은 이제 더 이상 헤롯가문의 통치를 못 받겠다고 종식시켜달라는 청원을 로마 가이사에게 합니다. 가이사는 아켈라오를 로마로 소환했고, 고올(Gaul 프랑스)이라는 곳으로 추방시킵니다. 정치를 잘 못한 거지요. 그 이후부터 **유대 예루살렘 지역만**(🌱 갈릴리는 아닙니다. 분봉왕이 있습니다🌱)**은 분봉왕이 다스리지 않고 직접 로마의 직영으로 들어가게 됩니다. 총독이** 파견되는 것입니다. 이렇게 해서 대헤롯의 아들, 분봉왕 아켈라오가 다스리던 유대지역은 첫 로마 총독 코포니우스(1대)를 시작으로 해서 마르쿠스 암비블루스(2대), 아니우스 루푸스(3대), 발레리우스 그라투스(4대)를 거쳐 우리가 잘 아는 폰티우스 필라투스(본디오 빌라도, 5대, A.D. 26~36)로 이어집니다. 예수님 당시의 총독입니다. 그러다가 바울 때에 가서 나타나는 총독이 위에서 얘기한 벨릭스와 베스도 이런 사람들입니다.

총독의 관저는 가이사랴(지중해변)에 있었는데 예수님을 재판했던 빌라도는 마침 유월절이었기 때문에 소동을 염려해 예루살렘 성 안에 있는 관저에 와 있었고, 헤롯 안티파스도 같은 이유로 성 안에 자기 관저에 있었기 때문에 짧은 시간에 왔다갔다 할 수 있었던 것입니다. 그러나 보통은 로마총독들이 가이사랴에 머뭅니다. 거기 영채가 있었기 때문에 바울도 예루살렘에서 체포됐지만 가이사랴로 후송되었습니다.(🌱 잘 따라오고 계신지 모르겠습니다. 이런 정치적 틀을 간단하게나마 이해하고 있는 것 하고 아닌 것 하고는 성경을 읽을 때 많은 차이를 냅니다. 만일 지금 설명하고 있는 얘기들을 잘 이해하셨다면 사도행전 25~26장에 나타나는 바울 스토리가 다시 재미있게 읽혀질 것입니다. 한번 그런가 자세히 읽어보십시오. 🌱)

3) 산헤드린공의회

황제나, 헤롯가문이나, 총독이나 그런 정복자들은 순수 유대인 공동체에서 볼 때는 적들입니다. 힘이 없어 당하고 있는 것이지 힘만 있다면 들고 일어나서 독립하고 싶은 유대인들입니다. 그러다보니 바로 이 순수 유대인 공동체 속에는 **나름대로 그들을 대표하는 기관**이 있었습니다. 산헤드린 공의회라는 겁니다. 이 말 속에 들어있는 '공의회' 라는 말이 시사해 주듯이 이것은 '의회' 를 가리킵니다. **'유대인 최고 자치 의결기관'** 입니다. 황제나, 헤롯이나, 총독같은 외부세력 말고, 유대 공동체 속에서는 가장 높은 소위 '정치기관' 이 바로 이 의회였습니다. 대제사장들, 서기관들, 바리새파 사람 등 유대 사회의 지도자급의 사람들 71명으로 구성되어 있습니다. 공식적인 주권은 비록 로마나 헤롯왕이 갖고 있었으나 산헤드린 공의회는 사법적 기능과 입법적 기능, 그리고 행정적 기능까지 갖고, 어느 선 까지는 자치적으로 정치를 했습니다. "빌라도가 가로되 저를 데려다가 너희 법대로 재판하라 유대인들이 가로되 우리에게는 사람을 죽이는 권이 없나이다(요 18:31)" 라고 한 말에 나타난 법이 **산헤드린 공의회의 법**이었습니다. 당시 유대인들이 사형을 집행할 수 있는 단 한가지 예외는 이방인이 성전 안으로 들어가는 죄를 범했을 때입니다. 물론 모든 법은 율법정신에 근거한 것입니다.

그럼 도대체 이 공의회라는 것은 언제부터 있어왔는가? 우리는 이 공의회를 쉽게 이렇게 생각하면 됩니다. 아주 먼 옛날 모세시대 때 모세를 돕는 백부장, 오십부장 등이 있었지요? 그 사람들을 장로라고 불러왔습니다(신 27:1). 이들은 그 후 여호수아나 사사시대를 지나오면서도 계속해서 백성들의 대표로 유대사회에서 역할을 했습니다. 이렇게 '장로들' , '귀인들' , '방백들' 이라는 이름으로 있어오다가 신약에서는 '산헤드린' 이라는 이름을 가진 것으로 보여집니다.

4) 대제사장

산헤드린이 유대인 자치세력으로서 최고의 기관인데 반해 한 개인으로서도 또 대장(?)이 있는 겁니다. 이 대장은 누구였을까요? 이 유대인 공동체는 신앙 공동체였기 때문에 과거 에스라 이래로 대제사장이 지도자가 된 것입니다. **그래서 최고의 위치라고 볼 수 있는 직책이라면 대제사장이었습니다.** 예수님 당시에도 대제사장이 산헤드린의 주역이었습니다. 그런데 이들은 종교당파(신학적 배경)로 말하자면 사두개파였습니다. 이렇게 외형적 전통으로 볼 때 전통적으로 유대인들을 종교적으로 이끌어가는 지도자는 대제사장이었습니다. 그런데 말이 대제사장이요, 백성들을 영적으로 이끌어가는 지도자지, 사실은 로마나 헤롯이나 총독에 붙어서 자기의 권력을 즐기며 백성들을 종교라는 이름으로 착취하는 세력으로 쉽게 타락하곤 했습니다. 잘하는 대제사장들도 있었지만 대부분 그러지 못했습니다. 왜냐하면 '대제사장' 이라는 직함이 유대인 공동체의 대표라는 것을 안 정복자들은 아예 이 대제사장까지도 자기네가 다루기 쉬운 사람들을 임명해 버리면 쉽다는 것을 터득한 것입니다. 그래서 아론계열의 레위인이 대제사장이 되어야 하는데도 불구하고 자격도 없는 사람들을 임명했습니다. 그들에게는 아무 상관없는 일이었기 때문이었습니다. 그러다 보니 이런데 눈이 밝은 사람들은 돈을 갖다주고 이 '대제사장권' 을 샀습니다. 예수님 당시의 대제사장 안나스같은 사람입니다. 물론 유대공동체 내에 하나님의 사람들로서 남은 자의 역할을 감당하는 숨어있는 참 이스라엘, 경건한 유대인들도 있었습니다. 우리가 아는대로는 나다나엘, 시므온, 안나, 요셉같은 사람입니다. 그러나 누구보다도 대제사장이 그런 사람이어야 하는데 이렇게 된 것입니다. 그러니까 겉으로 보기에는 순수 유대 공동체를 대표하는 영적지도자로 자처하지만 속으로는 결국 로마나 헤롯 가문과 결탁해서 그게 그거인 셈이 된 형국입니다. 이런 사람들이 하나님의 이름을 빌어 성전에서 제물을 팔아서 돈을 버는 장사까지 한 것입니다. 이런 사람이 1년에 한 번 대 속죄일에 백성들을 대신해서 속죄제사를 드리는 대제사장이었습니다. 예수님 당시의 예루살렘 성전은 이런 모습이었습니다.

5) 서기관, 율법사, 랍비

팔레스타인 땅 본국에 사는 유대인들은 어쨌거나 이런 성전에라도 출입하며 제사를 드렸는데 온 세계에 흩어진 디아스포라들은 마땅히 하나님을 예배할 곳이 없었습니다. 그러나 나름대로 흩어지지 않고 모여서 율법을 배우고 유대정신을 이어갔습니다. 그 모이게 된 장소를 가리켜 **회당** 이라고 부릅니다. 외국 땅에서 유대정신을 잇게 하는 집회장소인 셈이지요. 이 회당은 후에 팔레스타인 땅 안에도 수없이 많이 세워져 교육기관이 되었고, 그 후로 바울 시대를 거쳐 오늘에 이르기까지 전 세계에 세워집니다. 회당에서 제사를 드린 것은 아니지만 율법을 가르치고, 유대인으로서의 정체성을 갖는 교육을 한 것입니다. 회당은 이방 땅에서뿐만 아니라 고국에 포로귀환으로 돌아온 사람들 가운데도 세워졌습니다. 사실 이 운동은 원래 제사장 겸 학사였던 에스라가 했던 일입니다.

에스라 이후 중간기를 지나오면서부터는 어떻게 그 당시 사람들에게 율법을 쉽게 가르칠 수 있을 것인가가 문제로 대두되었습니다. 그래서 율법을 해석하고 쉽게 풀어주는 **서기관, 율법교사, 지혜교사, 랍비**가 생겨난 것입니다. 우리들도 요즈음 교회에 가면 목사님이 성경을 본문으로 하고 설교를 하십니다. 성경이 무슨 말씀인지 풀어 해석해 주어야 이해하는 것과 마찬가지 현상이었습니다. 과거 모세 시절에 기록된 모세오경을 포로시대 후기에는 어떻게 적용해야할지 '해석'의 문제가 생기는 것입니다. 그래서 구체적으로 삶에 적용하기 위해서 '안식일에 걸을 수 있는 거리는 2Km다', '정결케 하는 규례로 손을 씻을 때는 팔꿈치까지 씻는다' 등등 율법을 연구하고, 명상하고, 또 그것을 구체적으로 삶에 적용하는 일들을 서기관들이나 율법사들이 한 것입니다. 또 공적인 자료들을 기록하고 필사했던 사람들(왕하 12:10)이 있었듯이 서기관은 그런 사람들입니다. 서기관들은 법률가로서의 직무를 수행하기도 했으며, 그 중 일부는 산헤드린의 회원이기도 했습니다. 또 신학자의 역할을 하기도 했습니다.

6) 바리새파(The Pharisees)

예수님의 공생애 기간 동안 가장 많이 예수님의 사역에 관계된 사람들은 **바리새파 사람들**입니다. 바리새파는 어떻게 해서 생겨난 명칭인지는 정확지 않습니다. 어쨌든 이 말은 분리되다, 구별되다라는 의미를 갖고 있습니다. '바리새파'라는 명칭이 분리된 자들과 관계된 말이라면, 마카비 가문의 거룩한 전쟁에 함께 참여한 거룩한 전사들로서 거룩하게 구별된 자를 가리키는 것이 아닌가 보기도 합니다.

이들은 그들 스스로를 거룩하게 생각하며 의식상 부정한 것을 엄격하게 구별했습니다. 정결 예식과 먹는 법 안식일 계명 등을 엄격하게 지켰습니다. 이들은 실제적으로 백성들의 인정을 받는 그룹이었습니다. 왜냐하면 제사장 그룹들은 엉터리라는 것을 백성들이 알았기 때문입니다(조세프스 기록에 의하면 제사장가문을 욕하는 말들이 있습니다). **바리새인들은 민중이라는 세력을 등에 업고 있었습니다.** 그래서 이들은 정치적으로 보다 종교적인 면에서 더 인정을 받는 그룹이었습니다. 니고데모, 바울과 같은 바리새인도 있었던 점으로 보아 진지하게 율법을 연구하며 구약을 계승하려는 그룹임에 틀림없었습니다. 구약에서 흘러 내려오고 있었던 하나님 나라 운동이 이들을 통해 명맥이 이어져 내려온 것이 사실입니다. 오늘날까지도 정통유대교라는 이름으로 이어지는 유대교의 핵심세력이 이들입니다. 사두개파가 A.D. 70년, 또 한번의 예루살렘 멸망과 함께 사라진 것에 비하면 바리새파야말로 유대교의 핵심이라고 말할 수 있습니다.

7) 사두개파(The Sadducess)

'사두개파'는 유대교 안에서 제사장적 귀족 집단을 형성하고 있던 종파입니다. 예루살렘에 거주하는 지주들입니다. 이 명칭은 일반적으로 '사독'에서 유래된 것으로 봅니다. 사독은 다윗시대에 아비아달과 함께 제사장이었고 솔로몬이 아비아달 대신에 대제사장으로 삼은 사람입니다. 그래서 이 사람은 예루살렘 성전의 제사장직의 원조라고 볼 수 있는 사람입니다. 마카비 혁명을 전후로 해서 제사장 제도가 재정비되고 재조직될 때 사두개파가 하나의 당파로 인정을 받게 되었습니다. 이들은 바리새파와는 반대 입장을 취하며 경쟁관계에 있던 사람들이었던 것 같습니다. 육체의 부활을 믿지 않았습니다. 또한 천사와 영의 존재를 부인했습니다. 그들은 지혜를 추구하는 철학교사들과 논쟁하는 것을 미덕으로 생각했습니다.

8) 열심당(The Zealots)

열심당은 영어의 음역을 따라 '셀롯인 시몬'(눅 6:15)이라 표기된 것과 같이 '셀롯당'이라고도 합니다. 이 당파는 종교적 당파가 아닙니다. 열성적 민족주의 집단입니다. 이들은 '마카비' 활동에 그 기원을 둡니다. 그런데 요세푸스같은 역사가는 이들을 '강도들', '산적'으로 불렀습니다. 맹렬한 반로마주의자면서 또한 유대 종교지도자들이나 기득권 세력자들에 대해서도 적의를 품고 있었습니다. 그러나 이들은 토라(모세율법)에 대해서는 목숨을 걸고 헌신했던 사람들입니다. 언제나 칼을 품고 다녔다고 합니다.

9) 엣센파(The Esseness)

이밖에도 쿰란 공동체로 불리우는 '엣센파'가 있었습니다. 경건한 유대 공동체 중의 하나인데 성경에는 기록이 없지만 문서들의 발견으로 이 시대의 많은 자료들을 제공하고 있습니다. 바리새파, 사두개파들이 백성들과 접하는 대중적인 성격을 갖고 있다면 이들은 광야에 은둔하는 수도사적 성격을 가진 단체였습니다. 이들은 광야에서 공동생활을 했습니다. 세례요한이 이 엣센 공동체에 관계된 사람이 아니었겠는가 추정하기도 합니다. 종교 공동체로서 극기하며 금욕적인 생활을 하였습니다. 이들이 주로 거주했던 동굴 속에서 많은 문서들이 발견되었습니다. 그중에 유명한 것이 '사해사본'입니다. 이 사본은 구약성경의 정확성을 증명하는 아주 중요한 증거자료로 공헌을 합니다.

⚖️ 당시 팔레스타인 땅의 행정구역

생장점 POINT 　도대체 뭣 땜에 이런 걸 공부해야되나(?) 하고 투정이 나오는 분들도 계시지요? 그런데 중요합니다. 이제 곧 이어 공부하게 될 예수님 시대는 바로 이런 내용들이 그 배경이 되기 때문입니다. 바리새파나 서기관들만 하더라도 엄청난 그들의 역사가 있고, 신학이 있습니다. 정치와 결탁해서 일어난 사건들도 어마어마하게 많이 있습니다. 여기 기록한 내용들은 바닷가의 모래알 정도만큼의 미미한 내용들입니다.

　신약성경의 배경이 되는 로마시대의 유대 지리는 매우매우 간단합니다. 구약시대처럼 열두 지파 땅들을 외울 필요가 없습니다. 세 도만 알면 됩니다. 북쪽으로 **갈릴리도**, 중간에 **사마리아도**, 아래에 **유대도**, 이렇게 머리에 그려놓고 신약에 많이 등장하는 성읍들만 좀 공부하면 됩니다. 앞으로 신약성경을 읽을 때 거리감각을 가지고 읽으면 좋습니다. 예를 들면 "예수께서 유대에서 갈릴리로 나가려 하시다가…" 하면 어느 정도 여행길인가를 감 잡으면 좋습니다. 적어도 사흘길입니다. 주로 예수님의 공생애 동안 갈릴리도의 가버나움 사역과 유대도의 예루살렘성에서의 사건이 많으므로 이 정도 지역쯤은 늘 머리에 설정해 놓고 있으면 재미가 있습니다.

　이스라엘이나 유다사람들의 땅으로 알려진 위의 세 도 말고도 예수님께서 활동하신 그 근처의 이방 도들이 있습니다. 행정적으로는 이방이지만 그래도 많은 유대인들이 그곳에 섞여 살았습니다. 그것은 구약의 요단 동편으로 알려진 지역인 **베레아도**, 갈릴리 호수 동남쪽의 이방인들의 땅 **데가볼리도**, 갈릴리 지방 북쪽의 **두로와 시돈(베니게 지역)지역** 등이 그것입니다.

7과 신약 속으로 오신 '왕'-예수님

1. 간추린 신약 목록

이제 드디어 신약으로 들어왔습니다. 신약의 배경이 되는 400년 동안의 중간기 역사를 대강 정리하고, 이제 우리는 신약의 무대가 되는 로마에 발딛고 있습니다. 신약 읽기를 하기 전에 먼저 신약의 27권 목록을 정리해 보려고 합니다. 그리고 나서 어떻게 신약을 읽어 내려갈지 관점도 찾아보려고 합니다. 우리가 맨 처음 구약 읽기를 공부할 때 39권 목록 하나하나를 간단히 정리하고 나서 읽는 방법을 찾은 것과 마찬가지입니다. 신약 목록도 하나하나 간단하게나마 살펴봅시다. 물론 주석성경이나, 요즈음 나오는 성경책에는 간단한 각 권 설명이 아주 잘 되어 있습니다. **그것도 잘 참고하시고 이것도 잘 읽어 보십시오.**

마태복음

예수님의 제자 세리 마태가 세무 공무원답게 꼼꼼하게 메모를 많이 해 두었던 자료를 바탕으로 기록했다고 봅니다. 구약에서 말라기로 끝난 이야기를 이 마태복음에 붙여서 연결하는 것이 가장 좋습니다. 구약적 배경을 갖고 쓴 예수님의 생애이기 때문입니다. '거룩한 신약성경의 시작이다' 하는 "성경책"이라는 생각을 갖고 읽어오던 관점과 함께, 한 세금쟁이(?)였던 사람이 어떻게 예수 사건을 경험했으며, 그 경험을 결국 어떻게 이해하고 썼나… 하는, '한 사람의 일생'을 투영해 보는 시각으로도 이 마태복음을 읽읍시다. 특히 산상수훈이나 예수님의 비유 등 수많은 설교와 교훈들을 기록으로 남겼다는 것은 그가 그 내용들을 성령의 감동으로 깊이 소화했다는 뜻입니다. 하나님이 불러주셔서 받아 적은 것이 아닙니다. 여러분 가운데는 목사님의 설교를 수천 번 들으신 분도 계실 것입니다. 몇 편이나 그 내용을 요약해서 이 마태처럼 요점 정리하실 수 있으시겠습니까? 아마 깊이 깨달은 말씀이 있다면 여러분의 표현으로 다시 기록할 수 있을 것입니다. 이런 관점에서 마태뿐만 아니라 다른 신약의 책들을 읽어보십시오. A.D. 63~67년 사이에 기록한 것으로 학자들은 생각합니다.

마가복음

마가는 바나바의 생질이며, 베드로의 믿음의 아들입니다. 그의 예수님복음은 제일 짧습니다. 그는 요한(행 13:5, 13)으로도 불리워졌습니다. 바나바, 바울과 함께 1차 전도여행을 가다가 중도에서 포기했던 그 마가입니다. 베드로에게서 들어서 예수님의 일생을 기록했다고 해서 베드로복음이라고 말하는 사람도 있습니다. 그러나 예수님 승천 후 갈릴리에 있던 제자들이 예루살렘으로 올라와 모인 장소가 마가의 집이었던 것으로 보아, 일찍이 예수님께서 예루살렘에 계실 때도 그곳에 통상 모이곤 하셨던 게 분명하므로, 그도 예수님을 만나보았을 것 같습니다. 아직 어린 나이였겠지만 그의 집에 상당히 많은 사람들이 모일 수 있는 큰 다락방이 있었으니 부유한 사람이었던 것 같습니다. 바울도 그의 선교 초기(행13:5)와 후기(딤후 4:11)까지도 마가와 관계했습니다. 이와같이 마가 요한은 베드로와 바울과 함께 초대교회를 이루고, 또 이방에 복음을 전하는데 큰 역할을 했던 사람입니다. 초대교회의 교부 이레네오는 베드로가 헬라어를 못하니까 마가가 통역을 했다고 말합니다. 바울과 베드로가 순교한 이후에도 쓰임 받다가 성경까지 기록합니다. A.D. 55~65년에 기록한 것으로 봅니다.

누가복음

유일한 이방인 성경기록자로서, 사도행전을 쓴 의사 누가입니다. 그는 '사랑받는 의원 누가'(골 4:14)라고 불렸습니다. 그렇기 때문에 누가복음을 읽고 사도행전을 읽으면 호흡이 맞습니다. **마태는 경험한 예수를 썼고, 마가는 베드로에게서 직접 들어서 썼고, 누가는 이방인으로서 사도들에게서 듣고, 연구해서 쓴 것입니다.** 우리같은 사람들과 가장 근접한 타입의 성도라서 친근감이 있습니다. 예수님을 보지도 못했고, 우리같이 다른 나라 사람이고, 자료를 통해 부지런히 연구하고 살피고 조사해서 진리를 발견하는 방법으로 복음서를 썼기 때문입니다. 2,000년이라는 시간의 격차를 제외하고는 의사 누가나 우리나 예수를 믿는 방법은 같습니다. 누가 자신이 이방인이기 때문에 누가복음에서 이방인들에 대한 주님의 관심을 특히 부각시키고 있습니다. 저술 연대는 아무리 늦게 잡아도 바울의 투옥생활이 끝나던 A.D. 63년 이전으로 봅니다.

요한복음

예수님의 사랑하시는 제자 요한입니다. 어부 출신이었는데도 학자 출신 바울 못지 않게 지적인 통찰력과 심오한 철학적 센스가 있었던 사람 같습니다. 예수님께 들었던 말씀들을 일차 소화해서 깊은 해석까지 겸하여 예수님의 일생을 기록했습니다. 특히 요한이 이 복음서를 기록할 당시는 공관복음이라 일컫는 위의 세 복음서들이 회람으로 돌아다니던 때였으므로 요한은 가급적 이 세 복음서에 없는 내용을 기록하려고 노력한 것으로 보입니다. 왜냐하면 세 복음서끼리는 거의 같은 내용들을 기록한 데 비해 **요한복음은 90%가 이 세 복음서에 없는 내용**입니다. 이런 연유로 요한복음은 다른 세 복음서 부류에 넣지 않습니다. **마태, 마가, 누가, 이 세 복음서만 공관(共觀)**이라는 말을 붙입니다. 그는 예수님의 제자 가운데 가장 말씀을 많이 받은 사람입니다. 요한복음뿐만 아니라 요한 1, 2, 3서, 요한 계시록까지 받은 사람입니다.

요한은 자기 어머니 Mrs. 세베대까지 동원해서 예수 혁명정부가 들어서면 나라를 위해 일하겠다고 야망을 품은 사람이었습니다. 예수님이 십자가에 죽으시는 그 즈음까지도 예수님을 따라다니던 목적 중 하나가 그것이었음을 알 수 있습니다. 구약의 하나님 나라, 포로 시대 때 없어져서 지금까지 주권없이 떠도는 이 하나님의 나라를 회복하고 싶었던 것입니다. 우리가 흔히 생각하는 대로 한 자리 하고 싶었던 명예욕도 있었겠지만, 애국적인 마음을 가지고 이 하나님 나라를 회복하고자 하는 욕망도 있었을 것입니다. 예수님이 부활하신 이후, 또 마지막 승천하시는 그 순간까지도 그를 비롯한 많은 제자들이 이 욕망을 가지고 있었던 것이 분명합니다. **"이스라엘 나라의 회복하심이 이때이니이까?"** 구약에서 사라진 것 같은 하나님의 나라를 다시 찾고 싶어하는 하나님 백성들의 질문이었습니다. 이 질문이 바로 이 요한뿐 아니라 다른 제자들도 예수님을 좇아 다니게 했던 원동력이었던 것 같습니다. 요한과 야고보가 어머니까지 대동해서 '자리'를 청탁하자 모든 제자들이 다 들고일어나 분히 여긴 걸 보면 그렇습니다. '하나님 나라의 회복', 이 질문이 그들을 이끌어 간 엔진이었습니다. 그 당시 웬만한 남자들은, 하나님을 진정 사랑하는 참 이스라엘 사람들은, 이 하나님의 나라가 회복되는 것을 보려고 기다리면서 기도해 오고 있었던 것입니다.

로마 시대라는 정치, 종교, 사회 상황을 지나오면서 이렇게 좌충우돌하던 제자들이 결국 어떻게 이 '하나님의 나라' (우리가 지금까지 공부하고 있는 주제)를 이해하게 되는지 그 과정을 눈여겨 보십시오. 요한은 요한대로, 베드로는 베드로대로 그들의 일생을 찬찬히 이런 관점에서 관찰해 보십시오. 예수님께서 로마를 정복하면 그 나라가 임하리라고 기대했었습니다. 그래서 예수님께 청탁도 했습니다. 그들의 어머니도 그것 때문에 예수님의 제자 된 것을 은근히 좋아하며 뒷바라지했던 것 같습니다.

그런데 요한복음을 보십시오. 구약의 사건들을 영해하며 예수를 증명하는 요한의 그 필치를 보십시오. 잡히시기 전날 밤 마지막 고별설교를 하신 내용들, 그 깊은 내용들을 기억해서 기록으로 남긴 것을 보십시오. 우뢰의 아들이라고 불리우던 그 강한 개성(?)을 갖고 있던 사나이가 "사랑"이라고 하는 개념을 정리해서 요한1, 2, 3서에 기록한 그 깊고 섬세한 인간 이해를 읽어보십시오. 그리고 마지막에 밧모섬 채석장에 끌려가 노동을 착취당하는 현장에서 받은 계시를 보십시오. 사람의 입으로 다 말하지 못할 하나님 나라의 사람으로 결국 살아간 것입니다.

'요한복음' 이라고 지금까지 생각해 온 고정관념도 좋지만, 한 인간 요한이 어떻게 예수님을 하나님으로 알아갔는가 하는 그 과정을 읽으십시오. 그리고 여러분이 걷고 있는 '예수 믿어가는 노정' 과 비교하며 요한복음을 읽으시기 바랍니다. A.D. 85~95년에 기록된 것으로 봅니다.

사도행전

예수님이 승천하신 이후부터 남아 있는 제자들을 중심으로 **교회가 형성되는 과정(베드로 중심)**과 그 교회가 세계로 흩어지는 **선교의 과정(바울 중심)**을 그린 역사서입니다. 4복음서가 증언적 성격의 책이라면 사도행전은 역사적인 기록이면서도 기행문적인 성격의 책입니다.

이 사도행전은 예수사건의 핵심부위인 십자가의 죽음과 부활을 삶으로 관통한 사람들이 "영원한 생명"을 소유하고 질주해 나가는 책입니다. 그래서 오늘날에도 그의 십자가와 부활을 깊이 경험한 사람이 읽는 책입니다. 마치 그 옛날의 제자들과 같은 심정, 이 예수를 전하고 싶은 충동을 갖고 읽는 책입니다. 일단 복음서를 통과한 사람이 신나게 읽을 수 있는 책입니다. 겁 많던 제자들이 이렇게도 용감해져서 폭발적인 힘으로 '예수의 도'를 전하는 것을 보면서 같이 신이 나는 사람이 밤을 새워가며 읽을 수 있는 책입니다. 만약 아직 복음서의 핵심인 '주의 죽으심과 부활'을 깊이 공감하지 못한 이들이 읽는다면 사도행전은 너무나 재미없는 책입니다. 지루한 책입니다. 왜 그런지 아십니까? 지명이 많이 나오기 때문입니다. 입에서 지명들만 뱅뱅 돌다가 내용은 못 찾고 그만 성경을 덮어버리게 되는 겁니다. 예루살렘 교회의 탄생, 성장, 확장, 그리고 바울의 세계선교로 구성되어 있습니다. 저자인 누가는 바울을 주인공으로 그리고 있습니다. A.D. 63년 경 기록된 것으로 봅니다.

로마서

로마서는 성경 중의 성경이라고 합니다. 사도 바울이 한번도 방문한 적이 없는 로마 교회의 교인들에게 보낸 편지입니다. 마틴 루터도 이 책을 읽고 종교개혁을 일으켰고, 어거스틴도 이 책을 읽고 회개했습니다. 정독해야 하며, 일생 동안 한번은 깊이 연구해야 할 책입니다. 바울 서신 중 가장 논리적이고 체계적으로 복음을 설명한 논문 성격의 책입니다.

제3차 전도여행 끝 무렵, 속 썩이던 고린도 교회가 안정되었다는 소식을 듣고 그 고린도 교회를 방문해서 겨울을 기다리며 쓴 것이 로마서인데 겐그레아(고린도 지방)에 살고 있던 뵈뵈라는 자매의 손에 들리워 로마로 전달된 책입니다. 그 로마 교회들의 후원을 받아 스페인으로 전도하러 갈 계획으로 후원을 요청하는 편지이기도 합니다. A.D. 58년 경에 쓰여진 것으로 봅니다.

고린도전 · 후서

사도 바울의 속을 제일 썩인 고린도 교회에 사도 바울이 보낸 편지입니다. 제2차 선교여행의 중심 사역지입니다. 많은 문제를 가지고 사도의 마음을 아프게 했던 교회인데 그 때문에 오늘날 교회에서 문제가 일어날 때 답을 제공해 주는 책이 되었습니다. 오고 오는 교회의 분쟁을 해결하기 위해 소극적인 의미에서 쓰임 받은 셈이라고나 할까요?

바울은 제3차 전도여행 중 소아시아의 에베소 교회를 개척하고 있을 때 글로에 집 종으로부터 고린도 교회에 분쟁이 있다는 소식을 듣고 고민을 합니다(1:11). 고린도 교회는 바울이 제2차 전도여행(유럽지역 아가야의 고린도 도시 중심)때 세운 교회였습니다. 바울이 교회를 개척해 놓고 떠난 이후 고린도 교회에 여러 가지 문제들이 발생했습니다. 3명의 대표단이 많은 질문을 가지고 에베소로 찾아옵니다(고전 16:17). 바울의 대답을 듣고 싶었던 거지요(7:1). 그래서 **그들이 질문한 문제들을 자세히 풀어 설명해 주는 답변이 고린도전서**입니다. 이 편지 속에서 바울은 지금 머무르고 있는 에베소를 오순절 때까지는 계속 있을 것이고 그 후 에베소를 떠날 계획을 가지고 있다고 밝히고 있습니다(16:5~8).

그 뒤 바울은 그들에게 한 통의 편지를 더 씁니다(고린도후서가 아님). 고린도전서를 쓴 그 장소, 에베소에서. 왜냐하면 고린도전서를 받고 난 이후 또 고린도 교회에 위기가 닥쳤기 때문입니다. 이것은 고린도전서에 나타난 파당 문제, 은사 문제, 교회 내의 음행문제 등 교회 성도들 사이에서 일어난 문제 정도가 아니라 **'바울 사도를 공격하는 문제'**였습니다. 바울은 사도가 아니라는 것입니다. 그래서 그는 충격을 받습니다. 그리고 편지를 씁니다. 그러나 그 편지는 전해지지는 않습니다. 소위 **'눈물로 쓴 편지'**라고 불리우는 편지입니다. 고린도 교회에 이 눈물의 편지를 전해주려고 들고 간 사람이 디도였습니다(고후 2:1~11). 디도는 고린도에 가서 교회를 잘 평정하고 좋은 소식을 갖고 돌아오는데 이때는 이미 바울이 에베소 (고린도전서와 눈물의 편지 쓴 장소)를 떠난 후입니다. 바울은 에베소를 떠나 마케도니야 (유럽) 쪽으로 올라갔고, 디도도 고린도 (남유럽)를 떠나 마케도니아(유럽)로 갑니다. 둘이 마케도니아지방에서 만난 것입니다. 거기서 고린도 교회가 잘 회복되었고 바울을 진짜 사도로 믿고 있다는 반가운 소식을 듣고 쓴 편지가 **고린도후서**

입니다(고후7:6이하). 이렇게 고린도전 · 후서는 56~57년 경에 기록한 것 같습니다. 고린도후서는 인간 사도 바울의 개인적 감정이나 생각이 풍부히 들어 있는 책이라서 인간 사도 바울을 만날 수 있게 해줍니다.

갈라디아서

다메섹에서 개종한 바울 얘기는 사도행전에 있습니다. 그러나 그후 그가 아라비아로 갔었다가 다시 다메섹으로 올라갔고, 그 후 3년 있다가 게바(베드로)를 만나기 위해 예루살렘에 갔다는 정보는 갈라디아 교회 사람들한테 보내는 편지(갈 1:17~18)에만 있습니다. 또한 갈라디아서 2장은 바울이 1차 선교여행을 마친 후 예루살렘 총회(행 15:2)에 올라가서 있었던 일을 말합니다. 이런 예루살렘 총회 얘기도 이곳에서만 생생하게 나타나는 것으로 보아 갈라디아서는 사도 바울의 초창기 사역에 매우 밀접하게 연류되어 있다고 보여집니다(🌱 이런 연유로 갈라디아서는 1차 전도여행후 예루살렘 총회 어간에 쓰여진 최초의 편지라고 보는 사람도 있음🌱).

말 그대로 갈라디아 지방에 보낸 편지입니다. 이것은 이미 갈라디아에 가서 복음을 전했다는 뜻입니다. 그런데 그렇게도 빨리 바울이 전한 복음에 도전해서 교회를 어지럽히는 사람이 있었습니다. 유대주의자들이 문제였습니다. 바로 이 문제들을 정리하는 작업을 예루살렘 총회에서 한 것입니다. 율법과 복음의 관계, 성령에 대해서 다룹니다. 즉, 성령을 받은 것이 할례로 대표되는 율법을 지킴으로가 아니라, 복음을 듣고 믿음으로 받은 것임을 강조합니다. 유대주의자들의 심각한 공격이 구체적인 배경이 되었기 때문에 할례, 율법 등과 복음의 관계들이 다뤄지는 것입니다. A.D. 52년 정도에 기록된 것으로 봅니다.

에베소서, 빌립보서, 골로새서 (빌레몬서)

옥중서신이라고 합니다. 바울의 로마 제1차 구금 중에 보낸 편지들로 봅니다. 사도행전 28장끝부분에서 쓴 것입니다.

제3차 전도여행을 마치고 예루살렘으로 간 바울은 체포되어 가이사랴(🌱 팔레스타인땅, 지중해연안 항구도시로 대헤롯이 세운 로마식 도시. 가이사 아우구스투스를 기념해서 붙인 도시이름🌱)에서 2년간 억류됩니다. 그 후 로마로 호송되어 그곳에서도 약 2년간 감금 생활을 합니다 (행 28:30). 그가 죄수의 몸으로 로마에 도착한 시기는 A.D. 61년 봄 쯤으로 추정되는데 63년에 풀려나기까지 감금된 상태에서 쓴 편지들이 바로 에베소서, 빌립보서, 골로새서입니다. 그러니까 약 62~63년 사이에 쓰신 편지로 봅니다. 빌립보서를 조금 더 후에 썼다고 생각됩니다.

골로새는 에베소의 인접 도시인데 사도 바울이 직접 가서 전도한 곳이 아닙니다. 에바브라에 의해 개척된 것 같습니다(골 1:27). 이 골로새 교회는 빌레몬서의 수신자인 빌레몬이 중요 지도자로 있었습니다. 그러므로 빌레몬서와 골로새서, 이 두 통의 편지는 주소가 같겠지요? 그런데 에베소는 골로새랑 인 접한 도시지요? 그러니까 이 편지 세 통을 두기고(엡 6:21, 골 4:7)가 오네시모와 함께 들고 간 것입니다.

데살로니가 전 · 후서

데살로니가 전서는 바울이 제2차 전도여행 중이었던 A.D. 52년 경에 고린도에서 기록한 편지입니다. 당시 데살로니가는 인구가 많게는 약 50만 정도였다고 합니다. 항구 도시로서 번화한 곳이었습니다. 유럽(마게도니아 지방)의 도시입니다. 그래서 데마는 세상을 사랑하여 데살로니가로 갔다는 표현이 나올 정도였습니다(딤후 4:10).

데살로니가후서는 전서가 기록된 이후에 뒤이어 쓰여진 것이 분명합니다. 전서에서는 데살로니가 교회 내부가 별 분쟁없이 조용한 데 반해, 후서에서는 광신자들의 종말 도래설로 몹시 소란스럽습니다. 어떻게 이러한 광신적인 사상이 일어나게 되었는지는 잘 모르지만 이러한 사상이 교회를 어지럽게 하기까지는 적어도 수개월이 걸리지 않았나 생각됩니다. 따라서 전서와 후서의 시간 차이는 최소한 5~6개월은 된다고 보여집니다. 아마도 바울은 데살로니가전서를 가지고 갔던 동역자가 되돌아온 후 그러니까 A.D. 52년경 말에 이 후서를 썼을 것입니다.

디모데전 · 후서, 디도서

사도행전이 그의 감금으로 끝나기 때문에 우리는 무의식적으로 바울이 그 후 순교했다고 생각하는데 사실은 그렇지 않습니다. 바울이 로마에 잡혀가서 2년 간 감금되었다가 (이 기간에 에베소서, 골로새서, 빌레몬서 쓴 것 기억나지요?) 풀려납니다(A.D. 62년경). 그 후에 그는 계속 전도를 하는데 이 전도를 일반적으로 4차 전도여행이라고 부르기도 합니다. 바로 이 때 기록된 것이 디모데전서와 디도서입니다. 소위 목회서신이라고 부릅니다. 목회자인 디모데와 디도에게 보낸 사도 바울의 서신입니다.

그 후 바울은 제2차로 로마 감옥에 투옥됩니다. A.D. 64년 로마의 대화재가 기독교인들의 소행이라는 누명을 쓰게 되어 그리스도인들은 심한 박해를 받았습니다. 그 와중에 바울도 체포된 것입니다(A.D. 66~67). 디모데후서에는 이때의 상황이 매우 자세히 언급되고 있습니다(1:15, 2:9, 4:6~8…). 사도행전에 나타나는 1차 구금 때와는 달리, 제2차 구금 때는 매우 어려웠던 것 같습니다. 감옥에 있으면서 겨울이 오기 전에 디모데가 와 주기를 바라고 있다는 구절을 참고해 볼 때 디모데후서는 A.D. 68년 가을에 쓰여진 것 같습니다. 디모데후서는 사도 바울의 가장 마지막 편지입니다.

목회자로서 교회를 어떻게 목양해야 할지, 그리고 목회자 개인의 생활은 어떠해야 할지에 대한 교훈을 담고 있습니다. 디도는 사도행전에는 안 나오지만 사도 바울의 충성스런 조수로 선교활동에 적극 참여한 사람입니다. 교회사에서는 디모데, 디도같은 사람들을 속사도(사도들의 뒤를 이은 사도)라고 합니다.

빌레몬서

사도 바울이 골로새 교회의 지도자인 빌레몬에게 보낸 개인 서한입니다. 빌레몬의 종이었던 오네시모가 주인집을 탈출하여 로마로 가서 사도 바울을 만나 개종을 합니다. 그를 용서해 줄 것을 부탁하는 사도 바울의 인간미가 풍기는 편지입니다. 위에서 에베소서, 빌립보서, 골로새서를 설명할 때 이 빌레몬서도 함께 다뤘습니다. 로마 1차 감금때 쓰여진 옥중 서신 중 하나입니다.

히브리서

저자는 미상이라고 봅니다. 혹자는 사도 바울이라고 보기도 합니다. 흔히 믿음을 설명하는 책이라고 알고 있으나 사실은 예수님이 대제사장이심을 강조한 책입니다. 그런 점에서 유대인 그리스도인들에게 보낸 편지임이 분명합니다.

야고보서

예수님의 육신의 동생 야고보는 초대 교회의 지도자였습니다. 예루살렘 교회의 기둥(갈 2:9)이라고 불렸습니다. 예루살렘을 근거로 활동했기 때문에 야고보서는 예루살렘에서 기록된 편지로 보여집니다. 흩어진 유대 그리스도인들에게 보낸 서신입니다. 처음에는 형 예수가 미쳤다고 생각하는 사람들 얘기를 듣고 걱정하기도 하고, 또 형을 비꼬기도 했습니다. 형을 인간으로만 보았습니다. 그러나 후에는 그 형을 하나님이라고 믿습니다. 한 인간으로서 여기까지 오는 동안 고뇌가 있었을 것입니다. 예수가 왕인 것을 발견한 다음 그도 그 발에 입 맞추고 예수로 인한 새 이스라엘, 새 하나님 나라의 백성으로서 충성합니다.

그는 믿음으로 구원받는다는 바울의 신학을 전제로 하고 있습니다(2:24; 롬 3:28). 따라서 이 야고보서는 최소 바울의 저술 연대인 A.D. 57년 이후에 쓴 것 같습니다. 야고보는 이 편지를 통해 바울의 가르침을 왜곡하여 행실을 무시하는 자들에 대해 논박하고 있습니다. 그런데 바울의 가르침이 왜곡되어 유포되기까지는 몇 년의 세월이 걸렸을 것입니다.

베드로전 · 후서

사도 베드로가 역시 흩어진 유대 그리스도인들에게 보낸 서신입니다. A.D. 65년 이후부터 본격적으로 닥친 핍박을 배경으로 하고 있습니다. 당시 이런 고생을 하고 있는 성도들을 위로하고 격려하기 위해서 쓴 편지입니다. 베드로전 · 후서라는 한 권의 책 이름으로 고정된 우리의 관념을 벗읍시다. 베드로가 복음서에서 어떤 사람이었나 비교해 보며 한 유대 사나이가 물고기 잡아서 먹고 살다가 왕 예수를 만나 그가 하나님이셨다는 진리를 깨닫기까지 얼마나 파란만장했는가를 동시에 봅시다. 복음서에서의 베드로와 연결해 봅시다. 그런 베드로가 나중에 교회 개념을 이해하고 그 성도들에게 어떻게 복음을 전하는가 하는 관점으로 읽어봅시다.

'내 양을 치라' 하신 유언의 말씀을 따라 어떻게 일평생 목양하는 삶을 살았는지 보십시다. 구약의 선지자들을 모델로 해서 '저렇게 살아야지' 하기에는 구약이 너무 먼 것이 사실입니다. 그러나 교회라는 환경이 주어진 사도행전 이후의 삶의 내용들은 우리가 모델로 할 수 있습니다. 요한, 베드로… 다 제자들입니다. 이런 관점으로 제자라는 말을 우리의 삶 속에서 재 소화합시다. 요한이나 베드로의 한 일생 속에 투영된 예수사건이 우리의 삶 속에도 통과되어야 합니다. 고뇌의 시간이 있어야 합니다. 실수하기도 해야 합니다. 깨닫지도 못한 채 열심히 일할 때도 있습니다. 그러나 그 모든 과정이 지나면 예수의 죽으심과 부활을 전하는 목양의 삶을 살아야 하는 것입니다. 베드로전서 5장 13절의 '바벨론에 있는 교회'를 언급한 것으로 보아 A.D. 63~64년 경에 로마에서 기록한 것으로 추정합니다.

요한1, 2, 3서

요한은 에베소에서 목회를 했다고 합니다. 약 A.D. 90~96년경으로 봅니다. 그는 특히 사랑을 강조했는데 이 서신에서도 사랑을 강조합니다. 그리고 이단들을 경계하라고 썼습니다. 당시 이단은 영은 선하고 물질은 악한 것으로 보는 영지주의 계통이었으며 예수님의 성육신을 부인하였습니다.

당시 예수사건에 대해서는 원조격인 요한이 볼 때 너무 거짓된 예수님에 대한 정보가 흘러 다녔습니다. 사실 복음서는 이 이단들의 거짓된 복음서가 흘러 다니는 것을 본 이후에야 "아, 이거 진짜 예수사건을 써야지 안 되겠네!" 하고 쓰여지기 시작한 것입니다. 어떤 의미에서는 복음서는 소극적인 방어 입장에서 쓰여지기 시작한 것입니다. 신약 성경에 이단에 대해 많이 언급하고 있는 것은 바로 거짓 교사, 거짓 예수 복음, 거짓 예수사건 기록자들이 많이 있었기 때문입니다. 후에 하나님의 섭리 가운데 교회 역사 속에서 27권을 정경으로 채택하는 작업이 있었고 오늘날 우리 손에 들리워진 것입니다.

유다서

역시 예수님의 친동생 유다가 쓴 것입니다. 이단을 경계하고 있는 내용입니다. 예수님의 동생 둘이 성경 저자로 남게 된 것은 예수님의 동생이라는 점 때문도 있었을 것입니다. 거짓 성경들이 돌아다니고 있을 때 예수님의 친동생이라는 신분은 베드로, 요한과 함께 대단했을 것입니다. 일반적으로 A.D. 64년 경에 기록된 것으로 봅니다. 요한계시록이 기록된 시기로 잡습니다. 예수님의 동생 야고보 보다 아래 동생이니까 오래 산 것 같습니다. 서신서 내용을 보아 당시 이단의 형태도 매우 발전된 단계인 것으로 생각됩니다.

요한계시록

사도 요한이 밧모섬에서 유배 생활할 때 말세에 일어날 일들을 환상 중에 받고 기록한 것입니다. 약 A.D. 85~96년 즈음입니다. 로마가 공공연히 기독교를 박해할 무렵에 기록된 것입니다. 일반적으로 로마에 화재가 났던 네로의 박해 때보다 후대인 도미티아누스의 박해 때로 봅니다. 짐승과 짐승의 우상을 섬기기를 거부했기 때문에(20:4) 박해를 받았다는 얘기는 자신을 신격화하여 '우리 주', '우리 신'으로 부르도록 명령했던 도미티나누스 황제 시대를 반영한 것 같습니다. 핍박 가운데 있는 교회를 향해 그리스도와 그의 교회가 사단과 그의 추종자들을 물리쳤다는 사실을 전함으로써 교회를 위로하기 위해 쓰였습니다.

2. 신약 읽기의 난제

성장점 POINT 자, 이제 신약을 읽어야 하겠는데요. 구약 성경의 목록은 수 천년의 역사를 "창·출·민·수·삿·삼·왕, 대·라·느"라는 역사 순서로 엮어 한마디로 꿸 수 있었지만 신약은 불과 100년의 역사밖에 되지 않아 역사순서대로 엮을 것도 꿸 것도 없는 내용인 것 같습니다. 예수님의 일생과 사도행전과 편지들, 그리고 요한계시록이 전부입니다. 그러나 만만히 볼 수 없는 두 가지 난제가 있습니다. 예수님의 일생을 기록한 복음서가 네 개나 되는데 그것을 어떻게 읽어야 할지가 문제입니다. 그리고 사도행전과 거기 연결되는 서신서들을 어떻게 읽어야 할지도 문제입니다. 공동서신이라고 불리우는 사도 바울 이외의 서신들은 그냥 하나씩 읽으면 되는데 사도 바울의 서신들은 상황과 연결되어 있어서 그게 참 어려운 것입니다. 그럼 이 두 가지 문제를 하나씩 정리해 보십시다.

1) 첫째로 – 4복음서의 내용을 하나로 만들어야겠습니다

여러분 중 어떤 사람은, '마태복음이 제일 먼저 기록되었고, 그 다음이 마가복음, 마가복음 다음이 누가복음, 누가복음 다음이 요한복음, 이런 순서로 기록되었다'고 생각할지도 모르겠습니다. 왜냐하면 구약이 창세기, 출애굽기, 레위기, 민수기, 신명기 이런 순서로 되어있는 것처럼 무의식중에 그렇게 생각하는 것입니다. 그러나 그렇지 않습니다. '예수님의 일생'이라는 한 가지 사건을 네 사람이 보고 기록한 것입니다. 그래서 마태, 마가, 누가복음, 이 세 복음서를 공관(共觀)복음이라고 합니다. 즉, 예수사건을 함께 보고 기록한 복음이라는 뜻입니다. 그러니까 구태여 읽는 순서를 매긴다면 마태복음 다음에 사도행전, 마가복음 다음에도 사도행전, 누가복음 다음에도 사도행전, 요한복음 다음에도 사도행전을 읽어야 순서가 맞는 것입니다.

그러면 왜 하필 이 네 가지 복음서가 오늘날 남겨졌을까요? 이 각 각의 복음서들이 남겨졌다는 사실은 곧 **'예수사건'이 진짜로 일어난 일이었다는 것을 시사**합니다. 네 명의 저자가 어느 날 한 자리에 앉아서 의논하면서 쓴 것이 아니라, 각각 자신의 삶을 살다가 기록한 것인데 후대에 모아진 것이기 때문입니다. 각각의 저자가 그들 나름대로의 상황 속에서 썼고, 그 쓰여진 '예수사건'이 성도들에게 회람되어 읽혀졌습니다. 그러다가 A.D. 397년 카르타고 공회에서 27권의 신약성경이 확정될 때 마태, 마가, 누가, 요한복음 이 네 권이 복음서로 채택된 것입니다. 여기서 한 가지 덧붙이고 싶은 것은 외관적으로는 종교회의가 성경의 정경 여부를 결정한 것 같지만, 실질적으로는 성경 자체의 내적인 증거에 의해서 결정된 것입니다. 다시 말하면 정경으로 공인된 성경들이 그 자체에 정경임을 증거하는 증거들을 가지고 있었으며, 종교회의는 다만 그 사실을 공인했을 뿐입니다.

생각점
POINT   이와 같은 과정을 거쳐 4복음서가 정경으로 최종 채택되었기 때문에 우리는 어느 하나도 버릴 수 없습니다. 그러면서도 오늘날 우리들은 고민이 되는 겁니다. 거의 똑같은 내용을 네 번이나 읽고 나도 뭔가 모르게 산만하다는 것입니다.

이 복음서는 읽어도 읽어도 한 줄로 주욱 연결이 안된다 이 말입니다. 예수님의 일생이 일어난 순서대로 다 기록되어 있지 않기 때문에 잘 정리가 안됩니다. 마태복음 읽고, 마가복음 읽고, 누가복음 읽고… 이렇게 한 권 한 권을 읽어왔던 방법으로는 예수님의 행적 전체가 눈에 들어오지 않습니다. 마태에 있는 것이 요한에 없고, 마가에 있는 내용이 누가에는 없고, 이런 식으로 되어 있고, 왔다 갔다 하기 때문입니다. 그래서 우리는 예수님의 생애가 기록된 복음서 동네는 알기는 많이 아는 것 같은데 늘 **뭔가 섞여 있다는 느낌**입니다. 예수님의 생애에 대한 기록에는 실제로 일어난 사건이 있는가 하면 예수님의 강론도 있고, 비유와 설교, 논쟁 형식의 글도 섞여 있습니다. 그래서 더욱 그렇습니다.

우리 일독학교에서는 이번에 이 네 권의 복음서를 다 벌여 놓고 공생애 3년 동안의 예수님의 행적을 시간을 따라 정리해 보려고 합니다. 구약에서도 그 흐름을 찾으려고 했듯이 예수님의 행적도 그렇게 시도해 보려고 합니다. 4복음서를 왔다 갔다 하며 예수님의 생애를 한 눈에 보이게 정리해 보려고 합니다. 물론 시간적으로 정확하지 않은 사건들도 많기 때문에 쉽지는 않겠지만 그래도 지금까지 연구된 내용들을 참고해서 복음서를 정리해 보려고 합니다.

2) 둘째로— 사도행전과 바울의 서신서를 연결시키는 문제입니다

복음서가 지나가면 사도행전이 나옵니다. 주님이 부활하시고, 승천하신 이후 약속대로 보혜사 성령께서 오십니다. 곧 교회라는 '새로운 하나님의 나라'가 역사 속에서 탄생하는 새 무대가 열리는 것입니다. 구약의 '이스라엘'이 하나님 나라라는 유형적인 공동체였듯이, 이제 신약에 와서는 성령의 사역으로 '교회'라는 공동체가 생긴 것입니다. 이 새 이스라엘, 교회 공동체가 어떻게 만들어져 나갔는가를 기록한 것이 사도행전입니다. 마치 구약에서 '이스라엘'이라는 하나님 나라가 생겨나는 과정이 국민만들기, 주권만들기, 영토만들기라는 틀에 의해 착착 진행되었듯이, 신약에서도 '교회'라는 하나님의 나라는 어떻게 국민들이 만들어지며 어떤 지역으로 전파되어 나가는지를 사도행전에서 생생하게 보여주는 것입니다.

사도행전의 주인공은 두 계열로 나뉩니다. 하나는 예루살렘 모교회 계열의 베드로입니다. 다른 하나는 안디옥 이방교회 계열의 바울입니다. 그러다 보니 편지들도 예루살렘 계열의 베드로, 요한, 야고보, 유다 이 네 사람이 쓴 편지들(흔히 공동서신이라고 부릅니다) 과 안디옥 계열의 바울의 편지들로 되어 있습니다. 요한의 편지나, 베드로, 유다, 야고보의 편지들은 그렇게 복잡할 게 없습니다. 그냥 어느 지역교회에 보냈나 보다 생각하고 읽으면 됩니다. 왜냐하면 그 공동서신 내용과 관계된 행전이 기록으로 남아있지 않기 때문입니다. 그런데 문제는 바울입니다. 바울에 대해서는 행전이 있고, 편지도 있습니다. 신약 대부분의 내용이 바울의 편지(신약 27권 중 13권)이고 그 편지가 사도행전 속에서 일어난 사건들에 연류되어 있다는 게 문제입니다. 그러니까 신약에서 복음서가 끝나면 바울이 주인공이 된다고 해도 과언이 아니라는 말입니다.

생각점 POINT

그렇다면 바울이 주인공이 된다는 말은 무슨 뜻입니까? 우리가 구약에서부터 흘러내려 왔는데 그런 관점에서 본다면 무슨 뜻이겠냐는 말입니다. 바울은 이방의 사도입니다. 한마디로 이제 신약에서의 그 나라의 백성은 이스라엘만이 아니라 '온 세계 열방'이라는 것이 포인트입니다. 어디에서 그걸 알 수 있습니까? 많은 사도들의 행적들이 있었겠지만 유독 '바울'이라는 사도의 행적 중심으로 사도행전이 기록되었을 뿐만 아니라 그가 이렇게 돌아다니며 전도하다가 때때로 필요해서 쓴 편지들까지 성경목록에 들어있기 때문입니다. 하나님의 섭리입니다. 열방을 향한 하나님의 사랑입니다. 구약 창세기 10장에서 흩어진 열방들, 그들을 사랑으로 품으시는 하나님의 마음이 신약성경에서 이렇게 나타나고 있는 것입니다. 신약성경의 중심은 유대인이 아니고 세상 모든 열방이라는 것을 드러내는 것입니다.

그러다 보니 바울이 당시, 세계를 돌아다니며 예수를 전파한 그 행적들을 일단 사실 그대로 아는 것이 우리에게는 급선무입니다. 마치 예수님의 사건을 있는 그대로 먼저 아는 것이 중요하듯이 말입니다. 또 그걸로 끝나는 것이 아니라 여행 중에 기록한 편지들이 저렇게 따로 열세 권이나 남아있으니 그 편지들이 도대체 언제, 어떤 상황에서, 어디서, 왜 쓰게 되었는지를 알아야 그 내용들을 소화할 수 있겠구나 하는 생각이 드는 것입니다. 만만치 않지요? 구약의 예언서들도 어떤 실제 역사적 상황이라는 배경에서 쓰여졌던 것처럼 이 편지들도 사연이 있어서 썼다 이것이지요. 열왕기에 나오는 역사적인 배경 속에서 선지서를 이해해야 하듯이 신약의 서신서들도 어떤 배경 가운데 특정인들에게 보내진 것이므로 이런 눈으로 읽어야 합니다.

그러니 우린 그걸 찾아내야 합니다. 그렇지 않으면 구약의 예언서를 읽을 때 뭘 말하고 있는지 도대체 모르기 때문에 예언서들이 어려웠듯이 이 서신서들도 어려워지는 것입니다(그럴뿐만 아니라 서신서도 표준새번역 같은 쉬운 번역으로 읽지 않으면 우선 말이 어려워 이해도 못합니다). 이와같이 사도 바울이 쓴 편지들은 사도행전과 같이 연결시켜야한다는 과제가 우리 앞에 있습니다.

마태복음, 마가복음… 사도행전, 로마서, 고린도전서… 요한계시록 이렇게 목록 순서대로 그냥 읽으면 될 걸 뭐 그리 복잡하게 이런 작업을 해가면서 까지 성경을 읽나? 하고 생각하실 분도 계실 줄 압니다. 아직 신약을 부분부분으로라도 못 읽어보신 분들은 한권씩 읽으셔도 참 좋습니다. 많은 성도님들께서 그렇게 읽습니다. 그런데 그렇게만 읽으면 언젠가는 한계에 부딪힙니다. 그 한계가 우리가 지금 얘기하고 있는 두 가지 난제입니다. 만약 이 두 가지 난제를 터득하면 신약성경이 다시 보입니다. 우리 어렸을 때 컬러TV가 나오니까 흑백TV 안보더라구요. 그런 느낌처럼 새로 보일 것입니다. 구약에서 우리는 지도를 살폈고, 지형을 외웠고, 목록들을 새로 살펴서 정리하는 고된 작업을 했습니다. 비록 힘들지만 이 정도의 과정은 거쳐야 하나님의 말씀이 조금이라도 들어오기 때문에 가장 기본적인 투자를 할 것입니다. 이제 신약에 와서는 이 두 가지 난제를 어떻게 풀 것인가에 초점을 맞추면서 읽어가려고 합니다. **연구하고 수고를 하면 성경이 뚫리고, 수고를 못하면 바로 그 부분에서 막혀서**, 그때부터 성경은 재미없어지고 까만색 글자만 읽게됩니다. 전복 따라 갑시다!

8과 시간순서대로 다시 정리한 사복음서

생각점 POINT

우리가 풀어야 할 두 가지 난제 중 하나인 '복음서 하나로 만들기'를 해 봅시다. 그러기 위해서는 **틀**을 만들어야 하고, 그리고 나서 **관점**을 찾아야 합니다. 이 두 원리를 중심으로 예수님의 행적을 정리하려고 합니다. 앞에서 설명했듯이 마태, 마가, 누가, 요한복음의 내용들을 다 벌려놓습니다. 그리고 시간적으로 앞선 내용부터 차근차근 순서대로 정리합니다. 한 사건에 대해 각각 기록되어 있는 것은 그 중 풍성한 내용을 택합니다. 이렇게 하면서 처음부터 이 사복음서를 순서대로 정리하자고 그랬습니다. 그런데 여러분, 말이 쉽지 무슨 재주로 앞선 내용부터 차근차근 순서대로 정리할 수 있습니까? 황당한 얘기입니다. 우선 이 3년을 정복하기 위해서는 반드시 짚고 넘어가야 하는 두 가지 요소가 있습니다. 하나는 **시간개념**이고, 또 하나는 **공간개념**입니다. 옷감이 씨줄과 날줄이 겹쳐지며 짜지는 것처럼 예수 스토리도 언제 일어난 일이며, 그 장소는 어디인가를 따라 틀을 잡는다는 말입니다.

⚖ 틀 만들기 : 시간개념과 공간개념

틀을 잡는다는 것은 전체윤곽을 잡는다는 말입니다. (🌱 그러므로 여기서 시간개념이라고 말하는 것은 어떤 사건이 몇 시에 일어났느냐 하는 것을 말하는 것은 아니라는 것을 짐작해야 합니다. 🌱) 3년 간의 일을 크게 잡아 시간적으로 구분하기 위한 틀을 잡자는 것입니다. 그러기 위해서는 성경에서 시간적인 힌트를 보이고있는 확실한 근거를 찾아내야 합니다. 무엇입니까? 바로

"유월절"이라는 명절입니다. 일 년에 한 번 그것도 4월에 있는 명절입니다. (🌱 이 명절을 바둑알로 생각하고 우선 시간선상에다가 한 알, 한 알 놓아봅시다. 바둑알이 몇 개가 필요할 것 같습니까? 🌱) 얼핏 생각하면 공생애 3년이기 때문에 세 알 만 놓으면 될 것 같지만 만 3년의 공생애를 지나기 위해서는 유월절이 **네 번** 지납니다. 그러므로 이제부터 가로로 그어 시간선상이라고 생각하고 그 위에다가 유월절①, 유월절②, 유월절③, 유월절④라는 네 개의 바둑알로 간격을 맞춰 자리잡아 놓읍시다. 이 유월절들을 기준으로 해서 예수님의 활동이 어떻게 전개되어 나가는지 추적해 보자는 말입니다.

(🌱 또 공간개념이 있다 그랬지요? 이것도 마찬가지입니다. 구체적으로 누구네 집이냐, 들판이냐, 바닷가냐를 말하는 것이 아니고, 틀을 잡는 중이니까 크게 봐야 합니다. 가장 크게 경계를 구분한다면 예수님의 활동이 갈릴리 지역이냐, 아니면 유대 예루살렘 지역이냐로 봐야 합니다. 🌱) 예수님 당시 팔레스타인은 법적으로 로마 영토입니다. 로마가 뺏은 거지요. 이 땅은 행정구역이 크게 세 도(道)로 이루어져 있었습니다. 맨 위에 갈릴리 바다 근처의 갈릴리도, 중간이 사마리아도, 그 아래가 유대도입니다. 이 유대도는 수도 예루살렘을 품고 있습니다. 맨 위 갈릴리도에서 이 예루살렘까지 가려면 사흘길입니다. 중간에 있는 사마리아도에는 그 당시 유대인들이 살지 않았고 거쳐 지나갔으니까 이제 예수님의 스토리를 공부할 때는 갈릴리냐, 아니면 예루살렘 유대지역이냐가 큰 범위라는 겁니다. 예수님의 스토리를 공부할 때 지명들이 수없이 많이 나옵니다. 예를 들면 가나, 나사렛, 가버나움, 베들레헴 등등… 그런데 행적구역상 크게 세 도(道)로 나뉘어진 **갈릴리, 사마리아, 유대,** 이 세 지명은 급이 다르다는 것을 꼭— 기억하셔야 합니다. 그냥 모든 지명들이랑 뒤범벅이 되면 안됩니다. 도(道)입니다. 우리나라도 팔도(道)강산이라고 말하잖아요. '경상도'는 '안동' '밀양'과는 다른 급인 것처럼 말입니다.

이제 이 예수님의 공생애를 정복하기 위해서 갈릴리냐, 예루살렘이냐가 크게 공간적인 범주라는 것 절대 잊지마십시오. 지도에서 어디를 가리키는지 눈으로 꼭 확인해 두어야 합니다. 지도에 보면 다른 지명보다 굵은 글씨로 **'갈릴리'** 하고 띄엄띄엄 쓰여있는 것이 그 이유입니다. 아래쪽으로 내려가면 **'유대'** 하고 역시 띄엄띄엄 쓰여있습니다. 갈릴리가 동네이름이 아닙니다. 유대가 동네 이름이 아닙니다. 나사렛은 갈릴리 안에 있는 동네이름입니다. 베들레헴은 유대지역 안에 있는 동네이름입니다. 타운입니다. 사실 우리는 이런 기본적인 것부터 잘 구분 못하고 성경을 읽는 것, 그게 늘 문제였습니다. 예수님의 활동이 크게 갈릴리 지역이었는지, 유대의 예루살렘 지역이었는지, 이 공간개념을 꼭 염두에 두어야 합니다. "이튿날 예수께서 갈릴리로 나가려 하시다가…(요 1:43)" 하면 지금까지 유대지역에 계셨었다는 말입니다. 장거리 여행입니다.

갈릴리 사역인가 예루살렘 사역인가를 구분짓는 것이 왜 그리 중요한가 질문하실 분도 계실 겁니다. 중요합니다. 갈릴리 나사렛은 요셉과 마리아가 결혼하기 전부터 살던 곳입니다. 저 아래 유대지역 베들레헴에 호적하러 내려갔다가 예수를 낳은 다음 이집트로 피신한 후 다시 이 나사렛에 올라와 삽니다. 고향입니다. 시골입니다. 그에 반해서 예루살렘은 정치, 경제, 사회, 문화, 교육, 무엇보다도 종교의 중심입니다. 기득권자들이 오랫동안 점령하고 있는 수도입니다. 로마와 연관된 정치인들이 주둔하고 있는 곳입니다. 로마의 문화가 접속되어 있는 곳입니다. 신구약 중간기 특히 예수님 탄생하기 약 150년 전부터 형성된 새로운 유대종교(유대교)가 자리잡고 있는 곳입니다. 바리새파, 사두개파, 서기관들, 제사장 그룹들이 민중을 지도하고 있는 본부입니다. 그 무엇보다도 중요한 것은 예루살렘 성전이 그곳에 있다는 사실입니다. 예루살렘의 심장은 성전입니다. 구약에서 흘러 내려온 역사를 보더라도 이 성전은 중심입니다. 예수님의 사역에서도 역시 이 성전이라는 것이 3년의 스토리를 흘러가게 하는 중요한 위치를 점유하고 있습니다.

생각점
POINT
예루살렘에 계셨다는 말은 이런 모든 상황 속에 들어가셨다는 뜻입니다. 정치, 종교계 거물급들의 레이다망 안에서 활동하고 계신다는 뜻입니다. 갈릴리에 계셨다는 것은 조용한 홈 타운에서 민중을 상대로 활동하고 계신다는 뜻입니다. 앞으로 전개될 예수사건은 이 큰 두 지역적 특성을 먼저 밑그림으로 그려놓아야 쉽게 이해될 것입니다.

시간적으로 어느 유월절 어간에 생긴 일인지를 알면 대충 공생애 1년경인지, 2년경인지, 3년경인지를 알 수 있게 되고, 그것이 갈릴리에서인지 아니면 예루살렘 지경 즉 유대지방에서 된 일인지에 따라 활동의 성격을 구분할 수 있어서 이렇게 이 두 가지 요소로 포석을 해 두는 것입니다. '한눈에 보는 예수님의 행적' 도표에 예 사역, 갈 사역이라고 쓰여진 것을 눈여겨 보십시오.

사실 이 작업은 힘든 작업이어서 예수님에 대해 들은 얘기가 적은 분들, 그러니까 주일학교부터 교회에 다니시지 못하고 나이 드셔서 예수 믿으신 분들은 일단 스토리 자체를 잘 모르니까 이 방법대로 읽기가 어렵습니다. 그런 분들은 그냥 마태복음 다 읽으면 마가복음 읽으시는 그런 방법으로 읽으십시오. 그러나 각각의 복음서는 다 사도행전과 얘기가 연결된다는 것을 잊지 마십시오.

1. 예수님의 행적도 관점이 있어야 읽어집니다

구약에서도 성경 읽는 순서를 다 만들어 놓은 다음에 그것을 읽는 관점을 공부했습니다. 마찬가지입니다. 예수님의 생애 기록인 사복음서 내용을 다 순서를 맞춰 읽을 순서를 정해 놓는다고 해도, 읽을 관점이 있어야 읽어지는 겁니다. 한번 살펴 봅시다.

성장점
POINT

현재 이 세상에 살고 있는 모든 사람들은 싫든 좋든, 동의하든 안하든 '예수'라고 하는 사람의 생일을 기준으로 자기 생년월일을 정합니다. 심지어는 북한의 김정일 위원장까지도 그렇습니다. 지금 계속 태어나고 있는 애기들도 '태어난 때'가 언제인가를 규명하는 기준으로 '예수'의 출생 이후, 몇 년 몇 월 몇 일이라고 말합니다. 내 생년월일, 어쩌면 단 한번도 의식하지 않았을지도 모르지만, 그 숫자는 이 땅에 발 딛고 살았던 '예수'라는 사람의 신세를 지고 있는 숫자입니다. 내가 알 수 없는 내가 죽는 날짜, 몇 년 몇 월 몇 일도, 결국 분명히 그 '예수'의 출생이후 얼마만인가~ 따져 내 묘비에 기록될 것입니다. 뿐만 아니라 지금까지 일어난 세계의 모든 중요한 역사들도 다~ '예수'의 출생을 기준으로 그 이전 언제냐, 그 이후 언제냐를 기록합니다. 세계인류가 흘러온 역사를 보편적인 '기록'으로 남기기 위해서도 '예수'의 출생을 기준으로 하자고 결정한 것입니다. 사실은 로마시대인 6세기 중엽에 결정된 것입니다. 결국 그 위대한 로마제국은 그들 역사의 주인을 "예수"로 결정한 것입니다.

B.C. 와 A.D. !

이 말은 온 인류가 의식적으로, 또 무의식적으로도 "역사의 주인은 예수다!" 하고 공인하는 선포입니다. 기가막힌 말이지요. 왜냐하면 '역사'라는 말은 사람들이 쓰는 말이요, 사람은 우주의 중심인데, 그렇다면 '사람 역사의 주인'이라는 말은 '창조주'라는 말이 되는 셈이기 때문입니다. 그러니까 정신차리고 생각하면 "예수, 그는 하나님이다!"하는 의미를 내포한 말이 B.C. 요, A.D.이다, 이 말 입니다. 다른 말로 말하면 "인류역사의 왕"이라는 말입니다. 인류역사는 왕들의 역사를 중심으로 기록하고 있는데, 왕 중 왕은 예수라는 것입니다. 그런데 신기한 사실은 실제적으로 예수는, "나는 하나님이다."라는 사실을 시인했고, 그와 함께 있었던 제자들도 결국에 가서는 "예수, 그는 하나님이셨다!"라고 토해내는 증언을 한 것입니다. 처음에는 그저 '선생'이요, 선지자로 생각했었는데 결국은, '하나님'이라고 다 고백을 해버리고 말더라는 것입니다. 참 무서운 일이지요. 만약에 어떤 사람이 나타나서 "나는 하나님이다! 나는 역사의 주인이다!"라고 말을 한다면 우리는 그 사람을 어떻게 생각해야 되겠습니까? 두 가지 경우의 수밖에 없겠지요. 미친 사람(귀신들린 사람)이거나, 진짜 하나님이거나.

그렇습니다. 우리는 이제 이걸 가려내야 합니다. 그것이 앞으로 복음서를 어떤 관점을 가지고 읽어야 할 것인가를 제시하는 것입니다. 그는 3년이라는 아주 짧은 시간 동안 대중에게 나타납니다. 역사 속의 위인들에 비하면 3년의 행적은 매우 짧은 시간입니다. 그런데 그 3년 동안의 내용을 한마디로 "예수, 그는 누구인가?"라는 안경을 끼고 신중하게 살펴보시라는 말입니다. 그 당시 많은 사람들도 궁금한 게 그거였습니다. 왠지 아십니까? 이적을 행하는 권능으로 보면 선지자같긴 한데, 문제는, 자기가 자꾸 하나님이라는 겁니다. 당시 그들로서는 어이가 없는 일이었습니다. 생각해 보십시오, 사람인데 하나님이라고 하니…. 그런데 무시는 못하겠고. "오른 뺨을 치면 왼 뺨도 돌려대라. 네 이웃을 네 몸처럼 사랑하라. 원수를 사랑하라" 이런 윤리의 극치가 되는 기가 막힌 설교를 할 때보면 선지자 같습니다. 그런데 "나와 아버지는 하나다. 나는 아브라함보다도 먼저 있었다. 나를 본 자는 아버지를 본 자다. 나를 믿으면 영원히 죽지 않는다. 죽어도 부활한다."이런 발언들은 도대체 어떻게 소화해야될지 그들에게 충격이었습니다.

우리도 마찬가지입니다. 한번쯤은 심각하게 이 사실들을 놓고 판가름해야 합니다. 이제 복음서의 예수님의 행적을 세밀히 읽으면서 그가 **미친사람**인지, 진짜 **하나님**이신지를 결정하셔야 합니다. 만약 그를 하나님이라고 믿지 못하겠거든 그를 정신병자라고 해야 합니다. 절대로 **4대 성인** 중의 한 사람이라거나, 위대한 선생이라거나, 위대한 철학자요, 사상가라고 하면 안됩니다. 왜냐하면 성인은 자기를 하나님이라고 하지 않기 때문입니다. 위대한 선생은 자기를 하나님이라고 하지 않기 때문입니다. 위대한 철학자는 절대로 자기를 하나님이라고 말하지 않기 때문입니다. 가장 정직한 대답은 "귀신들려 미친 사람"(요 10:20)일 것입니다. 성경에서 이렇게 생각한 사람들처럼 '씨~' 하며 손에 돌을 들어야(요 10:31) 할 것입니다. 그들처럼 예수를 십자가에 못박는데 가편 투표를 해야 할 것입니다. 중간지대는 위험합니다. 중간지대는 허공입니다.

교회는 그저 다니는 데가 아닙니다. 그냥 마음 편하라고 왔다 갔다 하는 곳이 아닙니다. 이 세상에 살았던 역사적인 인물 예수 그를 두고, 한 번쯤은 이런 **일생일대의 고민**을 해야 합니다. 이런 고민없이 그저 다니는 사람들은 위험합니다. 왜냐하면 그 예수께서 "너희가 영생을 얻고자 하여 열심히 성경을 상고하거니와 이 성경이 곧 내게 대하여 증거하는 것이로다(요 5:39)"라고 말씀하셨기 때문입니다. 그렇다면 성경이 뭡니까? 우리가 지금 이 책 처음부터 계속 얘기해 온 그 인류역사 전체의 얘기 아닙니까? 그렇습니다. 이제 신약에서 시작하는 예수님의 생애는 그 얘기를 하고 있는 겁니다. 예수, 그는 누구인가? 그것이 중심내용입니다. 그가 하나님이요, 창조주요, 왕이신가, 아니면 미친사람인가, 그걸 결정 못해서 고민하고 씨름했던 사람들이 신약성경에 등장하는 인물들이요, 또 우리들이어야 합니다. 목사님이나 선생님이 '예수님은 하나님이다' 그렇게 설교하니까 그냥 그런가보다 하고 교회에 다니는 현대 기독교인의 맹점이 무엇인지 아십니까? 이땅에 2,000년 전에 살았던 인간 예수 그가 진짜 하나님인지, "자기 생명"을 걸고 고민해 보지 않는다는 사실입니다. 자기자신이 그 예수와 맞닥뜨려 투쟁하지 않는다는 사실입니다. 다른 사람들이 내린 정의를 단지 '정보'로 입수해서 복사하고 있을 뿐입니다. 종교적 정서를 만족시켜주는 정도로는 건전한 종교이기 때문입니다. 종이 호랑이 같은 '종이 예수'를 믿는 겁니다. '남이 말하는 예수'입니다.

예수님은 '내가 곧 하나님'이라는 자증적 설교를 하신 적이 있었습니다. 이 설교를 듣고 나서 민중들은 파가 둘로 갈라졌습니다. "저 예수, 귀신들려 갖고 미쳐서 저런 말 하는건데 뭣 땜에 저 설교를 듣고 앉아있냐?" 하고 단칼에 결정내는 사람들이 있었는가 하면, "아니야, 아무리 들어봐도 이건 절대로 귀신들려 갖고는 할 수 없는 설교야. 귀신들린 사람 한두 번 봤냐? 뭔가 다르잖아? 또, 귀신이 소경 눈뜨게 하는 거 본 적 있냐? 그러니까 하여튼 아무래도 좀 생각해 봐야겠어!" 이렇게 말하는 사람들도 있었습니다(요 10:20~21). 이것이 예수님을 만났고, 그 설교를 들었고, 이적을 구경했던 당시 보통사람들의 갈등이었습니다. 우리도 그런 갈등을 찾아내 봅시다. 성경을 읽으면서 갈등해야 합니다. 목숨을 걸고 갈등해야 합니다. 왠지 아십니까? 바로 그 '예수'가 자기 이름으로 내 건 것이 **영생**이기 때문입니다. 만약 '부자되는 것', '건강하게 되는 것', '애들 잘 되는 것' 정도를 내걸었다면 그 갈등 안해도 됩니다. 궁극적인 명제가 아니기 때문입니다. 그런데 그 예수는 "영원한 생명"에 당신 이름을 걸고 있습니다. 그게 바로 문제라 이말입니다. 고기 많이 잡히는 것, 로마로부터 독립하는 것, 경제적으로 안정을 얻는 것, 자식 문제, 건강, 그런 단계들을 통과해서 인간 최 종국의 딜레마인 '영생'이라는 개념까지 관심의 대상을 옮겨갔던 베드로, 요한, 마리아, 예수님의 동생들 이야기도 바로 이 관점에서 다시 재조명해 보며 읽어야 합니다.

그렇습니다. 예수의 제자들도 그게 문제였습니다. 만만하게 선생 예수를 "하나님"이라고 고백할 수 있었는가? 결코 그렇지 않습니다. 예수의 제자들 한 사람, 한 사람, 다 각각 피눈물나는 고민을 하며 '예수, 그가 누구인가?' 라는 명제를 풀어나갔습니다. 멀쩡한 정신에 누구 한 사람인들 그게 쉽겠습니까? 절대로 쉽지 않습니다. 성경에 나오는 제자들을 다 믿음 좋은 사람으로 아예 찍어놓고 출발하면 안됩니다. 예수께서 부활했다는 말만 듣고는 예수의 부활을 절대로 믿을 수 없다고 말했던 도마의 경우를 보면 막다른 골목에 가서야 그걸 깨닫습니다. 부활하신 예수님을 봤다는 동료들의 말을 절대로 믿지 않았습니다. 멀쩡한 정신(?)을 가진 우리와 똑같은 모습입니다. 그런데 부활하신 예수님이 그의 눈 앞에 나타나십니다. 결국 도마는 막다른 골목에서 덜미 잡힌 사람처럼 그만 '헉'하고 내뱉을 수 밖에 없었습니다. "나의 주, 나의 하나님이십니다(요 20:28)"라고. 더 이상은 예수를 어느 딴 존재라고는 말 할 수가 없었던 것입니다.

누구보다도 고민되었던 사람은 예수의 동생들이었습니다. 한 집안에서 어렸을 때부터 같이 자라난 형이었습니다. 어느 날 30세쯤 되었을 때부터 선지자로 나섰는데 많은 사람들이 자기네 형 보고 미쳤다는 겁니다. 왜냐하면 자기가 하나님의 아들이라고 하면서 하나님 행세를 한다는 겁니다. 도대체 어떻게 사람이 되어 갖고 그럴 수 있느냐는 겁니다. 좀 말리라는 겁니다. 이미 집에서 나간지 오래 된 형 예수를 만나려고 드디어 동생들은 집회장소를 찾아가기도 합니다(마 12:46). 유명해지려면 수도 예루살렘에 올라가지 왜 갈릴리에서 못 떠나냐고 빈정대기도 했습니다. 그러던 동생들이었습니다. 고민 많이 되지요. 형인데… 그러나 이제 그 동생 야고보가 남긴 글을 읽어보십시오. "하나님과 주 예수그리스도의 종 야고보는 흩어져 있는 열 두 지파에게 문안하노라(약 1:1)" "예수 그리스도의 종이요, 야고보의 형제인 유다는… (유 1:1)" 이런 고백입니다. 뼈를 깎는 갈등을 하다가 마지막으로 그렇게 밖에는 고백할 다른 방도가 없었을 겁니다. 예수, 그는 하나님이시라는 고백 밖에는….

"예수님의 오른 편, 왼편 하면서, 예수 정부가 들어서기를 기대하며 예수를 좇던 요한도 보십시오. 마지막에 뭐라고 고백하는가… 그는 예수에 대해 이렇게 존재론적으로 정의합니다. 거창하게 깊은 숨을 들이켰다가 내쉬는 듯한 분위기에 어울리는 말투로 이렇게 말합니다. "태초에 말씀이 계셨습니다. 이 말씀이 하나님과 함께 계셨으니 이 말씀이 곧 하나님이십니다. … 이 말씀이 육신이 되어 우리 가운데 거하셨는데 독생자의 영광으로 거하셨습니다."

앞으로 신약의 예수님의 생애를 읽어가면 이 요한도 나오고, 베드로도 나오고, 마리아도 나오고, 그밖에 여러 사람들을 만날 것입니다. 그냥 건성 건성 읽지 마시고 이 한 사람 한 사람이 시간이 지나면서 '예수에 대한 시각'에 어떤 변화들이 일어나는지 잘 관찰해 보십시오. 결국 우리랑 똑같은 사람으로서 똑같은 고민을 한 것이라는 점을 발견해 보십시오. '발로 걸어다니는 인간 예수를 어떻게 하나님이라고 믿을 수 있단 말인가'를 놓치지 말고 추적하십시오. 그들의 감정도, 심리도, 생각해 보면서 말입니다. 그 한 사람 한 사람도 결단코 쉽게 그게 믿어진 거 아닙니다. 멀쩡한(?) 정신으로는 안됩니다. 나중에 이 사람들은 그렇게 믿어진 그 순간을 이렇게 말합니다. "내가, 내가 아니었어. 성령이 씌웠어!" 그렇습니다. 내가 믿는게 아니라 성령께서 믿게 하시는 거라고 하나같이 증언합니다. 진지하게 고민하고 갈등하다가 막다른 골목에, 성령님께 머리가 픽! 부딪힌 겁니다. 그리고는 헉! 하고 내뱉듯이 토해내며 고백하는 말이 그겁니다. "예수여! 당신은 나의 주 나의 하나님이십니다." 마태도 그걸 갖고 고민고민 하다가 결국 "그는 하나님이시다!" 하고 믿게 되었고, 이 기가막힌 사실을 깨달으며 놀라는 겁니다. 그리고 평생 그걸 붙들고 산 겁니다. 구약부터 어떻게 된 스토리였던가 성경을 연구하는 겁니다. 그는 이 예수를 어떻게 증명할까 생각하다가 이렇게 얘기를 시작합니다. "아브라함과 다윗의 자손 예수 그리스도의 세계(世係, 족보)라".

　'예수 그는 과연 누구신가?' 이 질문을 품고 이제 신약의 복음서를 읽어내려갑시다. 이것이 복음서를 읽어내게 하는 열쇠입니다. 그런데 이 질문이 우리가 구약에서 관점으로 보아왔던 개념들과 어떻게 일치되는지 연결해 봐야 합니다. 왜 그래야 합니까? 구약과 신약은 연결되어 있어서 그렇습니다. 마태도 결국은 아브라함을 끄집어 냈고, 사도 바울도 예수구원의 진상을 설명하려고 아브라함을 무던히도 인용합니다. 우리도 구약의 길고 긴 역사를 읽으며 지금껏 달려왔습니다. 성경이 일맥 상통하는 흐름이 있는가 하면서 말입니다.

　성경의 주인공은 예수님 자신이라고 공언하신 예수님의 말씀으로 미루어 보아 당신이 성경의 중심이시라니 그가 곧 하나님 나라의 왕이라는 말입니다. 우리는 네피림이나 니므롯 같은 당시의 영웅부터 시작해서 방금 전 로마시대의 황제들이나 헤롯왕들을 살펴보았습니다. 그들이 하는 일이 한마디로 무엇이었습니까? 국가라는 것이 무엇입니까? 무슨 역사가 계속 되풀이 됩니까? 힘없는 사람들을 쳐들어가서 백성들의 목을 눌러 강제로 복종케 하고, 포로로 잡아가고, 백성들의 피를 흘리고, 노동력을 착취하고, 재물을 빼앗고, 힘으로 군림하는 것입니다. 그런데 이제 신약도 왕싸움인가 보십시다. 이 예수는 어떤 존재인가를 다른 왕들과 비교해서 찾아내 보십시다. 신약에서 하나님은 어떻게 왕을 하시는가를 보십시다. 이 왕은 칼로 우리의 목을 조르는지 보십시다. 강제로 몸만 복종하게 만드는 종래의 왕들과 같은지 보십시다.

　이 왕이 스스로 종이 되어 자기 목숨을 오히려 내 놓기까지 하며 백성들을 보호하고 사랑한다는 것은 도대체 무슨 연고인가 고민해 봅시다. 종래의 왕들이 해 온 이 역사들과 비교해 보고 갈등해 봅시다. 성경에서 밝히려고 하는 중심주제는 무엇인가 생각해 봅시다. 그냥 읽지 맙시다. 이런 나라에 들어오고 싶은 사람은 그 소문을 들고 "당신은 나를 위해 목숨을 줄 정도로 나를 사랑하십니다." 하고 고백하기만 하면 된답니다. 창세기에서부터 보아오던 이 세상 나라의 왕들과 비교해 보십시오. 성경은 왕 싸움 얘기입니다. 이 신약성경을 읽으면서 "그렇습니다, 창조주시여! 예수로 오신 하나님, 당신이야말로 나를 사랑하시는 왕이십니다. 당신의 나라의 백성이 되고 싶습니다. 당신의 나라에 들어가고 싶습니다. 국민이 되고 싶습니다. 항복합니다. 당신을 왕으로 인정합니다. 나는 왕이 아닙니다. 당신만이 나의 왕이십니다. 당신의 발에 입맞춥니다(시 2:12)." 하는 고백이 결국 우리 입에서 흘러나오나 보십시다. 그렇습니다. 성경은 왕 싸움 얘기입니다. 왕을 왕이라고 하자는 것입니다.

자, 이제 이런 관점을 가지고 예수님의 행적을 읽는 겁니다. 이 관점을 견지하면서도 놓치지 말아야 할 것은 이 위대한 진리가 실제로 **역사** 속에서 **일어나는 일들을** 통해 엮어져 나간다는 묘미입니다. 이 구원의 원리가 추상적인 개념으로 나타나는 것이 아니라, 역사 속에서 실제 사건들이 맞물려가며, 사람들 틈에서, 과거에 매달려 있는 당시 패괴한 종교현상 속에서, 이리저리 부딪쳐 가며 **역사적인 사건**으로 나타난다 이 말입니다. 그렇기 때문에 사실(史實)을 사실(事實)대로 짚어가면서 추적해야 한다는 사실을 놓치면 안됩니다.

그러니까 여러분! 구약에서 와해된 이스라엘이 중간기 400년을 지나는 동안 바벨론, 바사, 그리이스, 프롤레미, 셀루코우스, 로마를 거쳐 형성된 배경을 간과하지 마십시오. 그래서 열심히 앞에서 공부한 거 아닙니까? 신약복음서에 나타나는 주인공들, 그 바탕인물들의 정체를 파악해야 하는 것입니다. 그들이 누구인지 규명하고 나서 읽기를 시작해야 합니다. 정치적인 소용돌이에 얽혀서 이리 저리 부딪쳐가며 생겨난 예수님 시대의 바리새파, 사두개파, 대제사장 등의 프로필을 머리에 그려놓고 출발하십시다. 로마 황제, 헤롯대왕, 그의 아들 안티파스나 아켈라오 등 분봉왕, 총독들 이름이 나오면 다 한꺼번에 싸잡아 '나쁜 사람들!' 하고 그냥 무심코 지나지 맙시다. 한 사람 한 사람의 특징을 생각하면서 그 사람들이 왜 그렇게 했나를 짚어내며 읽어갑시다. 그러면 훨씬 더 예수님의 생애에 대해 사실(史實)을 사실(事實)대로 이해할 수 있습니다. 예수님의 생애를 사실을 사실대로 우선 알아야 그 다음에 해석이 가능해집니다.

그냥 우리가 지금까지 그저 읽기만 하던 습관으로는 백 번을 읽어도 한계가 있습니다. 칼라 TV로 봅시다. 사실을 사실로 알고 있지 않으면 절대로 그 다음 해석을 할 수 없는 것이 한 두 가지가 아닙니다. 역사적인 사실 이해의 중요성을 반드시 인식하십시오. 그러고 나면 예수님의 설교나 강론이나 비유들도 한 층 다르게 보일 것입니다. '예수사건의 결국(사형)'으로 흘러가게 만드는 중간 중간의 절묘한 '사건'이나 '발언' 등을 잘 찝어내야 합니다. 어떤 이슈들을 중심에 놓고 얘기가 전개 되는지도 잘 봅시다

2. 사복음서 시간 순서대로 읽기

성장점 POINT 반드시 부록에 있는 '예수님의 행적 도표'를 참고하십시오. 예수님의 생애 전체 속에서 지금 어디쯤 가고 있는지 짚어가며 나가야 합니다. 또 중요한 흐름은 아래 설명을 읽으면서 이해하지만, 복음서의 모든 내용은 성경읽기표 순서에 있습니다. 그것을 따라 읽어가십시오. 아래에 있는 설명들은 굵직한 흐름들입니다. 그러나 중요한 것은 거의 다 기록했습니다

여기부터 예수님의 사생애(私生涯)입니다 ↑

예수님의 족보 / 마 1:1~17 ; 눅 3:23~38

마태는 예수님의 일생을 족보로 시작하고 있습니다. 마치 구약 창세기에서 사람이 난 이후, 중간 중간에 족보를 통해 그 역사를 정리했듯이 말입니다. "아브라함과 다윗의 자손", 이 말은 구약을 총 정리하는 말인 것을 우리는 알 수 있습니다. 구약이 너무 길어서 다 말 못하니까 구약에 뿌리를 두고 유다 지파, 그것도 다윗의 자손 중 바벨론으로 끌려간(북방 이스라엘이 아닌) 정통 유

대인의 자손이라는 말입니다.

예수님의 탄생 / 마 1:18~2장 ; 눅 2:1~7

마태와 누가만 예수님의 탄생을 기록하고 있는데 이 탄생 정보는 예수님의 어머니 마리아가 후에 초대 교회에서 많이 간증한 내용들일 것입니다. 누가도 후에 이런 정보들을 듣기도 하고 연구해서 기록으로 남겼을 것입니다.

이 때 등장하는 헤롯은 대헤롯이라 일컬어지는 사람이라고 했습니다. 마카비 가문이 이룬 하스모니안 왕조 4대째에는 에돔 지역까지 영토를 확장했다고 했습니다. (🌱 중간시대를 공부할 때 B.C. 166년 바벨론에 나라를 잃은 이래로 처음 유다가 독립을 한다고 했습니다. 그때 혁명을 일으킨 지도자가 마카비 가문입니다. 생각하면서 읽읍시다 🌱) 그때 확장된 지역을 통치하도록 유다는 안티파스를 총독으로 임명했다 그랬습니다. 헤롯 안티파스라는 사람입니다. 그 유명한 헤롯 왕가의 첫 사람입니다. 그리고 이 사람의 손자가 바로 예수님 탄생에 나오는 대헤롯이라고 했습니다. 로마와 결탁해서 든든히 자리를 잡고 있던 터였습니다.

그런데 동방(아마 메소포타미아 지역인 것 같습니다)에서 점성술에 능한 사람들이 유대의 왕의 탄생별을 보고 여기까지 찾아왔다니 에돔사람 헤롯으로서는 왕권에 대한 도전으로 느끼고 긴장하여 그 아기를 제거하려 한 것입니다. 그래서 예수님은 어린 시절에 이집트로 이민가서 거기서 살다가 이 헤롯이 죽자 요셉과 마리아가 살던 갈릴리 나사렛으로 귀향합니다. 확실한 것은 모릅니다만, 분명한 것은 대헤롯은 죽고 그의 아들 중 아켈라오가 유대를 다스리게 되었을 때 요셉은 식구들을 데리고 다시 팔레스타인 땅으로 돌아온 것 같습니다. 모세의 어린시절과 비교해 보며 읽어봅시다.

(🌱 이런 내용을 읽을 때 갈릴리 하면 북쪽! 베들레헴 하면 남쪽 유다지방! 이집트 하면 서남쪽의 외국땅!' 하면서 거리감각을 갖고 읽도록 합시다. 우리 구약 공부할 때 많이 했지요? 그러면 적어도 몇 일 간은 여행하셨겠구나… 하는 상상도 하게 되고 재미있습니다. 🌱)

소년 예수의 유일한 기록 / 열 두 살 때 성전에 올라감 - 눅 2:41~52

예수님의 탄생 사건과 공생애를 시작한 30세 경 사이에 있는 유일한 기록입니다. 또한 이 내용은 누가만 찾아냈습니다. 예수님의 식구들은 이집트에서 이사와서 갈릴리 나사렛에 살았었는데 남방 유다 쪽의 예루살렘 성전에 유월절을 지키러 간 것입니다.

바벨론에서 포로로 돌아온 유대인들의 신앙생활하는 모습을 에스라, 느헤미야, 학개, 스가랴,

말라기 등을 통해 알 수 있었는데 오늘 그 이후 약 500년이 지나 신약성경으로 내려와 보니 그래도 모세율법을 따라 이렇게 유월절을 성대하게 지키고 있다는 사실을 이런 구절을 통해 찾아 낼수 있습니다. 수많은 전쟁 속에 여러 나라들이 이 땅을 차지했었고, 지금은 로마가 차지한 상황인데도 예수님이 12살 때 갈릴리 나사렛에 살고 있으면서 부모님과 또 많은 친족들이 유월절 명절을 지키러 예루살렘에 올라간 것입니다.(성경은 북쪽에서 남쪽으로 내려가도 예루살렘으로 올라간다고 합니다)

분명히 포로시대에 스룹바벨이 성전을 재건했었는데 예수님이 30세때, 성전을 짓기 시작한지(아직도 짓고 있었다) 46년이 되었다고 하는 사실을 보면(요 2:18), 그 스룹바벨의 성전은 400년 기간 언젠가 또 전쟁으로 무너져버렸었다는 사실을 추측할 수 있습니다. 지금 여기서 말하는 성전은 대헤롯이 짓기 시작했던 성전입니다. 유대인의 환심을 사기 위해 무너진 스룹바벨 성전터에다가 또 다시 성전을 짓기 시작했던 것입니다. 그는 건축광이었습니다. 대단한 열심과 전문지식이 있었습니다. 소년 예수께서 이 예루살렘에 올라간 때가 12살 때이므로 성전 공사가 시작된지 약 28년쯤 되었을 때입니다. 지어져 가고있는 성전을 매 해마다 보시며 예수께서는 유월절을 지키러 예루살렘을 출입하셨을 것입니다.

여기까지가 예수님의 사생애(私生涯)입니다 ↓

아래부터는 예수님의 공생애입니다 ↑

이제 예수님의 공생애가 시작됩니다. 예수님의 공생애는 3년입니다. 3년은 유월절 네 번을 지난다고 했습니다. 틀 만든 것, 관점공부했던 것 기억하며 이제 읽어갑시다. 그런데 예수님의 공생애는 정확하게 첫 번 유월절부터가 아닙니다. 첫 유월절이 되기 전에 일어난 몇 가지 일들이 있습니다. 우선 그것을 정리합시다. 그러니까 예수님의 공생애는 엄밀히 얘기해서 만 3년 하고도 짜투리 시간들이 더 있는 셈이지요. 아래의 사건들입니다. 이 사건들은 첫 유월절 이전에 일어난 사건들입니다.

> **세례요한에게 세례를 받으심(마 3:13~17;막 1:9~11;눅 3:21~22)**
> ⇨ **유대광야에서 40일간 금식기도하심(마 4:1~11;막 1:12~13;눅 4:1~13)**
> ⇨ **세례요한의 집회장소 지역에서 다섯 제자를 만나심(요 1:19~51)**
> ⇨ **가나 혼인잔치(요 2:1~11)**
> ⇨ **가버나움에 며칠 내려가 계심(요 2:12)**

　　지금까지 갈릴리 나사렛에서 식구들과 사시던 예수님이 짐을 챙겨서 장거리 여행을 준비하시고 집을 떠나시는 것으로부터 예수님의 공생애는 출발합니다. 요단강에서 세례 요한의 집회가 열리고 있었는데 그곳에 가서서 세례를 받으시고, 또 광야(유대광야로 보임)에서 40일 간 금식기도로 준비하시기 위해서입니다. 갈릴리에서 유대지역으로의 이동입니다(공간개념). 공생애를 준비하시기 위한 금식기도요, 세례받으심이었습니다. 즉 예수님의 공생애는 세례를 받으시고, 금식기도하신 이 두 사건으로 빵빠레를 울리는 것입니다. 그런데 바로 이 세례 요한의 집회장소에서 다섯 사람을 개인적으로 만나십니다. 즉 안드레, 베드로, 요한, 빌립, 나다나엘, 다섯 사람입니다. 이 다섯 사람은 모두 다 갈릴리 사람들이었습니다. 집회장소는 요단강 하류, 베레아 지역 쯤입니다. 사나흘 길 걸리는 거리를 떠나 다 여기 외지에 와서 만난 겁니다. 다섯 사람도 그 유명한 세례요한의 집회에 왔다가 예수님을 만나게 까지 된 것입니다. 갈릴리 사람들인데 유대에 와서 만난 셈입니다(공간개념).

　　여기서 이 다섯 제자는 의기 투합하여 갈릴리 집으로 올라가는 길을 동행합니다. 목적지는 가나 혼인잔치입니다. 예수께서 적어도 50여 일 전,(금식기도 40일＋그밖의 소요된 날＝아무리 적어도 50일 이상) 집 나사렛을 떠나올 때 어머니하고 가나 결혼식 집에 같이 참석하기로 한 것이 분명하며, 날짜에 대어서 이 다섯 제자와 함께 가나 혼인잔치에 가시는 것입니다. 그 곳에서 첫 번째 물로 포도주를 만드는 이적은 제자들을 믿게 하기 위해서라고 했습니다(요2 :11). 그러므로 이 때 말하는 제자들은 12제자가 아니라 베드로, 안드레, 요한(요한이라고 지칭하지는 않지만 요한복음을 쓴 요한임), 빌립, 나다나엘, 이 다섯 사람을 말하는 것입니다.

　　이렇게 혼인 잔치를 마치시고는 가버나움에 며칠 간 내려가 계십니다(요 2:12). 그런데 "거기 여러 날 계시지 아니하셨"고 되어 있는 것으로 보아, 잠깐 볼 일이 있어서 내려가신 것 같긴 한데 왜 가셨는지는 말하지 않고 있습니다. 그러나 우리는 가버나움에 간 일행을 보면 그곳에 간 목적을 짐작할 수 있습니다. 어머니와, 예수님의 형제들과, 며칠 전에 만난 제자들이 구태여 꼭 같이 가서, 그것도 며칠동안 머물렀다는 것은, 뭔가 볼 일이 있어서 가신 것입니다.

생장점 POINT

　　그것은 이제 이 **가버나움**은 앞으로 예수님이 "갈릴리 지역"을 사역하실 때 거점으로 삼으시겠다는 뜻입니다. 왜냐하면 이제 첫 유월절에 예루살렘에 다녀와서는(8개월 후), 나사렛 고향 사람들이 배척하는 사건이 일어나고, 그 이후 가버나움으로 이사하시기 때문입니다. 또한 앞으로 사역을 위해서는 나사렛 산 동네

보다는 교통의 요지로 사방이 뚫려있는 가버나움이 갈릴리의 중심도시였기 때문입니다. 지중해를 거쳐 다메섹으로 올라가려면 반드시 이 큰 도시를 지나야 합니다. 많은 사람들이 모이는 당시 갈릴리의 요지입니다. 전략상 좋은 곳입니다. 그래서 "갈릴리에서 전파하여 가라사대…"와 같은 말씀은 이 가버나움을 본부(본동리라고도 표현 되어있음)로 해서 하시는 활동을 전제로 하고 있는 것입니다. 가버나움을 거점으로 한 본격적인 복음전파 사역입니다. 이 사역을 위해서 장소를 봐 두러 가신 것입니다. "예루살렘 사역"과 대조를 이루는 큰 사역입니다. 갈릴리에서의 활동이냐, 유대 예루살렘지역에서의 활동이냐 중 하나입니다. 갈릴리 사역, 예루살렘 사역이라고 설정해 놓은 공간개념의 틀을 잘 붙들고 계셔야 합니다.

동행했던 요한은 가버나움에 잠깐 내려갔던 그 일을 기억했다가 이렇게 12절에서 기술하고 있습니다. 그리고 이 12절 다음 절인 13절이 드디어 첫 번 유월절을 당하여 예루살렘으로 또 올라가시는 내용입니다. 즉 우리가 예수님의 공생애 중 첫 번 유월절 이전까지의 사역을 지금 정리하고 있는 중인데 가버나움에 며칠 가 계신 것을 끝으로 드디어 첫 유월절 이전 사역이 정리되는 것입니다.

정리하면, 30세 되기까지 갈릴리 나사렛에서 조용히 사시던 예수님이 약 두 달 전에 유대 예루살렘 쪽으로 내려와서 50여 일 이상 계시다가(세례, 금식), 다시 갈릴리로 올라가셨다가(가나혼인잔치, 가버나움 방문), 다시 얼마 안되어 여기 13절에서 예루살렘으로 유월절 지키러 가신다는 말입니다.

유월절① 이전까지 사건 ↓

여기서부터 공생애 제 1년 시작, 첫 유월절, 예루살렘 ↑

* 이제부터 첫 유월절은 유월절①, 두 번째는 유월절②, 세 번째는 유월절③, 네 번째는 유월절④로 표기함.

성전을 청결케 하신 사건 - 요 2:13~25   제 1년 카운트 시작점, 4월 중순

예수님은 가버나움에 다녀오신 이후, 유월절①을 맞아 예루살렘에 가십니다. 이때 성전에서 장사하는 사람들을 내쫓으십니다. 이 성전을 청결케 하는 사건을 시작으로 본격적인 예수님의 공생애 사역이 시작되십니다. 예루살렘(공간개념, 틀!)이라는 사실을 주지합시다. 즉 예수님의 본격적인 사역은 갈릴리에서가 아니라 **예루살렘 유다지역**에서 **시작**하신 것입니다.

이 예루살렘은 정치, 종교, 사회, 문화, 경제 각 분야의 중심지였습니다. 그 예루살렘 가운데서도 "성전"은 중심 중의 중심입니다. 예수님께서 공생애 사역을 갈릴리 시골에서부터 하시지 않고, 수도 예루살렘 유다의 심장부에서부터 하신 것을 잘 기억해야 합니다. 그것도 남자들이 모이는 유월절에 이 성전에서 판을 뒤집어 엎는 일을 감행하므로 예수님은 당신의 공생애 사역을 시작하십니다. 우리가 앞에서 많이 공부해 두었던 당시 정치 종교계를 이 순간 생각하면 왜 예수님이 이런 일을 하셨는지 좀 짐작이 가지 않습니까?

이 판은 당시 기득권 세력들이 돈을 벌기 위해 치밀하게 계획해서 형성된 조직이었습니다. 대제사장 안나스가 로마로부터 제사장권을 돈을 주고 샀기 때문에 투자한 만큼 뽑기 위해 제사용품 전매청을 만들어 장사를 하고 있었던 것입니다. 제수전매청은 감람산에 있었습니다. 당시 이 지도자들은 로마를 등에 업고, 제사 드리기를 원하는 순진한 백성들의 종교심을 이용해 폭리를 남기는 강도짓을 하고 있는 대 세력이었습니다.

예루살렘에 도착하자마자 이 판을 뒤엎은 일은 당시 사회에 예수님 당신을 공적으로 표현하는 선언방식이었습니다. 공적인 도전장이었습니다. 감히 어느 누구도 이 역사를 등에 업고 도도하게 내려오는 거대한 세력의 물결에 도전하지 못했는데 나사렛 시골의 한 청년이 갑자기 나타나 이들을 대상으로 마주 선 사건입니다.

생각점 POINT

예수님은 이 날 이후로 전국적으로 알려지는 인물이 됩니다. 오늘날 우리가 흔히 쓰고 있는 말로 말하자면 예수님이 예루살렘에서 뜨신(?)겁니다. 매스컴이 없던 시절이었으나 이 유월절 기간에는 전국 남자들이 예루살렘 성전으로 많이 올라오기 때문에 다 알려지는 기회 때 뜨신 겁니다. 따라서 기득권 세력을 대상으로 도전장을 낸 청년 예수는 갑자기 그 사회에 요주의 인물이 됩니다. "예수, 그는 누구냐?" 이것이 당시 세인들의 예수님을 향한 질문이었습니다. "예수, 그는 누구냐?" 이것이 당시 정치 종교지도자들의 이슈가 됩니다.

이 질문은 우리가 성경을 읽어야 할 "관점"이라고 말했던 것 기억나시죠? 앞으로 그가 십자가에 죽기까지, 성경 전체를 통해서, 가장 중요하게 흘러가고 있는 "중심 주제"라고 했습니다. 그 때 그 당시 사람들에게나, 지금 우리에게나 가장 중요한 신약성경의 "핵심"이라고 했습니다. 관점을 잃지 말아야 합니다.

예루살렘에서 많은 이적으로 사역하심 – 요 2:23　　　　제1년 중간기 ─

성전을 숙청한 사건이후 예루살렘에서 유월절 군중 앞에서 하신 일은 "이적"을 행하심이었습니다. 제사장 그룹에 찬물을 끼얹어 놓았는데 그 후 만약 아무 일도 안 하시고 힘없이 계셨다면 성전에서 휘두른 채찍에 무슨 권위가 있겠습니까? "예수 그는 누구인가?" 하고 호기심으로 쏘아보고 있는 많은 백성들로 하여금, "과연 하나님으로부터 온 자"구나 하는 결론을 내리도록 한 것은 "이적을 행하심" 때문이었습니다. 이렇게 이적을 행하시고 말씀도 전하시는 사역을 하시며 약 8개월 동안 이 예루살렘에 머무르십니다. 첫 유월절에 예루살렘에 올라오셔서 이 유다지역에 꽤 오래 계시는 셈입니다.

니고데모의 방문 – 요 3:1~21

당시 산헤드린 공의회 의원으로, 또한 바리새인(모세법대로 지키려고 노력한 자들로 민중은 대제사장 안나스나, 헤롯 등보다는 이 바리새인들을 지지했다고 그랬지요?)으로서 덕망 있었던 니고데모가 예수님을 방문합니다. 성전청결 사건도 봤을 것이고, 많은 이적도 본 학자 니고데모는 뭔가 예수님에 대해서 판단한 게 있었던 것 같습니다. 그는 우리가 성경일독학교에서 주제로 삼고있는 "하나님의 나라"에 대해서 매우 관심있던 사람이었습니다. 예수님을 범상한 사람으로 보지 않고 찾아 온 것입니다. 적어도 예수님을 "하늘로써 내려온 선생"으로 인정했습니다. 니고데모도 고민한 것입니다. 예수, 그는 누구인가, 하늘로서 오신 분임에는 틀림없다, 그렇게 생각하고 행동을 취한 것입니다. 성경에 등장하는 이런 인물들이 '예수님의 정체성' 문제에 이렇게 다 맞닥뜨리는 것입니다. 그러나 당시 그로서는 '복음', '진리', '구원', '하나님의 아들' 개념 등에 대해 미숙할 수밖에 없습니다. 예수님은 그와의 대화에서 구원의 가장 중요한 교리인 '거듭남' '영생' 을 설명하셨으며, 이 장면을 요한은 놓치지 않았습니다. 그 대화의 의미를 깊이 알고 소화한 상태에서 요한은 수십 년 후 에베소에서 이 요한복음을 기록할 때 생생하게 그 내용을 진술하고 있습니다.

예루살렘을 떠나심 – 요 4:3　　　　제 1년 말기:12월 경 ─

여기 요한복음 4장 3절이 또한 예수님의 사역의 행적을 연구하는데 **중요한 구절**입니다. 지금까지 8개월 동안 유대 예루살렘에 계셨었는데 이제 갈릴리로 이동하신다는 말입니다. (🌱 우리가 성경을 읽을 때 이런 구절은 별 것 아닌 것같이 보일지 모릅니다. 그러나 이런 구절이 바로 성경이 흘러가는 길을 보여주는 중요한 포석이 되는 보석 같은 구절입니다. 🌱) 위에서 말했듯이 이제 **예루살렘**에서의 사역을 마치고 **갈릴리**로 올라가시는 큰 **방향 전환**을 하신다는 말입니다(공간개념 틀!).

4장 1절을 보면 예수님이 제자를 삼고, 그 제자들은 세례를 주기도 했다는 것을 보면 이 예루살렘에서 많은 활동을 하신 것을 짐작할 수 있습니다. 그런데 이제는 바리새인들이 예수님에 대해 신경을 곤두세우고 있다는 사실을 파악하시고는 그 이유로 예루살렘을 뜨십니다. 아직은 기득권 세력들과 부딪히고 싶지 않으셨던 것 같습니다. 때가 아직 아니기 때문이었습니다. 아무튼 이런 이유로 이제 유월절① 이후 예루살렘 8개월 사역을 철수하시고 갈릴리로 가시는데 사마리아를 거쳐가시기로 한 것입니다.

사마리아 여인을 만나심 – 요 4:4~42

사마리아는 B.C. 721년경에 여러 민족들과 피가 섞여서 유대인들은 그들을 개 취급을 한다고 했습니다. 그런데 지금 막 예루살렘, 유대를 거쳐, 사마리아에 들어가 그것도 개인전도를 하시며 '예배' 개념을 논의하신 것을 보면 그 메시지가 큽니다(우리는 여기서 예수님의 마지막 지상명령을 기억할 수 있습니다. "예루살렘과 온 유대와 사마리아와 땅 끝까지 이르러 내 증인이 되리라")

이제는 여기서 예수님이 첫 유월절에 예루살렘에 오셔서 **8개월** 동안을 계셨었다는 사실을 알게 해주는 구절을 찾아보려고 합니다. 그것은 이 사마리아에 계실 때가 언제쯤인지 알려주는 요 4:35입니다. "앞으로 넉 달이 되면 곡식을 거둘 때가 된다고 하지 않았느냐?" 이 말씀은 사마리아에 예수님이 계실 때가 언제쯤인가를 보여주는 중요한 열쇠가 됩니다. 이스라엘 땅의 곡식을 거두는 때는 4월 경입니다. 즉, 유월절 밤을 지내고 그 이튿날부터 무교절의 안식을 보내고 그 다음 곡식에 낫을 대는 것이 이들의 추수방법입니다. 그런데 넉 달 있으면 추수할 때가 된다는 말은 넉 달 있으면 4월이 된다는 말입니다. 예수님께서 지난 유월절①에 갈릴리를 떠나 예루살렘에 오셨으니까 이 사마리아에 계신 그 때가 바로 12월이었다는 말입니다. 그리고 이제 또 넉 달이 되면 그 다음 유월절②이 된다는 말이니 예수님이 예루살렘에 머문 기간이 8개월임을 알 수 있는 것입니다.

오랜 동안 예루살렘에서 그분의 명성이 알려졌고, 갈릴리보다도 먼저 예루살렘에서 종교 지도자들과 중심인물들을 대상으로 알려지게 되었으며, 이 소문은 유월절에 예배하러 왔던 갈릴리 사람들에게도 톱 뉴스가 되었을 것입니다. 이제 비로소 예수님은 예수님 자신보다도 소문이 먼저 가 있는 고향 갈릴리를 향하시고 계신 것입니다(요 5:45).

▼ **여기까지가 예루살렘 (사마리아) 사역**

여기부터 갈릴리 사역 – 아직 공생애 제 1년 말

왕의 신하를 고치심 – 마 8:5~13; 눅 7:1~10; 요 4:43, 54

예수님은 이틀 후에 사마리아를 떠나 갈릴리 가나에 도착하십니다. 이 때는 이미 세례 요한은 감옥에 있을 때입니다. 세례 요한의 사역이 그친 시점입니다. 갈릴리에 도착하자마자 예수님은 가버나움에 살고 있던 어떤 왕의 신하의 아들을 말씀으로 고쳐 주십니다. 이 일이 갈릴리에서 두 번째 행하신 이적입니다. 지난번도 가나에서 물로 포도주를 만드셨는데 이번에도 가나에서 병을 고치십니다. 살기는 가버나움에 살고 있는 사람을 가나에서 말씀으로 고치신 것입니다. 왕의 신하라고 했으니 분봉왕 헤롯 안티파스의 신하를 말하는 것입니다.

예수를 배척한 나사렛 고향사람들
: 나사렛에서 가버나움으로 이사하심 – 마 13:53~58; 막 6:1~6; 눅 4:16~30

예수님께서 사셨던 고향 나사렛으로 돌아오신 후 어느 안식일 날, 늘 하시던 대로 회당에 들어가십니다. 지금까지 예수님을 잘 알던 이 동네 사람들은 예수께서 예루살렘에서 행하신 사역을 소문을 통해 이미 알고 있었습니다 그러므로 8개월만에 돌아온 예수님을 이제 어떤 눈으로 볼 것인가가 관건이었습니다. "예수, 그는 누구인가?"를 규명해야 하는 순간이었습니다. 이를 아시고 예수께서 이사야를 읽으시며 당신이 누구신가를 설명하셨는데 그들은 예수님을 받아들이지 않고 배척할 뿐만 아니라, 회당에서부터 우왕좌왕 웅성대다가 낭떠러지까지 예수님을 우~ 몰고 나가 떨어뜨려 죽이려 했습니다.(🌱 "예수, 그는 누구인가" 이 질문이 또 나온 겁니다. 신약 성경에 등장하는 모든 이들의 가장 큰 질문입니다. 그리고 온 인류의 가장 큰 질문입니다. 당신에게도 마찬가지라고 했습니다. 교회 다니는 것 보다 더 중요합니다. 헌금하는 것 보다 더 중요합니다. 봉사하는 것 보다 더 중요합니다. 이 질문에 대답하고 나서 그 다음에 해야되는 것입니다. 🌱)

이 사건 이후 예수님의 가족들은 나사렛「높은 산지」에서 가버나움「낮은 해변가」로 이사하십니다. 유월절①직전에 보아두었던 곳이지요. "나사렛을 떠나 스블론과 납달리 지경 해변에 있는 가버나움에 가서 사시니 이는 선지자 이사야로 하신 말씀을 이루려 하심이라… 이때부터 예수께서 비로소 전파하여 가라사대 회개하라 천국이 가까웠느니라 하시더라(마 4:13~17)."

이 시점에서 매우 중요한 사실이 있습니다.
다섯 제자를 만나심, 혼인잔치, 가버나움 여행 그리고 그 후에 나오는 성전청결

사건, 예루살렘에서 많은 이적을 행하심, 니고데모와의 대화, 수가성 여인의 전도까지는 **요한복음**에만 기록되어 있습니다. 다른 복음서에는 없습니다. 즉 마태, 마가, 누가복음은 "세례요한에게 세례를 받는 공생애 시작 사건"이 나온 다음에 예외 없이 다 "갈릴리에서 복음 전하는 내용"으로 장면이 뜁니다. 약 8개월이 **생략**된 것입니다.

그러나 요한만은 이 두 사건(유대지역에서 세례받음, 갈릴리 복음전파) 사이에 적어도 8개월의 세월이 있었다고 말합니다. 그리고 그 8개월 동안 일어난 일이 위의 사건들이라고 기록하고 있습니다.

즉 의기투합한 다섯 제자가 가나 혼인잔치(갈릴리)에 참석하며, 그 일 후, 유월절에 또 다시 예루살렘(유대)에 올라가셨고, 거기서 성전을 청결케 하는 사건이 있었으며, 예루살렘에서 줄곧 많은 이적을 베푸시며 약 8개월 간 머무르신 이후, 예루살렘에서 다시 갈릴리로 올라가실 때 사마리아를 거쳐가시며 수가성 여인에게 전도하신 것까지가 요한복음에만 있는 내용입니다.

갈릴리에 거의 다 가셔서 왕의 신하의 아들을 고치는 사건 등 갈릴리 사역부터는 다른 복음서들도 기록하고 있습니다. 이렇게 해서 8개월이나 집을 떠나 예루살렘에 계셨다가 그 후 갈릴리 나사렛 집에 돌아오시고, 그 다음에 거기서 갈릴리 가버나움으로 이사 가시고, (🌱 그 후에야 비로소 **본격적인 갈릴리 복음전파**가 시작되는 것입니다. 🌱)

제자들을 다시 부르심으로 본격적 갈릴리 복음 전파 사역을 시작하심 – 눅 5:1~11; 마 4:18~22; 막 1:16~20

우리는 예수님의 예루살렘 사역(유월절①)을 한참 공부하고 오랜만에 갈릴리로 돌아와 이사까지 하신 이후의 예수님의 갈릴리 사역을 읽으려고 하는데, 누가복음이나 마태복음이나 특히 마가복음같은 경우는 이제 막 세례받자마자 예수님이 갈릴리 사역을 하시는 것 같이 기록하고 있지요? 그래서 네 복음서는 같이 모아놓고 그 가운데서 순서를 따라 골라가며 이야기가 어떻게 흘러가고 있는지를 우선 아는 것이 중요하다고 한 것입니다.

생장점
POINT

우리에게 익숙한 "이때부터 예수께서 비로소 전파하여 가라사대 회개하라 천국이 가까웠느니라" 하는 말씀은 "세례와 시험 받으시고, 다섯제자 만나시고, 가나혼인 잔치 가셨다가, 첫 유월절에 성전 청결케 하시고, 예루살렘에서 8개월 동안 활동하시고, 고향 갈릴리 나사렛에 오셔서 배척받으시고, 그래서 이사하시고, 갈릴리 가버나움에서 비로소 전파하여 가라사대 회개하라 천국이 가까웠느니라"라는 사실을 잊지 맙시다. 지금까지는 갈릴리에서 활동하지 않으셨는데 이제 가버나움에 이사하시고는 본격적으로, 공적으로 전파하시고, 외치시고, 병고치시는 "갈릴리 사역"을 시작하신다 이말입니다(틀 만들기 할 때 공간개념으로 갈릴리냐, 예루살렘지역이냐로 생각하시라 그랬지요?)

갈릴리에서도 예루살렘에서와 같이 본격적인 복음 전파를 하시는데, 이에 앞서 제일 먼저 하신 일이 제자들을 정비하시는 일이셨습니다. 쉽게 말하면 지금까지는 파트타임처럼 자기 일을 하면서 예수님을 따라 다녔는데 예수님께서는 그러지 말고 모든 자기 직업을 놓고, 풀 타임으로, 전문적으로, 본격적으로 이 복음전파의 사역만 하시기를 원하셔서 다시 부르시는 것입니다. 전에 세례 요한의 제자를 할 때도 이런 식이었을 것입니다. 집회가 있으면 따라다니다가도 또 고기를 잡아야 되니까 일하러 가기도 하고 말입니다. 예수님을 이미 알고 있었고, 어떤 제자는 예루살렘 8개월사역까지 같이 가서 동역하다가 왔을텐데 새삼스럽게 또 제자들을 부르시는 것 같아 이상하게 생각될지 모르는데 사실은 그렇지 않습니다. 이들은 앞으로 그들의 고향인 갈릴리에서도 복음을 전파해야할 장본인들인데, 고향으로 돌아와서는 돈을 벌어야만 했습니다. 그래야 식구들을 먹여살리지요. 베드로는 아내도 있었는데 자기가 하던 직업을 버릴 수는 없었던 것입니다. 지난 8개월 어간에 예루살렘 지역에서 사람들에게 세례까지 주었던 그들이 이제 막상 또 고향에 오니 고기를 잡아야 생활이 되니까 다시 그물에 손을 댄 것입니다.

예수님은 이 시점에서 **완전한 헌신**을 원하신 것입니다. 그래서 이 제자들을 보시고는 "이제 고향에 왔다고 해서 본래 직업으로 돌아가지 말고, 다 놓아두고 내 사역에만 전적으로 따르라!"고 정식으로 재 초청하시는 것입니다. 그물을 버려두고 예수를 좇았다는 말입니다. **직업**을 버렸다는 뜻입니다. **전문 사역자**로 뛰었다는 뜻입니다. 예수님은 이들이 앞으로 세계를 향하여 복음을 전파할 "사람을 낚는 어부"가 될 것을 보시고 계십니다. 베드로는 이 시점에서 약 2년 반이 지나면 예루살렘교회를 목회하는 지도자가 됩니다. 적어도 2년 반 전부터는 풀 타임으로 전문교육을 받아야 되지 않겠습니까? 이렇게 해서 시몬 베드로와 그의 형제 안드레, 요한과 그의 형제 야고보, 이들은 이제 풀 타임 전문 사역자로 예수님의 제자 훈련반에 들어갑니다.

가버나움에서 어느 안식일 하루에 일어난 여러 가지 일 – 눅 4:31~37; 막 1:29~39

회당에서 가르치시고, 귀신을 쫓으시는 예수님(눅 4:31~37)

그 이후, 어느 안식일 날 아침 경 예수님은 회당에 들어가십니다. 거기서 가르치셨습니다. 그런데 권세 있는 자와 같이 가르치셨다고 했습니다. 예수는 목수였습니다. 아는 사람은 다 압니다. 그런데 예루살렘에서 돌아오셔서는 "가르치는 사역"을 하신다는 점에 유의해야 합니다. 우리는 예수께서 **가르치시는 일**을 하신 것은 당연하다고 생각할 수 있는데 사실 이 사역은 예수님의 일 중에서 가장 중요한 일입니다. 만약 예수님이 병만 고치시고, 가르치시지 않으셨다면 이적의 의미를 알 길이 없습니다. 그가 이적을 행하시며 그 이적 뒤에 의미와 뜻을 펼치셨고, 그 가르치신 내용들은 후에 제자들의 기억 속에 정예된 것으로 남아 오늘날 복음서에 기록된 것입니다. 이적이 중요한 것이 아니라 그 **해석**이, 그 **의미**가 중요한 것입니다. 이것을 **표적**이라고 합니다. 메시야적 싸인, 즉 표적입니다. 그런데 그 회당에 귀신들린 사람이 앉아 있었습니다. 예수께서는 귀신을 내쫓으십니다. 영계를 다스리시는 분이심을 보이신 일입니다. 표적입니다.

베드로의 장모님 집으로 심방가서 열병을 고치심, 그리고 그 날, 밤을 새우심 – 막1:29 ~39

그 회당에서 나와서 시몬 베드로의 장모님 집으로 들어가십니다. 열병을 고치십니다. 해질 무렵이 되어 각색 병든 사람들이 몰려옵니다. 귀신들이 예수를 가리켜 "하나님의 아들", "그리스도"라는 말을 하니, 예수께서 그런 말을 하지 못하도록 꾸짖으십니다. 그 당시 사람들은 로마로부터 해방시켜주는 정치적인 그리스도를 기다리고 있었기 때문에 그러셨습니다. 예수님을 정치적인 구원자로 이해하기를 원치 않으셨던 것입니다. 이것을 '메시야 은닉사상' 이라고 부릅니다. 그러나 예수님의 정체가 꼭 알려져야 할 대상이나 상황에서는 당신이 그리스도임을 부인하지 않으셨습니다.

날이 밝아서야 그 집에서 나오셨다고 했으니(눅 4:42) 그 날은 하루 종일 낮에 일하셨을 뿐만 아니라 철야까지 하시면서 병을 고치신 셈입니다. 그런데 여기 이집이 누구네 집입니까? 베드로의 장모님 집입니다. 베드로의 아내의 친정 어머니집입니다. 남편이 이제 고기를 안 잡겠다고 선언한 이후 그 아내는 많은 갈등을 했을 것입니다. 아내가 이 일에 동의해야 가능하니까요. 그런데 친정어머니가 소생하게 된 이 사건으로 모름지기 남편이 예수님을 전적으로 따라다니는 사역을 기쁜 마음으로 이해했을 것 같습니다. 얼마 전 베드로가 그물을 버렸는데, 그 아내도 이제 이런 체험을 통해 동역자가 되었을 것입니다. 한 사람의 제자 베드로, 그도 가장이었고, 그래서 해결해야될 과정들이 있었는데 이런 섭리를 통해 하나씩 풀려나가는 것 같습니다. (예수님의 어느 하루를 스케치해보니 얼마나 많은 일을 하시면서 사셨는가를 짐작하게 합니다.)

이렇게 예수께서 하신 사역들을 분류해 보면, 병을 고치시고, 가르치시고, 귀신을 내쫓으신 일들로 나눌 수 있습니다. 예수께서 하신 이런 일들은 무엇을 위해 중요할까요? 예수 그 분이 누구신지 규명하기 위해서 중요합니다. 여러분이 성경을 읽어 내려갈 때 이 관점으로 예수님의 행적을 이해하시라 그랬지요? 그런데 귀신들이 먼저 알고 소리질렀다고 했습니다. "예수, 그는 하나님의 아들이다." "예수, 그는 그리스도다!"라고. 당신도 이렇게 소리 질러야 합니다. 귀신들도 소리지르고, 당신도 똑같이 소리 지른다면(어떤 분은 아직 이렇게 소리지르지도 못합니다.) 뭐가 귀신들과 다릅니까? 귀신들은 예수님이 누구인지 알면서도 예수님을 사랑하지 않습니다. 자원하는 마음으로 항복하지 않습니다. 우리들도 마음에서 우러나오는 사랑으로 그분에게 순종하지 않는다면 귀신들이 가지고 있는 예수님 지식에서 크게 다를 것이 없을 것입니다. 예수님이 누구신지 아는 것 가지고는 신앙인이 아닙니다. 사랑하고 순종할 때 신앙인입니다.

갈릴리 1차 순회전도 – 막 1:38~39 / 그 후에 마태를 부르심 – 눅 5:27~32

베드로의 장모님 집에서 나오신 이후로 예수께서는 더욱 더 열심히 "온 갈릴리(가버나움 마을에 있는 본부를 벗어나서 갈릴리 지방 전체)"와 "여러 회당"을 다니시며 말씀을 전하시고, 귀신을 내쫓으십니다. 이 온 갈릴리를 다니시며 일하신 내용들을 자세히 다 기록하지는 않았지만 38~39절 말씀으로 그 사역을 표현합니다. 다음 유월절(공생애 2년 유월절)에 예루살렘으로 올라가시기 전까지 하신 일을 한 마디로 요약한 말씀으로 봅니다.

이렇게 순회전도를 하신 이후 '본 동리(가버나움을 말함)'에 들어가서 하신 일이 중풍병자를 고치신 일(눅 5:17~26)이고, 그 후에 제자 마태를 부르신 일(눅 5:27~32)이 있습니다. 마태를 부르신 때는 유월절②이 가까워 오는 초봄 쯤으로 보입니다. 예수께서는 일해 나가시다가 이렇게 한 사람씩 한 사람씩 제자들을 부르신 것을 볼 수 있습니다.

여기까지 공생애 1년 말엽, 갈릴리사역 ↓

여기부터가 공생애 2년, 예루살렘사역 ↑

베데스다 연못 옆 38년 간 병든 사람을 고치심 – 요 5:1~8　　　　2년 봄 ─

2년 봄 유월절② 즈음에 **예루살렘**에서 일어난 일입니다 (🌱 예루살렘 하면 벌써 **요한복음**이 등장하는 것을 눈치채야 합니다. 요한은 거의 예수님의 예루살렘 사역만을 기록한 특징이 있습니다. 특별히 마지막 십자가에 죽으시는 기간의 내용이 요한복음의 반 정도를 차지할 정도입니다. ☘) 38년된 환자를 안식일에 고치신 일, 그뿐 아니라 예수님이 하나님과 동등한 분임을 안식일에 관련하여 설명하신 것이 화근이 되어 문제가 되기 시작합니다. 이 사건에서도 예수님은 '당신이 누구인지를' 설명하시는 것입니다. 하나님을 감히 자기 아버지라고 발언했습니다. 안식일에 일한 것도 율법을 어긴 것인데, 설상가상의 발언들이 터져 나온 것입니다. 두 번째 유월절에 대해서는 오직 이 한 가지 사건만 기록되어 있지만, 지난 첫유월절 이후 갈릴리로 가셨다가 약 4개월 만에 예루살렘에 또 나타난 예수는 그들에게 있어서 완전 감시의 대상이었던 것입니다. (☘ 성경에는 구체적으로 나와있지 않지만 이런 기류를 찾아내는 것이 성경을 읽는데 매우 중요합니다. ☘) 제2년 유월절② 때는 예루살렘에 잠깐 계신 듯 합니다. 38년된 병자를 고치신 일 이외에는 기록이 없습니다.   **여기까지, 공생애 2년, 예루살렘**

여기부터 공생애 2년 유월절② 이후 중엽. 갈릴리사역
12제자를 확정하셔서 임명하심 – 마 10:1~4; 막 3:13~19; 눅 6:12~16
공생애 2년 갈릴리

이제 또 갈릴리로 돌아오셨습니다(틀!). 공생애 1년 때도 유월절②에 예루살렘에 8개월 체류하신 후 갈릴리에 돌아오시자마자 하신 일이 제자를 정비하시는 일(풀 타임으로 부르심)이었는데, 두 번째 유월절②을 다녀오셔서는 **12제자를 임명**하십니다. 비로소 예수님의 공생애 2년쯤에 와서야 열두 제자를 확정하셔서 부르신 것입니다. 함께 있게 하시고, 귀신을 내어쫓게 하시며, 모든 병과 약한 것을 고치는 능력을 주십니다. 이 제자들을 임명하시기 전날 밤 예수님은 철야기도를 하십니다. 그리고는 분명히 공식적으로 12명을 지명하여 부르신 것을 볼 수 있습니다.

우리 생각에는 처음부터 12명과 함께 다니신 것처럼 느껴질 수 있는데 예수님은 매우 신중하게 시간을 두고 한 사람 한 사람 보아 오다가 최종적으로 12명으로 확정하셨습니다. 조직 속에서 일하시는 예수님의 모습입니다. (☘ 이는 구약의 **12지파**를 이어가는 새로운 하나님 나라 백성들을 이루는 **새로운 야곱**, 새로운 이스라엘임을 분명히 하시는 것입니다. 이 12명으로 인해 온 세계로 흩어지는 영적 이스라엘이 탄생되는 것입니다. 드디어 구약에서부터 이루어 오신 하나님 나라가 세계를 향하기 위한 조직을 갖추는 것입니다. ☘)

그리고는 산상수훈을 베푸심 – 마 5:1~7장까지
제2년 중엽

생장점
POINT

그 유명한 산상수훈을 주신 것이 바로 이 때로 봅니다. 제자들이 다 확정되었습니다. 구약식으로 얘기한다면, 구원받은 하나님의 백성들은 (예수님의 제자들은) 어떻게 살아야할지를 요구하는 십계명(새 계명)같은 것입니다. 이스라엘 백성이 시내산에 왔을 때 하나님이 그들에게 계명을 주신 것과 똑같은 것입니다. 구약에서도 백성들이 만들어진(국민만들기) 다음에 율법을 주셨는데, 이 신약에서도 제자들이 만들어진 다음에, 이 새 이스라엘에게 새 계명을 주십니다. 바로 그것이 그 유명한 산상수훈입니다.

예수님은 마태복음 5, 6, 7장에서 구약의 모세에게 주셨던 계명들을 들어서 하나하나 재해석하십니다. 산상수훈을 통해 구약의 그 모든 "법"의 정신이 무엇이었는지를 해석하십니다. 율법의 뿌리가 무엇이었는지를 완성하시는 장면입니다. 위대한 구약의 완성입니다. 우리가 오랫동안 구약의 모세율법에 대해 그 받은 과정과 그 내용들을 읽었는데 이제 그 내용이 얼마나 심오한 것인지를 시간이 지나면서 점진적으로 그 원리를 해석하시는 것입니다. 당장 200~300백만 명이 살아가야 하니까 그들에게 필요한 현실적인 법도 주셨었지만, 사실 그 모든 법의 뿌리는 위로 하나님을 사랑하고(1~4계명), 옆으로는 이웃을 사랑하라는 것(5~10계명)이었다고 해석하시는 것입니다. 산상수훈도 이렇게 구약과 연결된 것입니다. 산에 올라가 앉으신 예수님이나 시내산에 올라간 모세, 언약백성 이스라엘이나, 이제 12명으로 확정한 예수님의 제자들, 십계명이나 산상수훈이나 다 기가막힌 대칭을 이루며 구약과 신약의 척추를 만드는 것입니다. 이와같이 성경은 구약과 신약이 하나로 통해 있습니다.

백부장의 종을 고치심, 나인성 과부의 아들을 살리심 – 눅 7:2~17   제2년 중엽

산상수훈 설교 후에 예수님은 가버나움으로 들어오십니다. 여기서 백부장의 종을 고치시고 그 후에 나인 성읍을 가시다가 성문에서 상여를 만나십니다. 죽은 아들을 살리십니다.

세례 요한의 질문, 오실 그 이가 당신입니까 – 눅 7:18-30   제2년 중엽

이 때쯤 해서 약 반 년 전에 옥에 갇힌 세례 요한이 두 제자를 보내 위의 질문을 합니다.

계속해서 제 2년 중엽 갈릴리 사역인데 이 지점에서 꼭 봐야 할 게 있습니다.

눈입니다. 두 번째 유월절 때 38년된 병자를 고친 사건으로 안식일 문제가 대두되면서부터는 '예수를 죽여야겠다' 고 생각하는 종교지도자들의 눈을 봐야 합니다. 숨어있는 눈입니다. 감시하는 눈입니다. 1년 반 전, 유월절①에 예루살렘을 떠들썩하게 한 후 한 동안 예루살렘에 머물렀다가 갈릴리로 사라지신 예수님을 예루살렘 종교지도자들이 모른 척하고 있었겠느냐 하는 점입니다. 눈에 불꽃을 튀기며 예수님의 일거수 일투족을 보고 받았을 것입니다. 사실은 공생애 1년 말 갈릴리에서 중풍병자한테 네 죄 사함을 받았다고 말했을 때부터 이 눈들이 있었다는 사실을 알게 해줍니다(눅 5:17). 그 이후로 두 번째 유월절 봄에 예루살렘에 올라가 38년 된 병자를 고칠 때에도 이 눈들과 부딪힙니다. 이때부터는 본격적으로 예수를 죽이려고 했다고 말합니다. 바로 이 종교지도자들의 이런 기류를 우리도 감 잡아야 한다는 것입니다. 그래서 아래부터는 특히 바리새인들과 서기관들, 제사장 그룹과 그 일당인 사두개당 등 민중들과 깊은 관계를 갖고 있던 이들과 자꾸 부딪히게 되는 때라고 생각하십시오. 이제부터 나타나는 사건들을 그런 배경그림 속에서 이해해 보십시오. 예루살렘 본부로부터 예수님에 대해서 행동지침이 내려진 것을 눈치챌 수 있습니다.

한창 예수님의 명성이 높아져서 민중들의 마음이 쏠리자 특히 바리새인들은 누구보다도 예민해지기 시작합니다. 왜냐하면 지금까지는 일반 백성들은 그래도 바리새인을 존경하고 그들의 말을 들었는데 예수께서 민중을 빼앗았다고 생각한 것입니다. 그들은 초조해지기 시작했고 할 수 있는 대로 예수님의 단점을 찾아내서 그가 얼마나 나쁜 사람인가 하는 유언비어를 민중 가운데 퍼뜨리려고 노력하고 있습니다. 예루살렘 본부 쪽에 있는 바리새인들은 지금 예수님이 사역하고 계신 갈릴리로 사람을 파견하여 예수에 대해서 꼬투리를 잡으려고 여러 가지로 노력하고 있는 시기라는 점을 알아야 합니다. 우리가 예수님의 생애를 읽을 때 '왜 이렇게 바리새인, 바리새인… 이런 얘기가 많이 나오냐?' 그러면서 그저 무작정 읽을 수도 있습니다. 그런데 다 이렇게 이유가 있었던 것입니다. 이런 관점으로 아래 사건들을 보면 이해가 잘 갈 것입니다. (눈, 눈을 보십시요.)

장터에서 피리 부는 아이 비유 – 눅 7:31~35

세례요한은 먹지 않고 금욕한다고, 귀신들렸다고 욕하고, 예수는 너무 먹고 마시는 죄인들의 친구라고 폄론하는 당시 지도자들의 세태를 비유하여 말씀하신 것입니다. 이 비유는 예수님이 말씀하신 최초의 비유라고 알려져 있습니다.

수고하고 무거운 짐진 자들아 다 내게로 오라 – 마 11:20~30

바리새인들의 폄론에 대해 제자들에게 그 실상을 깨닫게 하려고 가르치신 후에 하신 말씀이 마태복음 11:20~30절 말씀입니다.

옥합을 깨뜨린 여인 – 눅 7:36~50

바리새인이 예수님에게서 흠을 잡으려고 자기 집에 초청하는데 여기서 한 여인이 옥합을 깨뜨려 향유를 붓습니다.

귀신들려 눈멀고 벙어리된 자를 고치심 – 마 12:22~37

이 고치심에 대하여 바리새인들은 오히려 예수님이 귀신들렸다고 폄론합니다. 이 사건에 대한 바리새인들의 반응, 또 이 반응에 대해 예수님이 펼치신 귀신의 세계 등을 알 수 있는 사건입니다.

서기관과 바리새인들이 표적을 구함 – 마 12:38~45

역시 계속해서 서기관, 바리새인들과 관련된 말씀입니다. 예수님은 요나의 표적밖에 없음을 말씀하시므로 그의 십자가 사역을 예시하고 계십니다.

13개의 중요한 비유를 베푸심 – 마 13장; 눅 12:16~20; 눅 12:42~48; 막 4:26~28

위의 바리새인들의 세태적 긴장 속에서 여러 사건이 있는 이 즈음에 위의 비유들이 베풀어집니다.

바다를 잔잔케 하심, 가다라지방의 귀신들린 자를 고치심– 마 8:23~34

비유로 천국을 설명해 주시는 이 때쯤 해서 위의 두 가지 큰 이적이 일어납니다.

레위 마태가 큰 잔치를 베품 – 마 9:10~13

레위 마태가 예수님의 부르심을 받은 것은 연초 봄이지만(마 9:9), 모든 것을 정돈하고 자기 집에서 잔치를 베풀어 동료까지 초청해 놓은 일은 이 때 쯤입니다.

├─ 혈루증여인을 고치심, 회당장 야이로의 딸을 살리심 – 눅 8:40∼56 제2년 말기

이 두 큰 사건은 예수님 공생애 제2년 말기쯤에 있었던 일입니다.

↓ 여기까지가 공생애 제2년, 갈릴리입니다.

↑ 이 때쯤 해서 제3년이 시작됩니다. 여전히 갈릴리입니다.

요한복음 6:1∼15절에 나타나는 오 천명을 먹이신 사건은 유대인의 명절 유월절③이 가까워 오는 때였습니다. 이로 보아 제3년 유월절 기간에는 예루살렘에 가시지 않고 갈릴리 지방에 계속 머무신 것을 알 수 있습니다. 우리가 잘 아는 보리떡 다섯 개와 물고기 두 마리로 오 천명을 먹이신 사건은 제 3년 초엽 유월절 즈음에 일어난 일인 것입니다.

이 오병이어 사건이 있기 전에는 예수께서 고향 나사렛에 가셔서 또 한 번의 배척을(마 13:54∼58) 당하시고, 그 이후 12제자를 파송하시며(이에 사도라는 말을 쓰는 것)강론하십니다. 제자들을 보낸 이후 예수님은 혼자 전도하시며 다니시고 그 이후에 제자들과 합류하여 갈릴리 순회전도를 또 나가십니다. 바로 이 즈음에 세례요한이 목베임을 당했다는 소식도 듣게 됩니다. 이와같이 바쁜 일정으로 음식 먹을 겨를도 없이 쉬지 못하자 예수님은 제자들과 함께 사람들이 많이 모이지 않는 곳으로 쉬실 겸 가십니다. 그런데 또 사람들이 이 벳세다 들녘으로 모여든 것입니다.

이 일 후에 주로 예수님은 갈릴리 윗지방 쪽에 많이 계시는데 두로와 시돈(베니게 쪽, 지중해바다 쪽의 이방 땅), 데가볼리(갈릴리 바다 동쪽의 이방 땅), 또 헬몬산 줄기에 있는 가이사랴 빌립보, 변화산 등에 머무르십니다. 이 기간 동안은 주로 예수께서 **대중보다는 제자들에게** 앞으로 1년 안에 일어날 십자가 수난 사건을 바라보시며 **제자훈련**을 시키십니다. 예수의 메시야되심, 십자가에 죽으심과 부활 등 가장 중요한 일들을 마음에 품으시고 질문하시고 가르치시는 기간입니다. 그리고는 가버나움에 내려왔다가 사마리아를 통과해서 예루살렘으로 가십니다. 초막절(10월12일∼19일) 명절을 지키려고 갈릴리를 떠나시는데 이번에 떠나시므로 다시는 평범한 인간의 몸으로는 다시 돌아오지 않는 영 이별의 떠남이었습니다. 왜냐하면 이 명절을 지키러 예루살렘에 올라가셨다가 후에 수전절(12월 25일)을 지키셨고, 그리고는 유월절에 잡혀서 십자가에 돌아가시기 때문입니다.

그러므로 이번 **초막절에 갈릴리를 떠나** 유대 지방 쪽으로 내려가셔서 지내는 기간은 그러므로 약 **6개월** 정도가 됩니다. 초막절 10월경에 내려가셔서 유월절 4월 16일경에 돌아가시기 때문입니다. 6개월 머무시는 동안 예루살렘 성을 중심으로 활동하시지만 **베레아 지방에만 3개월**을 머무시는데 이 곳은 요단강 동편 이방인의 땅입니다. 특기할만한 것은 마지막 갈릴리를 떠날 즈음에 70

인 전도단을 파송하시는데 바로 이 베레아 쪽으로 파송하십니다. 후에 이 파송된 전도단이 예수께 보고하는 것도 이 기간 중에 일어나는 일입니다. 여기 갈릴리를 출발해서 십자가에 죽으시고 부활하시는 마지막 시간까지의 6개월 간은 많은 일이 일어납니다. 마지막 6개월의 이런 특징들을 생각하며 다음 사건들이 정말 그러한가 보십시다.

오병이어 – 요 6:1~15　　　　　　　　　　제3년 초엽, 4월 초—

(🌱 요한 복음은 21장으로 되어 있습니다. 그런데 지금 이 오병이어 사건은 3년 중반에 일어나는 일인데 겨우 6장에 기록되어 있습니다. 6장 이후부터 거의 15장 정도가 6개월 간 일어난 일이라는 말입니다. 🌱) 여기 오병이어 기적은 예수님께서 하늘에서 내려온 산 떡이심을 표적으로 보이신 사건입니다. 예수의 살은 영원한 생명의 떡이라는 귀중한 영적 진리를 보이시기 위함입니다. 벳세다 들판이었습니다. 모세 시대 하늘에서 내려온 만나와 비교되며 이 사건이 해석되고 있습니다. 세례 요한은 참수 당했고, 그의 제자들이 몸둥이만 장사 지냈다는 소식을 들은 이후 예수께서 제자들에게 '너희는 따로 한적한 곳에 가서 잠깐 쉬라(막 6:31)'고 하셔서 떠나 도착한 곳이 이 벳세다 들판이었습니다. 갈릴리 바다 동북쪽에 있는 한적한 들판이었는데도 거기까지 남자 장정만 5,000명이 따라왔습니다. 예수의 명성이 가장 치솟은 때였습니다.

바다 위를 걸으심 – 마 14:22~34

오병이어 사건 이후 벳세다에서 되돌아오는 길에 제자들은 먼저 배를 타고 떠납니다. 예수님은 그곳에 남아 기도하시다가 후에 바다를 걸어오십니다. 물 위로 걸으시는 예수님을 본 베드로는 바다에 뛰어내렸다가 빠져 들어가는 경험을 합니다.

장로의 유전에 대한 예수님의 견해 – 막 7:1~23

제3년 유월절이 지나서 예루살렘에 있는 바리새인들과 서기관들이 예수님의 제자들이 부정한 손으로 떡 먹는 것을 지적합니다.

수로보니게 여인의 믿음 – 막 7:24~30

갈릴리 지방을 떠나 서북쪽 해안가에 있는 두로와 시돈, 즉 베니게 사람들이 사는 국경지대로 올라가십니다. 갈릴리 지역의 많은 **민중들을 떠나 제자들을 훈련시키려는 목적**으로 이방지역으로 들어가신 것입니다. 그런데 여기서 한 여인을 만납니다. 이방에 전파되는 예수님을 나타냅니다.

4,000명을 먹이심 – 마 15: 9~39

헬라적인 생활을 하고 있는 이방사람들이 많이 와서 살고있는 데가볼리 지역입니다. 주린 군중을 불쌍히 여기심이 나타납니다.

마가단 지역에까지 와서 하늘로 오는 표적을 보이라는 바리새인들 – 마 16:1~4

데가볼리(갈릴리 바다 동쪽)에서 배타고 서쪽으로 건너와 마가단(막달라)지역에 오니 그 곳에 바리새인과 사두개인들이 기다리고 있었습니다. 또 하늘로서 오는 표적을 보이라는 것입니다. 요나의 표적밖에는 보일 것이 없다고 하십니다.

가이사랴 빌립보 지방에서의 위대한 질문과 대답 – 마 16:13~28 제3년 후반, 9월 경

갈리리 바다 서쪽 막달라 지역에서 바다를 건너 다시 윗쪽으로 올라가서 헬몬산 자락에 있는 휴양도시 가이사랴 빌립보 지역으로 가십니다. 이 여행에서 제자들에게 두 가지 질문을 하십니다. "사람들이 나를 누구라 하느냐?", "너희는 나를 누구라 하느냐?" 이 두 질문은 지금까지 사역하신 예수님께서 앞으로 십자가를 앞에 두고 제자들에게 **기독론**의 핵심을 확고히 하시려는 의도입니다. 십자가 사건을 일곱 달쯤 남겨 놓은 때입니다. 지금까지 예수님이 행하시고 말씀하신 핵심은 '예수, 그는 누구인가?' 를 찾아내라는 것이었습니다. 복음서를 읽을 때 "관점"이 바로 이 질문이라고 했었습니다. 예수님도 이 질문을 정확하게 제자들에게 하십니다. 이것이 **영생을 얻는 열쇠**이기 때문입니다.

변화산 사건 – 눅 9:28

"주는 그리스도시요, 살아계신 하나님의 아들"이라는 신앙고백을 들으신 이후 따로 베드로, 요한, 야고보만 데리시고 산(헬몬산으로 봄)에 올라 영광의 몸으로 변화하십니다. 예수께서 하나님이심을 증명해 보이시는 사건입니다. 얼마 전에 "나를 누구라 하느냐?" 질문하신 주님은 이 사건을 통해 대답하시는 것입니다. "나는 이와같이 하나님이다" 라고.

산 아래에서 제자들이 귀신 들린 아이를 놓고 쩔쩔 매고 있음 – 막 9:14~29

갈릴리로 돌아오는 길에 제자 간에 누가 크냐 싸움 일어남 – 막 9:33~35

하나님의 영광을 본 제자들은 그 동안 예수를 좇으면서 내심 품어왔던 생각들이 겉으로 드러나고 있습니다. 예수 정권이 들어서고야 말 것이라는 생각입니다. 그리고 그것이 곧 하나님 나라의 회복이라고 생각한 것입니다. 이 생각들은 드디어 구체화되기 시작합니다. 예수님이 나라를 세우면 구체적으로 누가 어떤 자리를 차지하게 될 것인가 그것이었습니다. 그들에게는 매우 현실적인 문제였던 것 같습니다. 그리고 이 때만 하더라도 예수의 사역의 본질이 무엇인지 모르는 때였습니다. 이로부터 수십 년 후 요한이 요한1, 2, 3서, 그 '사랑학'의 편지를 쓸 때쯤 해서 만약 이 싸운 것을 생각했다면 "그 때 참 나도 많이 어렸었지… 뭘 몰라도 한참 몰랐어…" 하고 부끄러움이 솟구쳤을지도 모릅니다. '누가 크냐'의 싸움은 '자리 다툼'이었습니다. 단순히 잘났냐 못났냐의 차원을 넘어서서 매우 구체적인 **'자리다툼'**이었습니다. 얼마 안지나면 미세스 세베대까지 출현해서 청탁을 할 정도입니다.

갈릴리로 돌아와서도 집중적으로 제자훈련 시키심
– 마 18:1~4, 12~14절, 21~35절, 요 10:1~18

여기까지, 갈릴리(갈릴리 북쪽 이방땅)에서 제3년 가을 경 ↓

드디어 예루살렘으로 향하심 ↑

예수님은 드디어 예루살렘으로 향하십니다. 이 떠남은 갈릴리가 고향인 그분으로서는 인간의 몸을 입고 이제 다시는 돌아오지 않을 마지막 떠남이었습니다. 초막절 명절을 지키기 위해 10월 초엽 경에 떠나시는데 이제 앞으로 4월 16일 유월절에 죽으시기까지 6개월 간의 여행을 시작하십니다 (🌱 얼마 전에 예수님의 형제들이 예수님을 무시하며 먼저 예루살렘으로 향했습니다. 🌱)

사마리아를 통과 – 눅 9:51~56
예루살렘으로 내려갈 때 요단강을 건너 아라바 길(보통 유대인들이 다니는 길)로 가지 않고 사마리아로 직접 통과하려 하는데 사마리아인들이 영접지 않습니다. 요한이 불을 내리게 하자고 화를 낸 곳입니다.

가는 길에 제자 되고 싶어하는 세 사람을 만남 – 눅 9:57~62
생각해 보십시오. 이 때는 제자가 되기에는 너무 늦은 때입니다.

70인 전도단을 둘씩 짝 지워 베레아 지방에 파송하심 – 눅 10:1~12
베레아 지방은 사해 동편(옛날 갓 지파들의 땅)지경인데 앞으로 유대 쪽으로 내려가셔서 주로 거하실 지방입니다. 전에 세례 요한이 세례 주던 곳입니다. 미리 전도단을 그리로 보내십니다.

초막절 중간과 끝에 예루살렘 성전에서 가르치심 - 요 7:14~8장

드디어 예루살렘에 도착하십니다. 지난 유월절③ 때는 예수님께서 예루살렘에 올라가지 않으셨다고 그랬지요? 그런데 이번 초막절에 드디어 예수님께서 예루살렘에 나타나신 것입니다. 예루살렘 종교지도자들이 바짝 긴장할 수밖에 없었을 것입니다. 비상이 걸렸을 것입니다. 이런 예루살렘의 분위기를 염두에 두고 장면을 읽어야 그 맛을 알 수 있습니다. "도대체 예수, 저 사람이 누군가?"로 팽배한 분위기 속에서 예수께서 한마디 한마디 하시는 설교에 우리는 귀를 기울여야 하는 것입니다. 무조건 그저 읽을 일이 아닙니다.

생각점 POINT

초막절에 가르치고 외치신 내용으로 인해 예수의 그리스도 여부 논쟁이 일어납니다. 이때 외치시는 내용을 정신 차리고 읽어보십시오. 예수님의 설교를 들어 보십시요. 지난번 두 번째 유월절 때도 38년된 병자를 고치신 때 "나는 안식일의 주인이다", "하나님은 내 아버지다", 이런 이슈를 터뜨리심으로 당시 지도자들을 경악(?)케 했던 사건을 기억해 보십시오. 그런데 세 번째 유월절에는 안 나타나셨다가 이제 여기 초막절에 나타난 것입니다. 그리고는 이 정치, 종교, 사회의 심장부인 예루살렘 성전에 서서 공적으로 설교를 하고 계신 것입니다. 이 설교를 잘 들으십시오.

지금까지 모든 사람들의 관심사요, 우리들의 관심사, "예수, 그는 누구인가?" 그것입니다. 당신 자신이 누구신지에 대한 자증적 설교입니다. 지금까지 예수님은 예루살렘 중심지에서 이 종교 지도자들과 유대인들 앞에서 당신이 누구인지 공적으로 이렇게 분명히 밝히는 발언을 하신 적이 없습니다. 대단한 자증적 설교입니다. 이 설교를 듣고 어떤 사람은 돌을 들었고, 어떤 사람은 믿었습니다. 사복음서를 읽을 때도 관점을 가지고 읽어야 한다고 했던 것 상기해 보십시오. 가만~ 예수의 하는 말을 들어보니 결국 자기가 하나님이라는 말인데, 하나님이라고 믿어지지는 않는 이 상황에서 사람들은 매우 혼돈하고 시끌시끌해지는 겁니다.

마리아와 마르다 - 눅 10:38~42

마리아는 말씀 듣고, 마르다는 일을 하고. 이 이야기를 뚝 떼어서 생각지 말고 이런 흘러온 이야기 속에서 보십시다.

예수님의 가르치심 – 눅 11: 1~15 제3년 11월 경─

주기도문을 이 때 가르치셨다고 봅니다. 비교적 생애 말기에 가르친 기도입니다.

날 때부터 소경된 자를 고치심 – 요 9:1-4 제3년 11월 말 ⇨ 12월 25일 사이─

생장점 POINT
이런 사건으로 인해서 자꾸 부딪히는 문제는 계속 "예수, 그는 누구인가?"일 수밖에 없습니다. 바리새인이나 제사장이나 일반 민중이나 제자들이나 우리들이나 결국 이 예수님의 일생을 보면서 한 가지 결정체로 남는 질문입니다. 이 질문의 대답이 구원에 이르게도 하고 영원한 멸망에도 이르게 하는 인간에게 가장 중요한 질문입니다. 그를 하나님으로, 그를 왕으로, 메시야로 믿느냐, 아니냐, 이것이 관건입니다. 성경은 처음부터 그 싸움이라고 했지요? 자기 살과 피를 바쳐서 백성들을 사는 나라의 왕입니다. 진리입니다. 이 기독교 진리에 우리 영혼이 크게 부딪혀야 합니다.

수전절에, 성전에서 '목자와 양'에 대해 설교하심 – 요 10:1~30 제3년 12월 25일─

B.C. 166년, 셀루코우스의 안티오커스 4세가 유대인들에게 아주 심한 만행을 해 오고 있었을 때 유다의 마카비가 투쟁해서 독립했다고 했습니다. 그래서 바벨론에 포로로 잡혀가 나라를 잃은 이래 처음으로 독립하게 된다고 했습니다. B.C. 165년 더럽혀진 성전을 수리하고 깨끗하게 하여 하나님께 감사했는데, 이 때 이후로 이 날을 기념하여 수전절(성전을 수리하고 깨끗케 함)로 지켜 왔습니다. 수전절은 구약시대 명절이 아니라, 마카비 시대(신구약 중간기) 때의 명절입니다. 오늘날 유대인들이 12월 25일에 지키는 하누카가 그 날입니다. 이 명절에 소경의 눈을 뜨게 하신 사건을 해석하시고, 이 후 수전절에 당신만이 진정한 목자라고 설교하시며 당신의 신성을 드러내십니다. 유대인들의 진정한 지도자는 양을 위하여 목숨을 버리는 목자의 모습임을 나타내십니다.

나사로를 살리심 – 요 11:1~27

예수님 죽으시기 3개월 전에 나사로를 살리십니다. 이 사건으로 유대에서는 예수님이 더욱 알려지게 되었고 이것이 사회문제로 대두되자 제사장 무리들은 회의를 합니다. 그 결과 예수님에 대해 체포령이 내립니다. 예수님은 그래서 더 이상 유대에서 다니시지 못하고 에브라임이라는 동네에 제자들과 은둔해 계시기도 했습니다.

베레아에서 마지막 3개월

예수의 죽으심은 수전절이 지나고 나사로를 살리신 이때로부터 약 3개월 후의 일입니다. 이 3개월 동안은 베레아에서 일어난 일이 대부분입니다. 명절 때만 잠깐 성전에 모습을 비친 이후 예수님은 동쪽 베레아 지경을 다니시며 마지막 3개월을 쓰십니다. 이 베레아 지경만 전도를 못하셨다는 것을 아시고 미리 70인을 보내 길을 닦게 하신 후 이렇게 마지막 3개월을 지내시는 것입니다. 그뿐만 아니라 유대에서는 수배령이 내렸기 때문에 이방 땅에 계시는 것이 좋으셨습니다. 아직은 때가 아니기 때문입니다. 이 곳에서 18년 간 꼬부라진 여인(눅 13:10~17), 고창병 든 사람(눅14:1~6)을 고치시는데 역시 안식일이 이슈가 됩니다. 베레아에서도 허다한 무리가 좇았는데 그 때 십자가의 도에 대해서 설교하십니다. 또한 그 유명한 잃은양, 잃은 은전, 잃었던 아들의 비유, 불의한 청지기, 부자와 나사로 비유 등 누가복음에 나타나는 비유들은 이 베레아 지역의 세리와 죄인들에게 베풀어주신 비유들입니다 (눅 15~16장).

베레아 사역을 마치고 예루살렘으로 들어오시는 길에 삭개오를 만나심 – 눅 19:1~10

베레아에서 사역을 마치고 예루살렘으로 들어오신다는 것은 이제 죽으러 들어오시는 것입니다. 수배령이 내리고 약 3개월이 지난 것입니다. 베레아에서 서쪽 방향인 예루살렘으로 들어오려면 여리고를 지나야 되는데 그 곳에서 삭개오를 만납니다. 삭개오는 예수님 생애 거의 말년에 새 생활이 시작된 것입니다. 바로 이런 사람들이 약 5개월 후 오순절 이후 초대교회가 시작될 때 예루살렘 교회 교인이 되었을 것임에 틀림없습니다.

마지막 일주일

베다니 마리아가 향유를 부음 – 요 12:1~8

유월절 엿새 전, 토요일

베다니 마리아의 집에 유하셨습니다. 3개월 전 나사로가 살아난 집입니다. 이 나사로로 인해 수배를 받았는데 이제는 때가 되어 다시 이 집으로 들어오셨습니다. 마리아가 극진한 예우로 예수님께 옥합을 깨어 향유를 붓습니다. 예수님은 이를 당신의 장사를 위한 것이라고 해석하셨습니다.

나귀타고 예루살렘 입성 – 눅 19:29~48

일요일

지금까지 여러번 예루살렘에 입성하셨으나 이번 입성은 그의 마지막 입성이 됩니다. 성경에 예언되어 있는 대로 그는 나귀를 타고 입성하십니다. 이는 그가 승리의 왕이심을 보이시는 것입니다. 구약에 예언 된 대로 겸손한 왕이 되어 백성들을 위하여 죽으러 들어오시는 것입니다. 백성들의 목숨을 빼앗고 통치하는 왕이 아니라 오히려 자기 목숨을 내어주므로 왕이 되시는 이상한 모델이라고 했습니다. 이렇게 하나님의 나라는 문화가 다릅니다.

두번째 성전숙청 – 막 11:11~19, 무화과나무 저주 – 마 21:18~22 월요일

공생애를 시작하실 때도 성전을 청결하게 하셨는데 이제 마무리 할 때도 다시 한번 성전문화에 도전하십니다. 우리가 구약을 공부했지만 모세시대부터 성막(성전)은 하나님 나라의 중심이었습니다. 예수님의 이 성전문화에 대한 도전은 썩어있는 하나님 나라 문화에 대한 회개를 촉구하는 작업입니다. 예수님은 이 하나님의 나라를 회복하러 오신 분이심을 그의 사역 앞, 뒤로 보이시는 장면입니다. 성전청결로 유명해지기 시작하신 예수님은 다시 성전 청결로 끝을 맺으십니다. 성전의 주인이기 때문입니다.

종교지도자들의 마지막 질문공세, 그리고 이에 대한 예수님의 답변, 그리고 감람산 강설 – 마 21:12~25장 화요일

생각점 POINT

계속해서 말씀드렸지만 신약성경의 "잇슈"는 예수, 그가 누구인가 입니다. 이제 이 마지막 종교지도자들과의 공적이고 최종적인 청문회 장소와 같은 이 자리에서도 그게 잇슈입니다. 하시는 일로 보아 하나님으로부터 온 이는 분명한데, 예수님 자신은 자기를 가리켜 하나님이라고 하니... 도대체 이 절묘한 정체성 질문은 그들에게 어렵기 짝이 없는 것입니다. 믿으려들지 않을 때 오는 자가당착과 강퍅함입니다. 믿으면 될 것을...

오늘날도 마찬가지입니다. 성경일독학교의 여러분들도 마찬가지입니다. 좀더 이 예수가 누구신지 진지하게 생각하고 예수를 믿어야 합니다. 우리가 지금까지 살핀 구약의 흐름을 보더라도 이 예수님은 그저 얄팍하게 영접하고 보는 간단한 구주가 아닙니다. 많이 연구하고 성경을 읽어서 그 깊이와 넓이가 더해가서 예수님 아는 지식에 풍성해야 합니다. 예수님의 한마디 한마디 자신을 변증하시는 내용들을 깊이 있게 묵상하며 읽어보십시오. 이 사실을 예수님은 여러 가지 비유를 들어 가르치십니다. 이 긴 가르치심 후에 성전을 나와 감람산에 오르십니다. 이 감람산에서 예루살렘 성을 바라다 보시며 우십니다.

그리고 베푸신 강설이 감람산 강설입니다. 말세에 일어날 징조들입니다. 결국은 멸망당할 예루살렘성! 구약부터 그토록 파란만장했던 예루살렘성! 이 성을 바라보시며 우시는 심정을 여러분 이해하시겠습니까? 솔직히 우리는 함께 울 가슴이 없습니다. 구약을 계속 공부해 오신 여러분! 조금이나마 이 예루살렘의 역사를 배우셨으니 예수님의 심정을 헤아려 보십시오.

유월절 만찬/잡히심/철야심문/베드로의 배반 – 마26:17~75　　목요일

마지막 목요일 밤은 참 슬픈 날입니다. 그리고 매우 중요한 밤입니다. 노아와 언약하셨고, 아브라함과 언약하셨고, 시내산에서 이스라엘과 언약하셨고, 다윗과 언약하셨던 하나님께서 이제 당신의 목숨을 내어놓고 최후의 언약을 하는 밤입니다. 성경 역사의 클라이맥스와 같은 언약의 밤입니다. 유월절 밤은 바로 이 밤의 그림자입니다. 예수님께서는 당신의 살과 피를 우리를 위해 내어 놓으시겠다고 직접 떡과 포도주로 언약하셨습니다. 계약을 체결한 밤입니다. 그리고는 그 밤 스스로 잡히십니다. 그리고 밤새 철야 심문을 당하십니다. 불법 심문이었습니다. 사형을 결정하려면 70인 공의회가 다 모여야 하는데 그러지도 않았습니다. 거짓으로라도 사형에 해당하는 증거를 찾기 위해 야밤에 증인을 찾느라 소동을 했습니다. 군중들을 피해 어떻게 해서든지 제거하려고 한 것입니다.

생각점 POINT

베드로는 억장이 무너지는 배반을 합니다. 야밤, 어느 후미진 구석을 찾아, 아무도 안 보는데서 뼈아픈 눈물을 흘리며 통곡합니다. 사나이의 통곡입니다. 하나님의 나라를 바라던 식민백성 한 유대인 베드로! 모든 것을 다 버리고 꿈을 품고 달려온 지금, 여기는 깜깜한 밤 후미진 구석, 통곡의 현장입니다. 베드로에게는 세상이 무너진 밤이었습니다. 혁명을 해서 로마를 뒤집어 엎을 줄 알았었습니다.

빌라도의재판, 십자가에 죽으심 – 마 27:1~66(요 18~19) 참고　　금요일

예수님을 죽이기로 조서를 꾸민 대제사장들이 사형집행권이 있는 빌라도의 손을 빌어 로마의 역적으로 몰아 죽이기로 최종 결안하고, 회의를 마칠 때쯤 되니까 날이 밝았습니다. (빌라도에게 나아가 벼락 사형선고를 요청했습니다.) 골치 아픈 빌라도는 헤롯에게로 이 문제를 넘기려고 했으나 결국 자기 손으로 사형언도를 내립니다.

생각점
POINT

이 책 부록 세계역사 대조표를 한번 보십시오. 애굽인, 메소포타미아인, 이탈리인, 그리스인, 페니키안, 시리아인, 히타이트, 이란인 등이 B.C. 4,000년부터 주욱~ 내려오고 있지요? 예수님 당시 때까지 서로 먹고 먹히는 전쟁이 한 눈에 그려져 있습니다. 그런데 자세히 볼 것도 없이 그저 눈에 확 뜨이는 색깔이 하나 있습니다. 무슨 색입니까? 보라색입니다. 예수님이 역사 속에 계셨던 그 시기에 주변의 모든 나라를 다 먹고 뚱뚱해져 있는 색깔입니다. 로마제국입니다. 세계역사 속에서 전무후무한 거대한 세력을 이룬 제국입니다. 창세기 11장 세상 나라 바벨이 만들고 싶어했던 거대한 세력, 바로 그 꿈이 여기 로마제국이 되어 나타나 있습니다. 온 세상이 다 뭉친 것 같은 세력, 이 로마제국이 지금 예수님을 재판하는 것입니다. 요한복음 18장 33~37절입니다. 빌라도가 관정에 들어가서 잡혀온 예수를 향해 하는 질문을 보십시오. 이 질문은 로마제국을 대표하는 빌라도의 질문입니다. 로마제국을 대표하는 질문이라는 말은 온 세상이 예수님께 하는 질문인 셈입니다. 온 세상을 다 잡아먹었기 때문에 세상이 곧 로마요, 로마가 곧 세상인데, 로마가 이렇게 물어봅니다. "네가 유대인의 왕이냐?" 여러분, 유대인의 왕이라는 말은 우주의 왕이라는 말입니다. 왜냐하면 유대인들이 생각하는 왕은 하나님이시기 때문입니다. 예수님의 대답을 들어보십시오. **"네 말과 같이 내가 왕이니라"**. 빌라도는 유대인의 왕이냐고 물어봤는데 예수님은 내가 왕이라고 하셨습니다. 그렇습니다. 로마는 약 200년이 흐른 후에 기독교를 국교로 인정합니다. 성경은 누가 왕이냐의 싸움입니다.

진정한 왕이신 예수님은 온 세상을 다 정복한 로마제국이 이 세상 나라의 대표로 역사 속에 서 있을 그 때, "때가 차매"(갈 4:4) 이 세상에 오신 것입니다. 적어도 진정한 왕이신 그분이 상대하실 나라라면 온 세상이 다 합쳐서 덤벼야 되는 것 아니겠습니까? 그래서 다 합쳐서 저렇게 뚱뚱한 보라색이 됐을 때 오신 것입니다. 정치적으로 하나가 됐을 그 때, **"때가 차매"** 나타나셔서 **"왕은 나다!"** 하신 것입니다. 로마앞에서! 또, 로마제국이 이루어졌다는 것은 전쟁하느라고 길을 다 닦아 놓았다는 뜻입니다. 교통로가 빵빵 뚫려서 '예수사건'이 온 세상에 전파되기 쉽도록 된 그 때, "때가 차매" 예수께서 오셔서 **"왕은 나다!"** 하신 것입니다. 로마 앞에서! 헬라어로 언어가 통일되어 세계가 하나로 소통할 수 있는 바로 그 때, "때가 차매" 예수께서 오셔서 **"왕은 나다!"** 하신 것입니다.

때가 차매, 유월절 명절에, 이 "왕"이 죽었습니다. 그런데 이 "왕"이 그 힘 없는 "어린 양"이 되어 죽었습니다. 모세가 잡아 죽여 문설주에 발랐던 그 어린양입니다. 이사야가 예언한대로(사 53), 다윗이 자세하게 예언한대로(시 22) 죽었습니다. 한 마리 짐승처럼 영문 밖에서 피를 흘리고 운명하셨습니다. 왕이!!!, 온 우주의 왕이!!!, 아담에게서 시작된 죽음의 저주를 결국 왕 그가 맡으셨습니다. 이상한 왕입니다. 이 왕은 싸움을 이상하게 했습니다. 꼭 진 것 같습니다.

부활하심 - 요 20장

생장점 POINT 그러나 그가 진 것이 아니라는 것을 증명합니다. 다시 살아나시므로 증명합니다. 하나님이신 예수님은 죽음에게 갇혀 계실 수 없습니다. 죄 값을 치루시고 부활하셨습니다. 영생이신 분이 죽음에게 당하실 수 없습니다. **부활**하심으로 예수님 안에 영생이 있다고 하는 사실을 증명하신 것입니다. 예수 안에 있는 영생은 관념이나 사상이나 추상개념이나 은유나 상징이 아닙니다. **역사적인 사실입니다.** 우리의 구원은 역사적인 사실에 뿌리를 내리는 것입니다. 우리의 생명이 추상이 아니듯이, 우리의 구원도 추상개념이 아닙니다. 역사적인 사실에 근거한 것입니다. 우리가 영생을 잃어버려 그것을 증명하는 물증으로 죽음을 죽습니다. 우리의 죽음도 사실입니다. 추상이 아닙니다. 현실입니다.

즉 에덴동산에서 선악과를 따먹은 그것이 추상이나 신화나 관념이 아니라는 것입니다. 우리의 죽음이 현실이듯 **선악과 사건도 현실입니다.** 역사적 사건이라는 말입니다. 하나님께서 창조하신 것도 역사적 사건이고, 아담을 만드신 것도 역사적 사건이고, 선악과를 따먹은 것도 역사적 사건이었습니다. 그러므로 예수님도 역사적인 사건으로 이 세상에 오셨고, 역사적인 사건으로 십자가에 죽으셨으며, 역사적인 사건으로 부활하신 것이라는 말입니다. 그리고 분명히 역사적으로 하늘로부터 다시 내려오실 것입니다. 우리의 구원은 관념이 아닙니다. 우리의 영생은 개념이 아닙니다. 사실입니다.

공생애 제 3년말, 예루살렘 사역 끝 ↓

3.복음서와 사도행전 중간지대

1) 진공상태에 빠진 제자들

아직 예수님의 십자가 사건을 이해하지 못했던 제자들은 허탈한 심경으로 일단 그들의 고향인 갈릴리로 돌아갑니다. 한 때 꿈을 갖고 예수를 좇던 모든 일들이 일장춘몽인양, 꿈을 꾼 듯, 폭풍이 휘몰아 친 듯, 해석되지 않는 과거 3년의 경험을 정리하지 못한 채 **진공상태**에 빠져 버립니다. 갑자기 할 일을 잃어버린 그들은 우선 할 수 있는 일을 합니다. 우선 배고프니까 고기를 잡습니다. 그들은 실직자가 되어 버렸습니다. 이제부터 무얼 하며 인생을 살아 가야 할지 생각이 나지 않았습니다. **방향성**을 **상실**한 것입니다. 사명을 잃은 것입니다. 부활하신 주님께서 가끔씩 나타나시므로 예수께서 부활하신 것은 사실인 것 같으나 그들에게는 아직 "So what?"의 상태입니다.

2) 제자들이 앞으로 무얼 하며 인생을 살아가야 할지 사명을 주심

부활의 주님은 이런 베드로에게 나타나십니다. 베드로를 그 대표자로 세우셔서 "내 양을 치라"는 **구체적인 명령**을 하십니다. 처음에 고기 잡을 때 "이제 사람을 낚는 어부가 되게 하리라"고 하신 그 장면을 기억케 하는 갈릴리바다 바로 그 현장에, 이번에는 부활의 몸으로 똑같이 나타나셔서 구체적으로 명령하십니다. "내 양을 치라"고 하십니다. 양육하라고 하십니다. 목회하라고 하십니다. 비록 세 번이나 부인했지만 **베드로의 손을 들어주십니다.** 네가 잘 이끌어가보라고…. **교회시대**를 내다보시며 **포석**하시는 장면입니다.

3) 아주 구체적인 행동지침을 주심 ⇨ "예루살렘을 떠나지 말라"

샘자점 POINT 지금 예수님을 잡아죽인 대제사장들이 무서워 갈릴리로 부리나케 도망 와 있는 제자들에게 예수님은 이제 갈릴리를 떠나라고 하십니다. 그리고 다시 예루살렘으로 올라가라고 하십니다. 그 무서운 예루살렘으로 또 올라가라는 것입니다. 그러나 이것이 주님의 부활 이후 제자들이 행해야 할 **구체적인 명령**이었습니다. 일단 제자들은 무슨 일이 일어날지는 모르지만 보따리를 쌉니다. 사람이 다시 살아날 수도 있다는 희한한 사실을 목격한 그들은 죽음에 대한 공포를 조금씩 밀어냈을지도 모릅니다. 주님이 살아나셨으니 우리가 잡혀 죽어도 다시 살아나지 않을까 하는 생각도 했을 것입니다. **생명**이란 무엇인가, **영생**이란 무엇인가, 이런 명제들로 머리가 복잡했을 것입니다. 예수님이 죽었다가 살아난 이 시점에서 그들은 이런 인간의 궁극적인 질문들을 진지하게 물었을 것입니다. 왜냐하면, 잡히면 죽을텐데 그런 생각 안 날 리가 없지요. 얼마 전에 베드로도 그래서 세 번이나 모른다고 부인한 것 아닙니까? 다시 그 문제에 부딪힌 거지요. 그렇지만 예수께서 "예루살렘을 떠나지 말라"고 하시니, 그들은 일단 예루살렘을 향해 올라갑니다. 이때 연락망을 통해 연락된 갈릴리 핵심 멤버들과 예루살렘의 핵심 멤버들은 120명 정도가 아니었을까 합니다. 마가의 다락방(행 1:15)에 모인 사람들이 120명 가량이었으니.

4) 감람원이라는 산, 예루살렘 근교에서 승천하심

이렇게 해서 예루살렘에 와서 머물러 있던 어느 날이었습니다. 그 날이 마지막 날이었습니다. 부활후 40일째였습니다. 예수님은 승천하십니다.

생각점 POINT 이 지점에서 한 가지 좀 생각하십시다. 예수님께서는 부활하신 이후 제자들에게 여러 번 나타나셨습니다. 방문을 꼭꼭 닫았는데 갑자기 '스윽' 나타나시곤 하셨으니 나타나실 때마다 제자들이 얼마나 놀랐겠습니까? 죽은 사람이 소리도 없이 ~스르륵 나타나셨다가 또 스스륵 사라지시니 말입니다. 이렇게 하시는 동안 제자들은 무슨 생각을 했겠습니까? '언제 또 나타나실라나…?' 이러지 않았겠습니까? 그런데, 언제 또 나타나실텐데 … 하면서 맨날 예수님이 스르륵 나타나기만 기다린다면 그것 참 한심한 일이었을 것입니다. 그렇다고 이 제자그룹에서 떨어져 나가 옛날 직업으로 돌아가자니 그것도 못할 일이고, 맨날 이렇게 모여가지고 앉아 있자니 그것도 하루 이틀이지 평생 그럴 수도 없고(사실은 갈릴리 바닷가에 예수께서 나타나셨을 때만 해도 일곱 명의 제자들이 모여있다가 베드로가 '물고기 잡으러 간다' 그러니까 '나두 ~' 하고 좇아 나섰다가 밤새 고기도 못잡고 그 새벽에 예수님을 만나 "네가 날 사랑하느냐, 내 양을 치라"는 말씀도 들었던 거죠), 한 마디로 어정쩡한 상태로 지난 것입니다. 제자라는 단체, 해체도 못하고 어쨌거나 이러고 있을 수밖에 없는 것이, 언제 또 예수님이 스르륵 나타나실지 모르는 것이니까요. 그러니 예수님 부활이후 40일 동안은 이런 식으로 지낸 겁니다. 그럼 언제까지 이런 식으로 살겠습니까? 못 사는 겁니다. 예수님은 부활하신 이후 40일 동안은 제자들을 격려하시고, 또 예루살렘 교회를 만들어내시기위해 이런 식으로 하신 것입니다. 그러나 이제 때가 온 것입니다. 정식으로 하늘로 들리워 올라가심으로 '아, 이제는 ~스르륵 나타나시지는 않겠구나.' 하고 마음에 종지부를 찍게 하셨습니다.

바로 이 승천 직전에 예수님이 하신 마지막 유명한 말씀을 우리가 잘 압니다. "오직 성령이 너희에게 임하시면 너희가 권능을 받고 예루살렘과 온 유대와 사마리아와 땅 끝까지 이르러 내 증인이 되리라(행1:8)" 이 말씀입니다. 그런데 이 마지막 말씀이 제자들의 어떤 '질문'에 대한 '대답'이라는 사실을 아십니까?

'어떤 질문' 이 예수님의 승천 직전에 제자들한테서 나왔다면, 또 40일 동안의 제자들의 정황을 염두에 두고 생각한다면, 이건 대단한 질문입니다. 더 이상 제자들이 이러고는 살 수 없다는 것일 수 있습니다. 이 질문은 예수의 제자였던 그들이 이제까지 예수를 따라다녔던 **목적**이기도 했다는 것을 시사해 주는 질문입니다. 그것이 무엇입니까? (🌱 "주께서 이스라엘 나라를 회복하심이 이 때니이까?"(행 1:6)이 질문입니다. 🌱) "하나님 나라의 회복"입니다. "하나님의 나라의 회복", "천국의 회복"입니다. 예수께서 십자가에 처형되었는데 다시 살아난 몸으로 로마를 물리치고 승리한다면 이 새로운 '예수정부' 는 가히 세계에 다시 없을 하나님의 나라가 될 것이라고 생각한 것입니다. 이것이야말로 "이스라엘의 회복"이 될 것이라고 40일 동안 결론 내린 것입니다. 그 궁리를 해 온 것입니다. 그들이 해체되지 않고 모여 앉아 얘기한 중심 주제는 "이스라엘의 회복"이 었던 것입니다. 예루살렘에 올라가는 노중에 싸운 그 주제도 그거였습니다. 그 나라가 회복되면 누가 어느 자리에 앉을 것인가? 불과 얼마 전, 요한과 야고보가 어머니와 함께 작전을 짜고 예수님께 청탁한 그 주제입니다. 그들은 예수를 따라다닐 때부터 그것을 꿈꾼 것입니다. 그러나 처형 당하셨습니다. 로마가 죽었습니다. 그런데 급기야는 부활한 것입니다. 로마를 이긴 것입니다.

🌱 생각점 POINT

'아! 부활하신 다음에 이루어지는 일이구나', 이제 이렇게 결론 내리고 드디어 이 질문을 한 것입니다. "이스라엘을 회복하심이 이 때니이까?" 이 말 뜻이 그것입니다. 이스라엘을 회복하시기 위해서 오신 분임에는 틀림 없는데 이 때다! 이 때가 그 때구나! 우리보고 예루살렘을 떠나지 말라고 하셨는데 드디어 이 예루살렘에 올라와 다 모여있는 이 때! 드디어 우리 예수께서 이스라엘을 회복하시겠구나 한 것입니다. 이 질문에 대한 예수님의 반응이 "때와 기한은 아버지께서 자기의 권한에 두셨으니 너희가 알 바 아니요, 오직 성령이 임하시면 너희가 권능을 받고 예루살렘과 온 유대와 사마리아와 땅 끝까지 이르러 내 증인이 되리라" 이렇게 나가는 얘기입니다.

5) "약속"을 기다리라고 하심 ⇨ 보혜사 성령을 보내겠다는 약속

제자들은 그들의 추적이 빗나가자 또 방향을 잃었을 것입니다. 또, 하늘로 올리워 가신 예수님은 이제 웬지 쉽사리 나타나지는 않을 것이라는 예감을 갖게 합니다. 보고 싶어도 이제는 못 보는 예수님. 이제는 믿고 의지할 것은 한 가지입니다. **예수님의 약속**입니다. 한 달 여 전에도 다락방 강설에서 하셨던 말씀(요 15:26, 16:7~14), 또 승천하시기 직전에도 하셨던 말씀, **"보혜사 성령을 보내마"** 그 약속입니다. 보고싶은 예수님, 이제는 볼 수도 없고, 음성도 못 듣고, 이제는 무어라 지시하시지도 않으시고, 이젠 정말 이별이구나, 이런 분위기 속에서 그들은 이제 기도밖에는 할 것이 없었습니다. 전혀 기도에 힘쓸 수 밖에는 … (행 1:14) 그분이 하신 마지막 약속을 기다리는 것밖에는 다른 도리가 없었습니다.

6) 약속하신 성령이 오심, 창세기 11장에서 흩어졌던 언어가 다시 통일됨

예수님의 승천, 그 날 이후 일주일이 되었습니다. 오순절입니다. 약속하신 성령이 강림하십니다. 그런데 성령의 오심으로 나타나신 가시적인 현상은 **언어영역**입니다. "불의 혀같이, 다른 방언으로 말하기를 시작하니라 … 우리가 우리 각 사람의 난 곳 방언으로 듣게 되는 것이 어쩜이뇨. 다 우리의 각 방언으로 하나님의 큰 일을 말함을 듣는도다."

> **생장점 POINT**
>
> 우리는 구약을 공부할 때 창세기 11장과 12장 사이의 그랜드 캐년을 보았습니다. 하나님을 대항했던 거대 세력 바벨 나라는 **언어**가 혼돈되면서 흩어지게 되는 벌을 받았습니다. 그런데 이제 사도행전 2장에 나타나는 성령의 강림으로 인해 그 흩어졌던 언어가 하나로 통일되는 사건을 보임으로서 하나님이 지금까지 이 열방을 향해 사실 얼마나 사랑의 마음을 품고 일해 오고 있었는가를 보여주고 있습니다. 이스라엘이라는 하나님의 나라를 세우신 최종 목적은 **"열방을 향하여"**였던 것입니다. 그것이 바로 이 예수님 죽으신지 50일이 되는 이 오순절에 나타난 언어의 통일입니다. **창세기 11장에서 나뉘었던 언어가 사도행전 2장에 와서 합쳐집니다.** 우리는 구약에서 없어져 버린 이스라엘로 인해 슬퍼했습니다. 그러나 이제 예수님께서 선포하셨던 **"천국 – 하나님의 나라"**가 바로 이렇게 해서 온 세상 열방으로 행진한다는 것입니다. 제자들의 질문 "이스라엘의 회복"이 바로 이렇게 시작되는 것입니다.

갈릴리에서 하신 예수님의 첫 설교를 기억하십니까? "회개하라 천국이 가까웠느니라." 예수님의 사역의 핵심은 우리가 지금까지 구약에서부터 읽어 내려온 이 **천국**이었습니다. **하나님의 나라**였습니다. 이제부터 시작되는 하나님의 나라는 세계를 대상으로 할 것입니다. 창세기 10장 족보에 나타났던 그 수많은 나라들, 그들에게로, 그 열방에게로 나아갈 것입니다. 그 증거로 이 사복음서가 끝나고 사도행전에 들어서면 새 사도가 등장합니다. 사도 바울은 이 **열방을 향하는 투사**입니다. 그래서 사복음서가 끝나 사도행전으로 들어서면, 열방을 향해서 초점을 맞추는 것입니다. 예루살렘 교회는 그 발판으로 12장까지 나타나고 그 다음부터는 사도 바울의 행진입니다. 그리고 거의 나머지 서신서는 이방을 향한 서신서들인 것입니다. 이방이 주인공입니다.

사도행전 1장부터 12장까지는 최초의 교회 예루살렘 교회가 든든히 세워져 나가는 과정을 담고 있습니다. 구체적으로 12제자(12지파)를 다시 설정합니다. 맛디아를 뽑아 유다 대신 보충하고, 베드로는 이 교회의 초대 담임 목사격으로 이들을 지도합니다. 베드로는 다락방에 모였던 120명의 성도들을 구심점으로 **새 공동체를 형성**합니다. 그토록 하나님이 기다려 오신 세상을 향한 새 이스라엘입니다. **이스라엘의 회복**입니다. **교회**입니다. 구약의 이야기들과 하나도 다를 것이 없는 이야기입니다. 구약과 신약은 다른 책이 아닙니다. 이와같이 구약과 신약은 한 권의 책입니다.

성장점 POINT 창세기 1장부터 일해 오신 우리 하나님! 하나님의 나라가 없어져 버릴 것 같은 위기가 수도 없이 많았는데 그런 역사 속에서도 결코 없어지지 않고 오늘 이렇게 새 이스라엘이 탄생된 것입니다. 이 새 이스라엘은 창세기 10장 족보에 기록된 세계 온 민족, 열방을 향해 전진합니다. 하나님은 이렇게 성실하게 꾸준히 당신의 나라를 위하여 당신이 일하십니다. 하나님은 중동에 자리잡은 이스라엘 나라만의 하나님이 아닙니다. 온 세상의 하나님이십니다. 길고도 긴 구약부터의 역사를 통하여, 이렇게 어마어마한 과정을 거쳐서 탄생한 것이 오늘날 우리가 속해 있는 교회라는 공동체인 것입니다. 위대한 하나님의 나라입니다.

9과 사도행전과 거기 얽혀 있는 바울서신들

⚖ 예수님의 승천 : 성령님의 입장, 오순절 사건

다시 정리합니다. 부활 이후 예수님께서는 40일이라는 기간 동안에 제자들이 모여 있는 곳에 여러 번 나타나셨습니다. 두려워하던 제자들이 부활하신 주님의 말씀을 붙잡고 다시 예루살렘으로 올라왔습니다. 그리고 늘 이 예루살렘에 오면 주님과 함께 모이곤 했을지 모르는 아지트(마가의 다락방)에 짐을 풀고 얼마 동안 기거하던 중이었을지도 모릅니다. 그러던 어느 날 예수님은 또 제자들에게 나타나셨습니다. 감람원이라는 예루살렘 근교에 모여 있을 때였습니다. 그런데 그날이 이제는 마지막이었습니다. 제자들이 보는 앞에서 하늘로 올리워 가신 것입니다. 구름이 떠 있는 높이면 제법 한참 올라가신 것 같은데 여하튼 그렇게 아주 높이 올라가실 때까지 이 갈릴리 사람들은 하늘을 쳐다보았습니다.

하늘로 올라가시는 예수님 옆에 흰 옷 입은 두 사람이 나타납니다. 그리고 "너희 가운데서 하늘로 올리우신 이 예수는 하늘로 가심을 본 그대로 오시리라"(행 1:11)고 말했습니다. (🌱 예수님이 탄생하기 전에도 마리아에게 천사가 나타났고, 태어나신 때에도 목동들에게 나타났고, 금식하실 때도 나타났고, 부활하실 때도 나타났고, 이렇게 승천하실 때도 나타납니다. 확실히 예수님은 "내 나라"라고 부르시는 그 나라의 열두 영이 더 되는 종들이 있습니다. 🌱)이 사건 이후로 제자들은 더 이상 오매불망 예수님을 기다리지 않습니다. 문이 닫혔는데 스윽 나타나시기도 하셨고, 또 바닷가에도 갑자기 나타나셨고, 그래서 사실 제자들은 마음을 못잡고 늘 마음 설레며 '언제 또 갑자기 나타나시려나…?' 기다리곤 했는데 이제 이 승천으로 마무리를 짓습니다. (🌱 예수님의 승천, 신화가 아닙니다. 역사적인 사실입니다. 🌱)

이제는 제자들만 남았습니다./ '땅끝까지 이르러 내 증인이 되라' 는 마지막으로 남기신 말을 가슴에 품고 숙소로 돌아와 그들은 주님이 부탁하신 대로 전혀 기도에 힘씁니다. 안타까웠겠지요, 뭔가 두려웠겠지요. 그러면서도 주님이 약속하신 그 보혜사 성령이 어떻게 오시는가 기대할 수밖에 다른 도리가 없었겠지요. 예수님께서 하신 말씀을 믿을 수밖에 없었겠지요. 예수님도 떠나신 판에 어떻게 하겠습니까? 믿는 도리밖에… 베드로만 하더라도 50일 전에 예수님을 모른다고 그럴 정도였으니 지금인들 그리 대단한 믿음을 가졌다고 말하기는 어렵겠죠. 그러니 어쨌든 이 상황에서 그들은 예수님이 하신 약속, 성령을 보내시리라고 하신 그 약속을 꽉 붙잡을 수밖에는 다른 도리가 없었을 것입니다. 약속대로 오순절날 성령께서 강림하십니다.

⚖️ 사도행전에 진입

이렇게 해서 여러분은 드디어 사도행전의 역사에 본격적으로 들어오게 됩니다! 신약의 유일한 역사서로서 예수님 이후에 사도들이 어떻게 활동했는지를 알려 주는 소중한 책입니다. 창세기부터 시작된 하나님 나라가 복음서를 지났는데 이제 사도행전에서는 어떻게 전개될까요? 대답은 사도행전 마지막장 마지막 절에서 찾을 수 있습니다. "(사도 바울이) 담대히 하나님 나라를 전파하며 주 예수 그리스도께 관한 것을 가르치되 금하는 사람이 없었더라(행 28:31)". 이 구절에서 하나님 나라와 주 예수 그리스도는 동격으로 쓰이고 있습니다. 즉, 같은 뜻으로 쓰인다는 말입니다. 그런 점에서 보면 결국 **사도 바울이 전한 것도 주 예수 그리스도, 즉 하나님 나라**였음이 밝혀집니다.

생각점 POINT

그렇다면 사도행전은 무엇인가? 지금까지 구약에서 공부해 온 '하나님 나라' 가 사도들에 의해서 어떻게 세계로 전파되어 나갔는지에 대한 기록입니다. 구원은 운동성이 있어야 한다고 그랬습니다. 가나안 땅은 침노하고, 정복하고, 투쟁해서, 얻어야 하는 것이라고 했습니다. 사도들은 이 시대 하나님의 사람들로서 세계만방을 향하여 전투태세로 나아가는 것입니다. 애굽에서 나온 이스라엘 백성들처럼 말입니다.

사도행전은 누가 썼습니까? 아시다시피 누가가 쓴 책입니다. 누가는 사도 바울의 조수로 선교여행에 동행한 헬라인이며 의사였습니다. 그는 예수님의 행적「누가복음」을 쓴 사람입니다. 그리고 나서 초대 교회가 어떻게 발전되어 나갔는지에 대한 과정부터 사도 바울의 1차 로마구금까지 비교적 자세히 기록해 놓았습니다.

이와같이 사도행전은 엄격히 말하면 초대 교회에서 활약했던 12사도의 사역을 다 알려 준다기보다는 오직 두 사람을 중심으로 초대 교회의 모습을 그리고 있는데 그 두 사람은 베드로와 사도 바울이라고 말씀드렸습니다. 이 두 사람 외에 나머지 사도들의 행적에 대해서는 사도행전에서 거의 다루지 않습니다. 1~12장까지는 사도 베드로를 주인공으로 하여 예루살렘 교회의 역사를 기록하고 있고, 13~28장까지는 사도 바울을 주인공으로 이방 교회들의 설립과정을 자세히 기록하고 있습니다.

생장점 POINT

구약의 성도들은 이방에 전파할 줄 몰랐는데 신약의 사도들이 이방 교회를 설립하다니…. 가슴 뿌듯하지 않습니까? 하나님도 창세기 12장에서 나라를 세우시고는 그렇게 기뻐하셨고, 그 나라를 온 만방에 전파하시기 원하셔서 가나안부터 정복하라고 하셨는데, 이제 이 신약에 와서 사도들이 열방을 향해 나가는 것이 정말 가슴벅찬 일 아닙니까? 바로 이렇게 되기까지 하나님은 얼마나 열심히 일해 오셨습니까? **하나님 나라의 존재의의! 그것은 열방을 하나님께로 돌리는 일입니다.** 열방에 하나님을 선포하는 일입니다. 시셋말로 하면 선교입니다. 이렇게 성경 전체의 핵심사상 중 하나가 바로 이 선교입니다. 열방 사람들이 다 하나님께로 돌아와 그들도 이스라엘처럼 하나님 자녀가 되는 것입니다. 드디어 사도행전에서 그런 행진이 시작되는 것입니다. 여러분, 가슴이 벅차십니까? 벅차셔야 합니다! 자, 이제 우리도 같이 행진하면서 사도행전을 읽읍시다. 예수 선교!를 외치며!

우리는 신약읽기에 들어서면서 난제가 둘 있다는 얘기를 했었습니다. '복음서 하나로 통일하기'와 '서신서 사도행전'에 맞추기라고 했습니다. 그래서 이 과에서는 사도행전을 읽어가다가 그 상황 속에서 서신서가 어떻게 끼어들어 가게 되는지를 살펴야겠습니다. 그러니까 서신서 이전에, 먼저 사도행전에 나타나는 사실(史實)을 사실(事實)대로 알아야 합니다. 여러분이 먼저 사도행전을 잘 이해해야 신약의 서신서들을 비로소 읽을 수 있습니다. 신약성경 총 27권 중 복음서 4권과 사도행전을 제외하면 22권이 남는데 그 중 요한계시록만 제외하고 21권이 편지들입니다. 그 편지들은 사도들이 교회나 혹은 개인들에게 보낸 것들입니다. 그런데 그 중에 사도 바울이 13권이나 쓰셨습니다! 즉, 로마서, 고린도전·후서, 갈라디아서, 에베소서, 빌립보서, 골로새서, 데살로니가전·후서, 디모데전·후서, 디도서, 빌레몬서를 쓰셨습니다. 그러므로 복음서 이후 신약은 사도

바울 중심으로 기록된 것임에 틀림없습니다. 열방을 향한 하나님의 열심이 이렇게 나타난 것입니다. 그리고 사도 베드로가 두 권(베드로 전·후서), 사도요한이 3권(요한 1, 2, 3서), 그리고 야고보 사도와 유다 사도가 각각 1권씩을 썼습니다. 그리고 히브리서의 저자는 사도 바울이라는 사람들도 있지만, 전통적으로는 잘 모르겠다고 말하지요. 저자 미상으로 봅니다. 그러므로 복음서 이후 신약은 사도 바울 중심으로 기록된 것임에 틀림없습니다. 열방을 향한 하나님의 열심이 이렇게 나타난 것입니다.

생장점 POINT

어쨌든 사도 바울의 서신들을 연구할 때 사도행전과 연결하여 연구하는 것은 반드시 해야 하는 작업입니다. 왜냐하면 사도행전은 서신서들이 어떤 상황과 장소에서 기록되었는지에 대한 정보를 제공해 주기 때문입니다. 그래서 역사적인 배경이나 연대를 염두에 두어야 합니다. 또한 지리적 배경도 반드시 염두에 두어야 합니다. 우리가 신약에서는 그렇게 지리에 신경쓰지 않아도 됐습니다. 그저 갈릴리가 어딘지, 예루살렘 유대지역이 어딘지, 큰 덩어리 지역들 중심으로 틀을 잡고 있었습니다. 그런데 이제 사도행전에 들어서면, 사도행전이 진짜 말 그대로 기행문적 성격의 책이기 때문에 지도를 옆에 끼고 읽어야 합니다. 사도행전에서 이제 우리는 시야를 넓혀야 합니다. 구약에서 늘 보던 팔레스타인 근처의 이집트, 에돔, 모압, 암몬, 아람, 앗수르, 바벨론, 메데, 파사 지역에서 북서쪽으로 방향을 틀어야 합니다. 소아시아와 유럽 지역입니다(지도 보고 있으셔야 합니다, 지금!). 즉 수리아, 구브로섬, 길리기아, 갑바도기아, 본도, 비두니아, 소아시아(다 주(州), 도(道)와 같이 큰 덩어리 땅을 지칭하는 용어임. 지도 보고 있습니까? 그냥 읽지만 마십시오)를 거쳐 북쪽으로 올라가면 유럽이 시작되는데 첫 성 빌립보, 데살로니가, 베뢰아, 아덴, 고린도 등의 도시가 있는 지역입니다. 그리고는 더 북서쪽에 자리잡고 있는 로마까지 …

좋은 소식이 있습니다. 구약에서처럼 나라 이름이 얽히고 설켜 싸우지 않는다는 것입니다. 사도행전에서는 로마가 다 다스리니까, 얼마나 다행입니까?! 다만 이 도시 이름을 지도에 맞춰 익히면 되는 것입니다. 가령 우리가 한국 역사 중 삼국시대에 대해 배울 때 경주, 평양, 부여 등에 대해 모르면 입체적인 이해를 할 수 있겠습니까? 또 서울, 평양, 부산, 인천 등의 위치나 특징 등을 모르면 한국의 일반 역사를 이해하는데 어려움이 있잖아요. 마찬가지로 사도행전의 주요 지리들을 아는 것은 성경을 입체적으로, 그리고 칼라로 이해하는데 대단히 중요합니다.

1. 사도행전 읽으며 서신서들 연결하기

사도행전은 크게 1부와 2부로 나눌 수 있습니다. 1부는 초대 교회의 시작부터 사도 바울이 등장하기 전까지인데, 이 때 중심인물은 베드로입니다. 2부는 사도 바울의 선교입니다.

1) 제1부 :1~12장 : 초대 교회 시작부터 베드로의 활약

중심교회 : 예루살렘 교회

중심인물 : 사도 베드로

① 1장

예수께서 승천하십니다. 제자들은 오실 성령님을 기다리며 마가의 다락방에 모여 기도합니다. 120명이 모인 것을 보면, 갈릴리에서 올라올 때 같이 올라온 사람들도 있었지만(이 사람들은 수배될 것을 각오하고 올라왔을 것입니다.), 예수께서 예루살렘에서 사역하시는 동안 생긴 제자들도 수소문해서 모였을 것입니다. 몇 달 전에 베레아(베레아 '요단동편'과 베뢰아 '마게도냐, 유럽'은 다르다.)에 파송되었던 70인 전도단 제자들도 많이 가담했을 것입니다. 어쨌거나 이 120명이 예루살렘에 모였는데 이들이 예루살렘 교회의 창립 교인쯤 되겠지요? 예수님의 처형, 부활, 승천이라는 일연의 폭풍 같은 사건이 지난 40여 일 동안 일어났기 때문에 지금 이들은 특별한 각오를 갖고 모였을 것입니다. 더군다나 예수님의 유언에 의하면 무슨 일이 벌어져야만 하니까 더욱 그랬을 것입니다. 이들은 소위 마가의 다락방으로(13절) 알려진 방에 모여서 기도에 힘썼습니다. 교회는 기도로 출발했습니다. 또 가룟 유다 대신에 맛디아를 12제자 중 하나로 선출합니다. 세계 열방으로 나가기 전에 12지파를 정비하는 것과 같습니다.

② 2장 – 새로운 View Point(전망대)

드디어 유월절 (죽으신) 이후 50일이 되는 오순절 날에 성령께서 강림하십니다. 이 사건으로 이제 더 이상 제자들은 두려움에 떨지 않습니다. 그리고 서서히 '예수의 죽음과 부활'이라는 역사적인 사건의 의미를 그들 스스로 파악합니다. 그리고는 그 사실이 너무 놀라워서 막 큰 소리로 외치기 시작합니다. 그들도 놀란 것 같습니다. 특히 베드로는 50여 일 전에 일어났던 예수님의 십자가 처형 사건을 스스로 해석하기 시작했습니다. 구약에 예언되어 있는 다윗의 시편(시 16:8~11)과 매치되면서 깨달음이 온 것입니다. 오순절 성령 강림으로 각 나라 사람의 방언으로 동시통역으로 들리게 되자 그것은 요엘서에 기록되어 있는 말씀(욜 2:28~32)이 이루어진 것이라는 사실도 깨닫게 됩니다. 엠마오로 가는 두 제자에게 **부활(현재 일어난 사건)**과 관련해서 **구약(기록된 예언)**을 풀어 설명해 주신 **예수님의 방법론**을 터득한 것 같습니다. 그때를 계기로 베드로가 배웠나 봅니다. 베드로는 구약을 해석하기 시작합니다. 맛디아를 뽑을 때도, 가룟 유다가 죽은 것도 다 그렇게 해석합니다. 그리고 이 사실을 예루살렘 교회 성도들에게 아주 많이 얘기해 주었던 것 같습니다. **구약 성경이 응하는 묘미**에 무릎을 치며 기뻐했을 것입니다. 베드로는 그게 너무 신기해서 북받치는 마음으로 막 외친 것입니다. 설교를 한 거지요. 언제 그렇게 설교를 많이 해 봤겠습니까? 그런데 이제 그는 할 말이 생긴 것입니다. **메시지**가 생긴 겁니다. 베드로에게 깨달아진 말씀입니다. 세례 요한도 깨달아진 말씀이 있어서 외쳤던 것처럼 말입니다.

> **성장점 POINT**
>
> 동시통역 사건은 창세기 11장에서 언어가 흩어진 사건과 비로소 연결됩니다. 하나님을 대적하던 창세기 11장의 바벨탑 사건의 주인공들이 흩어졌는데 여기 와서 다시 하나님의 언어로 통일되는 장면입니다. 하나님을 대적하는 인류 문화를 대표해서 나타났던 바벨 사람들이 심판을 받았으나, 그들을 다시 품으시기 위해 이스라엘을 택하시고 나라를 이루어 오시더니, 드디어 여기 예수사건이 일어난 직후 그 복음을 전하기 위해 다시 언어가 통일되는 것입니다. 다시 그들에게로 향하는 복음의 방향성을 보이시는 큰 사건입니다. **예수 그리스도의 죽음과 부활을 전할 때 언어의 통일**이 왔습니다. 창세기 11장과 12장 사이가 성경 전체를 볼 수 있는 전망대, View Point라고 했었는데, 여기 사도행전 2장의 통역사건도 바로 그 사건과 이렇게 연결되는 전망대, View Point라는 말입니다. 대단히 중요한 지점입니다.

이미 바벨론에 포로로 잡혀가 있던 유대인들의 후손은 세월이 흐르면서 헬라문화권이 되어 버린 곳에서 살게 되었지만 나름대로 회당을 중심으로 유대사회를 형성하면서 살고 있었습니다. 이들은 내적으로 집정관(Archon)이라고 불리우는 사람들이나 장로들을 중심으로 예루살렘과 계속 관계를 맺으며 회당을 중심으로 살아갔습니다. 이런 흩어진 유대인 디아스포라는 예루살렘 성전 문화에서 힘을 공급받아 그들의 정체성을 유지하고 있었습니다. 그 후 로마 시대도 마찬가지입니다. 폼페이가 유대에 출동해서 예루살렘을 정복한 이후 많은 유대인들을 로마로 잡아갔었습니다. 마카비 왕조가 무너지는 순간입니다. 그래서 쥴리어스 시저 때에는 로마에 유대인 거류집단이 있었습니다. 이런 흩어진 유대인들로부터 유일신 여호와 하나님이 전파되었습니다. 그래서 유대인의 3대 명절 때마다 예루살렘은 예배하는 디아스포라들과 개종자 이방인들로 붐볐습니다. 그래서 예루살렘은 범세계적인 도시 성격을 띨 수밖에 없었습니다.

약 50일 전 십자가에 처형 되었던 예수사건도 이들 디아스포라를 통해 전 세계로 퍼져나갔는데 이번에는 그 제자들이 나타나 예수사건을 해석하는 설교를 하는 것입니다.

생장점 POINT **언어영역** - 그런데 자기네 나라 방언으로 들리는 겁니다. 여기 등장하는 지역은 예루살렘을 기준으로 동북쪽 멀리로부터 시작합니다. 로마제국의 경계를 넘어 바대(파르티아), 메대, 엘람(세 지역 다 카스피해 동남쪽 이란 지역), 메소포타미아입니다. 또 그 지역보다 서쪽으로는 오늘날의 터어키 중부지역인 갑바도기아, 본도도 있습니다. 거기서 예루살렘까지 오려면, 오늘날 비행기로도 네 다섯 시간은 걸릴 거리인 것 같습니다. 그 다음에 흑해 남쪽 해안지역부터 소아시아 외곽지역(소아시아, 버가모, 에베소, 밀레도쪽)과 소아시아 내륙지역인 브루기아와 밤빌리아에서도 왔습니다. 그리고는 지중해 아래쪽 이집트와 구레네, 그러니까 아프리카입니다. 또 다시 북서쪽으로 눈을 돌려 로마에 살고 있던 유대인이나 개종자들, 그레데 섬사람들과 시나이 반도 동남쪽의 아라비아(사우디아라비아쪽)에서 온 사람들도 있었습니다. 우리가 부록3에서 보았던 온 세상으로 흩어진 노아의 후손들 생각이 납니다(지도!! 보셔야 합니다). 성경에서 이 지역들을 말한다는 것은 세상 전체를 말하는 것입니다. 그런데 오늘 오순절에 모여든 사람들이 바로 그 지역사람들입니다. 대단한 View Point입니다. 창세기 11장과 지금 사도행전 2장은 구약과 신약의 쌍봉우리 같은 곳입니다. 같은 풍경이 보이면서 두 봉우리가 한꺼번에 하나로 연결되는 장관이 펼쳐지는 지점입니다.

생각점
POINT **지리영역** - 이렇게 사도행전 서두 2장에서는 앞으로 펼쳐지게 될 사도행전의 지리영역을 주욱 둘러칩니다. 앞으로 사도행전이 어떻게 진행될지 미리 지도를 보여주는 것 같습니다. 자기 돈 들여, 자기 발로 찾아 온 열방 사람들과 디아스포라들이 베드로의 이 설교에 굴복합니다.

설교를 듣고 세례를 받은 사람이 그 날 3천 명(41절)이나 되었다고 했습니다.

물론 남자만 말하는 것입니다. 엄청난 숫자입니다. 이들은 마치 민들레씨처럼 성령의 바람을 타고 온 세계로 흩어집니다. 이 씨들은 사도 바울이 이 지역을 돌아다니며 복음을 전할 때 길을 예비하는 사람들이 됩니다. 디모데라든가, 디도라든가, 누가라든가, 브리스길라와 아굴라라든가, 수도없이 많이 등장하게 될 사도행전의 주인공들은 바로 이 사도행전 초기부터 전파된 복음에 부딪히는 사람들인 것입니다. 아니 더 엄밀하게 얘기하면 지난 3년 동안 예수님께서 예루살렘과 유대와 사마리아와 시리아와 데바볼리쪽에 전파해 놓은 천국운동부터 시작된 것입니다.

이렇게 베드로를 중심으로 그 유명한 초대 교회, 예루살렘 교회가 탄생합니다. 베드로가 교회의 대표로 분명히 드러납니다.

③ 3장~4장

3장에서는 베드로가 성전 미문에서 앉은뱅이를 이적적으로 고쳐줌으로 다시 한번 예루살렘에 복음이 전파됩니다. 그 결과로는 남자만 5천 명이 예수를 그리스도로 믿게 됩니다(4:4). 그로 인해 베드로와 요한이 옥에 갇힙니다. 그러나 핍박을 통해 교회는 오히려 견고해집니다(31절).

④ 5장

아나니아와 삽비라의 불미스러운 일이 일어나지만 교회는 오히려 더 정화되고(11절), 계속되는 박해 속에서도 교회는 더 강해집니다(41~42절).

⑤ 6장~7장

교회에 구제문제로 인한 갈등이 생깁니다. 아무리 초대 예루살렘 교회라고 해도 예수 믿고 나자마자부터 다 거룩한 천사처럼 변하는 것은 아닙니다. 죽기까지 성화되어 나가야지요. 바울이 세운 교회들도 맨-날 그런 일로 갈등하고, 싸우고, 문제가 생깁니다. 오늘날의 교회도 그렇습니다. 이 세상의 유형 교회는 언제나 이렇게 완전하지 않습니다.

그 당시 예루살렘 교회의 구성원은 크게 두 그룹이었습니다. 하나는 히브리파 사람들이고, 또 다른 하나는 헬라파 사람들입니다. 바울의 서신서에도 늘 등장하는 용어입니다. '유대인이나 헬라인' 이나, 또는 '유대인이나 이방인' 이나 하는 말이 여기부터 등장하는 것입니다. 헬라파 과부들이 구제에서 누락되면서 헬라파 사람들이 불평합니다. 이에 대해 초대 교회는 일곱 집사를 선출하여 구제문제를 전담케 합니다. 그런데 그들은 실제로는 헬라파 유대인들 중에서 선택되었습니다. 즉, 불평이 제기된 헬라파 사람들에게 그 일을 맡김으로써 해결합니다. 초대 교회의 넉넉한 마음을 봅니다. 그런데 그 일곱 명 중 한 사람이 스데반이며, 7장에서 스데반은 순교를 당합니다. '스데반의 설교' 는 매우 중요한 내용을 담고 있습니다. 한마디로 우리가 이 일독학교에서 다루어 오고 있는 구약역사를 요약한 내용입니다. 우리도 이렇게 할 수 있어야지요.

⑥ 8장

드디어 사울(사도 바울)이 등장합니다(1~3절). 예루살렘 교회의 핍박자 중 하나인 청년 사울입니다. 그 핍박 때문에 많은 성도들이 흩어집니다. 그 중에 빌립이 사마리아로 가서 복음을 전하고, 특별히 구스 내시에게 전도합니다. 이렇게 구체적으로 '예루살렘과 유대와 사마리아' (행1:8)를 거쳐 '땅 끝' 을 향하기 시작합니다.

⑦ 9장~11장

사울이 회심합니다. 다메섹으로 가서 예수 믿는 사람들을 잡으려 하다가 길에서 부활하신 예수님을 만납니다. 다메섹, 갈릴리 북쪽 수리아입니다. 구약으로 말하자면 아람, 수리아 거기입니다. (지도를 반드시 보십시오.) 그는 회심 후 즉시 회당에서 예수를 증거합니다(20절). 그러자 유대인들이 그를 죽이려 합니다. 그래서 다메섹을 떠나 예루살렘에 갔다가 후에 그의 고향 다소로 갑니다(26~30절). 지도를 놓고 그 행선지를 선으로 그어 보십시오. 다소는 예루살렘에서 다메섹 가는 거리 두 배 정도 더 서북쪽에 있는 사울의 고향입니다.

한편 베드로는 순회전도를 합니다. 그러다 10장에 보면 하나님의 뜻 가운데 로마 사람인 백부장 고넬료의 집에 가서 전도를 합니다. 고넬료는 가이사랴에 있었습니다. (🌱 가이사랴라는 도시는 앞에서 설명했습니다만 대헤롯이 시저를 기념하며 세운 도시입니다. 지중해 해변에 로마 군인들의 성채가 있었습니다. 그뿐 아니라 혜롯 아그립파 1세의 통치 중심지였습니다. 바울도 로마로 후송되기 전에 가이사랴 감옥에 2년 동안 억류되어 있었습니다. 이와 같이 이 가이사랴는 당시 정치를 위한 중심지였습니다. 해변이라 아름다워서 거기에 자리를 잡은 것 같습니다. 또 지중해를 거쳐 로마나 소아시아쪽을 갈 때 출발하기 좋은 장소여서 그런 것 같습니다. 두로와 시돈처럼 항구도시이기 때문입니다. 성경에는 앞으로 이 지명이 많이 나옵니다. 지도를 꼭 보십시오. 지도를 보기 시작하면 새 세상이 열립니다. ❦) 이 가이사랴에 심방간 베드로가 설교합니다. 그런데 이 때 성령께서 강림하셔서 이방인들이 성령의 충만을 받습니다. 이 사건은 대단히 의미있는 사건입니다. 왜냐하면 복음이 이방인들에게 공식적으로 전파된 사건이기 때문입니다. 여러분, 생각해 보십시오. 이 사건의 중심 인물로 베드로가 사용되지 않고, 만일 사도 바울이 쓰임 받았다면 예루살렘 교회가 이방인 성도들을 하나님 백성의 일원으로 받아들이는데 한결 더 어려움을 겪었을 것입니다(11장). 사도 바울이 이방인의 사도지만, **막상 이방인을 최초로, 또 공식적으로 개종시키는 사람은 베드로**였던 것입니다. 여기에는 하나님의 깊은 뜻과 섭리가 계셨다고 봅니다. 사도행전 기록자 누가는 이 사실을 **놓치지 않고** 기록합니다. 이제 후에 전개 될 바울의 **이방선교의 당위성을 포석**하는 장면입니다.

⑧ 12장

혜롯이 죽습니다. 이 혜롯은 파사엘(예수님을 죽이려 했던 혜롯 대왕의 형)의 손자 아그립바 1세(대혜롯의 아들 아켈라오, 안티파스, 빌립 등과는 다른 계열)입니다. 그는 로마 황제 글라우디오와 같이 교육을 받았던 사람이었습니다. 친분 관계로 A.D. 41년에 이르러서는 과거 대혜롯이 다스렸던 땅을 다 다스리는 세력을 얻습니다. 그런데 여기 12장에 보면 그가 충이 먹어 죽었다고 되어 있습니다. 이렇게 일찍 죽었기 때문에 그를 이어 어린 왕자가 대를 잇습니다. 그의 아들 혜롯 아그립바 2세입니다. 그는 거의 A.D. 100년경까지 유대 통치자로 다스립니다. 이 아그립바 2세를 끝으로 혜롯 가문은 역사에서 사라집니다.

혜롯(아그립바 1세)은 정치적으로 인기를 얻기 위해 초대 교회를 핍박하였는데 그의 교만함 때문에 결국 하나님의 진노로 죽은 것입니다. 그는 가이사랴 바닷가에 있었던 연극장(에베소의 연극장처럼 타원형 부채꼴인데 새파란 지중해 바다가 보인다)에서 로마 황제 글라우디오의 생일을 맞는 축제경기에 참석했다가 복통으로 급사한 것입니다. 이제 이후로 등장하는 혜롯왕은 아그립바 2세라는 사실을 기억하십시오.

2) 제2부: 사도 바울의 활약과 세워지는 이방인 교회들

중심교회 : 안디옥 교회 (수리아)

중심인물 : 사도 바울

예수님의 공생애를 3년이라고 할 때는 그 기준을 유월절로 잡고 계산했었습니다. 그러나 우리가 무심코 성경을 읽으면 이 유월절 하나하나가 눈에 들어오지 않았습니다. 자세히 연구해야 보이는 것이지 그냥은 안 보인다 이 말이지요. 마찬가지로 사도 바울은 3차에 걸쳐서 선교여행을 했다는데, 사실 우리가 읽는 식으로 성경을 주욱 보면, 어디서부터 어디까지가 1차요, 2차요, 3차인지 잘 알 수가 없습니다. 성경을 펼쳐 놓고 찾아보라고 해도 잘 못 찾습니다. 왜 그런지 아십니까? **기준**을 모르기 때문입니다. 무엇을 기준으로 1차라고 그러는지, 2차라고 그러는지 생각을 안 해봐서 그렇습니다. 우리가 사도 바울의 선교여행을 같이 따라다니려면 그것부터 분명히 해야 합니다. 어디까지 가야 다 간 것인지도 모르는 채 그냥~ 따라다니면, 다 온건지, 더 갈건지도 모르는 채 건성건성 헛 고생 하는 거지요.

성장점 POINT

사도 바울의 선교여행에도 **베이스 캠프**가 있습니다. 정말 말 그대로 베이스 캠프입니다. **안디옥 교회**입니다. 안디옥 교회에서 출발해서 안디옥 교회로 다시 돌아오면 1차씩 지나는 겁니다. 그러니까 다음과 같은 말을 족집게로 찝어내야 합니다. 예를 들면 이런 겁니다. "거기서 배타고 안디옥에 이르니, 가이사랴에서 상륙하여 올라가 교회의 안부를 물은 후에 안디옥으로 내려가서"(18:22) 등입니다. 그런데 2차와 3차 사이는 찾아내기가 어려울 정도로 찰싹 붙어 있습니다. 바로 18장 22절과 23절 사이입니다. 이 한 절 사이가 2차와 3차를 갈라놓습니다. 22절은 "안디옥으로 내려가서"로 끝나는데 곧이어 23절은 "얼마 있다가 떠나 갈라디아와 브루기아 땅을 차례로 다니며 모든 제자를 굳게 하니라"로 되어 있습니다. 22절에서 안디옥으로 갔는데 이제 얼마 있다가 다시 떠난다는 것입니다. 이와같이 얼핏 보면 찾기 어렵습니다. 그러나 베이스 캠프를 염두에 두시고 아래에 자세히 나누어 놓은 장 절을 참고하며 사도 바울의 선교여행을 같이 따라다녀 보십시다. 지도! 꼭 챙기셔야 합니다.

그런데 이제 떠나기 전에 지도를 펴놓고 보면서 반드시 기억해야 할 것이 있습니다. 여행 떠나기 어디 그리 쉽습니까? 챙겨야 할 게 많습니다. 어떤 장소 이름이 나오면 그게 큰 지역(주, 도 같은)을 말하는 것인지, 도시 이름을 말하는 것인지를 구분해야 합니다. 지도에 갑바도기아, 갈라디아, 비두니아, 본도, 루시아, 아시아, 마게도냐, 수리아, 아가야 등을 찾아보십시오. 큰 영역입니다. 또 고린도, 아덴, 베뢰아, 데살로니가, 빌립보, 네압볼리, 드로아, 에베소, 가이사랴, 욥바, 예루살렘 등을 찾아보십시오. 그 영역들 안에 있는 도시 이름들입니다. 우선 이 두 종류의 장소 이름을 반드시 구분해야 합니다. 예를 들어 "마게도냐로 갔다"라는 말이 나왔다 칩시다. 그러면 빌립보, 데살로니가, 베뢰아 등 도시가 있는 큰 전체지역을 말하는 것이라 이 말입니다. "아가야 온 지방" 하면 고린도라든가, 아덴, 겐그레아 이런 곳을 말한다는 생각이 얼른 지도와 함께 떠올라야 합니다. 이렇게 지도를 볼 줄 알아야 얘기가 풀립니다. 읽어집니다. 예를 들어 "에베소에서 고린도로 갔다"고 한다면 육로로 갈 경우 '위로 올라가 서쪽으로 틀어서 아시아(🌱 소아시아임, 물론 우리 나라가 있는 아시아가 아님 🌱)와 유럽(마게도냐)의 경계를 지나 다시 또 남쪽으로 틀어 내려갔구나' 이런 그림이 생각나야 합니다. 또 배로 갈 수도 있겠구나, 그러면 굉장히 가깝겠구나, 이런 생각도 나야 합니다.

우리는 여행을 떠나기 전에 반드시 지도를 보고 미리 공부합니다. 특히 미국을 여행하려면 지도는 생명입니다. 마찬가지입니다. 지도를 끼고 있지 않으면 바울과 같이 다닐 수 없습니다. 사도행전, 읽어지지 않습니다. 어렵습니다. 금방 재미없어집니다. 서신서도 안 보입니다. 이렇게 머리속에 지도를 그리면서 읽는 것이 사도행전과 서신서를 읽는 묘미가 되어야 합니다. 전복땁시다!

① 제1차 선교여행 (13장~14장)

안디옥⇨ 실루기아⇨ (배 타고)⇨ 살라미⇨ 바보⇨ (배 타고)⇨ 버가⇨ 비시디아 안디옥⇨ 이고니온 ⇨ 루스드라⇨ 더베⇨ 루스드라⇨ 이고니온⇨ 비시디아 안디옥⇨ 버가⇨ 앗달리아⇨ (배 타고)⇨ 안디옥

안디옥 교회에서 선교사로 안수받는 장면 13장부터가 사도 바울이 정식으로 선교사로 출발하는 곳입니다. 그래서 여기가 선교여행 출발지점입니다. 1차 선교여행 처음에는 바나바가 선교여행의 중심인물로 출발하지만 중간에 리더가 바울로 바뀝니다(13절 참고). 이 때 파송 교회는 안디옥 교회로 이방인 최초의 교회입니다. 이 안디옥이라는 이름은 사실 셀루코우스 1세(누군지 아시죠? 그래서 중간기 역사를 배웠습니다.)가 자기 아버지 안티오쿠스의 이름을 기리며 세운 도시 이

름입니다. 16개나 세웠는데 다 안디옥입니다. 그 중의 하나인 '수리아 안디옥' 에 세워진 교회입니다. 성경에는 비시디아 안디옥이 또 나옵니다. 비시디아 안디옥은 터어키 중부에 있고, 수리아 안디옥은 그보다 남쪽, 그러니까 유대에서 본다면 더 가까운 북쪽입니다. 지도 보시죠? (🌱 사도행전은 절대로 지도 없이 읽으면 안되는데, 아직도 지도를 안 보는 분이 계실까봐 걱정돼서 그럽니다. 오죽하면 이러겠습니까? 🌱) 안디옥 중에서 가장 아름답고 유명한 도시입니다. 당시 가장 큰 도시 중 하나였습니다. **최초의 이방인 교회가 이 안디옥에 생긴 것입니다.**

1차 선교여행의 여정은 구브로 섬을 거쳐 비시디아 안디옥(13:14), 이고니온(14:1, 오늘날의 코냐), 루스드라(8절), 그리고 더베(20절)로 이어집니다. 돌아올 때는 왔던 도시들을 다시 재 방문하여 교회들을 굳게 합니다. 다만 구브로 섬은 들리지 않고, 배로 안디옥으로 돌아와 교회 앞에 선교보고를 합니다(27절). 딱 여기까지가 1차입니다. 별로 그렇게 복잡하지는 않습니다. 구브로 섬을 끼고 바다로, 육지로 돕니다.

② 예루살렘 종교회의 (15:1~35)

갈라디아서에 보면, "내(바울)가 전한 복음에서 떠나 어쩌면 그렇게도 빨리 다른 복음을 좇아갈 수 있느냐?"고 안타까워하는 내용으로 서두를 시작하고 있습니다. 그리고 예루살렘 회의에 대한 얘기도 나옵니다. 이렇게 갈라디아서는 사도행전 13장~15장 정도의 내용과 연결이 됩니다. (🌱 처음 일독하면서 일일이 다 맞춰가며 이런 점들을 찾아내서 읽기는 어렵겠지만 이렇게 연관이 있구나 하는 것들만 생각하고 읽어도 어딘데요? 시간이 지나면서 차츰 차츰 읽어나가시는 재미가 생길겁니다. 🌱) 예루살렘 회의의 주제도 한마디로 '율법이냐, 복음이냐' 를 다룬 것인데 이것은 갈라디아서의 주제이기도 합니다. 로마서도 같은 주제지만 더 깊고 원숙합니다. (🌱 그런 점에서 보면 유대인의 독점이었던 율법, 할례, 선민사상 등을 뒤로 하고, 이제 열방으로 나아가는 세계화 과정은 이렇게 처음부터 만만치 않았다는 것입니다. 이 주제가 문제가 됐으니 … **이제껏 율법을 지켜오던 유대인들이 '복음으로만 구원 얻는다는 원리'로 구원관을 바꿔야 한다는 것은 예루살렘 교회 본부 자체 내에서도 정리하기 힘들었던 것입니다.** 그러나 이런 어려운 과정을 하나하나 거쳐가면서 비로소 예수사건, 복음은 정리되어 갑니다. 그 역할의 장본인이 바울이었던 것입니다. 이 회의에 참석해서 강력한 발언을 하는 것부터 그렇습니다. 그것이 그의 신학이었습니다. 그의 깨달음이었습니다. 그의 메세지였습니다. 하나님이 그렇게 바울을 쓰신 것입니다. 그 광대한 구약 이해와 예수 그리스도 사건이 접속되면서 바울이 깨달은 복음이었습니다. 🌱)

예수님의 인성과 신성, 삼위일체, 성경의 정경화 등등 굵직굵직한 원리들도 이런 교회역사의 회의 속에서 정돈되어 갑니다. 그래서 '교회사' 니 '교리사' 니 하는 말들이 생겨난 것입니다. 하나님은 교회를 세계화시켜 나가시는 과정에서 이렇게 역사 속에서 계속 일해 오시며 섭리해 가십니다. **여기 예루살렘 종교회의가 그 시작이었습니다.**

15장에는 예루살렘 회의에 관한 비교적 상세한 보고가 들어있습니다. 이 회의를 구체적으로 들여다보면 이렇습니다. **'이방인들은 할례를 받을 필요가 없고, 오직 예수 그리스도를 믿음으로 구원받는다'는 것을 공식적으로 채택**한다는 것입니다. 대단히 중요한 회의였습니다. 이것은 이방인 교회들의 설립과 발전에 매우 중요한 결정이었으며, 또한 복음을 변질시키지 않고 순수하게 유지시키게 하는 결정이었습니다. 이 때 예루살렘 교회의 지도자로 베드로가 등장하지 않고 야고보가 등장하는데(13절), 이 야고보는 예수님의 육신의 동생으로서(마 13:55), 야고보서를 기록한 사람이며, 예루살렘 회의의 최종결론을 내리는 역할을 했습니다.

③ 제2차 선교여행 (15:36–18:22)　　✓ 데살로니가전·후서, 갈라디아서 들어가는 자리

안디옥⇨ 다소⇨ 더베⇨ 루스드라⇨ 비시디아 안디옥⇨ 드로아⇨ (배 타고)⇨ 네압볼리⇨ 빌립보⇨ 데살로니가⇨ 베뢰아⇨ (배 타고)⇨ 아덴⇨ 고린도 (🌱 사역의 중심지, 데살로니가전·후, 갈라디아서 기록 🌱) ⇨ 겐그레아⇨ (배 타고)⇨ 에베소⇨ (배 타고)⇨ 로도⇨ (배 타고)⇨ 가이사랴⇨ 예루살렘⇨ 안디옥

> **생장점 POINT**
> 여러분, 바울의 **'2차 전도 여행'** 하면 이제부터 이 생각 하나는 꼭 하십시오. 뭐냐 하면 바울은 남쪽 갈라디아를 거쳐서 소아시아의 **에베소**에 가고 싶었는데, 하나님은 마게도냐 유럽의 고린도로 인도하셨다고. 소 아시아(큰 덩어리땅)의 에베소(도시이름)를 가려고 했는데, 아가야(큰 덩어리땅)의 고린도(도시이름)로 인도하신 사실입니다.

바울은 바나바와 결별합니다. 직접적인 이유는 마가를 동반하는 문제에 대한 견해 차이로 인한 갈등이었으나 또 다른 원인은 갈라디아서 2장에서 언급하고 있는 베드로와 함께 한 바나바의 외식이었을지도 모릅니다. 바울은 실라를 택하여 길리기아를 통과하고 토로스산을 넘어 소아시아의 서해안 도시지역인 에베소, 서머나, 버가모 등을 공격하려고 했습니다. 특히 소아시아의 중심도시 에베소가 그 중요 목적지였습니다. 그러나 성령께서 막으십니다(행 16:6). 그래서 할 수 없

이 갈라디아와 부루기아(큰 지명인 것 기억하십시오.), 즉 중부 소아시아 지대를 관통합니다. (🌱 이때 디모데를 발탁해서 합류합니다. 지도를 보십시오. 🌱) 그래서 사도행전에는 없는 도시 이름이지만 여행계획에도 없었던 아모리온, 페시누스, 오르키스토스, 그리고 니콜레이아 등의 인구 조밀한 갈라디아 도시를 통과하며 거기서도 선교했을 것으로 보입니다. (🌱 아시아로 가려고 애썼다는 말은 에베소로 가려고 애썼다는 말입니다. 🌱) 그는 대도시 중심의 선교전략을 세웠던 것 같습니다. 그런데 에베소로 가려고 했던 것은 인간 사도 바울의 뜻이었고, 주님은 그를 유럽으로 보내십니다. 천사같은 바울이었으나 역시 인간이었습니다.

이 때 유럽이라고 하면 오늘날의 터어키가 있는 아나톨리아 반도 맞은 편에 있는 땅, 즉 오늘날의 이스탄불이 그 동쪽 경계가 되고, 서쪽으로는 스페인과 바다 건너 영국까지를 말합니다. 바울 사도 일행은 하나님의 강권적인 인도에 따라 바다를 건너 마게도냐 빌립보 성에 도착합니다. 마게도냐 환상을 따라 유럽으로 건너간 사도 바울 일행을 통해 유럽 최초의 교회, 빌립보 교회가 세워집니다. 그 설립되는 과정이 16:11~40에 나옵니다.

🌱 생장점 POINT

그런데 드로아(아시아 서쪽 끝 도시)에서 그 '마게도냐인의 환상'을 본 후 바울이 유럽으로 건너가는 바로 그 장면부터 비로소 사도행전에 나타나는 중요한 단어가 있습니다. 한 번 찾아보십시오. **"우리"라는 단어**입니다. 즉 사도행전의 저자인 **누가의 동반**이 시작된다는 말입니다. 2차 여행의 일행은 이렇게 해서 실라, 누가, 디모데입니다. 알려진 대로 누가는 의사였는데 빌립보 출신으로 추측됩니다. 당시 빌립보에는 큰 의과대학이 있어서 주변도시에 의사들을 공급했다고 합니다.

빌립보에는 또한 로마의 퇴역군인들이 많이 살고 있었고, 두아디라 출신 자주장사(자주색은 귀족들이 입는 옷 색깔이었는데 당시 소아시아 두아디라 성의 특산물이었다) 루디아를 비롯하여 간수가족, 점치는 여종 등을 중심으로 교회가 생깁니다. 이곳에서 바울은 옥에 갇히고 태장(채찍으로 맞는 매)을 맞습니다. 한밤중에 찬송 가운데 지진이 일어나서 옥문이 열리고 그 결과 간수가 예수 믿는 사건이 발생합니다. 지진은 이 지역에서 지금도 간혹 발생합니다.

그 후 석방되어 데살로니가를 거쳐 베뢰아로 갑니다. (🌱 유대인들의 심한 소동을 피해 바울은 혼자 아덴(아테네)로 갑니다. 그리고 실라와 디모데를 약 6개월 후에 고린도에서 재회하게 됨니다. 자, 이렇게 여기 우리가 아는 교회 이름들이 나오지요? 지금 현재 이렇게 다녀가면서 교회들이 생긴 것입니다. 지금 서신서에 나오는 어느 어느 교회가 생겼는지 지도 속에서 점찍어 놓아 보시기 바랍니다. 빌립보, 데살로니가 교회입니다. 염두에 두십시오. 🌱) 그리고는 바울은 혼자 따로 더 남쪽으로 내려갑니다. 지도를 보시면 아시겠지만 바울 일행이 2차 전도여행하는 지역들은 지중해를 끼고 있는 그리스 반도의 항구도시들입니다. 위에서부터 차례차례 내려오는 중이지요. 바울은 아테네에 도착합니다.

아덴(아테네)

혼자 아덴에 도착한 바울은 유대인에게 접근할 때 썼던 방법과는 전혀 다른 방법으로 전도합니다. 바울은 아레오바고에서 유일신 하나님을 소개하고, 그리스 시인들인 에피메니데스(Epimenides)와 아라투스(Aratus)를 인용하면서 전도합니다. 그는 헬라문화에도 익숙한 사람입니다. 우상숭배는 죄를 짓는 것이라고 말하면서 유일신을 경배하라고 촉구합니다. 그런데 이 부분까지는 우호적이었던 청중이 죽은 자의 부활을 전할 때는 비웃었습니다. 그들은 이원론적 신앙인들로서 육체는 천하고, 영혼은 선한 것이라고 생각했고, 영혼불멸을 믿고 있었습니다. 그러므로 육신의 부활은 그들에게 역겨운 가르침이었습니다. 그러나 소수의 신자를 얻습니다.

고린도

바울은 2차 전도여행의 최종목표로 아시아(에베소)에 가려고 했는데 결국 이렇게 고린도에 오게 되었습니다. 여기서 1년 6개월이나 머물면서 고린도 교회를 개척합니다(18:11). (🌱 지도가 눈에 보여야 합니다. 신기하게도 동그란 바다를 끼고 마주보고 있습니다. 에베소는 아시아이고, 고린도는 유럽인데도 아주 가깝게 마주보고 있습니다. 🌱) 이렇게 고린도는 2차 선교여행의 중요한 장소입니다. 나중에 이 교회 때문에 울기도 많이 웁니다만, 이 지역에 교회를 개척하는 것은 주님의 뜻이었습니다. 밤에 환상 중에 나타나셔서 이 곳(고린도)에 나의 백성이 많다고 하시면서 더 머물 것을 명하셨기 때문입니다(18:9~10). 누구의 명인데 어길 수 있으랴! 고린도는 데살로니가나 아덴보다 큰 도시는 아니었지만 항구도시로서 복음이 퍼져나가는 기지 역할을 할 수 있었을 것입니다. 학자 디벨류스는 "동서가 만나는 항구도시이며 동방의 사상이 헬라어로 발표되는 곳이며, 군건한 유대교와 '하나님을 두려워하는 이방인들'이 많은 도시이며, 의를 추구하는 자와 의를 배반하는 자가 뒤범벅이 된 도시"라고 고린도를 묘사합니다. (🌱 사실은 구약의 바알 종교가 다른 얼굴을 하고 앉아 있을 뿐입니다. 🌱)

바울이 고린도에서 활동한 시기에 관하여는 비교적 정확히 알 수 있습니다. 왜냐하면 당시 고린도에 파견된 로마 총독은 갈리오(Galio)였는데 로마의 시인이며 철학자였던 세네카(Seneca)의 형제였습니다. 델피(Delphi)에서 발견된 석문에(황제가 델피 시에 보낸 편지를 후에 석명한 것) 황제의 서신이 기록되어 있는데, 거기보면 갈리오가 A.D. 51~52년 경에 고린도의 총독으로 취임 했다고 씌여 있습니다. 그 서신에서 황제 글라우디오는 갈리오를 "나의 친구요 아가야의 총독"이 라고 부르고 있습니다. 그리고 거기서 황제는 "제26회로 황제 추대를 받았다"고 말하는데 그 시기 는 52년 초(혹은 51년 말)부터 52년 8월 1일 사이가 됩니다. 갈리오의 재임기간은 51~52년이든 가, 52~53년이 됩니다. 따라서 바울의 고린도 체류는 대략 50~52년경이 되는 것입니다.

이 곳에서 바울은 **아굴라**와 **브리스길라 부부**를 처음 만납니다. 그들은 고린도에서 비지니스를 하며 살고 있었습니다. 그들은 바울에게 숙박소와 노동의 기회와 도구를 주었을 것입니다. 고린도 교회를 개척하는데 동역자였습니다.

살전후, 갈 ✓

한편 일행이었던 실라와 디모데는 그 동안 어떻게 됐을까요? 바울은 소동 때문에 일찍 떠났지만 시작한지 얼마 안되는 데살로니가 교회가 걱정되어 그 들을 거기 남겨두었기 때문에 그동안 떨어져 있었습니다. 나중에 6개월이 지난 후 실라와 디모데가 바울이 머무르고 있는 고린도로 내려와 만나게 됩니다. 그들에게 서 그 궁금했던 교회 소식을 듣습니다. 그리고 펜을 들어 그들에게 편지를 씁니다. 그 편지가 **데살로니가전서와 후서**입니다. 지금 현재 고린도 교회를 개척하고 목회하 고 있으면서 몇 개월 전 지나왔던 데살로니가 교회가 생각나서 쓴 겁니다. 자식 많 은 부모가 이 자식, 저 자식 걱정하는 것 같습니다. 또 전통적으로 이 즈음에 갈라디 아 교회에도 편지를 보낸 것으로 봅니다(그러나 1차 선교여행 끝나고 예루살렘 총 회 즈음에 갈라디아서를 썼다고 생각하는 견해도 있습니다. 존 스토트 목사님 같은 경우입니다. 이렇게 될 경우는 갈라디아서가 최초의 서신서가 됩니다).

이렇게 해서 데살로니가 전서와 후서가 쓰여집니다. 여러분이 고린도에 머물고 있는 사도 바울 의 일행 중에 끼여있다고 상상하면서 데살로니가 전서와 후서를 읽어보십시오. 데살로니가 전서 와 후서의 내용을 기억하시나요? 성경목록 공부에 가서서 다시 한번 읽어보시기 바랍니다.

그러다가 바울은 브리스길라와 아굴라와 함께 겐그레아에서 배를 타고 에베소에 갑니다. 그리고 바울은 **이 부부를 에베소에 남겨 놓습니다.** 거기서 목회하라고 말입니다. 그 후 바울은 예루살렘을 들러, 수리아 안디옥 교회로 되돌아오는 것입니다. 여기까지가 2차 전도여행입니다. 위에서 말했던 18장 22절까지 얘기입니다.

④ 3차 선교여행 (18:23~21:16)　　　✓ 고린도전 · 후서, 로마서가 끼어들어가는 자리

안디옥 ⇨ 다소 ⇨ 이고니온 ⇨ 에베소(사역의 중심지 : 🌱 고린도전서 기록) ⇨ 미둘레네 ⇨ 앗소 ⇨ 드로아 ⇨ (배 타고) 빌립보(🌱 고린도후서 기록) ⇨ 데살로니가 ⇨ 베뢰아 ⇨ 고린도(🌱 3개월 과동, 로마서 기록) ⇨ 베뢰아 ⇨ 데살로니가 ⇨ 빌립보 ⇨ (배 타고) ⇨ 드로아 ⇨ 앗소 ⇨ 미둘레네 ⇨ (배 타고 기오, 사모를 거쳐) ⇨ 밀레도 ⇨ (배 타고 고스, 로도를 거쳐) ⇨ 바다라 ⇨ (배 타고) ⇨ 두로 ⇨ 가이사랴 ⇨ 예루살렘(체포)

에베소 도착 : 그동안 에베소에서 사역하고 있었던 브리스길라와 아굴라

（🌱 얼핏보면 찾아낼 수 없이 숨어있는 것 같지만, 사도행전 18장 22절에서 2차 선교여행은 끝난다고 했습니다. 이 2차 여행 마지막에 잠깐 들른 곳이 에베소라고 했습니다. 2차 여행 출발할 때 여기가 목적지였는데 결국은 고린도 교회를 크게 개척하고 이제 2차 여행이 끝나 돌아가는 길에 잠간 스쳐 지나가게 된 것입니다. 그러나 뭔가 아이디어는 얻었겠지요? 다시 와서 어떻게 하리라 하는 … 그러지 않아도 오고 싶었던 곳인데 이 곳 사람들이 또 바울이랑 맘이 맞았는지 함께 있자고 합니다. 그러나 바울은 주의 뜻이면 돌아오겠다고 하면서 에베소를 떠났었는데 3차 여행이 시작되면서 바울은 곧바로 에베소를 목표로 하고 지금 여기 온 것입니다. 🌱 ） 왜 바울은 이렇게 에베소를 가려고 했을까요?

에베소는 소아시아의 로마령 수도였기 때문입니다. 안디옥에서 가까운 소아시아 지방의 수도인 에베소부터 점령하는 것이 순서라고 생각했던 것인데 하나님께서는 저- 멀리 유럽, 아가야 지방의 고린도부터 점령하라고 하셨던 것입니다. 소아시아지방이라고 하면 무시아, 루디아, 카리아, 루시아, 그리고 서부 브루기아 등을 포함하는 지역을 말합니다. (고린도가 유럽의 선교전략 요충지라면 에베소는 아시아의 선교 전초기지가 될 조건을 두루 갖추고 있었습니다.)

바울은 그래서 2차 선교여행 말기에 브리스길라와 아굴라와 함께 에베소를 들른 것이고 거기에 그들 부부를 남겨 놓은 것입니다. 미래를 위해서입니다. 그리고 그들은 바울의 기대를 저버리지 않습니다. 그들은 알렉산드리아 (이집트의 도시, 기억하시지요?) 출신 신학자 **아볼로**가 왔을 때 그를 가르칩니다. 그리고 이렇게 교육시킨 아볼로를 **고린도에 파견**해서 고린도 교회를 목회하도록 합니다. 브리스길라와 아굴라가 고린도에 자리잡고 있었던 사람들인데 거기서 빠져 나와 에베소로 왔으니, 고린도에 사람이 필요했던 것 같습니다. 그래서 아볼로를 보낸 거지요. (🌱 고린도전서에 보면 교회가 파당 갈등이 일어나는데, 그 때 '나는 아볼로파다' 라고 하는 사람들이 있었습니다. 아볼로가 이렇게 파송되어서 목회를 했기 때문에 그런 것입니다.

그런데 바로 이 즈음에 베드로도 고린도를 방문한 것이 분명합니다. 그래서 고린도 교회 분쟁이 있었을 때 게바파가 등장합니다. 고린도전서 편지를 이 3차 여행지 에베소에서 쓰게 되는데 이 고린도전서를 쓰기 전에 이미 게바파가 있었던 것으로 보아 바울이 2차 전도 여행을 마치고 돌아간 시점, 그러니까 이렇게 아볼로가 브리스길라와 아굴라로부터 훈련을 받은 후 고린도 교회에 들어가 목회를 하던 그 시점 언젠가 베드로도 고린도를 방문했을 것이라는 말입니다. 🌱)

에베소 사역: 회당, 두란노 서원에서 전도

바울은 에베소에 도착하여 먼저 회당에서 전도했는데, 약 3개월 간 지속되었습니다. 그리고는 두란노 서원으로 자리를 옮겨 가르쳤습니다. '두란노' 는 어떤 수사학자의 이름입니다. 그리고 그의 개인 학교 이름이기도 했는데 그곳은 11시부터 4시까지는 siesta(낮잠 시간)를 위해 비어 있었습니다. 그 때를 이용해서 바울은 복음을 전하고 가르쳤던 것 같습니다. 이 점은 바울이 밀레도에서 에베소의 장로들에게 "이 손으로 나와 내 동행들의 쓰는 것을 당하여"(행 20:34)라고 말한 데서도 힌트를 찾을 수 있습니다. 선선한 아침과 저녁에는 일을 하고 한 낮 더운 때에 모여서, 그것도 날마다, 에베소 교회는 열심히 배우고, 또 전도하였습니다. 이렇게 햇수로 3년 동안을 계속해서 사역을 했습니다.

사도행전에는 기록이 없는 에베소에서 있었던 일   ✓ 고린도전서가 끼어들어가는 자리

사도행전에는 위와 같은 내용만 간단간단하게 기록되어 있어서 우리는 그냥 이 내용뿐이라고 생각할 수밖에 없습니다. 스게와의 아들들 얘기와 에베소에서 일어난 폭동얘기만 더 있고는 끝입니다. 폭동 이야기로 에베소를 왜 떠나게 되었는지 말해 주고 에베소 사역은 막을 내립니다. 그래서 우리는 3년 동안 바울이 어떻게 지냈는지 그 이상은 잘 모릅니다. 그러나 이 에베소에서 기록한 고린도전서는 많은 정보를 줍니다.

> **고전** ✓ 바로 얼마 전 2차 전도여행 때 고린도 교회를 1년 6개월 동안 가르쳐서 세워놓았는데(아볼로가 나중에 갔지요?), 지금 3차 전도여행 때 여기 에베소에

와서 사역하면서 듣자 하니 그 고린도 교회가 복잡하다는 겁니다. 글로에의 집에 있는 어떤 사람이 소식을 전해 주었는데 고린도 교회에 분쟁이 생겨서 교회가 내분되었다는 것입니다(고전 1:11). 바울파, 아볼로파, 게바파, 그리스도파 하면서 말입니다. 그뿐만 아니라 실제로 고린도교회에서는 3명의 대표단이 바울이 있는 에베소까지 찾아왔습니다(고전 16:17). 스데바나, 브드나도, 아가이고, 이 세 사람이었습니다. 이들은 현재 고린도 교회의 구체적인 문제들을 조목조목 질문을 써서 기록으로 만들어(고전7:1-너희의 쓴 말에 대하여는 …, 고전 7:25-처녀에 대하여는 …, 고전 8:1-우상의 제물에 대하여는 …) 바울의 의견을 들으려고 파송된 대표들이었습니다. 그래서 이 질문들에 대한 대답을 글로 써서 보낸 편지가 **고린도전서**입니다. 그러니까 에베소의 회당과 두란노에서 가르치고, 장막 기우면서 고린도전서를 쓴 것입니다.

그런데 고린도전서 편지를 보낸 이후 **또 문제가 생겼습니다.** 이번에는 정말 심각한 나쁜 소문이 들리는데, 그것은 그들이 아예 **사도 바울 자체를 무시한다는 겁니다.** 유대에서 온 어떤 사도라고 하는 사람들이 교회에 들어와서 성도들을 흔들어 놓은 것입니다. 바울은 그들을 '거짓 사도'라고 말합니다. 그런데 그 거짓 사도들은 그동안 이 교회를 세웠던 사도 바울을 오히려 가짜 사도라고 매도해 버린 것입니다. 사도 바울을 배척하라는 것이었습니다. (🌱 에베소 교회를 목회하고 있는데 이런 소문이 또 들려온 것입니다. 🌱) 자칫하면 고린도 교회가 무너질 위기에 처했습니다. 이 때가 사도 바울로서는 어쩌면 감옥생활보다도 더 어려웠던 시기였을 것입니다. 그래서 바울은 생각다 못해 이 때 고린도 교회를 한 번 방문한 것 같습니다(고후 13:1: 내가 이제 세 번째 너희에게 갈 터이니… 첫째-2차선교, 둘째-여기, 셋째-고후 13:1). 바울의 사도권 문제로 수라장이 된 고린도 교회에 바울이 찾아갔지만 오히려 "어떤 사람"(고후 2:5,7)이 바울 면전에서 모욕을 한 것 같습니다. 그런데 대부분의 성도들이 침묵하므로 그 사람을 동조하고 만 것 같습니다. 바울은 이런 일을 당한 후에 에베소에 다시 돌아와서 그 후에 또 하나의 편지를 씁니다. 흔히 **"눈물로 쓴 편지"**라고 불리우는 서신입니다(고후2:4). 이 편지는 오늘날 전해지지 않습니다. 그 편지 속에서 바울 사도는 고린도 교인들을 엄히 꾸짖는 말을 했습니다(고후1:7~8). 사도로서, 영적인 아버지로서 사랑하는 마음으로 그들을 엄히 꾸짖는 말을 썼습니다. 아주 심하게 경책한 것 같습니다. 그리고는 **디도 편에** 그 편지를 직접 보냈습니다. 그 편지에 대한 고린도 교인들의 반응과 답장을 기다리고 있는데 이번에는 그만 에베소에서 폭동이 일어납니다.

에베소 폭동사건으로 에베소를 떠나 마게도냐로 이동 – 행 20:1

√ **고린도후서가 끼어들어 가는 자리**

바울은 3차 전도여행 경로를 에베소(아시아), 마게도냐(빌립보, 데살로니가 등 유럽), 아가야(고린도, 유럽)로 잡고 있었습니다(행전 19:21). 그런데 지금 머무르고 있는 에베소에서 바울을 잡겠다고 폭동이 일어나니까 더 이상은 에베소에 머무를 수가 없어졌습니다. 바울은 마게도냐를 향해 떠납니다. 북진입니다. 그가 마게도냐로 가는 이유는 거기 교회(빌립보, 데살로니가 등)들을 돌보는 일도 있었지만 무엇보다도 **고린도 교회로부터 소식을 가지고 돌아오는 디도를 만나기 위해서입니다.** 이 쯤에서 지도를 한번 보세요. 소아시아와 유럽이 함께 있는 지도 말입니다. 에베소에서 출발해서 마게도냐로 올라가는 길을 잘 보십시오.

사도행전 20장1절을 보면 에베소에서 마게도냐로 곧바로 간 것처럼 나옵니다. "소요가 그치매 바울이 제자들을 불러 권한 후에 작별하고 떠나 마게도냐로 가니라." 그러나 바울 사도는 마게도냐로 가기 전에 먼저 드로아에 도착합니다. 고린도후서 2:12절 이하를 보십시오. 에베소를 떠나 마게도냐로 가기 전에 먼저 드로아에 들렀다고 되어 있습니다. 드로아는 옛날 목마 전설로 유명한 도시인 트로이입니다. 물론 바울 사도 당시에는 그 전설의 트로이는 폐허가 된 상태였을 것인데 그 인근에 새롭게 도시를 건설하고 드로아(트로이)라고 했습니다. 그런데 그 곳에 전도의 문이 열렸다고 되어 있습니다. 그런데도 바울사도는 복음을 전하지 않고 그냥 마게도냐로 갔다고 합니다(고후2:13절). 그 이유가 기가 막힙니다. 뭡니까? 아직 고린도후서 2장 13절을 안 찾아보셨습니까? 빨리 가서 보십시오. 뭐라고 합니까? "내가 내 형제 디도를 만나지 못하므로 내 심령이 편치 못하여"라고 합니다. 디도를 만나는 게 뭐 그리 중요하다고 선교사가 전도의 문이 열렸는데 전도하지 않고 그냥 마게도냐로 갑니까? 요즘 같으면 그런 선교사는 당장 송환하거나 파면하지 않을까요? 선교사가 때를 얻든지 못 얻든지 전해야 하는데 복음 전할 문이 열렸는데도 전하지 않았다면 당장 소환감이지요? 그런데 사도 바울께서는 왜 그러셨을까요? 물론 표면적으로는 디도를 만나지 못해서 마음이 편치 않아서였다고 합니다. 그럼, 디도를 만나는 게 왜 그리 중요합니까? 그가 "눈물로 쓴 편지"를 가지고 고린도로 갔는데 그 책망하는 편지를 받고 고린도 교회가 회개하고 사도 바울을 다시 사도로 인정하고 거짓 사도들과 고린도 교회 내의 반대자들을 물리치고 교회가 견고하게 설지, 아니면 그 편지를 보고 오히려 격분하여 사도 바울을 더 멀리하고 그 결과 잘못된 복음이 교회를 사로잡을지가 큰 문제였기 때문입니다. 만약 사도를 인정하지 않을 경우 교회를 설립한 것이 수포로 돌아갈 뿐만 아니라, 그 이후 모든 바울의 사역은 악 영향을 받을 수밖에 없을 것입니다. 얼마나 많이 그 일로 근심을 했는지 그 부분을 읽어 보면 근심이라는 말을 많이 사용하고 있습니다(고후 2:1~8). 바울은 한시라도 빨리 디도를 만나고 싶었습니다. 디도가 고린도에서 올라오려면 마게도냐를 지나올 수밖에 없으니까 바울은 어떻게 해서든 빨리 마게도냐로 가고 싶었던 것입니다. 마게도냐로 가는 길에 드로아에서 활짝 열린 전도의 기회도 마다하고 바다를 건너 마게도냐로 간 것입니다! (🌱 아직도 지도 속에서 에베소, 고린도, 드로아, 마게도냐를 확인 안 하시면 안됩니다. 이 설명들을 이해할 수 없고, 서신서도 못 읽습니다. 🌱)

그런데 드디어 디도를 만납니다(고후 7:5~7). 마게도냐에서 만났다 그랬으니까 빌립보 교회쯤일 것입니다. 만난 것도 감사한데 그 눈물로 쓴 책망의 편지를 읽은 고린도 교회성도들이 회개 했다는 것입니다. 그뿐 아니라 사도 바울을 반대하던 자들을 교회에서 치리하고 정리해서 교회가 바로 되었다는 것입니다. (🌱 고린도 교회, 싸우기도 싸웠지만 이렇게 교회를 정돈하는 것 보면 대단한 교회입니다. 싸우는 교회로 샘플이 되기도 했지만 이렇게 멋있게 해결하는 것 보면 갈등을 정리할 줄 아는 교회로도 샘플이 됩니다. 🌱) 마게도냐에서 디도를 만나 이 소식을 들었으니 얼마나 기뻤겠습니까? 요즈음도 지도자를 놓고 갈등하는 교회들이 있습니다. 그런데 만약 신실한 지도자를 괴롭히고 교회를 어지럽히던 사람들이 회개하고 교회가 다시 잘 회복된다면 얼마나 기쁜 일이겠습니까? 혹시 경험해 본 분들은 아실 겁니다. 고린도 교회처럼 다들 회복되면 좋겠습니다.

고후 ✔

그래서 이런 기쁨 속에서 쓴 편지가 바로 **고린도후서**입니다. 마게도냐에서 쓴 편지입니다. 이런 상황을 염두에 두고 읽어야 고린도후서가 읽혀집니다. 이제 한번 고린도후서를 열어보십시오. 전에 그냥 읽던 때와는 기분이 다르실 겁니다. 사도 바울의 기쁨이 그대로 표현되어 있습니다. 1장에 보면 위로 받았다는 말이 여러 번 나오고, 기쁨으로 하나님을 찬양하는 사도의 모습이 나옵니다. 그러니까 고린도후서는 그간 **사도와 고린도 교회 사이에 있었던 불편한 관계가 해소되는 극적인 기쁨 속에서 쓴 편지**라고 할 수 있습니다. 그래서 지금까지의 이런 스토리를 모르고 그저 읽으면 도대체 뭐가 어떻게 됐다는 건지 유난히 이해할 수 없는게 고린도후서입니다. 로마서만 하더라도 내용이 좀 어려워서 그렇지 그냥 읽어집니다. 그러나 유난히 고린도후서는 정말 편지가 읽어지지 않습니다. 이런 구체적인 사연이 쌍방 간에 있었는데, 그들은 알고 있어서 그냥 편지를 읽어도 이해됐지만, 우리같이 그 사연을 모르는 사람들은 그냥 그 편지만 읽어서는 무슨 말인지 모르는 것입니다. 그러나 바울과 고린도 교회 성도 사이의 이런 스토리를 다 알고 나면 이해가 잘 됩니다. 예를 들어서 고린도후서 2장 1절~8절을 이제 한 번 보십시다.

"내가 다시 근심으로 너희에게 나아가지 않기로 스스로 결단하였노니 내가 너희를 근심하게 하면 나의 근심하게 한 자밖에 나를 기쁘게 하는 자가 누구냐 내가 큰 환난과 애통한 마음이 있어 많은 눈물로 너희에게 썼노니(🌱 디도가 갖고간 편지 🌱) … 이는 너희로 근심하게 하려 한 것이 아니요 오직 내가 너희를 향하여 넘치는 사랑이 있음을 너희로 알게 하려 함이라 근심하게 한 자가 있었을찌라도 나를 근심하게 한 것이 아니요 어느 정도 너희 무리를 근심하게 한 것이니 어느 정도라 함은 내가 너무 심하게 하지 아니하려 함이라 이러한 사람(문제 일으킨 장본인)이 많은 사람에게서 벌받은 것이 족하도다 그런즉 너희는 차라리 저를 용서하고 위로할 것이니 저가 너무 많은 근심에 잠길까 두려워하노라 그러므로 너희를 권하노니 사랑을 저희에게 나타내라" (표준새번역으로 읽으면 더 쉽습니다.)

그러면서도 한편 사도는 고린도교회에게 **용건**이 있었습니다.

🌱 **생 장 점**
POINT 그것은 '예루살렘 교회를 위해서 구제헌금'을 모으고 있으라는 부탁이었습니다. 바울 사도는 이 구제헌금 보내는 사역을 무척 중요시했습니다. 이방인 교회들이 그들로부터 영적인 복음을 나누어 가졌으면 물질적인 것을 예루살렘 교회와 나누는 것이 당연하다고 말합니다. 그러니 이 고린도후서 편지를 받고 미리미리 헌금을 모아두라는 것입니다. 이제 여기(마게도냐 빌립보 교회로 봄) 얼마간 더 머무른 후에(실제로 한 8개월 정도 있다가 고린도로 갔다고 봅니다. 헌금할 시간을 주려고 …) 당신들(고린도교인들)한테 갈텐데 그때 가면 헌금을 달라고 합니다. 지금 현재 바울이 편지를 쓰고 있는 장소인 마게도냐 사람들한테 '고린도 교회는 헌금도 많이 모으고 있다고 자랑해 놨다'고 하면서 은근히 헌금 경쟁도 시키는 바울의 모습도 보입니다(고후 9:2~5). 고린도 교회가 평정이 안되었다는 소식을 디도가 가져왔더라면 이런 헌금하라는 부탁은 하기도 어려웠을텐데 일이 잘 되고 나니까 한술

더 떠서 금방 이 어려운 부탁을 하는 사도 바울, 대단한 분이십니다. 대단한 추진력입니다.

마게도냐(빌립보 교회거나, 데살로니가 교회거나 베뢰아 교회겠지요? 대체적으로 빌립보 교회라고들 합니다)에서 디도와 만나 행복한 시간을 보내면서 바울은 맛있는 것도 많이 드셨을 것입니다. 이제 소화도 잘 되었을지 모릅니다. 고린도 교회가 회개한 것만 생각하면 너무 기뻐서 하나님을 찬양하고, 찬양했을 겁니다. 고린도 교회에 이 편지(고린도후서)를 써서 보내놓고는 그들이 헌금할 시간도 주면서 마게도냐 지역에 머물렀습니다. 그런데 약 8개월 정도 이 지역에 머무는 동안 가만히 맛있는 것만 잡숫고 계셨던 것이 아닙니다. (🌱 로마서 15장 18~19절에 보면 일루리곤까지 다 복음을 전파했다고 나오는데 바로 이 8개월 여기 마게도냐 지방에 머물면서 그 전도 여행을 한 것 같습니다. 🌱) 헌금할 시간도 주고, 그 사이 윗지방을 다니며 전도하신 것입니다. 이 얘기는 아래, 로마서가 끼어들어가는 자리에서 더 자세히 보십시다. 자, 이제 여기 일루리곤까지 다 전도한 이후 이제는 드디어 그 속 썩였던 고린도 교회로 들어갈 시간이 되었습니다. 사도행전 20장 2절입니다.

> 🌱 **생각점**
> **POINT** 그렇습니다. 서신서는 이렇게 상황과 연결해서 읽어야 이해가 되는 것입니다. 이제 사도행전을 읽다가 이런 상황을 배경으로 깔고, 고린도전서는 고린도전서대로, 고린도후서는 후서대로 읽으시기 바랍니다.

석 달 동안 고린도(헬라 = 그리스 = 아가야지방)에 머물러 있음 – 행 20:2하절, 3상절
✓ **로마서가 끼어들어가는 자리**

아! 드디어 이 고린도 교회에 왔군요. 세번째 방문입니다(고후13:1). 마게도냐 지방의 환송을 받고 바울은 고린도에 들어왔습니다. 얼마나 감개 무량했겠습니까? 사도 바울은 이 고린도에서 석 달 동안 체류하게 됩니다. 그동안 바울이 무엇을 했는가? 지중해는 겨울에 항해가 어렵기 때문에 겨울을 난 것입니다. 겨울을 지나면서 그동안 보고 싶었던 고린도 교회 식구들과 아주 감격스러운 교제를 했을 것입니다. 겨울만 조용히 났겠습니까? 그러면서 **여기서 로마서를 쓰셨습니다.** 자세한 내용을 이제 보십시다.

우선 이제 이쯤에서 사도 바울의 앞으로의 계획을 한번 생각해 보십시다. 여러분, 지금이 3차 여행 중이라는 것을 잊지 마십시오. 이제 3차라고 하면 사도 바울의 선교여행의 뒷 부분이라는 것도 생각하십시오. 바울의 계획은 지금 무엇일까 궁금해 하십시오. 왜냐하면 사람이란 다 미래를 내다보며 사는 거니까요. 요즈음도 우리 주변에 선교사님들을 뵈면 한 텀씩 마치시고 안식년을 맞으실 때마다 그 다음에는 어떤 사역을 할지, 선교지를 옮길지, 다른 선교 교육기관으로 갈지 진로를 놓고 기도하시는 것을 많이 봅니다. 우리는 지금 다른 건 잘 몰라도 이 시점에서 바울의 분명한 **한 가지 계획은 눈치챌 수 있습니다.** 무엇입니까? 우리가 위에서 얘기한 헌금문제입니다. 이방 교회를 지금 다니시며 헌금을 모은 다음에는, **그것을 전달해 주러 가실 것이라는** 행로입니다. 그러니까 분명한 행선지는 일단 **예루살렘**이라는 사실을 짚어봐야 합니다.

그러면 그 후에는 어떤 계획을 갖고 있었을까요? 로마를 거쳐 **서바나(스페인)**까지 가시는 계획이었습니다. 그는 스페인을 품고 있었던 것입니다. 그것을 어떻게 알 수 있을까요? 로마서 15장 22~29절에 기록되어 있습니다. "그러므로 또한 내가 너희(로마 교인)에게 가려 하던 것이 여러 번 막혔더니 이제는 이 지방에 일할 곳이 없고 또 여러 해 전부터 언제든지 서바나로 갈 때에 너희에게 가려는 원이 있었으니 이는 지나가는 길에 너희를 보고 먼저 너희와 교제하여 약간 만족을 받은 후에 너희의 그리로 보내줌을 바람이라 그러나 이제는 내가 성도를 섬기는 일(헌금전달)로 예루살렘에 가노니 이는 마게도냐와 아가야 사람들이 예루살렘 성도 중 가난한 자들을 위하여 기쁘게 얼마를 동정하였음이라"

생장점 POINT 여기서 우리가 찾아낼 수 있는 중요한 정보는 우선 이 고린도에서 과동하는 3개월 동안 바울은 나름대로 **대단원의 막을 내리고 싶어하는 심경**이라는 것입니다. "이 지방에는 일할 곳이 없고 …"라는 말입니다. 당신 사역에 대한 스스로의 평가입니다. 이 생각은 여기뿐만이 아닙니다. 로마서 15장 18~19절에도 나타나고 있습니다.

여기서 사도는 자기가 지금까지 해온 1, 2, 3차 선교여행을 이렇게 **평가합니다.** 과거 선교여행한 그 모든 일들을 추억하면서 말입니다. "그리스도께서 이방인들을 순종케 하기 위하여 나로 말미암아 말과 일이며 표적과 기사의 능력이며 성령의 능력으로 역사하신 것 외에는 내가 감히 말하지 아니하노라 이 일로 인하여 내가 예루살렘으로부터 두루 행하여 일루리곤까지 그리스도의 복음을 편만하게 전하였노라"
　　지금 이 시점에서 예루살렘에서 일루리곤까지라고 말하는 것은 지금까지 사도 바울이 일해온 지역 전체를 둥-그렇게 원을 그려 표시하고 있는 말입니다. 하루 종일 장사한 사람이 번 돈 다 꺼내놓고 앉아서 얼마 벌었나 돈 정리 하듯이, 지금 바울은 그 동안 3차 전도여행을 마무리하면서 '예루살렘부터 일루리곤까지 다~ 전도했다'고 전도를 정리하는 말입니다.

　　그렇다면 이 일루리곤이 어딜까요? 달마디아(디도는 달마디아로 갔고 …, 딤후 4:10)와 동일한 곳이며, 마게도냐의 서쪽 끝입니다. 로마 바로 전에 있는 아드리아해 동쪽지역입니다. 언제 사도가 이 지역에 갔을까요? 사도행전에는 언급이 없습니다. 우리가 앞에서 바울 사도가 마게도냐에 있을 때 디도를 만나 좋아하던 얘기를 했습니다만, 그 때 거기서 고린도후서를 쓰면서 헌금 준비하라고 했다 그랬지요? 그 때 바울은 약 8개월 쯤 마게도냐에 머무는데 그때 일루리곤을 간 것으로 추측합니다. 그러니까 **바울은 고린도 교회에게 고린도후서 편지를 보내놓고 나서도 여러 지역을 전도하러 다닌 것 같습니다.** 이 일루리곤을 이 때 전도한 후 바울은 드디어 고린도로 향한 것 같습니다. 바울이 일루리곤까지 전도했다고 분명히 말하는데 3차례에 걸친 전도여행 행로 중에는 바로 이 기간이 가장 적합한 때로 볼 수밖에 없습니다.

　　바울 사도는 이렇게 이 고린도에서 로마서를 쓸 때쯤 해서는 이제 **선교의 일단락을 마쳤다**는 사실을 거듭거듭 주장하고 있습니다. 대단원의 막을 내리는 듯한 시점이라는 말입니다. 이제부터는 새 계획을 펼쳐야되겠다는 전략을 분명히 보여 주는 시점이라는 것입니다. **새 계획은 로마를 거쳐 스페인을 가는 것**이라고 말합니다.

롬 ✓　　로마서 15장 22~29절 이 말씀에서 우리는 중요한 정보를 찾아낼 수 있습니다. 왜 이 계획이 하필 로마서에 기록되어 있을까요? 바로 여기 고린도에서 과동하면서 로마서를 쓰셨다는 겁니다. 그러니까 사도 바울은 석 달 동안 고린도에 머물면서 무엇보다 중요한 일을 하셨는데 로마서를 쓰신 것입니다. 그 동안의 사역을 정리하면서, 새 계획을 세우는데 그 새계획이 로마에 살고있는 성도들과 관련이 있는 프로젝트였기 때문에 로마서를 쓰게 된것이라는 말입니다. 이때까지 바울 사도는 한번도 로마에 가본 일이 없었습니다. 그런데 이미 거기에는 교회가 있었습니다. 예수님이 유월절에 성전을 청결케 하시고, 그 후에 수많은 표적을 행하셨고, 역시 유월절에 십자가에 죽으시고, 부활하시고, 성령 강림으로 떠들썩했던 것을 본 여러 이방인들 중에 로마에서 온 사람들도 많이 있었습니다. 자세한 경로는 몰라도 분명한 것은 사도 바울이 직접 가서 전도하지도 않았는데 그 곳에 이미 교회가 있었고, 그 곳의 많은 성도들은 이미 사도 바울과 교제가 있었다는 사실입니다.

그걸 어떻게 알 수 있습니까? 전에 에베소에 같이 갔었던 브리스길라와 아굴라만 하더라도 지금 이 시점에 로마에 있습니다(16:3~20). (❧ 폭동으로 에베소를 떠날때 바울은 디도를 만나러 마게도냐로, 아굴라 부부는 로마로 떠난것 같습니다. 다음 선교지 로마를 위한 포석이지요. ❧)그밖에도 로마 교회에 아는 사람들이 굉장히 많았는데 구체적으로 이름까지 거론되고 있습니다. 특별히 언제인지는 모르지만 과거 바울과 함께 감옥에 갇혔던 안드로니고와 유니아라는 사람이 있는데 이 분들은 바울 보다 먼저 예수를 믿은 친척되는 사람이라고 소개합니다. 그뿐 아니라 우르바노, 스다구, 아벨레, 아리스도불로의 권속들, 친척 헤로디온, 나깃수의 권속, 드루배나와 드루보사, 버시, 루포와 그 어머니(바울은 이분을 자기 어머니라고 표현합니다), 아순그리도, 블레곤, 허메, 바드로바, 허마와 그 형제들, 빌롤로고, 율리아, 네레오와 그 자매, 올름바와 그 성도들입니다.

이렇게 알고 있는 사람들을 마음에 품고 이제 드디어 내가 로마로 가겠다고 포석을 하고 있는 것입니다. 구체적인 용건이 있었던 것입니다. 다시 한번 이 용건을 풀면 이렇습니다. "내 목표는 로마를 지나서 스페인이다. 그렇기 때문에 가는 길에 로마에 들를 수 있을 것 같다, 지금까지 여러번 로마에 가고 싶었지만 못갔는데 이제 스페인에 가는 길에는 꼭 갈 수 있을 것 같다, 그러면 그때 여러분들께서 나를 좀 **후원해 주시면 참 좋겠다.** 지금까지 내가 일해 온 소아시아, 유럽 일대에서는 선교를 할 만큼은 다 한 것 같다. 여기서는 이제 할 일이 없어 보인다. 여기 대도시 일대를 중심으로는 다 교회가 세워졌다. **이제는 로마, 스페인 쪽으로 더 영역을 넓히려는 계획이다.** 그러나 지금은 당장 못 간다. 왜냐하면 여기 아시아와 마게도냐 유럽교회들이 모아준 구제헌금을 예루살렘에 일단 전해 주어야 하기 때문이다. 그러니 일단은 예루살렘에 갔다가 그 후에 가려고 한다. 그래서 지금 내가 이 편지부터 보내는 것이다."

이렇게 말하면서 그 곳 성도들에게 자신의 복음이 어떤 것인지 예리한 필치로 정리한 것이 그 유명한 **로마서**입니다. 사도 바울은 그간의 고린도 교회와의 갈등이 원만히 해결되어 마음이 편안하고 기쁨이 있었을 것이고, 또 스페인까지 가려는 선교여정에 마음이 뿌듯한 상태에 있었을 것입니다. 그런 환경에서 로마서가 나왔기에 로마서가 로마서가 된 것이 아닌가 생각해 봅니다. 바울 사도는 당신이 세운 교회는 아니지만 이렇게 로마에 있는 교회에게 편지를 보낸 것입니다. 뵈뵈라는 자매가 로마 교회에 전달해 주었습니다(롬 16:1).

> **성장점**
> **POINT** 이렇게 해서 여기 3차여행 중 고린도에 머무는 시간이 로마서가 끼어들어가는 자리입니다. 우리도 함께 고린도에 겨울동안 머물면서, 바울이 쓴 로마서 편지를 이런 무드 속에서 읽어봅시다. 멀리 지중해 바다를 바라보며…

로마서는 갈라디아서와 고린도전서에서 다루었던 문제들, 또 율법으로부터의 자유하는 내용 등을 한층 더 심화시켜 다루고 있습니다. 그러나 어떤 사람들은 바울이 말한 '자유'를 '방종해도 좋다'는 뜻으로 받아들여 바울에 대해 악담을 퍼뜨렸습니다. 바울은 이 경험을 고려해서 로마서를 씁니다. 6장 1절에서 8장 39절에서 도덕률 폐기론주의 (도덕이 필요없다는 주의. 사실 바울은 그런 뜻으로 복음을 전한 것이 아니었음)에 대해 길게 다루고 있습니다. 이런 점을 보면 바울의 복음설명은 시간이 가면서 더 풍성해지고, 발전했음을 알 수 있습니다. 그런 점에서 볼 때 로마서는 앞선 갈라디아서보다 복음을 깊이 있게 설명하는 책입니다.

이런, 복음을 논증해나가는 날카로운 서술 속에서도 그는 간간히 자기가 지금까지 여행하면서 지나온 과거를 돌이켜 본 것입니다. 정말 지금 이 고린도에 있는 이 때야말로 과거를 정리하고 새 미래사역을 바라보며 조용히 정리하기에 좋은 시점입니다. 이제 새로운 선교의 무대를 바라보며 바울 사도는 부지런히 짐을 챙기십니다. 예루살렘을 거쳐서 로마, 스페인으로 가시려는 계획으로 말입니다. 그런데 정말 그분의 계획대로 스페인을 가셨는지에 대한 기록은 성경에 나오지 않습니다. 그러나 분명한 것은 로마에는 가셨다는 사실입니다. (🌱 지금 여기 고린도에서 짐을 챙기는 순간까지도 당신이 죄수의 몸으로 재판 받으러 로마에 가게 된다는 사실은 꿈에도 모르셨을 것입니다. 결국 바울 사도는 예루살렘에 헌금을 전해주러 가셨다가는 체포당하시고, 2년 동안 가이사랴 감옥에 계시다가 배를 타고 로마로 후송될 것입니다. 🌱)

예루살렘행

고린도를 떠나 예루살렘에 가면서 바울은 혼자 가지 않습니다. 베뢰아, 데살로니가, 더베, 에베소에서 온 동역자들과 누가, 디모데까지 동반하여 예루살렘으로 향합니다(행 20:4). 돈을 다루는 문제니까 증인들과 함께 간 것 같습니다. 또 그들은 이방 교회의 대표로 동행한 것입니다. 시간에 쫓기던 바울은 예루살렘에 내려가는 길에 에베소도 들리고 싶었지만 그렇게는 못합니다. 지난번 폭동 때 허둥허둥 괴로운 마음으로 디도 만나려고 마게도냐로 올라왔었잖아요? 다만 교회 장로님들이라도 만나볼 생각에 밀레도에 잠깐 내려서 만나자고 전갈을 합니다. 서로 부둥켜안고 '이제 가면 언제 오시나' 하면서 울었습니다. 배타는 데까지 나와 전송하며 흐느낍니다(행 20:36~38).

생각점 POINT 자세한 얘기를 다 하고 싶지만 다 못합니다. 성경을 읽어 보세요. 얼마나 재미있다구요. 이런 순간에 바울이 설교도 했습니다. 무슨 얘기했는지 궁금하지 않으십니까? "나의 달려갈 길과 주 예수께 받은 사명 곧 하나님의 은혜의 복음 증거하는 일을 마치려 함에는 나의 목숨을 조금도 아끼지 않는다"고 하는 그 유명한 구절이 이때 장로님들께 한 말입니다. 여러분 어떻습니까? 그냥 이런 구절을 읽는 것하고, 이 절박한 헤어짐의 상황, 그것도 중간지점 밀레도에서 만나서 이런 말씀을 했다고 생각하면서 읽는 것하고, 정말 다른 감동을 주는 것입니다. 그 다음에 어떻게 됐을까 궁금하지 않으십니까? 성경에 다 있어요. 본래 이 사도행전은 실제로 있었던 일인데 영화스토리 이상 재미있기 때문에 그 맥만 잡으면 밤을 새워가면서라도 볼 수 있을 만큼 재미있답니다. 지도 보면서 따라오십시오. 이런 설명을 일독학교에서 하는 이유는 어떻게 하면 사도행전과 서신서를 연결하면서 재미나게 성경을 여러분 본인이 읽을 수 있을까 해서입니다. 이 설명들을 차근차근 연구하듯 이해하신 다음에는 여러분 성경으로 읽어야 되는 겁니다.

가이사랴에 도착하였을 때 그는 예루살렘에 가면 위험하다는 예언을 듣습니다. 이런 경고를 마다하고 일행은 예루살렘행을 강행합니다. 물론 이방인 교회가 마련해 준 헌금을 가지고 갔습니다. 바울이나 야고보는 그 헌금이 유대인 성도들이 바울에 대해 갖고 있는 반감을 해소해 주기를 기대했을 수도 있습니다.

⑤ 예루살렘에서 체포, 로마행 (21:17- 끝)

예루살렘⇨ 가이사랴⇨ 시돈⇨ (배 타고, 구브로섬 오른쪽으로 돌아)⇨ 무라⇨ 니도⇨ 살모네⇨ 라세

아⇨ 미항⇨ 멜리데⇨ 수라구사⇨ 레기온⇨ 보디올⇨ 압비오저자(광장)⇨ 삼관⇨로마

드디어 예루살렘에 도착한 바울은 가능한 한 화평을 위해 양보를 한다는 평소의 신념에 따라 야고보의 제안을 따라 결례를 위한 비용을 내고 함께 금식에 동참합니다(행21:23~24). 유대인에게는 유대인처럼 한 것이지요. 유대인 금식기간이 끝나갈 즈음에 아시아에서 온 어떤 유대인들이 바울이 이방인들을 데리고 성전의 이방인 금지구역에 침입했다고 사람들을 선동하였습니다(행 21:27~29). 성전오염은 심각한 죄였습니다. 로마 당국이 유대인들에게 자치적으로 심문하고 벌할 수 있도록 허용한 몇 가지 안 되는 범죄행위 중 하나였습니다. 당시 성전 문 위에 다음의 경고문이 헬라어, 라틴어, 히브리어, 아람어로 쓰여 있었습니다. "이방인은 성전과 그 구내에 둘러친 경계를 넘어올 수 없음. 위반자는 반드시 극형에 처하며 그 책임은 본인에게 있음." 성전에서 바울을 목격한 유대인들은 법정판결도 없이 현장에서 죽이려고 하였습니다. 그 때 로마의 천부장이 그들을 구조했고, 산헤드린이 소집되었으며, 사도 바울이 바리새인임을 주장하면서 자신을 변호하자 바리새파는 바울 편을 들므로 사두개파와 분열되는 상황이 벌어졌습니다.

가이사랴로 이송

바울은 총독의 공관이 있는 가이사랴로 후송됩니다. 미결수로 2년간 감옥에 갇힙니다. 앞에서 분봉왕, 총독 등에 대해 공부했었던 것 기억하시면 좋겠습니다. 헤롯대왕이 죽으면서 세 아들에게 영토를 분배하는 바람에 헤롯 안티파스, 헤롯 아켈라오, 헤롯 빌립이라는 세 분봉왕이 등장한다고 했습니다. 그런데 이들 중 유대 예루살렘지역의 분봉왕이었던 아켈라오가 정치를 잘 못해서 로마가 파면했다고 했습니다. 그래서 그 대신 로마에서 총독을 보냈다고 했습니다. 바울이 가이사랴로 후송된 이 때는 A.D. 58~60년 경인데 지금 이 당시는 헤롯 아그립바 2세가 왕으로 있었고(대헤롯이 다스리던 때처럼 땅을 많이 가졌었다), 벨릭스라는 사람은 유대 예루살렘지역 총독으로 있었습니다. 체포 당시는 벨릭스가 총독이었기 때문에 처음에는 그가 바울을 심문하는 내용이 나옵니다(행 23:12~24). 유대인들이 성전오염, 사회혼란 죄까지 붙여 바울을 고소하였기 때문입니다. 벨릭스는 바울의 무죄를 확신했지만 뇌물을 받을 흑심에서, 또 바울을 방면하면 유대인들이 다시 말썽을 부릴 것을 염려해서 소송처리를 연기합니다. 벨릭스는 그 이후 자기에게 관련된 다른 여러 사건들을 해명하러 출두명령을 받고 로마로 불려갑니다. 벨릭스 총독의 임기가 끝나게 되었고 베스도가 그 후임으로 옵니다. (🌿 그래서 벨릭스도 나오고, 베스도도 등장합니다. 🌿)

벨릭스의 후임 베스도는 바울의 기소 이유를 듣고 예루살렘으로 이송해서 심문하자고 제안하였습니다. 그러나 바울은 암살 위험과 로마행이 지연될까봐 로마 황제 앞에서의 재판을 요구합니다. 베스도는 바울이 황제 앞에서의 항소권을 주장하자 당혹감을 느낍니다. 왜냐하면 바울의 송사이유가 약하기 때문에 황제 앞에 올릴 조서에 쓸 말이 별로 없었기 때문입니다. 그러던 중 베스도 총독의 임직을 축하하기 위해 찾아온 사절단 헤롯 아그립바 2세, 그리고 이 헤롯의 누이 버니게가 동석한 자리에서 바울을 불러 심문하는 얘기가 이어집니다. (🌱 바울은 여기서 그 유명한 개인 구원간증을 합니다. 요즈음 우리가 보통 제자훈련 받을 때 개인 구원간증 연습을 하는 데 그 샘플로 따서 쓰는 그 간증입니다. 🌱)

드디어 로마를 향해!

죄수의 몸으로 로마를 향해 가는 것이 하나님의 뜻이었습니다. 예루살렘에서 2년 전에 체포되어서 가이사랴 감옥에 있는 동안 바울은 스스로 결정한 것 같습니다. '아, 차라리 잘 됐다, 로마 가이사에게 상소하자, 그래서 로마로 가자' 하고 말입니다. 바울이 스스로 가이사에게 재판을 받겠다고 한 것 보면 말입니다. 자 이렇게 해서 바울은 로마로 갑니다. 누가와 아리스다고를 대동하고 떠났는데 이것은 바울이 특별대접을 받았다는 증거입니다. 로마 상류층의 사람들이 보통 종 두 명을 데리고 다녔습니다. 배를 타고 가면서 당하는 우여곡절은 성경을 통해 보십시오. (🌱 너무 재미있습니다. 🌱) 당시 팔레스틴에서 로마까지는 정기적으로 죄수들을 운송하는 일이 있었습니다. 이 죄수들은 로마의 원형경기장에서 검투사를 하거나 혹은 짐승에게 잡혀 먹히는 것을, 십자가형보다 차라리 원했다고 합니다. 어쨌든 바울은 죄수의 신분으로 로마에 들어갑니다. 로마에 도착해서도 또 2년 동안 구금됩니다. 사도행전 28장 30~31절에 보면 비교적 자유스러운 옥중생활을 합니다. 이렇게 해서 사도행전이 끝납니다.

바울의 선교여행거리 개관

바울이 선교를 위해 여행한 거리는 모두 몇 마일쯤 될까요? 바이젤(Beitzel) 교수는 약 13,400 항공 마일(뉴욕, 한국간 왕복 거리)이라고 합니다. 항공 마일이란 직선거리로 계산할 때 사용하는 단위입니다. 이 수치는 사도행전을 중심으로 하여 계산한 사도 바울의 선교여행 거리인데 실상은 더 될 것으로 봅니다. 왜냐하면 사도행전에 기록되지 않은 여행도 있기 때문입니다. 예를 들어 2차 고린도 방문(고후 12:14, 13:1), 난파의 경험(고후 11:25), 그리고 스페인 여행을 했다면(롬 15: 24, 28), 훨씬 더 긴 거리들입니다.

사도 바울의 여행 목록 · 거리

참고성경	여행내용	거리
행9:1~30	예루살렘⇨다메섹⇨(아라비아)⇨예루살렘⇨다소	690마일(아라비아 여행 제외, 갈1:17~19)
행 11:25~26	다소⇨안디옥	90마일
행 11:30~12:25 (갈 2:1~10)	안디옥⇨예루살렘⇨안디옥	560마일
행 13:4~14:28	1차 선교여행	1,400마일
행 15:12~30	안디옥⇨예루살렘⇨안디옥	560마일
행 15:39~18:22	2차 선교여행	2,800마일
행 18: 23~21:17	3차 선교여행	2,700마일
행 27:1~28:16	로마여행	2,250마일
행 28:30 딤후 1:16~17 딤후 4:6,13 딤전 1:3 딛 1:5,3:12	1차로마 감옥 수감이후의 여행 (그레데, 드로아, 마게도냐 지역)	2,350마일

* 총합계 13,400마일

2. 사도행전 이후의 사도 바울

생장점 POINT

사도행전이 끝나는 것으로 바울 사도의 사역이 끝났다고 생각하면 큰 오해입니다. 우리는 일반적으로 그렇게 생각하게 됩니다. 이제 그 생각을 완전히 버리셔야 합니다. 사도행전은 끝났지만 사도 바울의 활동은 계속됩니다. 다른 서신서들과 초대 교회 교부들의 증언을 연구해 보면, 사도 바울의 그 이후행적을 찾아낼 수 있는 정보들이 있습니다. 우리는 여기서 그걸 마저 정리하려고 합니다. 그러지 않으면 바울의 서신서 13권 중에서 우리가 다루지 않은 서신서들은 어떻게 해서 나온 것인지 알 수가 없기 때문입니다. 무슨 말인지 아직 잘 감이 안잡히시지요? **바울 서신 13권이 사도행전과 몽땅 다 연결되지 않는다는 말입니다.** 우리는 지금 사도행전과 서신서들을 연결하면서 읽는 작업을 하고 있는데 막상 보니까 모든 서신서들과 사도행전을 연결시킬 수가 없다는 것을 알았습니다. 다 연결되었으면 서신서들을 이해하기가 훨씬 쉬웠을텐데 ….

아직도 조금 더 공부를 해야 합니다. 지금까지 우리는 사도행전을 정리하면서 데살로니가전서, 데살로니가후서, 갈라디아서(갈라디아서가 먼저일 수도 있음), 고린도전서, 고린도후서, 로마서만 사도행전 여행경로 속에다 끼워 넣었습니다. 6권뿐입니다. 그런데 사도 바울은 서신서 13권을 기록했습니다. 그렇다면 나머지 7권은 어떻게 된 것일까요? 그걸 찾아내자는 것입니다.

사도 바울의 행적이 사도행전 28장에서 그 이후 어떻게 연결되는지는 다음 세 부분으로 요약이 됩니다. 굉장히 중요한 요점 정리니까 무조건 꽝꽝 외워두십시오. 왜 이렇게 되는지는 이제 하나하나 설명하면서 서신서 7권이 끼어들어가는 자리까지 말씀드리겠습니다.

1차 구금상태 2년 간(A.D. 60~62): 사도행전의 마지막인 28장의 상태
4차 선교여행이라고 불리는 기간(A.D. 62~66): 디모데, 디도 등과 활동
2차 구금상태(A.D. 66~67경): 4차 선교여행 이후 바울의 임종이 가까운 때

1) 1차 구금(행28장 끝)

✓ 골로새서, 빌레몬서, 에베소서, 빌립보서(옥중서신)가 끼어 들어가는 자리

골, 몬, 엡 빌 ✓

사도행전 28장 끝에 가면 사도 바울은 1차 구금상태에 있습니다. 그것은 아직 재판이 끝나지 않은 미결수로서 있는 상태입니다. 이런 미결수는 당시 자기가 집을 얻어서 살 수 있었고, 약간의 제한만 받았습니다. 그래서 바울도 "셋집"에 살면서 (2년 동안 재판을 기다리면서) 찾아오는 사람들에게 주 예수와 하나님 나라를 전하고 가르친 것입니다. 드디어 그토록 가고 싶었던 로마에 오긴 왔는데 죄수로 온 것입니다. 그러나 자유로웠기 때문에 만날 사람들을 다 만났을 것입

니다. 누가 찾아왔을 것 같습니까? 전에 뵈뵈 편에 보냈던 로마서 편지에 등장한 인물들이 안 찾아왔겠습니까? 아마 그랬겠지요? 그러면서 2년 동안 복음을 전파하신 것입니다. 그러면서도 늘 아시아와 마게도냐에 있는 성도들이 그리웠을 것입니다.

바로 이때 바울 사도는 **에베소 교회, 빌립보 교회, 그리고 골로새 교회에게 편지를 보냅니다.** 또 빌레몬에게 보내는 **빌레몬서**를 썼습니다. 바울이 이 1차 구금당시를 지나는 동안 아마 도망나온 노예 오네시모를 만난 것 같습니다. 그런데 공교롭게도 오네시모는 바울이 알고 있는 골로새교회 지도자 빌레몬의 종이었던 것입니다. 바울은 그를 용서해 주고, 자기와 함께 있게 허락해 달라는 개인적인 일로 빌레몬에게 편지를 쓴 것입니다. 이 상황을 생각하고 이 옥중 서신들을 읽어 봅시다. 그러니까 골로새서와 빌레몬서는 전달 장소가 같겠지요? 또 이 골로새 교회와 에베소 교회는 그리 멀지 않은 곳에 있었기 때문에 두기고(편지 들고 간 사람)는 에베소서, 골로새서, 빌레몬서를 한꺼번에 갖고 갔을 것입니다. 이 때 빌레몬의 종 오네시모가 두기고와 동행합니다(엡 6:21, 골 4:7). "두기고가 내 사정을 다 너희에게 알게 하리니 그는 사랑을 받는 형제요 …중략… 신실하고 사랑을 받는 형제 오네시모를 함께 보내노니 그는 너희에게서 온 사람이라 저희가 여기 일을 다 너희에게 알게 하리라(골 4:7~9)."

골로새서, 빌레몬서, 에베소서(다 소아시아 지역)가 한 묶음이고, 빌립보서(마게도냐)는 나중에 쓴 것 같습니다. 그래서 어떤 학자들은 빌립보서는 다른 감옥에서 쓴 것이 아니냐고 말하기도 하지요. 어쨌든 빌립보서는 에바브로디도(빌 2:25)를 통해 빌립보에 전해집니다.

2) 4차 전도여행(62~66년)　　✓ 디모데전서, 디도서(목회서신)가 끼어들어가는 자리

위의 옥중 서신도 다 쓰고 난 이후, 사도 바울은 2년의 감옥생활에서 풀려납니다. 1차 구금에서 해방된 것입니다. 어떻게 재판이 되었는지는 모르지만 아마 잘 된 것 같습니다. 바울은 자유의 몸으로 로마를 중심으로 4~5년을 활동합니다. 그가 로마에 보낸 편지대로 로마 성도들의 도움을 받아 스페인을 갔다 왔는지에 대해서는 그 후 성경기록이 없어 알 수 없습니다. 그러나 분명히 기록으로 남아있는 내용들이 있습니다. 디모데와 디도와 함께 계속 전도활동을 했다는 사실입니다.

딤전, 딛 ✓

바울이 마게도냐로 가시면서(이건 2차나 3차가 아닙니다. 4차입니다) 가는 길에 디모데를 에베소에 떨어뜨려 놓습니다(딤전1:3). 또, 디도와 함께 그레데섬에도 가셨다가 디도 보고 거기 남으라고 하십니다. 그레데 교회를 목회하도록 한 것입니다. 그러니까 바울 사도는 죄수의 몸으로 로마에 잡혀 갔다가 풀려나서 로마 일대를 전도 하셨겠지만(또 스페인에도 가셨는지는 모르지만) 한 때 마게도냐로, 지중해 연안으로 또 전도활동을 하신 것입니다. 그러다가 마게도냐에 계실 때 언제인가, 에베소와 그레데 섬에 목회하라고 떨어뜨려 놓은 두 사람, 디모데와 디도에게 편지를 쓴 것입니다. **디모데전서와 디도서**입니다. 그것이 바로 목회서신이라고 불리우는 서신입니다(디모데후서는 나중에 또 2차로 감옥에 갇힐 때 기록합니다).

그러니까 이 사도 바울의 **4차 전도여행** 시기는 목회서신 디모데전서와 디도서가 끼어 들어가는 자리인 것입니다. 그래서 우리는 빌레몬서를 읽은 다음, 다시 디모데전서를 읽는 것입니다. 무슨 생각을 하면서 읽어야 할까요? 그렇습니다. '로마에서 감금생활 하시다가 풀려나셔서, 또 다니시며 전도하시다가, 디모데를 후계자로 에베소에 떨어뜨려 놓고 목회 잘 하라고 쓴 편지구나' 이런 생각 말입니다. 또 디도서도 그렇게 읽읍시다. 디도는 참 충성스러운 바울사도의 동역자인 것 같지요? 이렇게 그 어려운 고린도 교회 문제 다 해결하고, 그 이후로도 계속 함께 하다가 마지막에는 또 그레데섬에서 목회까지 하니 말입니다.

(🌱 이 지점에서 예수님 생각이 납니다. 부활하신 이후 이제 조금 있으면 떠나야 되는 시간이 다가오실 때 베드로와 제자들에게 부탁하신 말씀입니다. "네가 나를 사랑하느냐? 내 양을 치라". 선생님들은 이렇게 잘 훈련시키신 다음에는 독립적으로 목회하도록 하십니다. 제자들을 잘 키워서 또 목회하도록 하는 것, 우리의 할 일입니다. "하나님의 나라"는 구원 얻은 자들이 목놓아 외치며 전파하는 것이기 때문입니다. 선교하는 것입니다. 목회하는 것입니다. 그것이 구원의 방향성이요, 해야 할 사명인 것입니다. 사명 없는 구원, 그것 참 문제입니다. 🌱)

3) 2차 구금 (66~67)   ✓ 디모데후서가 끼어들어가는 자리

딤후 ✓

A.D. 64년에는 그 유명한 네로 황제가 로마에 불을 지릅니다. 미친 거지요. 새 로마를 건설하고 싶다는 이유로 불을 놓습니다. 이 화재를 기독교인의 소행이라고 발표한 이후 막무가내로 기독교인을 잡아들이는 박해가 발생합니다. 사도 바울은 이 로마 대 화재 이후 또 다시 투옥된 것으로 보입니다. 그런데 이번에는 그 감옥이 전에 1차로 셋집에 머물면서 있었던 때와는 다른 감옥입니다. **이 2차 감옥 생활을 자세히 말해 주고 있는 편지가 디모데후서입니다.** 그러니까 이 디모데후서가 바울 서신 가운데 가장 마지막으로 기록되는 편지입니다. 디모데후서를 끝으로 사도 바울의 체취는 성경에서 사라집니다. 디모데를 간절히 보고싶어 하며 자기를 면회 와 달라고 하는 내용을 담고 있는 편지입니다. 감옥에 갇혀있는 바울이 추위를 대비해야 되었던 것 같습니다. 겨울이 오기 전에 자기 겉옷을 가지고 빨리 오라는 것입니다. 드로아에 살고 있는 '가보' 라는 사람네 집에 아마 바울 사도가 그 겉옷을 놔 두었던 모양입니다(딤후 4:13). 올 때 그 겉옷하고 가죽에 싼 책(아마 구약 성경 책인 것 같습니다)을 가져오라고 부탁합니다.

바로 이런 흔적들이 바울 사도가 2차 구금으로 또 감옥에 갇혔다는 사실을 증거하는 내용입니다. 이렇게 감옥에 갇혀 있으면서도 목회를 하고 있는 디모데에게 보낸 편지이기 때문에 공식예배는 어때야 하는지, 감독이나 집사는 어때야 하는지, 노인들, 과부들, 장로들을 대하는 태도는 어때야 하는지를 꼼꼼하게 가르쳐 줍니다. 노 스승 바울입니다. 네 연소함을 인해서 업신여김 받지 말고 권위를 잃지 말라는 말입니다. 가장 마지막으로 디모데에게 보낸 이 편지를 이런 무드 속에서 읽어 보십시오. 여기가 이렇게 **디모데후서가 끼어들어가는 자리**입니다.

성장점 POINT

우리는 지금까지 사도행전과 사도 바울의 모든 서신서를 읽어야 할 순서대로 정돈을 했습니다. 서신서 순서대로 말하라고 한다면 이렇습니다. 데살로니가 전 · 후서 갈라디아서(갈라디아서가 먼저일 수도 있음), 고린도전 · 후서, 로마서, 골로새서, 빌레몬서, 에베소서, 빌립보서, 디모데전서, 디도서, 디모데후서입니다.

위의 순서를 사도행전과 연결시켜서 여러분들이 이해한 것입니다. 한번 읽는다고 다 이해되지는 않겠지만 지금까지 사도행전과 연결해서 지나온 내용을 골격으로 삼고 사도행전과 서신서를 읽을 수만 있다면 정말 좋겠습니다. 이 내용들을 읽으면서도 잊지 말아야 할 것이 있습니다. 구약에서 출발한 하나님의 나라가 이제는 이렇게 온 세계만방으로 퍼져나갔다는 사실입니다. 그동안 등장했던 신실한 하나님의 나라 백성들이 군사되어 싸워 온 것처럼, 이제 우리들도 똑같은 그 나라의 군사가 되어야 합니다. 사도행전 29장부터는 우리가 씁시다.

3. 나머지 공동서신들

사도행전과 13권의 바울 서신서가 끝났다고 해서 신약성경이 다 끝나는 것은 물론 아닙니다. 우리가 아는대로 공동서신들이 있습니다. 그러나 우리가 신약을 처음 시작하면서 이야기했듯이 신약성경은 예수님의 복음서와 사도행전에 연결되는 그 서신서들, 이렇게 두 큰 기둥으로 이루어져 있습니다. 이 큰 두 기둥을 다 세우고 보니 공동서신서들이 이제 남은 것입니다. 어쩌면 여기서 이런 질문을 하고 싶으실지 모르겠습니다. "사도 바울의 서신은 이렇게 사도행전과 연결된다는 걸 알겠는데 신약의 나머지 서신서들은 사도행전과 연결이 안됩니까? 예를 들면 베드로전후서, 야고보서, 요한의 서신서들 말입니다."

정말 좋은 질문입니다. 그런데 한마디로 답해 드린다면, 연결되지 않습니다. 사도행전이 모든 사도들의 행적을 다 기록해 놓은 것이 아니라는 것을 아시지요? 예를 들면 야고보서의 저자인 예수님의 동생 야고보의 행적은 사도행전 15장에 나오는 정도이고, 예수님의 동생이고 야고보의 동생인 유다 역시 사도행전에는 등장하지도 않습니다. 비록 그가 유다서를 썼지만 말입니다. 그리고 요한 1, 2, 3서의 저자인 사도 요한은 사도행전에는 등장하긴 하지만, 시기적으로 볼 때 아직 서신서들을 쓰기 이전이었기 때문입니다. 그 점에선 사도 베드로도 마찬가지입니다. 사도 베드로께서도 베드로전후서를 쓰셨지만, 사도행전에 등장하신 때(1~12장)는 아직 그 서신서들을 쓰시기 훨씬 전입니다. 그러니까 바울서신 이외의 다른 서신서들이 사도행전과 연결 안되는 것은 당연한 일이겠지요. 물론 고린도교회에 베드로가 방문한 것 같긴 하지만 베드로서신서와는 연결이 시키기 어렵습니다. 사도행전과 바울서신이 읽기 어렵지, 나머지 공동서신은 한 권씩 이런 초대 교회 분위기를 상상하며 읽으시면 됩니다.

마지막으로 요한계시록 얘기를 하십시다. 요한계시록은 요한이 요한복음이나 요한 1, 2, 3 등을 기록할 때와 같은 방법으로 기록한 것이 아닙니다. 요한복음 같은 것은 '요한'이라는 한 사람의 성격과 경험과 인생경로 속에서 발견한 예수님을 있는 그대로 사실을 기록한 것입니다. 그래서 그 사건을 경험한 한 사람으로서 해석하기도 하고 주석을 붙이기도 해서 정리한 것입니다. 즉 요한이라는 사람을 통과해 나온 책이라는 말입니다.

그러나 이 요한계시록은 요한이 이해하고 깨달아서 쓴 책이 아닙니다. 그냥 쏟아져 내리는 환상을 기록한 것입니다. 그 보이는 장면들을 인간이 사용하고 있는 단어로는 다 설명할 수 없었습니다. 그 장면을 기록하기는 해야하는데 힘들었던 것이 분명합니다. 이 요한계시록은 하나님의 섭리 가운데 성경 중 가장 마지막에 그 위치가 놓여졌습니다. 아마 요한 자신도, 베드로도, 바울도 그들이 기록한 편지나 예수님 사건에 대한 얘기들이 성경이 될 줄은 몰랐을 것입니다. 후에 역사가 흘러가면서 이것이 정경화된 것입니다. 그런데 이 요한 계시록이 구약 창세기부터 흘러 내려오고 있는 하나님 나라의 역사를 마무리하게 된 것입니다. 창세기에서 시작된 '하나님이 왕이심을 선포하는 이 하나님 나라 운동'이 이제 완벽하게 영광 중에 이런 모습으로 드러나게 될 것이며, 바벨론으로 지칭되어온 이 세상나라들은 결국 영원한 심판을 받게 될 것을 보여주는 것입니다.

요즈음 뉴에이지 영역에는 수많은 '계시 기록자'들이 있습니다. 미국의 닐 도날드 월쉬라는 사람은 자기 가정이 파탄되고 괴로운 상황 속에서 인생의 질문들을 갖고 번민하고 있었는데 새벽 3시만 되면 신이 내리는 경험을 하게 되었다고 합니다. 그래서 그는 자기가 갖고 있는 수많은 질문들을 하며 그 신과 대화를 한다는 것입니다. 그래서 기록한 것이 책으로 출판되어 우리나라 말로도 "신과 나눈 이야기 1, 2, 3"으로 번역이 되었고, 그 사람을 중심으로 단체가 홈페이지에 형성되어 세계적인 조직으로 확산하고 있다고 합니다. 사탄은 대체적으로 이런 환상이라는 무의식을 이용해서 계시를 주는 것처럼 인간을 속입니다. 과거에도 이런 방법으로 이단들이 생겨나기도 했습니다.

그러나 대부분의 성경기록 방법은 정상적인 한 사람의 생애 속에 경험된 하나님을, 의식을 가진 상태에서 기록한 것입니다. 그런데 예외적으로 쏟아져 내리는, 그야말로 환상을 보고 기록한 것이 바로 구약의 에스겔, 다니엘의 일부와, 신약의 요한계시록 등입니다. 인간 저자를 넘어서서 하나님이 일방적으로 보여주시는 환상을 기록한 것입니다.

만일 이 성경이 진정 하나님만이 저자시라면 에스겔이나 다니엘, 요한계시록이 다 일관성이 있어야 할 것입니다. 시대가 달라도 그 내용이 짝을 이뤄야 할 것입니다. 왜? 하나님이 저자시니까. 구약이 끝날 때도 **성전**에 대한 환상을 보여 주셨고, 신약이 끝날 때도 성전을 보이심으로 마감하십니다. 에스겔은 앞으로 새로 세워질 **성전**을 이상 중에 보고 기록한 것이라고 했습니다. 예루살렘 성전이 느부갓네살에 의해 파괴되었으나 다시 **성전**이 세워질 것이라는 것입니다. 과연 그 예언대로 유다지파들은 **성전**을 재건합니다. '성전재건' 은 무엇을 암시합니까? **'왕권의 도래'** 입니다. 왕이 임한다는 것이라고 했습니다. 구약 끝도 이제 왕이 도래할 것이라고 말하면서 그의 좌소인 성전 재건으로 끝나더니 신약의 끝도 똑같습니다. 요한은 한 사람의 노예 노동자로 로마제국 아래서 돌을 깨고 있었지만 하나님의 나라는 새 예루살렘성으로 완성될 것이라고 그 요한의 손을 빌어 마지막 결론을 주시는 것입니다. 멸망하는 것 같아도 그게 아니라는 것입니다.

요한이 이 환상을 볼 때 죽은 자처럼 되었다고 했습니다(계 1:17). 예수님과 이 땅에서 같이 사는 동안 그 품에 기대어 살았는데 지금은 그 **인자** 같은 이 앞에 죽은 자 같이 되었다고 했습니다. 왕으로 오신 예수님입니다. 우주의 왕, 창조주 왕이셨다는 것입니다. 인자 같은 이라고 했습니다. 알파와 오메가라고 했습니다. 이 '인자 같은 이' 는 다니엘이 봤던 그 사람입니다. 예수님이 오시기 600년 전에 다니엘은 이 '인자' 를 보았습니다. 700년 후에 요한은 그 인자를 보았고 그 인자는 영광스러운 하나님이시라는 것입니다.

묵시입니다. 미래에 있을 하나님의 나라, 마지막에 정리될 이 하나님의 나라를 최종적으로 영광스럽게 마무리하는 것이 요한계시록입니다. 요한계시록을 인류에게, 우리 하나님의 백성들에게 주신 하나님을 찬양합시다!

솔직히 말하면 요한계시록은 무슨 말인지 정확히 잘 모릅니다. 인간의 언어와 문장 해석으로는 완전히 이해할 수 없는 부분도 많습니다. 버전이 맞지 않습니다. 그래서 지루합니다. 그러나 위에서 설명한 이 모든 것을 생각하고 이 위대한 피날레를 그 뙤약볕 아래서 주신 하나님을 기억하며 읽읍시다.

생장점 POINT

많은 분들이 이 요한계시록이 읽기 힘들다고 했습니다. 그러나 이것도 핑계입니다. 정말 그 내용이 알고 싶으면 주석 갖다 놓고 보면서 읽으면 웬만큼은 이해할 수 있습니다. 게을러서 힘든 것입니다. 도래하고야 말 영광스러운 그 나라를 바라보며, 소망 중에 읽읍시다.

10과 성경일독학교를 마치며

1. 성경일독학교의 결론: 선악과

이제 10과, 마지막 과에 우리가 와 있습니다. 창세기에서 시작된 이야기는 9과 사도 바울의 활동으로 이제 전 세계를 무대로 쓰고 있습니다. 어떤 면에서 보면 에덴동산에서 시작된 성경 역사는 부분 부분의 나라들을 얘기하고 있는 듯하다가 결국에는 세계 전체 사람들에게로 나아갑니다. 오늘날의 인류는 창세기 10장의 노아의 후손들입니다. 하나님의 관심은 결국 이 모든 인류에게 있기 때문입니다.

인류의 역사가 무엇입니까? 하나님을 떠난 인류에게 하나님은 귀찮은 존재였습니다. 그러나 필요하긴 했습니다. 왕좌를 드리려니 그 왕의 통치를 받아야 하니까 싫고, 살다보니 하나님이 아쉽고 …. 그래서 인류 문화는 능력 있고 힘 있는 '사람'이 결국 왕이 되어 그를 중심으로 공동체를 이뤄가다가 '하나님들'을 창조했습니다. 그들에게 맞는 '하나님'이 창조되다 보니 인류 역사가 흐르면서 여러 종교가 생겼습니다. 그러나 '사람'도 진정한 왕이 될 수 없고 '인간이 창조한 하나님'도 우주적인 왕이 될 수 없습니다. 오직 사람과 만물을 창조하셔서 그것들에 대해 권리가 있으신 참 하나님만이 왕이십니다.

성경이 하고 있는 말은 무엇입니까? 하나님만이 유일한 주권자이시다, 그분은 사랑이시다, 우리의 아버지이시다, 피조물인 인간들은 하나님을 왕으로 인정해야 한다는 것입니다. 하나님은 그래서 그 왕의 권리를 역사 속에서 주장해 오셨습니다. 어떻게 주장하셨습니까? 때로는 홍수로, 때로는 언어를 흩으심으로, 때로는 유황불로, 때로는 전쟁으로, 때로는 지진으로, 때로는 내어버려 두심으로 세상나라들을 심판해 오셨습니다. 당신의 존재를 선언하신 것입니다. 그러다가 하나님도 당신의 나라를 세우십니다. 세계역사 속에서 '이스라엘'이라는 가시적인 나라로 부각시키십니다. 세상의 나라들은 결국 다 멸망할 것이지만 이 나라는 영원할 것이라는 주제로 말입니다. 하나님을 떠난 인류역사 속에서 '은혜를 입은 자'들을 불러모아 공동체를 형성해서 '하나님 나라'를 만들어, 당신의 존재를 선포하시고, 당신의 권리를 주장하셨습니다.

이 것이 바로 우리가 지금까지 1과부터 9과까지 해 온 얘기입니다. 구약과 신약 66권에서 하고 있는 것이 결국 그 얘기입니다. 성경은 바로 이런 주제를 하나님의 섭리 가운데 오고 오는 인류에게 말하고 있는 것입니다. 진리입니다. 나이아가라 폭포에서 폭발적인 힘으로 떨어지는 그 물살은 평지를 흘러가면서 얼마나 도도하고 장엄하게 흐릅니까? 진리는 도도한 것입니다. 유일한 것입니다. '성경'이라고 하는 책은 공중에 떠 있는 사상집이 아닙니다. 역사와 무관한 사색의 책이 아닙니다. 이 진리의 클라이막스는 그 '왕'이 직접 인류 역사에 등장하는 것입니다. 당신이 직접 역사 속으로 들어오신 것입니다. 예수님이십니다.

멀리 외국에 가 있다고 주인을 무시한 채 주인 노릇하고 있는 종업원들이 있다고 칩시다. 주인이 결국은 안되겠다 싶어서 종업원들 있는 곳에 돌아왔다고 칩시다. 그 종업원들은 (우리가 흔히 쓰는 말로 말하자면) 박살이 나야 각본이 맞는(?) 겁니다. 심판을 받아야 마땅할 것 같습니다(사실 이런 얘기는 이미 성경에서 예수님이 비유로 여러 번 하셨습니다). '왕'의 출현과 함께 꼭 그런 일이 일어나야 할 것 같습니다. 세례 요한도 그렇게 생각해서 그의 메시지의 주제는 심판이었습니다. 그런데 아니었습니다. 그토록 구약의 역사 속에서 기다리고 기다리시다 드디어 인간의 몸을 입고 들어오실거면 본때있게 왕 노릇하는 사람들을 심판하시고, "내가 왕이다" 하셔야 되는데 그게 아니었습니다.

어떻게 왕으로 등장해 놓으시고는 그렇게 힘없이 죽으시는가? 사실 곰곰히 생각하면 그 왕을 도저히 이해할 수 없습니다. 그 사람들 주리를 틀고, 각을 떠서 내장을 다 꺼내 불로 태워 죽여도 시원치 않을 것 같은데 그 왕은 그런 생각이 안 나시나(?) 이겁니다. 왜 안나시겠습니까? 그래서 목을 찔러 피를 흘려 죽이고, 조각조각 각을 떠서 내장도 다 꺼내 갖고 불로 태우는 번제를 요구했습니다. 그 죽이는 방법을 세세히 기록하셨습니다. 채찍으로 때려 살점을 뜯고, 십자가에 못박아 죽이고 피를 쏟아 죽이고 나서 옆구리를 찔러 확인 사살하고 싶은 게 그 왕의 심정이었습니다. 그걸 왕 자신이 자기한테 했다는 겁니다. 표현이 너무 심합니까? 사실대로 말한 것입니다. 아무 것도 덧붙인 것이 없습니다. 솔직히 이게 성경의 내용입니다.

그 왕은 사랑의 왕이었다는 것입니다. 이 사건을 성경은 '사랑'이라고 부릅니다. 인류 역사 가운데 일어난 이 엄청난 사건을 실제로 경험한 제자들은 소리치지 않을 수 없었습니다. 평범한 범부로 살아가던 그 사나이들의 생애 속에 경험된 이 사건은 세계 역사를 뒤집는 다이너마이트가 되었습니다. 사실은 우리 모두도 정상적인 정서를 가진 사람들이라면 이 하나님의 죽음 밑에서 "악!—" 하는 소리를 질러야 정상일 것입니다. 이해할 수 없는 죽음입니다.

오늘날 이 복음은 글자 속에 갇혀서 쓰레기처럼 취급됩니다. 그러나 이 성경의 풀 스토리를 다 공부하신 일독학교 학생 여러분들은 이 처절한 "왕의 죽음" 앞에서 통곡하고 통곡하는 경험이 한 번쯤 있으면 좋겠습니다. 한 마리 짐승처럼 피투성이가 되어 영문밖에 매달려 있는 "왕의 죽음"이 가슴에 부딪혀 와서 제 정신 못차리고 목 놓아 울어본 사람이라야 비로소 제정신이 드는 사람입니다! 그 사람이 복이 있다고 그랬습니다. 복 있는 그 사람이 지르는 이 '외마디 비명소리' 는 앞으로 그 사람이 살아가는 인생 길을 가게 만드는 원동력이 될 것입니다. 외마디로 밖에는 표현할 수 없어도, 이 소리에는 수많은 내용이 들어 있습니다. 우리가 지금까지 구약부터 공부해 온 그 내용입니다. 1과에서 9과까지의 내용들입니다. 이 성경의 모든 내용들이 우리의 영혼을 뚫고 지나가면 우리는 새로운 충동이 생깁니다. 이 사실을 말하고 싶은 것입니다. 세상을 향해 소리치고 싶은 것입니다. 감출 수가 없습니다. 그래서 요한은, 야고보는, 베드로는, 사도 바울은 그들의 목숨이 끝나는 순간까지 이 "왕의 사랑"을 목놓아 외쳤던 것입니다. 마태복음, 사람이 쓴 것입니다. 요한복음, 사람이 쓴 것입니다. 사도행전, 사람이 쓴 것입니다. 글로 소리를 친 것입니다.

이 '사랑의 왕' 의 발에 입 맞추고 항복한 백성들은 요한계시록의 새 하늘과 새 땅에 들어가 영원히 그 나라의 백성으로, 아들들로 살 것입니다. 그냥 하는 말이 아닙니다. 추상개념이 아닙니다. 교리가 아닙니다. 이것이 실제 일어날 일이기 때문에 우리처럼 똑같이 육체를 입으셨다가 부활하신 것입니다. 그 왕이 보여준 것처럼 우리도 그 영광스러운 몸을 입을 것입니다. 그 왕이 지금 존재하고 계신 방식처럼 우리도 꼭 그렇게 존재할 것입니다. 제발 이 부활과 천국을 교리로만 생각지 마십시오. 이게 보여야 합니다. 그 영광스러운 결국을 봐야 합니다. 본 게 있어야 기다리지요!? 뭐 본 게 있어야 그게 영광인지 알지요!?

사도 바울처럼 삼층천 경험을 하기라도 했으면 그 고난이 와도 우리도 참을텐데, 그 때 나타날 영광과 족히 비교할 수 없다고 할텐데…, 나중에 나타날 결국을 확실히 본 사람이라야 억울해도 참을텐데 …. 나중에 확실히 가부 간에 심판하실 것을 바라보는 사람이라야 일일이 다 해명하지 않아도 괜찮을텐데…, 나중의 영광을 확실히 알아야 잠잠히 참고 기다릴텐데… 그 영광을 못 본 채 종교생활로 교회에 다니니 늘 삶이 와글와글하는 것입니다. 소위 도가 트이지 않는 것입니다.

사실 우린 어떤 의미에서 도사가 되야 합니다. 그러나 '왕의 죽음' 아래서 숨 죽이며 꺽꺽 울어 본 사람은 이 영광이 보입니다 (마 5:4). '왕도 죽었는데' 하며 죽습니다 (롬 8:13). '왕도 부활하셨는데' 하며 죽음을 두려워하지 않습니다 (행20:24). '왕도 억울했는데' 하며 펄펄 뛰지 않습니다 (막 15:65). 왕도 고생했는데 … 하며 고생합니다 (고후 11:23-27).

생각점 POINT

무엇입니까? 자기 맘대로 사는 삶이 아닙니다. 왕 맘대로 사는 삶입니다. 그게 성경일독학교의 결론입니다. 한마디로 얘기하면 '왕에게 순종하는 삶' 입니다.

사랑하는 일독학교 학생 여러분!

아무리 깨달아가며 성경을 일독한들 무슨 유익이 있겠습니까? 결국 성경은 이런 왕을 알고, 그의 뜻에 순종하기 위해 읽는 것입니다. 순종하지 않을 거면 뭐하러 읽습니까? 또 그 '순종' 이야기냐고요? 그렇습니다. 또 그 얘기입니다. '순종' 얘기로 이 일독학교를 끝내려고 합니다.

성경 앞머리 창세기 3장에서 첫 번 왕싸움이 일어났던 현장, 선악과 나무 밑에서 만납시다. 그리고 그 선악과에 대해 얘기합시다. 세포 가운데 있는 '핵' 이 한 생명체를 규명하는 모든 정보를 품고 있듯이, '선악과' 는 하나님과 인간이라는 존재를 규명하는 모든 중요한 정보를 품고 있기 때문입니다. 결국 인간 역사의 본질인 첫 번 왕싸움 선악과로 다시 되돌아간다는 것입니다. 선악과로 시작해서 다시 선악과로 귀결된다는 것입니다. 선악과 얘기는 신화가 아닙니다.

---

2. 선악과, 그것이 알고 싶다

우리는 교회에 다닙니다. 교회에 다니면서 배우는 내용은 '예수' 입니다. 그 예수께서 우리 죄 때문에 십자가에 못박혀 돌아가셨는데 이걸 믿으면 구원을 받고, 안 믿으면 구원을 못 받는다는 내용입니다. "죄로부터의 구원"이 그 핵심입니다. 그런데 그 죄는 인류의 조상 아담이 선악과를 따먹은 것이 원인이라는 것입니다. 우리는 그걸 원죄라는 단어로 정리하고 있습니다. 화석처럼 굳어진 언어라고 느끼면서 ….

생각점
POINT 교회 다니는 우리 보통 사람들은 이 대목에 와서 다 한마디씩 하고 싶은 말이 있습니다. "왜 하나님께서는 선악과를 만드셔서 인간을 죄에 빠지게 하셨는가? 인류 죄의 원인은 하나님이 아닌가? 죄에 빠지게 해 놓으시고, 또 구원하신다 그러시고, 뭐 그렇게 복잡하게 하실 이유가 뭔가? 아예 만드시지 않았으면 우리가 죄도 짓지 않고 좋았을텐데 …" 이런 것들입니다.

또 어떤 분들은 예수께서 자기를 위해 돌아가신 것은 믿으면서 아담이 선악과를 따먹었다는 창세기 3장의 얘기는 믿지 않고 있다는 사실을 발견하실 것입니다. 예수 사건은 역사적인 사건으로 믿으면서, 선악과 사건은 신화라고 정리한 것입니다. '예수', 그는 2,000년 전이라는 역사 속에 분명히 살았던 인물로 믿으면서 아담이 선악과를 따먹은 사건은 만화 같다고 생각합니다. 큰일날 일입니다.

생각점
POINT '선악과 사건'에 대한 분명한 자기화작업, 현실화작업, 역사화작업이 없이 '예수를 믿는' 것은 많은 부분을 놓치고 있는 것입니다. 신화에 뿌리박고 있는 구원의 확신입니다. 만화에 접붙인 구원인 셈입니다. 창세기 3장 이후 흘러온 성경 역사의 클라이막스가 예수 그리스도라면 그 예수 그리스도의 오심은 분명 이 선악과 사건과 가장 근본적인 연결점이 있는 것입니다. 오늘 은혜를 구하십시다. "선악과"에 투영되어야만 선명하게 드러나는 "예수복음"을 이 시간 잘 깨닫게 해달라고 기도하는 심정으로 공부하십시다.

우선 선악과를 공부하기 전에 밝히고 싶은 것이 있습니다. '선악과'는 사실 꼭 붙어 다니는 다른 짝이 있습니다. 동전의 앞뒷면처럼 사실은 앞뒤를 이루는 다른 짝이 있습니다. 선악과 명령은 유명한데 이 다른 명령은 유명하지 않습니다. 그런데 사실은 이 유명하지 않은 다른 명령이 더 근본적인 명령입니다. 이 근본적인 명령에 부수적으로 붙어 있는 것이 선악과 명령인데 오히려 근본적인 명령을 모르는 분들이 많습니다. 이 근본적인 명령 얘기부터 해야 선악과가 거기에 붙어 등장할 수 있습니다.

1) '선악과 명령' 앞에 붙어 있는 근본적인 명령

모세만 하더라도 시내산에서 수없이 많은 명령을 받았습니다. 출애굽기, 레위기, 민수기, 신명기 등을 읽어 보면 그 자세한 법 조항은 수도 없이 많습니다. 적어도 200~300만 명이 얽혀서 살아야 하는 공동체가 유지되기 위해서는 반드시 필요한 것들입니다. 그것은 '하나님과 이스라엘 백성 사이는 어떻게 관계해야 하는가' 하는 것과, '이스라엘 백성들끼리는 어떻게 관계해야 하는가' 하는 것이라고 기본적으로 구분할 수 있습니다(수도 없이 많은 명령을 받았지만 이웃을 자기 몸처럼 사랑하는 사람에게는 그 낱낱의 계명들이 일일이 필요하지 않을 것입니다. 법보다 고등한 것이 사랑이기 때문입니다. 그래서 예수님은 신약에서 율법은 위로 하나님을 사랑하고 옆으로 이웃을 사랑하는 것이라고 요약하신 것입니다).

마찬가지입니다. 최초의 사람 아담, 하와가 아직 아담 안에 있을 때, 가인과 아벨이, 그리고 온 인류가, 그러니까 내가 그 아담 안에 있을 때, 창조자 하나님께서 그에게도 명령을 주셨습니다. 우리 생각에는 그게 바로 '선악과 명령'일 것이라고 쉽게 생각할 지 모르는데 그게 아닙니다.

하나님께서 우주만물을 창조하실 때 디자인하신 기본 아이디어는 어디에 초점을 둔 것이라고 생각하십니까? "인간이라는 존재가 생존할 수 있는 환경설정"입니다. 과학적인 환경(산소, 태양과 지구와의 거리, 물, 식량…), 정서적인 환경(예술적인 디자인, 칼러, 조화…)들을 만드시기까지 인간을 만들지 않으셨습니다. 마치 열대어 두 마리를 위해서 어항을 사고, 뽀글뽀글 산소 공급기를 설치하고, 자동 온도조절장치를 부착하고, 형광등을 설치하고, 자동 정화기를 설치하고, 물을 붓고(과학적인 환경) 그리고 나서는 한숨 돌리며 준비했던 하얀 왕모래를 조심조심 깔고, 예쁜 물풀을 그 속에 뿌리 박고, 색색의 투명한 유리구슬도 몇 개 떨어뜨리고, 동굴처럼 생긴 돌도 한쪽에 놓아 주고(정서적인 환경), 그리고 나서야 물이 담긴 빵빵한 비닐 주머니 속에서 멋모르고 헤엄치고 있는 열대어를 사르르 놓아 보내는 것과 같습니다. 자 이제 그 다음 순간을 상상해 보십시오. 요 순간을 상상할 수 있으면 우리가 지금 말하려고 하는 주제인 근본적인 명령을 조금 이해할 수 있을 것 같습니다.

물고기 두 마리 키우려고 지금까지 노력하고 애썼습니다. 그리고 너무 만족하고 기쁩니다. 그렇다면, 여러분이 만일 지금 이 물고기를 사르르 놓아보내는 순간이라면, 그 절묘한 순간에 물고기를 향해 하고 싶은 말이 없겠습니까? 있겠지요? 그러면 그 말이 무슨 말이든지 간에 그 마음의 동기가 사랑이겠습니까, 아니면 미움이겠습니까? 사랑입니다. 아마 이렇게 말할 것입니다. "행복하게 잘 살아야 돼…. 마음대로 여기서 돌아다니며 살아, 여긴 네 세상이야. 새끼까지 낳으면 얼마나 좋을까 …."

마찬가지입니다. 하나님께서 오랫동안 디자인하셔서 최대한의 솜씨로 과학적인 환경과 정서적인 환경을 설정해 놓으시고 아담에게 생기를 불어 넣으셔서 생령이 되게 하셨습니다. 지금까지 수고한 것이 바로 이 '아담' 때문인데 드디어 주인공이 탄생했습니다. 이 절묘한 순간에 하나님이 무슨 말씀을 하셔야 할 것 같지 않습니까? 그렇습니다. 똑같습니다. "행복해라. 여기 있는 만물들은 바로 너를 위해 지금까지 내가 준비한 것이다. 대단하지? 뭐든지 해봐. 내가 별 걸 다 숨겨 놓았지. 잘 찾아봐. 신기한 것들이 많을 거야. 잘 살아 봐. 생육하고 번성해라. 내가 만든 이 세상을 정복하고 개척해 나가봐라. 정말 축복한다." 바로 이 축복의 명령이 근본적인 명령입니다.

창조라는 작업을 마무리하시면서 점을 찍으시는 말씀입니다. 이 순간 축복으로 말씀하시는 것은 너무도 자연스러운 것 아닙니까? 무슨 말이 더 필요하겠습까? 하나님으로서는 바로 이 축복의 말씀 한마디면 그만이었습니다. 그런데 바로 이 찰라에 그 축복의 말씀에 덧붙이실 말씀이 있었던 겁니다. 부록입니다. "참! 너는 내가 만들었어! 살면서 날 잊지마!" 이 말입니다. "내가 널 만들었어!" 이게 "선악과"입니다. 이상합니까? 조금 더 자세히 생각해 봅시다. "어떻게 하면 내가 너를 만든 주인이라는 사실을 잊지 않게 할 수 있을까? 옳지, 저—기, 저 나무 보이지? 저기 동산 가운데 주렁주렁 열매있는 나무! 저 나무 열매는 먹지말고 그대로 놔 둬라. 네가 저 열매를 먹지 않고 그대로 놔 두고 있으면 내가 그것 갖고 알아차리겠다. 네가 나를 주인이라고 인정하고 있는 중이라고 …. 자 어때? 좋은 방법인 것 같지 않니? 행복하게 살면서 언제나 그게 기억나야 하니까 저기 가운데 잘 보이는데 있는 나무보고 늘 기억하렴. 그래, 그것 참 좋은 방법이다. 참 좋은 안전장치다. 하하 …." 좀 만화에 나오는 대화같지만 바로 이것이 '선악과 명령'입니다.

'선악과'라는 명제는 그렇게 사변적이고, 철학적인 것이 아닙니다. 그렇게 생각하기 어려운 것이라면 머리 나쁘고 철학적이지 않은 사람은 어떻게 이해합니까? 아기가 태어나서 엄마 젖 빠는 것, 생존에 관계된 것이기에 누구나 다 할 수 있는 쉬운 겁니다. 하나님과의 관계도 이렇게 쉬운 겁니다, 사실은, 인간이면 젖 빠는 것처럼 다 알 수 있도록 쉽게 하신 겁니다. 가장 중요한 원리는 누구나 알아야 되는 것이기 때문입니다. 성경의 이런 중요한 진리들이 쉽다보니 오히려 신화처럼 생각하고, 만화처럼 생각합니다. 무식하고 미련한 사람들이나 믿는 거라고 생각하는 것입니다. 십자가 진리나 선악과 진리나 다 미련해 보입니다. 너무 쉽다고 생각해서 그렇습니다. 그러나 이렇게 쉽지 않으면 어떻게 이 진리에 접근할 수 있겠습니까? 개념이 아닙니다. 생활입니다. 생명입니다.

지금까지 말씀드린 얘기가 성경에는 다음과 같이 쓰여져 있습니다. 하나는 창세기 2장 15절이고, 또 하나는 창세기 2장 17절입니다(좀 어려운 말로 정리하면 뭐라고 할 수 있겠습니까).

① 첫 번째 명령은 (?) 라는 명제로 요약할 수 있고
② 두 번째 명령은 (?) 라는 명제로 요약됩니다.

정답⇨ ① 인간은 무얼하며 살아야 하는 존재인가?(What)
② 인간은 누구인가?(Who)

조금 더 설명합시다. 사람(아담)은 산소를 마셔야 삽니다. 그래서 하나님이 만드셨습니다. 사람은 빵이 있어야 삽니다. 그래서 밀을 만드셨습니다. 그런데 이런 모든 필요를 제공하시면서 인간을 살게 하는 이유가 따로 있다는 것입니다. 하나님의 형상을 지닌 '사람이라는 존재'는 ① 자기 사명을 자각하고 그것을 위해서 살아가야 하며, ② 그 사명을 감당하다가도 진짜 주인은 자기가 아니라 창조주 하나님인 것을 알고 살아야 한다는 것입니다.

'만물을 다스리는 통치권'을 이양 받은 '사람'이라는 존재는 만물을 다 다스릴 수 있지만(①번), 오직 하나님의 통치 아래 살아야 한다(②번)는 것입니다. 소위 만물의 영장으로서 마음대로 다스릴 수는 있으나, 그러면서도 그 위에 진정한 '왕'이 계신다는 사실은 잊지 말라는 명령입니다. 그러므로 '선악과 명령'은 죄를 짓게 한다, 만다 하는 그런 스테이지에서만 생각할 일이 우선 아닙니다. 그것만 떼어내서 생각할 일도 아닙니다. 그 이전에 가장 중요한 "사람의 정체성과 그 존재의의"를 규명하는 중요한 진리를 담고 있기 때문입니다. 하나님은 그걸 가르치고 싶으셨습니다.

이 얘기를 다시 정리하면 이렇습니다. "나 ⇔ 아담 ⇔ 사람 ⇔ 인류는 누구인가?"라는 가장 궁극적이고도 중요한 정체성 질문은 선악과에서만 그 대답을 찾을 수 있다는 것입니다. 우리는 "응애~" 하고 태어납니다. 그리고 육체 발달과 인지 발달에 따른 교육 과정을 거쳐가면서 이 질문을 풀어가는 것입니다. "인생이 무엇이냐?", "인생은 나그네길이지 …" 하기도 하고, "어디로 와서 어디로 가느냐?", "공수래 공수거" 등등 많은 질문을 하고 또 대답합니다.

그럼 최초의 사람 아담에게 누가 그걸 가르치겠습니까? 역시 하나님뿐이십니다. 그런데 생각해 보십시오. 아담은 "응애~" 하고 어린 아기로 태어나지 않았습니다. 성인으로 창조되었습니다. 즉 눈을 떠보니 성인 아담이었습니다. 인생을 출발해야 하는 성인 아담은 자기가 누구인지, 또 무얼 하며 살아가야 하는 존재인지 알아야만(교육받아야만) 했습니다. 그 교육의 내용이, (🌱 첫째, 사명을 자각하고 그 일을 수행하라는 것과, 둘째, 그러면서도 주인이신 하나님에게 순종해야 하는 존재라는 사실이었다는 것입니다. 🌱)

정체성을 자각하게 하려고 가르치실 때 시청각 실물자료로 사용된 것이 선악과였을 뿐입니다. 선악과는 덫이 아닙니다.

2) 영광의 면류관, 선악과

갈릴리 바다가 하나님의 명령을 감지할 수 있는 방법이 있습니다. 시커먼 흙 속에 연약한 뿌리를 내리고도 새빨간 색깔을 뿜어내는 딸기가 하나님과 관계하는 방법이 따로 있습니다. 태양이 하나님을 상대하는 방법이 있습니다. 하나님이 구름을 상대하시는 방법이 따로 있습니다. 그런데 하나님께서는 이런 것들과는 달리, 유독 아담이라는 사람 피조물과는 독특한 방법으로 (   )하시기를 원하셨다는 것입니다. 태양도 피조물이요, 아담도 피조물인데 ….

▷정답⇨관계

즉 태양이, 바다가, 딸기가 하나님과 관계하는 방법을 "(   )적"이다 라고 한다면 아담과 관계하시는 방식은 "(   )적이다"라고 말한다는 것입니다. 즉 태양이, 바다가, 딸기가 존재하는 방식이 창조자에 대해 타율적 순종이라면, 아담은 (   )을 하도록 하셨다는 것입니다.

▷정답⇨기계, 인격, 자율적 순종

바닷물은 자기 스스로 육지로 기어올라오지 않습니다. 100% 타율 순종입니다. 4,000년 전의 바퀴벌레는 오늘의 바퀴벌레와 똑같은 유전정보를 갖고 있습니다. 100% 타율 순종입니다. 지구는 1년 동안 365번 자전합니다. 100% 타율 순종입니다. 왜 그렇습니까? 그렇게 창조하셔서 그렇습니다. 그렇게 프로그램하셨기 때문입니다. 그것이 다른 피조물을 하나님이 상대하시는 방법이라는 말입니다.

사람도 '물질'이라는 차원에서는 다른 동물과 별로 다를 바 없이 창조하셨습니다. 피부도 있고, 눈도 있고, 손가락도 있고, 위도 있고, 뼈도 있습니다. 그 물질 자체만으로 본다면 하나님이 프로그램을 장치해 놓은 그대로 꼭 100% 타율 순종합니다. 그래서 눈썹은 반드시 두 눈 위에 놓여집니다. 코에는 반드시 두 구멍이 있습니다. 하나님이 만들어 놓으신 지구가 '밤이다!' 하면 그 지구 운동에 맞춰서 내 몸에도 잠이 옵니다. 지구가 어떻게 알고 꼭 잠 잘 만큼만 깜깜했다가 '아침이다!' 하고 소리치면, 내 몸은 거기에 맞춰 일어납니다. 100% 타율 순종입니다.

그런데 사람은 그것 말고 또 한가지 받은 게 있습니다. '하나님의 형상' 입니다. 그런데 이 하나님의 형상은 눈에 안보이는 것인데 '자율' 이라는 특징이 있습니다. 그런 신기한 선물을 더 받았습니다. 다른 피조물에 비해서 더 받은 것입니다. 차별 우대하신 것입니다. 그런데 이 '자율' 이라는 선물은 '선악과' 라는 대상물을 통해 기능하는 것입니다. '자유' 를 선물로 받았다는 말입니다. 인간은 '타율적인 몸' (하드웨어?)을 가졌지만 '하나님 형상' (소프트웨어?)으로 살아가는 자율적인 존재로 영광스럽게 하셨다는 것입니다. 영광의 면류관입니다. 그 사실을 증명하는 물증이 선악과입니다. 선악과는 웅덩이가 아닙니다. 덫이 아닙니다.

3) 선악과는 차용증서

"선악과를 주셨다" 는 사실은 아담을 "자율적이며 인격적인 존재"로 관계하시겠다는 선언이라고 했습니다. 하나님의 형상이라고 했습니다. 그래서 사람은 언뜻 보면 꼭 하나님과 비슷하다는 것입니다. 카메라는 인체의 눈의 기능과 같은 원리라고 합니다. 그래서 카메라는 눈알처럼 생겼습니다. 가위는 꽃게의 앞발과 똑같은 기능을 합니다. 그래서 가위는 꽃게 앞다리랑 닮았습니다. 비행기는 새가 나는 원리로 난다고 합니다. 그래서 비행기하면 날개가 생각납니다. 사람은 이렇게 하나님이 만들어 놓으신 것을 보고 비슷하게 흉내내어 만들 수 있을 만큼 능력이 있습니다. 하나님을 닮아서 그렇습니다.

빨간 장미, 파란 가을하늘, 눈 내린 들녘의 석양, 부서지는 파도, 핑크 빛 산호 숲, 노랑 보라 주황 … (사실 이런 색들은 우리가 지어낸 말이지만 노랑 한가지 안에도 무한대의 색깔이 있습니다) 셀 수 없이 많은 색깔의 물고기들, 또 다 각각 다른 생김새들 … 하나님은 예술가이십니다. 아름다움을 표현하시는 가슴을 가진 예술가이십니다.

우리도 하나님을 닮아서 가슴이 있습니다. 아름다움을 느끼면 표현하고 싶어서 못 견딥니다. 그래서 그림도 그립니다. 하나님이 표현해 놓으신 파란 하늘과 초록색 숲 … 그리고 그 숲 사이로 난 갈색의 오솔길 … 이걸 보면 너무너무 아름답습니다. 그래서 때론 이젤을 그 길모퉁이에 세워 놓고 그리기 시작합니다. 파란 하늘과 초록색 숲 … 그리고 그 숲 사이로 난 갈색의 오솔길을 그대로 그립니다. 하나님의 작품을 보고 비슷하게 해 보고 싶어 그렇게 합니다. 하나님이 아름답게 표현해 놓으신 걸 보고 그대로 해 보고 싶은 겁니다. 닮아서 그렇습니다. 감정이 있는 겁니다. 때론 흙을 쭈물거려 만들기도 하고, 음악으로, 춤으로 표현합니다. 하나님을 닮아서 그렇습니다.

흰 눈으로 덮인 들녘에 붉게 노을지는 석양을 보고 그 아름다움을 흰색으로, 붉은색으로 이렇게 저렇게 표현해 보고 싶은 사람도 있지만(미대생), 눈은 왜 흰지 여름에는 왜 그게 비로 오는지 해가 넘어갈 때는 왜 그렇게 하늘이 빨개지는지 그리고 어떤 날은 왜 보라색이 되는지 그게 궁금해서 못 견디는 사람(공대생)도 있습니다. 하나님을 닮아서 그렇습니다.

왜 번개가 치는지 … 궁금해서 못 견디는 사람은 그걸 결국 알아냅니다. 하나님이 만물에 숨겨 놓은 비밀을 보물찾기 하듯 찾아내는 것입니다. 왜 지구의 축은 23.5도 기울어야 하는지 … 그게 궁금한 사람은 밥만 먹으면 그 생각이 나서 딴 걸 못하는 겁니다. 그리고는 그걸 알아내면 무릎을 탁! 치는 겁니다. 이렇게 알아내고 나면 거기서 밥이 나오는 겁니다. 직업입니다. 사명입니다. 세상을 살면서 그걸 알아내서 사람들에게 유익하게 하며 그 사람은 그렇게 사는 것입니다. 왜 오존층이 있는지, 세포의 핵 속에 있는 DNA와 RNA는 어떤 관계인지 …, 지금도 수없이 많은 사람들이 눈만 뜨면 온 세상 우주만물 하나님의 작품을 앞에 놓고는 관찰하고 연구하고 개발하는 것입니다. 이것을 사명이라고 했습니다.

만일 하나님께서 우리를 자율적인 존재로 마음대로 자기를 발휘할 수 있는 자유를 주시지 않으셨다면 우리는 이런 작업을 할 수 없을 것입니다. 만일 우리가 로봇처럼 만들어져 사는 타율적인 존재라면 이 만물을 다스리지 못했을 것입니다. 하나님과 "인격적인 관계"를 하도록 해 주신 것도 영광인데 같은 피조물인 처지에 이렇게 다른 모든 피조물을 통치할 수 있는 권리까지 주셨다는 것입니다. 이 위대한 창조물들을 다 줄 테니까 그 원리들을 잘 찾아내서 이용도하고 그것 갖고 또 다른 물건도 만들어 내고 … 그래 보라는 것입니다. 그러기 위해 학교도 가고, 직업도 가지고 … 그러면서 살라고 했다는 것입니다. 그렇게 살면서도 선악과를 볼 때마다 진짜 주인은 자기가 아니라 하나님이시라는 사실을 명심하라는 것이었습니다.

우리는 가끔 남에게 돈을 빌려줍니다. 빌려줄 때 우리는 차용증서를 만듭니다. 그 돈은 내 돈이라는 것입니다. 현재 쓰기는 남이 쓰고 있지만 사실은 내 돈이라는 증거입니다. 선악과는 바로 이 차용증서와 같은 증거물입니다. 진짜 주인은 따로 계신다는 것입니다. 선악과를 볼 때마다 아담은 그걸 기억해야 한다는 것입니다. 즉 가장 바람직한 신인관계로 인간은 하나님의 권위 아래 있음을 선언하신 것입니다. 서열을 분명히 하고 출발하자는 하나님의 생각입니다. 여러분, 하나님의 이런 생각이 너무하신 것 같습니까? 죄 짓게 하려고 만들어 놓은 웅덩이 같습니까?

선악과는 오히려 그걸 볼 때마다 자기의 신분을 깨닫게 하는 안전장치였습니다. 그거라도 동산 중앙에 있었으니 망정이지 만일 그것이 없었다면 진짜 주인이 누구인지 규명할 증거가 인멸되는 것입니다. 하나님은 지혜로우신 분이십니다. 선악과는 첫 사람 아담의 교과서였습니다. 선악과는 올무가 아닙니다.

4) 선악과의 성격

① 선악과 명령은 (   )불가능한 명령이 아니었습니다. 예를 들면 "바다를 걸어라 10톤 짜리 바위를 들어라. 공중을 날아라." 등 불가능한 명령이 아니었습니다.   ▷정답⇨수행,(실행)

② 또 그 명령을 단 한 번 수행하면 끝나버리는 (   )명령도 아니었습니다.   ▷정답⇨일회성

③ 백설공주에 나오는 마녀 왕비의 금사과 같이 그 속에 특이한 (   )이 들어있는 이상한 열매가 아니었습니다. 사탄이 말한 대로 정말 그 과실을 먹으면 그 과실이 가지고 있는 특수한 성분 때문에 하나님처럼 되는 것이 아니었습니다. 그저 동산 중앙에 있는 어떤 평범한 나무로 생각됩니다.   ▷정답⇨물질,(독)

④ 고상한 주제가 아니었습니다. 유식해야만 지킬 수 있는 게 아니었습니다. 좀 유치한 거 같지만 (   )문제였습니다.   ▷정답⇨먹는

①, ②, ③, ④를 요약하면 이렇습니다. 어려운 조건, 기술, 기능이 있어야만 지킬 수 있는 명령이 아니고, 또 날을 하루 잡아서 결심을 하고 해 치우면 되는 명령이 아니었습니다. 그저 평범한 아담의 일상생활 속에 늘 있는 "먹는 문제"였습니다.

⑤ 그런데 이슈는 이겁니다. 늘 기억하고 있어야 한다는 것입니다. 그것도 먹을 때마다 ! 살겠다고(?) 먹는데, 먹을 때마다!? (🌱 이 얘기는 뒤에서 더 합시다. 🌱)

⑥ 먹는다는 것은 (   )이 걸린 것입니다. 먹는다는 것은 그 생명을 유지시키기 위한 필수 조건입니다. 살려고, 생명을 위해 먹을 때마다 "정녕 죽으리라 …" 하신 음성을 기억하며 선악과를 생각해야 하는 것입니다. "사람이 떡으로만 사는 것이 아니라 하나님의 입으로 나오는 모든 말씀으로 산다"(마 4:4)는 예수님의 말씀이 대칭을 이루는 뿌리 장면이 바로 여기입니다. 사마리아 여인을 전도하실 때 "내게는 너희가 알지 못하는 먹을 양식이 있느니라"(요 4:32), "나의 양식은 나를 보내신 이의 뜻을 행하며 그의 일을 온전히 이루는 이것이니라"(요 4:34)라고 하신 동문서답 같은 말씀의 뿌리가 뻗어있는 현장입니다. 첫째 아담의 (먹는⇔빵)문제는 둘째 아담의 (먹는⇔빵)문제와 정확히 똑같은 문제였습니다.   ▷정답⇨생명

5) 선악과 없는 종교가 인기있는 종교입니다

"하나님은 왜 선악과를 만드셔서 인간들이 죄를 짓게 하셨을까? 안 만드셨으면 우리가 죄도 짓지 않고 좋았을 것을 …"이런 생각을 안 해 본 사람은 아마 거의 없을 것입니다. 위에서 선악과가 무엇인지에 대해서 기본적인 것들을 살펴보았기 때문에 우리 일독학교 학생들은 '음, 그런 질문은 좀 창피할 수 있겠다 …' 고 생각할지도 모르겠습니다.

선악과가 이렇게 귀한 것이라니 이해는 되면서도 솔직히 여전히 우리 마음 속 저 깊은 곳에는 '선악과 (법, 말씀) 없이 하나님을 섬기고 싶다' 는 신음소리가 있습니다. 하나님 눈치 안 보고 내 마음대로 하고 싶은, 그 선악과 없는 환상적인(?) 신앙생활, 선악과 없는 종교생활, 매우 매력적인 말입니다. 그래서 이 세상에서 가장 많이 드려지는 기도가 바로 아래 기도일 것입니다. 주기도문보다 압도적으로 더 많이 드려지는 '인간 기도문' 일 것입니다.

"신이시여! 나에게 요구는 하지 마시오.
그러나 내 요구는 다 응답하소서!!"

미국에서는 장거리 전화 회사마다 매력적인 조건으로 손님을 찾습니다. 만약 각종 종교들이 장거리 전화회사처럼 신도들을 끌기 위해 조건을 건다면 최상의 조건이 무엇이겠습니까? 아마 아래의 광고 문구를 만들면 딱 맞을 것입니다.

"첫째, 우리 종교의 신은 아무 것도 요구하지 않는다. 하라 마라가 없다.
둘째, 그러나 신도가 원하는 것은 다 해 준다"

가상의 얘기가 아닙니다. 실제로 인류 역사 속의 종교들은 동서고금을 막론하고 바로 이 기가 막힌 조건을 걸고 존재해 오고 있다는 사실을 아십니까? 알아야 합니다. 무얼 말하고 있습니까? 기복주의적 물질주의 신앙입니다. 현세주의 형통의 복입니다. 인간의 요구가 100% 이루어지도록 한다는 종교입니다. 다음의 신앙들이 그것입니다.

① 주술신앙

신을 콘트롤하는 종교형태로 주문(청각적 password, 비밀번호)이나 부적(시각적 password).
열려라 참깨, 알라딘의 요술램프

② 우상종교

금송아지, 바알, 아세라, 성황당 등

사람의 손으로 만들어 놓고는 그것을 '하나님' 이라고 섬기는 인간의 저의는 간단합니다. 우상들은 인간에게 아무 것도 요구하지 않습니다. 하라 마라 하지 않으니까 편합니다. 인간이 아쉬우면 가서 복을 요구하기만 하면 됩니다. '선악과' 가 없습니다. 하나님을 왕으로 섬기기를 거부한 인류 역사는 하나님 대신 필요를 따라 신을 창조했다고 했습니다. 그들이 창조한 신이 바로 이런 신들입니다. 그 신들을 대표하는 심볼로 등장하는 신이 '바알' 신입니다. 하나님을 떠난 인류가 공동체를 이루며 나라를 형성하는 샘플은 바벨탑 사건이고, 바로 그 사람들의 하나님은 바알이라는 것입니다. 참 하나님을 인정하지 않는다는 것은 다른 말로 하면 선악과 없는 종교생활이라는 것입니다.

우리는 성경일독학교에서 하나님나라와 세상나라라는 큰 두 줄기를 타고 구원역사가 흘러 내려온 것을 지금까지 공부했었습니다. 그런데 이 큰 두 줄기의 발원지는 선악과 나무 밑이었다는 것입니다. 우리는 성경일독학교에서 성경 전체의 주제를 왕싸움으로 보자고 했는데 그 싸움의 본질은 바로 이 선악과라는 말입니다. 선악과 때문에 하나님은 싫다는 거지요. 그래서 선악과 없는 하나님을 만든 겁니다.

③ 선악과 없는 기독교 신앙

주술신앙이나 우상 종교를 가진 사람들만 선악과 없는 신앙생활을 하는게 아닙니다. 우리 그리스도인들 가운데도 엄청나게 많은 분들이 "하나님은 왜 선악과를 만드셨을까, 안 만드셨으면 우리가 죄도 짓지 않고 좋았을 텐데 …" 하고 선악과 없는 신앙생활을 흠모합니다. 지금까지 공부해오신 일독학교 학생 여러분! 이제 우리는 이런 말을 하지 맙시다. 얼마나 어리석은 말인지 모릅니다. 이 말은 하나님을 위의 ①, ②번과 같은 저등한 잡신으로 전락시키는 말입니다. 크리스천이라는 이름을 가지고 실제로는 저속한 종교 레벨에 서 있는 셈입니다. 싸우고 침투해서 하나님의 깃발을 꽂아야 하는 대상인 세상 나라 사람들이 믿고 있는 신앙의 핵심이 바로 이 선악과 없는 신앙임을 이제 기억하십시다. 선악과 없는 세속주의적 기복신앙은 설탕 발린 독극물입니다. 죽습니다. 선악과는 우리의 정체성을 알려주는 우리의 생명입니다.

6) 첫 아담 : 선악과나무, 마지막 아담 : 십자가 나무

바울은 서신서 부분에 와서 그의 깊어진 신학으로 첫 아담과 마지막 아담이라는 개념을 찾아냅니다. 그렇습니다. 결국 세상에는 이 두 종류의 사람만 있습니다. 하나는 처음이고, 또 하나는 마지막이라면 둘밖에 없다는 것입니다. 구원이란 하나님과 끈이 연결되어 하나님과 관계(이 단어를 앞에서 설명했습니다) 있는 사람인가 하는 것입니다. 하나님은 사람(아담)과의 관계를 이 선악과를 매체로 완벽하게 설명하셨고, 교육하신 것입니다.

하나님을 우리가 눈으로 볼 수 없지만 선악과를 볼 때마다 하나님을 자각할 수 있기 때문입니다. 아담도 하나님을 눈으로 볼 수 없었지만 선악과를 볼 때마다 하나님을 인식하는 것입니다. 오늘날도 하나님을 자각하려면 선악과를 봐야 합니다. 선악과를 기억해야합니다. 이 선악과는 인류역사가 흘러가면서 때로는 율법, 때로는 성경말씀이라는 이름으로 인류와 함께 했습니다. 하나님을 우리가 눈으로 볼 수 없기 때문에 이렇게 이 선악과(율법, 말씀)를 매체로 당신을 자각하며 배워가게 하신 것입니다. 그런데 세상에는 첫 아담과 마지막 아담, 이 두 종류의 반응만 있다 이 말입니다.

첫 사람은 하나님이 주신 독특한 기능, 선물, 자율성을 사용해서 스스로 궁리해 보고 결정했습니다. 선악과를 먹기로. 자율적인 불순종입니다. 마지막 아담은 할 수 있으면 잔이 옮겨지기를 원할 만큼 고통스런 상황에서도 선택하셨습니다. 십자가를 지기로. 자율적인 순종입니다.

우리는 예수를 믿으므로 구원을 얻습니다. 무슨 뜻입니까? 이 자율적으로 순종한 마지막 아담 안에 들어갔다는 것일 뿐입니다. 예수님의 자율적 순종이 나를 덮어씌웠다는 뜻입니다. 첫 아담 안에 있었던 우리가 둘째 아담 안으로 자리를 옮겨 앉았다는 것입니다. 첫 아담 안에 있으면 안 된다는 소식을 인생을 살다가 언젠가 들은 겁니다. 그 소식을 듣고 얼른 마지막 아담 안으로 자리를 옮겨 앉았더니 그걸 믿음이라고 불러 주신 것입니다. 이것이 예수를 믿은 것입니다. 이런 의미에서 우리의 믿음이란 둘째 아담의 자율적 순종 안으로 들어가는 것입니다.

그러므로 아무리 우리가 믿음으로 구원을 얻고, 그것을 은혜라는 말로 표현해도, 궁극적인 "구원개념"은 자율적인 순종이라고 볼 수 있습니다. 구원이란 하나님과 다시 관계가 회복되는 것이라면 진정한 구원개념은 곧 자율적인 순종, 선악과의 본질, 그것이라는 말입니다. 하나님과 관계가 있으려면 자율적인 순종으로만 끈이 연결된다는 것입니다. 그래서 순종이라는 말은 인간에게 있어서 생명이요, 구원입니다. 그것도 자율적 순종말입니다.

7) 그래서 선악과의 결론은 순종인 것입니다

생각점 POINT

선악과 공부의 결론은 순종입니다. 십자가의 핵심도 순종입니다. 그런데 사실 순종이라는 단어는 정크 메일처럼 쓰레기 취급을 하는 세상입니다. 왜? 다 왕이기 때문입니다. 왕이신 창조주를 떠나기로 결정한 사람은 그 때부터 자기가 왕입니다. 자기가 하나님입니다. 이 사람은 아무도 믿지 않습니다. 자기를 믿습니다. 자기 주먹을 믿습니다. 왕은 누구에게도 순종하고 싶어하지 않습니다. 자기 생각대로만 되어야 합니다. 누구의 말에도 순종할 수 없습니다. 다른 사람의 의견을 듣는다는 것은 두드러기 나는 일입니다. 그래서 둘만 모이면 싸웁니다. 아담과 하와, 둘부터 그랬습니다. 이것이 하나님을 떠난 인간의 현주소입니다.

이제 자리를 마지막 아담 안으로 옮겨 앉은 우리 그리스도인들 얘기를 하십시다. 믿음으로 구원을 얻었다고 하는 그 믿음이 대체 무엇이라고 했습니까? 아담의 '자율적인 순종' 안에 들어가는 것이라고 했습니다. 그러므로 어떤 점에선 우리의 구원은 여전히 근본적으로 순종에 있다고 말할 수 있습니다. 바로 이 개념을 야고보서에서 말씀하는 것입니다. 행함으로 구원을 얻는다는 말은 매우 깊은 얘기를 하는 것입니다. 우리가 사명을 감당하며 살 때 여전히 가장 중요한 것은 그러므로 순종입니다.

어떻게 순종할 수 있을까요? 앞에서 한 말입니다. 살겠다고 먹는데 먹을 때마다 선악과를 기억해야 그걸 안 먹을 수 있어서 사는 것입니다. 즉 생명을 유지하기 위해 먹는데, 먹을 때마다 늘 그걸 기억하고 있어야 되는 겁니다. 문자 그대로입니다. 늘 기억해야합니다. '이 선악과를 안 먹어야지' 하고 늘 일평생 염두에 두어야 산다는 것입니다. 하나님과 동행하는 삶입니다. 먹으면 진짜 죽기 때문입니다. 인생은 먹는 문제입니다. .

포도나무 비유를 우리는 압니다. 나무에 붙어있어야 사는 겁니다. 떨어졌다 하면 죽는 겁니다. 언제나 붙어있어야 하는 겁니다. 하나님에게 붙어있는 것이 구원이라고 했습니다. 하나님과 관계(교제)하는 것이 곧 생명입니다. 하나님 자신이 생명 그 자체이기 때문입니다. 하나님에게서 끊어졌다 하면 죽는 겁니다. 정녕 죽으리라 …. 그 말대로 죽는 겁니다. 하나님에게 붙어있는 경험을 해 본 사람은 끊어지는 것이 죽는 것 같이 괴롭다는 것을 압니다. 하나님과 하나가 되어 본 경험을 한 사람은 그 맛을 압니다. 그래서 무슨 대가를 치르더라도 순종하고 싶어집니다. 잘 안되면 왜 안

됐는지 분석해 보고 궁리해 봅니다. 사느냐 죽느냐가 걸린 문제이기 때문입니다. 그런 자기 자신에 대해 연구해 봅니다.

이런 사람은 '알고 지은 죄 모르고 지은 죄 다 용서해 주시옵소서' 하는 식의 기도를 할 수 없습니다. 자기를 분석하기 때문입니다. 어디가 문제인지 지금 자기가 연구하고 있기 때문에 나름대로 연구하고 있는 부분을 갖고 나가서 또박또박 구체적으로 하나님께 말씀드리면서 '바로 그게 잘못돼서 그렇게 됐습니다' 하고 알고 기도합니다.

이렇게 기도해야 일곱 번씩 일흔 번 …, 즉 무한대로 용서해 주시는 것입니다. 이렇게 기도하는 사람은 '벼룩도 낯짝이 있지 어떻게 또 용서해 달라고 그래?' 하지 않습니다. 일곱 번씩 일흔 번이라도 용서해 달라고 할 수 있습니다. 담대히 가지고 나가서 자백하는 것입니다. 그러면 하나님과의 사귐이 끊어져 죽는 것 같다가도 다시 포도나무에 붙어서 행복한 것입니다. 그것이 인생의 행복입니다. 순종이 행복인줄 아는 맛! 그 행복 맛이 바로 자율 순종의 맛입니다. 그러면 순종이 재미있어집니다.

순종이라는 말은 하나님과 나 사이를 이어주는 단 한 개의 나사못과 같은 것입니다. 다른 것으로는 조인트가 안됩니다. 하나님과 관계하려면, 교제하려면, 사귀려면, 반드시 이 나사못이 있어야 합니다.

그런데 나도 하나님의 형상을 갖고 있는 존재라서 나의 의견이 있습니다. 자기 생각이 있다는 말입니다. 자기 생각이 없는 존재가 하는 순종은 순종이 아닙니다. 기계적인 작동일 뿐입니다. 자기 의견이 있지만 고통스러운 과정을 거쳐 그걸 꺾고 그래도 따를 때 그것이 비로소 순종입니다. 그래서 예수님의 자율적인 순종을 보여 주는 장면의 클라이막스가 겟세마네 기도입니다. 땀이 핏방울처럼 되는 고통입니다. 할 수만 있으면 나에게서 이 잔이 지나가게 해 달라는 표현은 쉽게 순종하기 어려운 상황에서 순종한 것을 보이시는 것입니다. 그러나 내 뜻대로 마옵시고 아버지의 원대로 하기 원한다고 했습니다. 인간은 그래야 된다는 것입니다. 선악과 나무 아래서 살아야 하는 존재라는 말입니다. 바로 그런 현장에서 보인 자율적 순종이십니다.

가정에도, 집안 일가 친척 중에서도, 교회에도 꼴 보기 싫은 사람이 있습니다. 그 사람에게 먼저 다가가 아는 척 하기 싫지만 그래도 하나님이 아는 척 하라고 하시니까 마지못해 가서 억지로라도 웃으면서 얘기한다면 그것은 순종입니다. 자율적 순종입니다. 저절로 잘 되는 것 아닌데 한 것입니다.

생각점 POINT

"겉 다르고 속 다르게 가서 난 그런 식으로 절대 못해!!!"라고 말하며 이중 인격자가 아님을 은근히 자랑하지 마십시오. 속 다르지만 가서 인사할 때, 그것이 바로 자율적 순종입니다. 마취주사 맞고 아기 낳는 것 같은 무통분만식의 순종은 하나님께서 인정해 주지 않습니다. 자기를 부인하고, 아프지만 엉거주춤 일어나, 그래도 그 뜻을 따르겠다고 몇 발자국이라도 걸을 때 비로소 인정해 주십니다. 엉거주춤 이지만 그래도 그 보기 싫은 사람한테 가서 인사 비슷하게 하고 돌아서면서 "그래, 내가 하기 싫어도 하나님이 하라하시니 한 거다" 하고 중얼거리면 '3점 짜리 슛' 을 한 겁니다. 그런데 그렇게 하고 나서 두고두고 생각하니 그게 그렇게도 분하고 억울하면 '골-인' 이 안된 겁니다. 3점 짜리 슛, 시도는 좋았지만 골인은 안된 겁니다. 점수가 없습니다. 그 웬수(?) 한테 먼저 말붙이고 웃었는데 며칠이 지나도록 여전히 기분 좋으면, 아! 그건 '꼴~인' 입니다. 3점 슛이 성공입니다. 기쁨입니다. 성경은 이런 기쁨을 세상이 줄 수 없는 평안이라고 말합니다. 진정한 인간의 기쁨은 순종할 때 터지는 것입니다. 해 본 사람만 아는 맛입니다.

당신은 아담이십니까?

하나님과 관계하십니까 ?

마지막 아담 안에 들어가셨습니까?

이제부터 속 다르고 겉 다르게 사십시다.

그러다 보면 속과 겉이 같아지는 날을 볼 것입니다.

그리 크게 노력하지 않는데도 하나님의 뜻과 과히 어긋나지 않게 사는 사람이 있다면 그 사람은 성숙한 사람일 것입니다. 속과 겉이 저절로 같아지는 그날을 바라봅시다. 그게 성숙입니다.

성경일독학교 학생 여러분!!

성경이 무슨 내용인지 아무리 안다 한들 순종하지 않으면 더 심각합니다. 순종하기 위해 읽읍시다. 순종의 파워(힘)가 쎄지도록 자꾸 성경을 먹읍시다. 이번에 일독하기 위해서 지금은 진도대로 열심히 읽지만 그러면서도 "기필코 순종하리 …" 이 생각은 놓치지 맙시다.

창세기 맨 앞 두 장, 즉 1장과 2장에는 죄가 없습니다. 또 성경이 끝나는 요한계시록 21장과 22

장에도 죄가 없습니다. 에덴입니다. 회복된 에덴, 천국입니다. 그 중간 성경의 대부분 역사 속에는 죄가 있습니다. 죄, 불순종입니다. 그러나 하나님의 통치를 받는 여러분들은 비록 죄가 있는 그 가운데서도 천국을 이루고 살기 바랍니다. 하나님의 나라가 임한 사람의 삶입니다. 하나님의 통치를 받는 삶입니다. 통치개념의 하나님나라입니다. 순종의 삶입니다. 결국 공간(장소)개념의 천국이 묘사된 요한계시록 21장 22장을 본 사람은 이 순종을 합니다. 이 사람은 세상이 두렵지 않습니다. 억울한 것도 괜찮습니다. 힘들어도 하나님이 좋아하신다면 무슨 일이든 기쁨으로 합니다. 참을 수 있습니다. 용서할 수 있습니다. 일일이 해명하지 않습니다. 안달하지 않습니다. 여호와의 크고 두려운 날, 권고하시는 그날이 있다는 것을 알기 때문입니다. 그날 다 드러날 것이기 때문에 그걸 생각하며 참는 겁니다. 그날이 바로 구원의 날(심판의 날)이기 때문에 그걸 생각하며 참는 겁니다. 뭐든지 참는 겁니다. 사랑할 뿐입니다. 왕의 통치를 받는 삶입니다. 21세기, 내가 발 딛고 사는 이 땅에 천국이 임해 있었다는 것(하나님의 나라의 현재성)을 증시하는 삶을 살다가, 하나님이 부르시면 천국(하나님의 나라의 미래성)에서 우리 다 만납시다.

주요 참고도서

· 김성수 「우리중에 이루어진 사실에 대하여」, 서울 합동신학대학 출판부, 2001.

　　　　　「내가 너로 큰 민족을 이루게 하리라」, 서울 합동신학대학 출판부, 2000.

· 김종배 「신비한 인체창조섭리」, 서울 국민일보사, 1993.

· 김홍전 「하나님의 백성1~3」, 전주 도서출판 성약, 1998.

　　　　　「신앙의 자태」, 전주 도서출판 성약.

　　　　　「사사기 소고 1~3」, 전주 도서출판 성약, 1988~1999.

　　　　　「이스라엘 열왕의 역사 1~3」, 도서출판 성약, 1995.

　　　　　「예수님의 행적1~10」, 전주 도서출판 성약, 1992~1994.

· 노재관 「신약배경」, 서울 기독교 문서선교회, 1999.

· Leon J Wood 「이스라엘의 역사」, 서울 기독교 문서선교회, 1996.

　　　　　　　　「이스라엘의 통일왕국사」, 서울 기독교 문서선교회, 1994.

· 미셀 끌레브노 「예루살렘에서 로마로」, 충남 한국신학연구소, 1993. 미카엘 아비요나

· 요하난 아하로니, 「아가페 성서지도」, 서울 아가페출판사, 1983.

· 박윤선, 「성경주석」, 서울 영암출판사, 1955.

· 박형룡, 「새롭게 다시 쓴 신약개관」, 서울 아가페 출판사, 2002.

· S. 헤르만, 「이스라엘 역사」, 서울 나단 출판사, 1989.

· 안점식, 「세계관과 영적 전쟁」, 서울 죠이선교회 출판부, 1995.

　　　　－, 「세계관을 분별하라」, 서울 죠이선교회 출판부, 1998.

· 이진희, 「유대적 배경에서 본 복음서」, 서울 컨콜디아사, 1997.

· W.푀르스터, 「신구약 중간사」, 서울 컨콜디아사, 1997.

· 클론. L. 로저스, 「요세푸스」, 서울 엠마오, 2000.

· 장종현, 최갑종, 「사도바울」, 천안 대학교 출판부, 1999.

· 죤 드레인, 이중수역, 1989. 바울, 서울: 두란노서원.

· 장종현, 최갑종, 1999. 사도 바울, 천안: 천안대학교출판부.

· 최갑종, 1992. 바울연구 I, 서울: 기독교문서선교회.

· 최갑종, 1997. 바울연구 II, 서울: 기독교문서선교회

· R.F 호크, 전경연 역, 1984. 바울선교의 사회적 상황, 서울: 대한기독교출판사

· Barrett, C. K. 1994. *Paul, Louisville*: Westminster/John Knox Press.

· Bruce, F.F., 1977. *Paul : Apostle of the Heart Set Free*, Grand Rapids: Eerdmans.

· Hengel, Martin & Schwemer, Anna Maria, 1997. *Paul Between Damascus and Antioch*, Louisville: Westminster John Knox Press.

· Horsley, Richard A. ed., 1997. *Paul and Empire, Harrisburg*: Trinity Press International.

· Longenecker, Richard N., 1971, *The Ministry and Message of PAUL*, Grand Rapids:Zondervan.

· Macartney, Clarence E., 1992. *PAUL The Man : His Life and Work*, Grand Rapids: Kregel.

· Murphy-OConnor, Jerome, 1983. St. *Pauls Corinth: Texts and Archaeology*, Collegeville: The Liturgical Press.

· Westerholm, Stephen, 1997. *Preface to the study of PAUL*, Grand Rapids: Eerdmans.

성경읽기표

60일 동안에 일독하도록 한 것은 하루에 20장씩을 잡은 것입니다. 두 달 동안 독하게 마음먹고 집중해서 읽으시라는 겁니다. 하루에 2시간 정도 투자하시는 것을 기본으로 한 것입니다. 물론 직업에 얽매이지 않아서 시간이 많은 분들은 하루에 다섯 시간도 읽을 수 있습니다. 또 재미가 붙으면 하루에 열 시간도 읽을 수 있겠지요. 그러나 직업을 가지고 일하는 분일 경우에도 2시간은 투자할 수 있지 않을까 생각합니다. 그렇게 생각한 이유는 미국에서 세탁소를 경영하시는 분이 새벽 7시부터 밤 7시까지 일하면서도 성경을 두 달 동안 일독하시는 것을 보았기 때문입니다. 문제는 '내가 일하느냐' 가 아니고 '얼마나 여기에 헌신하느냐' 입니다. 평상시 생활하는 흐름 속에서 읽겠다 생각지 마시고 극기훈련에 돌입했다는 자세로 읽자는 뜻입니다. '나는 고3이다' 이런 정신입니다. '난 사정상 절대 그렇게는 안되겠다!' 하시는 분은 하루에 1시간 정도 투자하십시오. 하루치를 이틀에 나누어 읽으면 됩니다. 또, '난 그것도 못해!!' 하시는 분은 30분을 투자하십시오. 하루치를 나흘에 읽으면 됩니다. 그러나 될 수 있으면 집중해서 한 번 일독 하기를 권합니다.

* 33일까지는 창·출·민·수·삿·삼·왕의 역사입니다. (　　　)로 묶은 성경은 왜 그런지 아시죠?
* 반드시 해당하는 부분의 강의내용과 지도를 펼쳐 놓고 연구하며 읽어가십시다.
* 열왕기하와 관련된 선지서 중 꼭 필요한 부분은 약간의 설명을 덧붙였습니다.

1일　창 1~11　：　창조, 기원, 인류 일반역사, 아브라함에게 연결되는 영적 조상들 찾아보기,
　　　　　　　　　　세상나라의 시작, View Point생각하며 읽기 (신화로 생각하면 안됩니다.)

　　　　창 12~20　：　하나님도 나라를 시작하심, 아브라함의 생애

2일　창 21~36　：　이삭, 야곱 —————————————→ 국민만들기 시작

　　　　창 37~40　：　요셉

3일　창 41~50　：　요셉, 야곱의 12아들 입(入)애굽 —————→ 국민이 번성함

　　　　출 1~11　：　히브리 민족 생김, 모세 출현, 10재앙

4일　출 12~19　：　유월절의 유래, 애굽 탈출, 시내산 도착 ———→ 영토 찾아 「행진」

　　　　출 20~31　：　시내산에 올라 법을 받는 모세 ——————→ 주권을 선포 「교육」

5일　출 32~33　：　모세, 하산해 보니 백성들은 금송아지 만들고….

　　　　출 34　：　제 2차 등산

　　　　출 35　：　하산, 안식일 지키자! 성막 만들자! 성막건축헌금 ———→ 「교육」

　　　　출 36~40　：　성막 기술자들 공사착공 ⇨ 드디어 완공,

　　　　　　　　　　（뚝딱거리는 망치소리를 들으며 현장감 있게 읽읍시다. 시내산 이슬에 몸이 젖는 듯
　　　　　　　　　　그 산에 있는 느낌으로 읽읍시다. 다 완공되면 민수기로 뜁시다. 왜 그런지 아시죠?）

6일　민 9:15~23　：　성막을 덮은 쉐키나의 구름

　　　　민 9:1~14　：　두 번째 유월절을 지킴

　　　　민 1~4장　：　첫 번 인구조사

　　　　민 5~8장　：　교육

　　　　민 10~12장　：　11개월 5일만에 시내산 출발

　　　　민 13~15장　：　가데스바네아에 도착(지도확인 할것), 정탐꾼 보냄

　　　　　　　　　　（"광야생활 40년" 이라는 운명(?)을 바꿔놓은 중요한 장면）

　　　　민 16~19장　：　여러 가지 사건들과 교육

7일　민 20장　：　가데스바네아에서 있었던 일(이 지역에서 40년 간 광야에 머뭄)

　　　　민 21장　：　북진 시도 (아랫, 지도에서 확인할 것) ——————→ 「행진」

(40년이 지난 후 제 2세대 가나안을 향해 출발)

민 22~27 : 요단 동쪽 모압 땅 정복 (지도 !)

민 28~36 : 교육과 여러 가지 사건들

(레 1~4) : 번제, 소제, 화목제, 속죄제 ─────────────────▶「교육」

(모압 평지까지 와서 이제 레위기 읽읍시다. 시내산으로 되돌아감.)

8일 (레 5~22) : 아론의 대제사장 취임식, 제사법, 생활법, 형법 ───────▶「교육」

(레 23~27) : 절기, 생활법 ───────────────────────▶「교육」

9일 (신 1~20) : 모압 들에서 모세의 마지막 설교,「복습」시작 ────────▶「복습교육」

(모압평지에서 모세의 설교도 들읍시다.)

10일 (신 21~34) : 모세의죽음

수 1~5 : 여호수아 등장, 요단강을 건너 전쟁을 준비함 ──────────▶「행진」

11일 수 6~24 : 가나안 땅 정복하여 지파별로 분배, 여호수아의 죽음

(지파별로 분배받은 땅을 지도에서 반드시 확인할 것. 요단 동쪽에서는 지금 갓,
므낫세 반지파, 르우벤지파가 남아서 살고 있음을 기억 할 것.)

12일 삿 1~16 : 계속되는 정복역사와 사사시대 ───────────▶「사명따라 살기」

13일 삿 17~21 : 미가신상, 레위인 첩 사건으로 동족상잔의 비극 초래

(룻 1~4) : 이방여인 룻이 다윗을 등장시킴

삼상 1~6 : 마지막 사사 사무엘 등장

14일 삼상 7~20 : 다윗의 기름부음 받음, 사울왕, 요나단, 다윗의 이야기

15일 (시편 1~2, 4~17, 59편)

: 다윗의 도망시절 (추종자들이 많았다.)

삼상 21(시편 56), 삼상 22(시편 52,57), 삼상 23(시편 54), 삼상 24(시 63)

(다윗은 도망다니면서 외로울 때 하나님을 향해 기도시를 많이 썼다.)

16일 **삼상 25~삼하 1:** 사무엘의 죽음과 사무엘의 행적

(시편 19~30) : (시편 22편은 마태복음 27장과 함께 읽을 것)

17일 **삼하 2~4　:** 이스라엘과 유다의 갈등

삼하 5~7,　: 다윗의 통일왕국과 하나님과의 언약

(시편 31~41)

18일 **삼하 8,　:** 다윗왕국의 성립

(시편 60)

삼하 9~11　: 통일 후 안정

삼하 12　: 밧세바를 범함

(시편 51)

(시편 42~50) : 고라자손「제사를 드리는 레위 지파」의 노래

삼하 13~15　: 아들 압살롬의 반란

(시편 3)

19일 **삼하 16:1~23:7:** 다윗의 말년기(※ 삼하 22장과 시 18은 똑같다)

삼하 23:8~24 : 다윗의 용사들과 인구조사

(시 53, 55, 58,

시 61~62,

시 64~71)

20일 **왕상 1~6　:** 솔로몬의 등극과 성전 건축

(시편72,　: 솔로몬의 글들

잠1~15)

21일 **왕상 7~11　:** 솔로몬의 영화와 타락

(잠언 16~31) : 솔로몬의 글들

22일 **(전도서 1~12) :** 솔로몬의 글들

(아가 1~8)　: 솔로몬의 글들

(※여기서 욥기(48일)를 읽어도 괜찮습니다.)

23일 **왕상 12** : 남북분열 사건(머리부분)

왕상 13~22 : 남 유다의 여호사밧왕, 북이스라엘의 아합왕까지

왕하 1~10 : 선지자 엘리사와 예후왕의 혁명(몸통부분)

(오바댜 1장) : 에돔이라는 나라에 대한 예언

(여기서부터 왕하와 선지서를 같이 읽는다.)

24일 **왕하 11~13** : 이달랴 여왕 중심으로 읽기

(요엘 1~3),

왕하 14~15:22

(요나 1~4,

아모스 1~9) (아모스는 남방유다 사람인데 북이스라엘로 올라가 활동했던 선지자다. 내일 읽을 호세아도 이스라엘 멸망기에 이스라엘을 대상으로 활동했던 선지자다. 이스라엘의 시대상과 연관해서 아모스와 호세아를 읽자.)

25일 **왕하 15:23~17장**: 북이스라엘 멸망, 남유다 웃시야 – 히스기야 왕 때

(호세아 1~14,

이사야 1~4) (이때부터 이사야를 읽자: 북이스라엘이 망하면 유다만 남는다. 이 때는 히스기야 왕과 이사야 선지자가 중심인물이다. 망국을 예언하기 시작하는 이사야는 죄에 대하여 심판하시나 구원이 올 것이라는 두 가지의 메시지로 일관한다. 이 사실만 생각하고 읽어도 그 내용이 조금 감이 잡힌다.)

26일 (사 5~24)

27일 (사 25~35),
(미가 1~7)

28일 **왕하 18~20** : 이사야와 히스기야왕
(사 36~52)

29일 (사 53)과 (마태복음 26, 27)을 같이 읽기

(사 54~66),

왕하 21,

(나훔 1~3)　　(이사야의 활동은 이스라엘이 멸망한 이후, 웃시야 통치 말기에 시작해서 히스기야 시대까지 계속되었다. 예언의 내용 중에는 이사야 자신의 활동 당시에 있었던 일들(1~39장), 바벨론 포로에 대한 예언(40~66)으로 대분된다. 유다의 죄로 멸망하기는 하지만 결국은 하나님의 구원이 이를 것을 예언한다. 멀게는 모든 민족, 인류도 죄로 멸망하지만 결국은 구원이 나타날 것을 예언하고 있다. 오늘 읽는 부분은 그 구원이 어떤 것이 될지 아주 구체적으로 예언하고 있는 유명한 장이다. 이렇게 성경의 예언서 부분은 그 당시 역사적인 구체적인 상황을 일차로 예언하면서 동시에 그 예언이 전 인류의 구원역사, 즉 하나님의 나라가 완성되는 메시야 예수로 인한 구원의 클라이막스와 함께 겹쳐져 예언되어 있다.

이즈음에 같이 활동한 「미가」 역시 예수님의 탄생지가 유대땅 베들레헴(미가 5:2)이 될 것을 예언하고 있다. 진정한 왕 예수의 출현은 이와같이 구약의 역사 속에서 계속 초점을 두고 흘러가고 있는 목표지점이다. 특히 이스라엘과 유다의 멸망 현장에서 예수의 출현을 예고하는 것은, 하나님의 나라가 멸망하는 것이 아니라 오히려 그런 가운데서 세계를 향해 나아가고 있는 하나님의 섭리를 보여주고 있는 것이다. "예수를 믿는다"는 말은 보통 우리가 생각하는 대로 그렇게 간단하고 단순한 진리가 아니라 이와 같이 역사의 무게와 두께를 지닌, 깊은 내용이다.)

30일 왕하 22~23:34,:　요시야의 종교개혁(꼬리부분)

(스바냐 1~3),

(예레미야 1~15)　(역사서의 왕하는 한두 절밖에 안되나 그 시기에 활동한 예레미야는 많은 분량의 예언서를 남겼다. 유다가 망해가는 시기임을 염두에 두고 예레미야를 읽자.)

31일 (렘 16~34)

32일 왕하 23:35~37 :　여호야김왕때(꼬리부분)

(렘 35~36)

왕하 24　　　:　여호야김, 여호야긴, 시드기야(꼬리부분)

(렘 37~40:6, 렘 52:1~11)

왕하 25 : 남왕국 최후의 날(꼬리부분)

(렘 43~51장)

(렘 40:7~ 42장)

(렘 52:12~34) (예레미야서 자체가 순서 없이 왔다 갔다 하며 기록되어있는 경향이 있기 때문에 역사서인 왕하와 맞추 다 보니 좀 복잡한 감이 있다.)

33일 **(예레미야애가 1~5),**

(하박국 1~3) ("무화과 나뭇잎이 마르고 포도 열매가 없고 외양간 소가 없어도 난 여호와로 인해 즐거워하리" 하고 노래한 하박국도 바로 이런 유다의 멸망을 배경으로 하나님의 백성들이 망해야 하는 것 때문에 고민하고 씨름했던 선지자이다. … 그러나 "의인은 오직 믿음으로 말미암아 살리라" 하는 큰 음성을 듣고 찬양하고 있다. 유다가 멸망해가는 이 지점에서, 망하지만 그 가운데 구원이 일어날 것인데 그것은 오직 "믿음"으로 말미암는다는 사상을 주시는 말씀이다. 이 "믿음"이라는 주제는 예수님의 죽음과 부활이라는 '사건'을 해석하고 이론화할 때 "핵심교리"로 부상하게 되는 큰 메시지이다. 구약과 신약은 이와같이 조금도 빈틈이 없이 짝이 맞는 하나님의 말씀이다. 그러므로 성경은 성경을 읽을 때에만 하나님의 말씀으로 증명되는 책이다.)

여기까지 "창 · 출 · 민 · 수 · 삿 · 삼 · 왕"의 역사를 읽으셨습니다. 수고하셨습니다 ↓

여기부터 "대 · 라 · 느"의 역사가 시작됩니다 ↑

조심할 점 : 어제까지 유다가 망하는 역사와 선지자들의 슬픈 노래를 읽었다. 그런데 오늘부터 다시 읽는 이 역대상을 그 역사 끝에다 연결시키면 절대로 안된다. 어제 읽은 포로시대 진입을 염두에 두고 창세기로 올라가야 된다. 나라가 망했지만 이제 포로시대에 들어서서는 창조부터 다시 정리하기 시작하며 유다라는 공동체의 뿌리를 찾고 있기 때문이라고 했다. 이 나라의 근원이 창조주 하나님부터 시작되는 것이라는 생각으로 에스라가 다시 정리하고 있어서 그렇다고 했다. 그러므로 우리도 이 역대상부터 다시 처음부터 복습하는 차원으로 읽어야 한다고 공부했다. 바로 여기가 그 지점이다. 북방 이스라엘은 빼고 남방 유다에 연결시켜서 다윗의 역사를 부각시키고 있음을 생각하고, 역대하 끝에 가면 어제까지 읽었던 유다의 멸망과 연결된다는 것을 기억하고 읽자. 그리고 나서야 포로잡힘의 역사 「다니엘, 에스겔」 에스라 「학개, 스가랴,에스더」 느헤미야 「말라기」가 뒤를 잇는다.

역대기는 유다의 역사를 제사장적 역할에 초점을 맞추고 있다는 데 유의하자. 다윗때에 가서야 하나님 중심의 문화가 꽃을 피우기 때문이다. 그래서 제사제도와 관련된 레위 지파의 역할이나 성전중심의 활동을 많이 얘기한다. 그래서 사무엘하에서 중단했던 다윗의 시편도 이곳에서 다시 읽는다. 성전에 올라가는 노래, 아삽 자손의 노래들을 이런 관점에서 함께 읽자.

34일 **대상 1~9:34** : 창조부터 포로귀환까지의 개관
　　　　대상 9:34~14장

35일 **대상 15~16,**
　　　　(시편 105),
　　　　(시편 73~83)
　　　　(시편 84~89) : 고라 자손의 시편

36일 **대상 17~21,**
　　　　(시편 90~104),
　　　　(시편 106)

37일 **대상 22~26,**
　　　　(시편 107~134)

38일 **대상 27~29,**
　　　　(시편 135~150 시편 끝남)

39일 **대하 1~18** (분열왕국 이후 유다 왕의 역사만 나오는 것을 직접 확인하자.)

40일 **대하 19장~36: 21** :여호사밧부터 남방유다 멸망까지

41일 **(다니엘 1~12),**
　　　　(에스겔 1~8) (에스겔은 바벨론에서 이 말씀을 받았다. 이사야나 예레미야는 본국에서 유다의 형편을 예언한데 반해 에스겔과 다니엘은 바벨론에서 말씀을 받는다고 했다. 에스겔 역시 "심판과 구원"을 외친 이사야나 예레미야처럼, "책망"과 "위로"의 메시지를 담고 있다. 결국 포로시대의 메시지는 다 "심판하시나, 구원하신다"는 동일

한 말씀이다. 포로신세인 유대인들에게는 그들의 하나님에게 되돌아 가고자 하는 회개를 불러일으키는 메시지들이었다.)

42일 (에스겔 9~28)

43일 (에스겔 29~48) (에스겔이 이상 중에 본 것은 새 예루살렘의 건축 설계도이다. 솔로몬이 지었던 예루살렘성전이 느부갓네살에 의해 파괴되었으나 여기 40~48장에 에스겔을 통해 새로 보이시는 성전은 마치 신약의 사도요한이 가장 끝 부분에 기록한 요한계시록의 새하늘과 새땅의 새예루살렘 성전을 환상 중에 보고 기록한 것과 같은 장면으로 대칭을 이루고 있다고 했다. 그뿐만 아니라 뒤에 읽을 다니엘서 중 특히 10~12장에 나타나는 계시는 마지막 때를 보여주는 묵시인데 이 장면 역시 요한계시록에서 요한이 본 마지막 때의 환상과 짝을 이루는 놀라운 묵시이다. 사도 요한은 로마 압제 때 밧모라는 섬에 유배된다. 채석장에서 일하다가 종말에 관한 계시를 받았는데 이도 에스겔, 다니엘과 비슷한 환경에서 주어진 것이라고 볼 수 있다.

그뿐만 아니라 에스겔서와 다니엘에 새로 등장하는 어떤 사람이 있는데 그 용어가 "인자"라고 했다(에스겔 37:16, 38:2, 다니엘 7:13, 계시록 1:7을 지금 찾아서 비교해 보라). 이 인자라는 이는 온 세계 역사의 종말과 관련되어 왕으로 나타날 것임을 보이고 있는데 바로 이 용어는 예수님께서 자신을 지칭할 때 꼭 사용하셨다. 「인자의 온 것은… 등등」 이와같이 구약은 오실 메시야를 확실히 예언하고 있다.

다니엘과 에스겔은 따로따로 말씀을 받았다. 그러나 그 내용이 하나라는 점이 놀랍다. 뿐만 아니라, 앞으로 400년 후 사도요한이 다니엘, 에스겔과 짝이 맞는 환상을 볼 것이라고는 꿈에도 상상 못했을 것이다. 그러나 하나님은 섭리 가운데 앞으로 예수 그리스도를 통한 구원 사역이 온 세계를 향해 나타날 것이며, 그 일은 이와같이 구약에 깊이 뿌리를 내린 분명한 사실이라고 계시로 보여주시는 것이다.

"예수, 그는 누구인가?" 이 쟁점은 간단한 이슈가 아니라고 했다. "그가 하나님이시며, 목숨을 지불하고 백성들을 찾으시는 진정한 왕"이심을 이와같이 길고 긴 성경의 역사를 흘러오면서 빈틈없이 증명하고 계시다. 성경은 진정 하나님의 말씀이다. 읽기 전에는 도저히 깨달을 수 없는 하나님의 말씀이다. 읽는데도 무슨 말인지 모르고 읽기에는 너무 아까운 하나님의 말씀이다.)

44일 대하 36:22, 23 :　고레스의 조서

(에스라 1:1~3과 똑같다),

에스라 1~10　(40일 째에 대하 36:21까지를 읽었는데 오늘 그 이후인 22절이 연결된다. 개역성경은 22,23절을 에스라 1:1~3과 똑같이 번역 했다.)

(학개 1~2),

(스가랴 1~7)　(에스라서 내용에 보면 1차 포로귀환 때 돌아온 백성들은 스룹바벨이라는 제사장의 인도로 성전 짓기를 시작했지만 미완성한다. 그 후 학개와 스가랴가 성전을 마저 완성하기 위해 예루살렘으로 돌아와 완공한다. 그리고 그 후, 에스라가 들어오고, 그 다음에 느헤미야가 예루살렘 성벽(성전과 다르다)을 개축하기 위해 예루살렘 총독이라는 명함을 갖고 돌아온다(이렇게도 여러 번 얘기하니 이제 이쯤에서는 좀 아시겠죠?)

45일 (스가랴 8~14),

(에스더 1~10)　(에스더는 바사왕국 때 바벨론에서 있었던 이야기이다. 에스라도 아직 귀환하기 전이다. 따로 떼어내어 읽자. 말라기는 에스라, 느헤미야 다음에 놓으면 된다. 개혁을 하느라고 해도 여전히 또 범죄하고 있는 모습을 안타까워하시는 하나님께 말씀을 받았다. 이 말라기 이후로는 신약시대 세례요한까지 하나님은 침묵하신다.)

46일 느헤미야1~13,

(말라기 1~4)

여기까지 "대 · 라 · 느"의 역사가 마칩니다

47일 (욥기 1~21)

48일 (욥기 22~42)　(역사적인 흐름상 끼울 데가 없었던 욥기를 맨 끝에 끼우지만 아무데서나 읽어도 괜찮다.)

구약성경 읽기가 끝났습니다. 정말 수고 많았습니다.

여기서 부터 신약 시작! ↓

49일, 50일, 51일

여기부터 사생애 ↑

▶ **탄생에 관한 기록**

    눅 1:1~38 : 누가의 예수 탐구에 대한 이야기 시작, 마리아와 천사

    마 1:19~25 : 요셉에게도 꿈에 천사가 나타남

    눅 1:39~2:7 : 몇달 동안 사가랴 집「세례요한의 부모 집」에 머무름, 예수탄생

    마 1:1~17, : 예수의 족보, 누가가 기록한 족보 삽입

    눅 3:23 하반절~38절

    눅 2:8~38 : 예수탄생 때의 사건들, 목자, 할례, 성전의 시므온과 안나

    마 2:1~23 : 동방박사, 애굽으로 피난, 아기 학살사건, 나사렛 귀향

▶ **소년시절에 관한 기록**

    눅 2:41~52 : 예수의 소년시절, 성전에서 있었던 일, 귀향 후 가사를 돌봄

여기부터 공생애 ↑

▶ **유월절① 이전 기록**

    눅 3:1~14, : 세례와 시험 받으심, 세례요한의 사역, 사도요한의 예수 증언

    마 3:10~17,

    마 4:1~11,

    요 1:1~34

    요 1:35~2:12 : 다섯 제자를 만남, 가나 혼인잔치, 가버나움에 내려가심

여기부터 공생애 1년 시작 ↑

유월절①에 시작하신 첫 예루살렘 사역   공생애 1년 시작지점부터 그 후 8개월 간(제 1년 4월~12월) ─

    요 2:13~4:2 : 첫 유월절 이후 약 8개월을 예루살렘에 거주

    눅 3:19~20, : 세례요한의 투옥, 예루살렘에서 명성을 갖기 시작함

    마 4:12

    요 4:3~54 : 예루살렘을 떠나 갈릴리로 가는 중 사마리아 여인 만나심, 왕의 신하의 아

들을 고치심

8개월 후 예루살렘에서 떠나 첫 갈릴리 사역 시작   제1년 12월~제2년 4월

눅 4:14~30   :   고향에서 배척당함

마 4:13~17   :   가버나움으로 이사, 갈릴리에서 천국복음 전파 시작

눅 5:1~11   :   네 제자를 다시 부르심

눅 4:31~41   :   가버나움에서 어느 하루에 일어난 일

눅 4:42~44,   :   제1차 갈릴리 순회전도

마 4:23~25

눅 5:12~39   :   순회전도 후 중풍병자 고침, 레위 마태를 부르심

눅 6:1~7

여기부터 공생애 2년 시작

유월절② 예루살렘 사역   제 2년 4월

요 5:1~47   :   공생애 2년 초, 유월절에 예루살렘에 올라가심, 베데스다 연못의 38년 된
            병자 얘기 정도만 기록되어 있음, 안식일문제 대두

갈릴리로 다시 돌아오셔서 갈릴리사역   언제 갈릴리에 오셨는지 알 수 없음(?)

마 12:1~21,   :   안식일 문제가 계속 이슈로 등장하기 시작함

막 3:7~19   :   군중들이 몰려들고, 12제자를 임명함

마 5~7장   :   산상수훈을 베푸심

마 8:1~13   :   문둥병자, 백부장 하인을 고치심

마 9:14~17   :   세례요한의 제자들이 금식문제 질문

            (이때부터 – 아래 사건들 – 등장하는 이슈는 바리새인들과 관련된 교훈들로 사역
            2년 중반을 엮어가고 있음을 알아야 한다)

눅 7:11~17   :   나인성 과부의 아들을 살리심

눅 7:18~35   :   세례요한의 질문과 이와 관련된 당시 사회를 풍자함

마 11:20~30   :   위의 이슈와 연관된 설교

눅 7:36~50   :   옥합을 깨뜨린 여인

눅 11:37~54   :   바리새인과의 점심식사

마 12:22~37   :   귀신 들린 자를 고친 후 마귀의 조직세력을 설명하심

마 12:38~42   :   표적을 구함

| 눅 12:1~13:9 | : | 2차 순회전도에서 생긴 일 |

눅 12:1~13:9 : 2차 순회전도에서 생긴 일

마 12:46~50 : 모친과 형제들이 찾아옴

눅 8:22~56 : 바다를 잔잔케 하심, 거라사 귀신들린 자, 회당장 야이로의 딸과 혈루증 여인을 고침

마 9:27~34 : 두 소경 눈을 뜸

마 13:53~58 : 고향 나사렛을 방문하시나 또 배척 당하심

마 9:35~11:1, : 12사도를 파송하시며 교육, 예수님의 3차 전도여행

막 6:7~13

마 14:1~12, : 세례 요한의 참수

막 6:14~29, : 12사도 파송의 결과를 보고 받으심

눅 9:7~9,

막 6:30

여기부터 공생애 3년 시작 ↑

제3년 4월 초순경—

유월절③에 여전히 갈릴리에 계심

(이번 유월절③은 예루살렘에 올라가지 않으시고 갈릴리에 머물러 계심)

막 6:31~44, : 12제자 파견 전도 후 제자들과 함께 좀 쉬러 가셨다가 그만 사람들이 몰려오는 바람에 생긴 오병이어 사건

요 6:1~71

마 14:22~33 : 바다위를 걸으심

마 14:34~36 : 게네사렛에서 병을 고치심

막 7:1~23 : 바리새인들이 여기까지 쫓아와서 장로 유전에 대해 질문함

(이제부터는 대중을 상대하시는 강론보다는 제자들만을 위한 특별강론을 주로 하신다. 그래서 될 수 있는 대로 한적한 곳을 찾아 갈릴리 북부의 두로와 시돈「이방 땅, 앗수르 계열, 페니키안들」, 헬몬산, 데가볼리 등지를 다니시며 십자가 고난을 예고하시며 이에 초점을 맞춰 제자훈련을 하신다.)

마 15:21~28 : 제자들과 조용히 시간 보내려 오셨는데 이번에는 수로보니게 여인을 만나심(두로와 시돈지역)

막 7:31~37 : 귀먹고 어눌한 자를 고치심

─아직 갈릴리 북부지역　　　　　　　　　　　　　　　　　　　　　　　　제3년 중간

　　마 15:29~39 : 　4000명을 먹이심(데가볼리 지역:갈릴리호수 동편)

　　마 16:1~12 : 　예수님께 또 표적구함(마가단 · 막달라지역 :갈릴리 호수 서남쪽)

─계속 갈릴리 북부 중심의 사역　　　　　　　　　　　　제3년 초막절 「10월」 이전, 9월 경

　　마 16:13~28 : 　베드로의 신앙고백과 첫 번째 수난예고 (가이사랴 빌립보)

　　마 17:1~13 : 　변화산 사건, 세 제자만 데리고 올라가심

　　막 9:14~29 : 　변화산 아래, 귀신들린 아이로 곤란을 당하고 있는 제자들

　　막 9:30~32 : 　두번째 수난 예고 (가이사랴 빌립보에서 가버나움으로 돌아오는 길에)

　　마 17:24~27 : 　예수님과 베드로의 성전세(가버나움)

　　마 18:1~10 : 　천국에서는 누가 큰가를 질문하는 제자들

　　　　　　　　(이즈음 예수님의 관심사는 "십자가를 지심"인데 반해, 제자들 사이의 이슈는 "누가 크냐? 그 왕싸움, 우리가 성경의 주제라고 생각 해 온 그 왕 싸움"이 자꾸 겉으로 드러나 노골화 되어가는 중이었다. 나중에 예수 정부에 대한 구체적인 자리 싸움으로 구체화된다. 이제까지는 각자 속으로만 생각하고 있던 것이 겉으로 드러나기 시작한다. 몇 개월 후 예루살렘으로 올라가는 노중에 한번 더 하나님 나라에서는 누가 크냐로 인해 제자들의 어머니까지 결부되는 심한 갈등이 또 나타난다.)

▶ 이 즈음에 제자들에게 주신 중요한 강론

　　마 18:12~14 : 　목자와 양에 대한 강론

　　마 18:21~35 : 　용서에 대한 강론:베드로의 질문, 형제를 7번 용서하리까?

　　　　　　　　(자꾸 제자들끼리 싸우니까 베드로도 괴로워하며 이 문제를 조용히 에수께 물어본 듯 하다. 예수님의 강론들은 밑도끝도 없이 그저 뚝 떨어뜨린듯이 하신 것이 아니고 반드시 어떤 상황에 연결되어 베풀어졌다. 예를들면, 바리새인의 질문이나, 사회상이나, 민중들의 상태나, 제자들의 갈등 등에 관련된다. 그러므로 복음서에 나타나는 강론, 교훈, 비유, 설교등 많은 예수님의 말씀은 반드시 앞 뒤 어떤 상황속에서 주어진 것들인가를 눈여겨 살피고 그 상황과 연관지어 그 말씀을 이해하자.)

─드디어 예루살렘 행　　　　　　　　　　　　제3년 초막절(10월 12~19일)이 가까워 오는 때

　　요 7:2~9 : 　예수님의 친동생들이 예수님을 비방하며 초막절 지키러 예루살렘으로 올라가고, 예수님도 뒤이어 올라가심(그 동안은 갈릴리에 묻혀 계셨는데, 드

디어 유대지역으로 이동하심)

(공생애 제2년 초엽 유월절에 베데스다 연못의 병자를 고치신 예루살렘 사역 이후 여기까지 예수님은 약 1년 6개월 이상 갈릴리 사역을 해 오셨다. 그리고 여기 제3년 10월 초엽 드디어 갈릴리를 떠나 예루살렘을 향해 올라가시는데 앞으로 6개월 간의 예수님의 행로의 최종 방향은 "예루살렘으로 가시는 것"이다. 그러므로 우리가 이제 앞으로 읽을 남아있는 복음서의 내용들은 십자가에 못박히는 유월절 (4월 16일경)까지의 6개월 간 일어난 일들이다. 성경은 아주 간단히 이 예수님의 행적의 방향을 "예루살렘으로 가려할 새(마 20:17)"라고 가볍게 표현한다. 그래서 우리는 이것을 잘 눈치채기 어렵다. 비아냥거리면서 형제들이 떠난 이후, 예수님도 여행준비를 하셔서 정들었던 갈릴리 고향을 뒤로 하고 이제 떠나시는 것이다. 이후 3개월은 예루살렘을 중심으로 왔다 갔다 하시고, 3개월 동안은 베레아 지방에서 지내신다. 갈릴리 사역은 이제 이로서 끝이다. 다시는 갈릴리로 안 가신다. 부활의 몸으로는 가신다.)

▶ **예루살렘으로 올라가는 여행 도중에 생긴 일들**

눅 9:51~56 : 갈릴리에서 예루살렘으로 내려가는 길로 사마리아를 택하시는데 그들이 냉대함

눅 17:11~19 : 10명의 문둥병자를 고치심

(위의 눅 9장 다음에 일어난 일이 눅 17장에 기록되어 있을 만큼 순서적이지 않다.) "예수께서 예루살렘으로 가실 때" 사마리아와 갈릴리 사이로 지나가시다가….

눅 9:57~62 : 예수께서 예루살렘으로 가시는 길에 주를 따르겠다는 사람 세 사람을 만남

눅 10:1~24 : 이즈음에 70인 전도단을 교육시키셔서 베레아지방에 파송하심

(이로 보건대 갈릴리에서 출발하여 예루살렘을 향하실 때 적어도 이 70인 전도단 사람들에 대한 작전이 있었던 듯 하다.)

여기까지 예루살렘 행 도중에 생긴 일들 ↓

요 7:11~8장 : 초막절 끝날 즈음에, 드디어 예루살렘 성전에 나타나셔서 설교

(예루살렘이 다시 예수그리스도의 출현으로 인해 술렁이기 시작하며, 갈릴리로 바리새인「율법학자」들을 배치해서 예수님의 흠을 잡아 여론을 형성하려했던 움직임은 급작히 예루살렘 성전을 중심으로 수렴되기 시작한다. 그래서 앞으로도 계속 이들과의 변론이 불가피하며 급기야는 유월절 마지막 수난주간 화요일에는

예루살렘 성전에서 본격적으로 질문을 퍼붓는데 이 내용들을 우리는 복음서 마지막 부분에서 많이 찾아볼 수 있다. 앞으로 이런 관점으로 남은 부분을 읽자.)

눅 10:25~37 :　영생에 관한 질문, 선한 사마리아인의 비유

눅 10:38~42 :　마리아와 마르다의 신앙.

눅 11:1~13 :　주기도문을 가르치심

요 9:1~41 :　날 때부터 소경된 자를 고치심

　　　　　　　　('예수, 그는 누구인가?' 의 관점으로 읽자.)

요 10:1~21 :　목자와 양에 대한 비유와 논쟁

여기, 초막절 이후부터 수전절 사이 기간(11월부터 12월 25일 전까지)은 어디에 계셨는지 알 수 없음

요 10:22~42 :　수전절(12월 25일)에 예루살렘에 나타나심, 배척을 받으심

　　　　　　　　(일단 베레아로 들어가심)

요 11:1~44 :　나사로를 살리심.「베다니:예루살렘 근교-로 다시 들어오심」

요 11:45~53 :　가야바의 예언, 나사로를 살리심, 이 일이 화근이 되어 예수 믿는자 출교령 내림

요 11:54~57 :　에브라임 산지동네에 피신하심

─**베레아로 들어가심(지도!)**

눅 13:10~17 :　베레아 지방으로 3달 동안 가서서 전도하심

눅 13:22~33 :　베레아에서의 설교 : 좁은문 설교를 이때 하심

마 19:1~30 :　베레아에서의 사건과 교훈

눅 14:1~35 :　베레아에서 고창병 든 사람을 고치심, 그리고 설교

눅 15:1~17:10 :　베레아에서의 강론, 유명한 비유 잃은 것 3가지 설교

마 20:1~16 :　베레아에서의 비유, 포도원 , 품군의 비유 등

마 20:17~29 :　베레아에서 예루살렘으로 들어오는 길에 세 번째 수난예고, 요한과 야고보의 어머니가 예수께 청탁함

눅 18:35~19:27:　베레아에서 예루살렘으로 들어오는 길, 여리고에서 소경과 삭개오 만남

─**베레아에서 나오심**

▶ **마지막 일 주일**

요 12:1~8 :　베다니 마리아가 향유를 부음

눅 19:29~48 : 예루살렘 입성

막 11:15~19 : 두 번째 성전 숙청

마 21:18~46 : 무화과 나무 저주, 예수 권위에 대한 질문

마 22:1~23:39 : 정치, 종교지도자들과 최종 변론

막 12:41~44 : 과부의 헌금

요 12:20~50 : 예루살렘 방문 헬라인과 만나심

마 24~25장 : 감람산 강설(긴 강설 중 하나이다「산상수훈처럼」)

마 26:1~5, : 예수 죽일 음모와 유다의 배반
　　14~16

요 13:1~30 : 세족식, 최후의 만찬

마 26:26~30 : 성찬식

요 13:31~16:33 : 다락방 강설(이것도 긴 강설 중 하나이다)

요 17장 : 예수님의 위대한 마지막 기도

눅 22:31~38 : 감람산(겟세마네 동산)으로 가면서 베드로 장담함

마 26:36~56 : 겟세마네 기도, 체포됨(목요일 밤)

마 26:57~75 : 대제사장의 심문, 베드로의 배반(철야심문)

마 27:3~10 : 유다의 죽음

눅 23:1~5 : 빌라도 1차 심문

눅 23:6~12 : 헤롯의 심문

눅 23:13~56 : 빌라도 2차 심문, 사형선고, 처형, 장사

요 20:1~31 : 부활

요 21:1~25 : 부활 후의 사건들

마 28:16~20 : 제자들에게 사명을 주심

행 1:1~11 : 승천하심, 제자들은 무섭지만 예루살렘에 모여 있음

여기까지 공생애 3년, 복음서 끝 ↓

───────────────────────────

여기부터 사도행전과 서신서 읽기입니다 ↑

52일 행 1~12 : 교회의 탄생「예루살렘교회」, 베드로의 사역

행 13~14 : 바울의 등장, 1차 선교여행(지도! 지도! 지도!)

행 15:1~35 : 예루살렘 총회

갈라디아서 읽기 : (우리일독학교에서는 데살로니가 전서 보다 갈라디아서를 먼저 읽으려고 한다.

초창기 바울의 사역과 예루살렘총회와 연결해서 읽어보자. 그러나 살전후와 함께 읽어도 된다.)

행 15:36~16장: 제2차 선교여행(에베소를 목표로 했는데 마게도냐 환상으로 결국 고린도에 도착하게 되는 여행) 마게도냐 환상, 빌립보 전도

53일 **행 17장~18:11**: 데살로니가(여기에 실라, 디모데를 남겨놓음), 베뢰아, 아덴을 거쳐 고린도에 도착, 브리스길라와 아굴라를 여기서 만나게 되어 18개월 동안 동역

(그러는 동안 데살로니가에 6개월 있던 실라, 디모데가 데살로니가 교회 소식을 갖고 고린도에 도착함. 그래서 여기 고린도에서 바울은 데살로니가전서와 후서를 쓴다. 그러니 우리도 이런 바울의 환경속에서 이 편지를 읽어보자.)

데살로니가 전ㆍ후서 읽기

54일 **행 18:12~22** : (고린도를 떠나 안디옥 베이스 캠프로 돌아가는 길에 에베소-본래2차 전도여행의 목적지였으나 주의 영이 막아 못 갔었던 그 에베소를 잠깐 들러 교제하고 안디옥으로 내려감. 이렇게 해서 제 2차 선교여행은 뜻밖에 유럽-마게도냐,아가야 지방-선교 여행)

행 18:23~19:22: 제3차 선교여행, 2차 때의 목적지였던 에베소에 드디어 도착, 사역함

(사역하고 있는데 고린도교회에서 사람들이 문제를 갖고 찾아옴, 그래서 그것을 답변하는 편지인 고린도 전서를 기록함. 우리도 여기 에베소에서 고린도 전서를 읽자.)

고린도 전서 읽기

55일 **행19:23~20:1** : 에베소에서 그렇게 지나며 사역하고 있던 어느날, 아데미 여신 우상 만드는 사람이 소동을 일으켜 바울이 결국 에베소를 떠나 마게도냐로 올라감.

(마게도냐 빌립보에서 디도를 만나 고린도 교회문제가 해결되었다고 해서 기뻐하며 고린도교회에게 편지를 쓴다. 이것이 고린도 후서이다. 그리고는 약 3개월을 여기 마게도냐 지역을 다니며 전도한다. 고린도후서를 읽어보면 알수 있지만 아가야지방-고린도 – 성도들에게 헌금할 시간을 벌어준다.)

고린도 후서 읽기

행 20:2~3a : (드디어 3개월을 지나 그 문제 많던 고린도에 도착한다. 전에 2차 선교여행 때 브리스길라와 아굴라와 함께 18개월 동안 개척했던 그 교회로 다시 돌아온 것이다. 도착해서 기쁜 마음으로 쉬면서 3차 선교여행을 정리하고, 다음 선교여행을 위해

전략적인 내용이 담긴 편지를 쓴다. 그것이 로마서이다. 바울복음의 진수이다.)

로마서 1~6장 읽기

56일 **로마서 7~16장 읽기**

행 20:3b~28장: 로마서도 다 쓰고 이제 헌금 거둔 것 갖고 예루살렘에 돌아왔다가 체포됨
(3차선교여행 끝)

죄수로서 로마로 가는 여행

로마에서 1차구금 상태로 사도행전이 끝남

57일 **골로새서 읽기** (이 로마 1차 구금 때 감옥생활하면서 편지 네 통을 쓴다. 골로새서, 빌레몬서, 에

빌레몬서 읽기 베소서, 빌립보서이다. 옥중서신이라 불리우는 이 네 권을 여기서 읽는다.)

에베소서 읽기

빌립보서 읽기

디모데전서 읽기 (바울은 1차 구금에서 풀려나와 마게도냐와 그레데, 에베소 등을 또 여행한다. 소

디도서 읽기 위 4차 선교 여행이다. 이 때 디모데와 디도를 에베소와 그레데 섬에 두고 목회하

게 한다. 그리고 나서 이들에게 편지를 보낸다. 디모데전서와 디도서이다. 목회서

신이라고 불린다. 여기서 우리는 이 서신서들을 읽는다.)

58일 **디모데후서 읽기** (바울은 그 후 또 체포되어 감옥에 갇힌다. 2차 구금이다. 이 감옥은 아주 힘든 감

옥이었던 것 같다. 이 감옥에서 마지막으로 편지를 쓴다. 디모데후서이다.)

여기까지 사도행전과 바울서신입니다 ↓

이제부터는 공동서신이라 불리우는 바울 이외의 사도들의 서신과 요한계시록을 읽으면 됩니다. 기록된 순서대로 다음과 같이 읽습니다.

야고보서 읽기

유다서 읽기

베드로전서 읽기

베드로후서 읽기

59일 **히브리서 읽기**

　　　　요한 1, 2, 3서 읽기

60일 **요한계시록 읽기**

짝!짝!짝! 정말 수고 많으셨습니다.

내일부터는 이제 성경 안 읽을 거 아니죠?

이제 내일부터는 하루에 읽는 분량을 좀 줄여서 조금씩 조금씩 자세히 읽어가시면 좋겠습니다. 목표대로 읽으려고 아주 급하게 읽으신 분이 많으시지요? 이제 이 교재와 함께 읽은 것을 바탕으로 더 풍성한 성경읽기가 되시기 바랍니다. 그리고 아직 성경을 한번도 제대로 읽어보지 못하신 주변의 친구들에게 가르쳐 주십시오. 이 교재가 있으니 여러분이 다른 사람도 지도할 수 있을 것입니다. 그리고 순종합시다. 선악과를 생각합시다.

부록목차

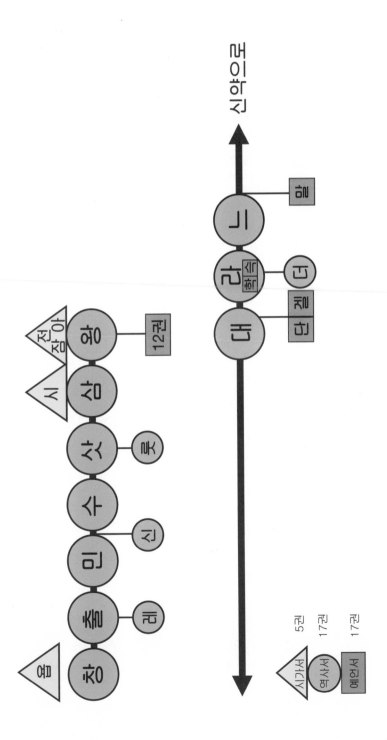

한 눈에 보는 창출민수삿삼왕, 대라느

창세기 10장 : 노아 후손들의 역사

오늘날의 인류가 어떻게 해서 이 세계 여러 지역으로 흩어져 정착하게 되었는지를 보여줍니다. 〈부록 3〉 지도를 보면서 대조해 봅시다. 홍수 후에 야벳, 함, 셈의 자손들이 온 세상에 흩어져 어떤 민족의 조상들이 되었는지 살펴볼 수 있습니다. 이하의 내용은 박윤선 목사님의 창세기 주석을 요약한 것입니다.

1. 야벳의 자손들(창 10:2~5절)

2절 고멜　　키메리안(Cimmerians)족을 형성. 여기서 웨일스(Wales)와 브리타니에 살고 있는 쿰리(Cumri)족이 유래했다.

　　　마곡　　흑해 동남쪽에 있는 스구디아족(겔 38:2 참조)

　　　마대　　메대족속, 카스피해 서남쪽

　　　야완　　헬라족 (대상 1:5, 7; 겔 27:13)

　　　두발과 메섹　　소아시아 동쪽 (겔 27:13, 32:26, 38:2~3, 39:1) 러시아족

　　　디라스　　에게해 해안에 살던 펠라스기안족(해적으로 유명)

3절 고멜의 아들들

　　　아스그나스　　게르만족

　　　리밧　　켈트(Celts)와 가울(Gauls)

　　　도갈마　　아르메니안 족속

4절 야완의 아들들

　　　엘리사　　이태리, 혹은 시실리에 살던 족속(겔 27:7 참조)

　　　달시스　　스페인

　　　깃딤　　구브로와 기타 지중해 연안에 살던 족속

　　　도다님　　헬라 북쪽에 살던 사람들

5절 이들이 "바닷가의 땅에 머물렀다"고 하는데 지중해 연안과 및 섬들 가운데 거주하였다는 뜻이다.

2. 함의 자손들 (창 10:6~20절)

6절 함의 아들들

구스   에디오피아족으로서 아프리카에만 거주한 것이 아니고, 아시아 남쪽과 아라비아에도
         거주하여 셈 방언을 썼다고 한다.

미스라임 애굽

붓   아프리카 동쪽과 아라비아 남쪽에 거주

가나안   가나안족

7절 구스의 아들들

스바   에디오피아 북쪽의 메로에(Meroe)에 사는 족속

하윌라   모래땅이라는 뜻, 아라비아 족속을 가리킨다(10:29, 25:18 ; 삼상15:7).

삽다   역시 에디오피아에 속하는 한 나라로서 아라비아 지역에 거주

라아마   동남 아라비아 족속

삽드가   페르시아만 동쪽에 거주하는 족속

스바와 드단   역시 페르시아만 부근에 살던 두 족속

8~12절 니므롯의 행적

8절 구스의 아들

① 영걸 – 폭력으로 통치하는 자를 말함

② 여호와 앞에서 특이한 사냥꾼 – '여호와 앞에서' 란 말은 그가 사람들을 무시하고 하나님과
                              대등하듯이 교만해진 것을 말한다(Calvin). 70인역도 '여호와께
                              반대하여' 라고 번역하였다. '특이한 사냥꾼' 은 사람을 잘 죽
                              이고 안하무인격으로 스스로 높아졌다는 뜻.

③ 침략자 – 여러 곳을 정복(10~12절)하는 자.

시날땅의 바벨   시날은 수메리안이 살던 땅이며 아카이디안(Akkadian)땅.
                  바벨은 유브라데강을 중심하여 있었다.

에렉   바벨론 동남쪽으로 120마일 거리에 있다.

악갓   바벨론 북쪽

갈레   그 근방. 이 지역들에는 각기 임금들이 있었는데 다 정복하였다.

앗수르   티그리스강 동쪽. 니느웨가 수도(욘 3:3)

르호보딜과 갈라와 레센   다 니느웨 근처

13~14절 미스라임의 후손들

루딤   나일강 삼각주의 서쪽

아나밈   애굽 서쪽의 사막 가운데 비옥지대 점령
르하빔   아프리카의 **북쪽** 해안지방
납두힘   애굽 북쪽
바드루심 상(上) 애굽에 거주
가슬루힐 확실치 않으나 블레셋이 나온 것으로 생각됨
갑도림   그레데 섬 사람들

15~18절 가나안의 후손들

시돈   베니게의 옛 수도로서 구약에 많이 등장
헷   헷(Hittai) (25:9, 민 13:29)
여부스   오늘날의 예루살렘
아모리   유다의 산지와 요단강 건너편에 많이 살았다 (15:16).
기르가스 어디 살았는지 정확히 모른다 (15:21 ; 신 7:1 ; 수 24:11).
히위   세겜과 기브온과 헤르몬 산 밑에 살았다 (34:2 ; 수 9:711:3).
알가   레바논 산 밑에 있는 트리폴리스(Tripolis) 북쪽에 살았다.
신   알가족속 근처에 거주
아르왓   아라두스(Aradus)라는 섬 근처와 트리폴리스 북쪽에 있었다.
스말   역시 트리폴리스 북쪽에 있었고
하맛   팔레스틴 북쪽국경에 있었다 (민 13:21, 34:8).

19절 가나안의 지경

비록 저주를 받았으나 가장 좋은 땅을 물려받아 살았다. 불경건한 자들이 이 세상에서는 좋은 땅에서 살 수도 있다. 그 때 당시로는 가나안 땅이 가장 아름다웠을 것이다 (Luther).

그랄   가사의 동남쪽
가사   사해 동쪽
소돔과 고모라   사해 남쪽 끝
아드마와 스보임 소돔과 고모라가 멸망당할 때 함께 망하였다 (14:2, 8 ; 신 29:23 ; 호 11:8)

3. 셈의 자손들 (창 10:21 ~ 31절)

에벨: "건너 편"이란 뜻인데 유브라데강 건너편에서 온 사람이란 뜻이고 아브라함의 조상이다. 미리 에벨을 언급한 것은 그가 아브라함의 조상이기 때문이다.

22~24절 셈의 아들들

엘람   페르시아만에서 카스피해까지 거주한 족속이다. 후에 셈 방언을 사용하지 않았다.

앗수르	티그리스 강 동편에 거주하다가 후에 소아시아 쪽으로 퍼졌다.
아르박삿	앗수르의 북쪽
룻	소아시아에 거주
아람	수리아와 메소포타미아의 아람족속의 조상
우스	팔레스틴 동쪽과 에돔 북쪽
훌	알메니아(Armenia) 지방에 거주

에벨	아브라함의 조상(21절 참고)

25절 에벨의 후손들

벨렉   '나뉨'의 의미, 세상이 나뉘었다는 것은

① 땅의 자연적 변동에 의해 나뉘었다(Fabri)고 하며,

② 히브리인의 종교운동과 반대되는 운동이 그 때 인류 중에 생겼다는 뜻이라고도 하며,

③ 바벨탑 사건으로 인한 인류의 흩어짐을 뜻한다고도 한다. 정확한 것은 모르나 아무튼 그 때 생긴 사건으로 인해 종교적 정화운동이 생긴 것 같다. 그렇기 때문에 모세는 에벨 계통을 중시하여 이 귀절에서도 강조하였고, 11장에서도 그 계통을 특별 취급하여 아브라함까지 이르렀다(11:10~32).

욕단   아라비아의 모든 원시족의 조상으로 알려진다. 아라비아인들은 그를 카크탄(Kachtan)이라고 한다.

26~29절 욕단의 후손들 ⇨ 전부 아라비아로 갔다.

알모닷	예멘과 헤젯왕국
셀렙	예멘지방의 살리프(Salif)족
하살마웻	아라비아 동남쪽 거주
예라	카울란 지방의 남쪽
하도람	다칼라라는 지방
오발	예멘에 거주
아비마엘	확실히 알기 어렵다.
스바	아라비아 서남쪽에 있다.(왕상 10:1,10 ; 시 72:10 ; 사 60:6 ; 렘 6:20 ; 겔 27:22)
오빌	아라비아 남쪽
하윌라	예멘 북쪽 카울란
요밥	확실치 않다.

30절 메사와 스발 아라비아 남쪽에 있었을 것이다.

세계로 흩어진 노아 후손들의 정착지도

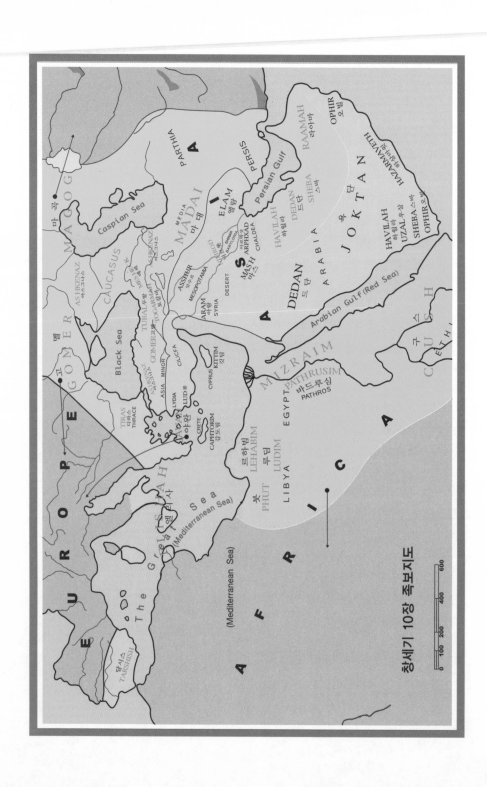

창세기 10장 족보지도

구약시대 고대 근동

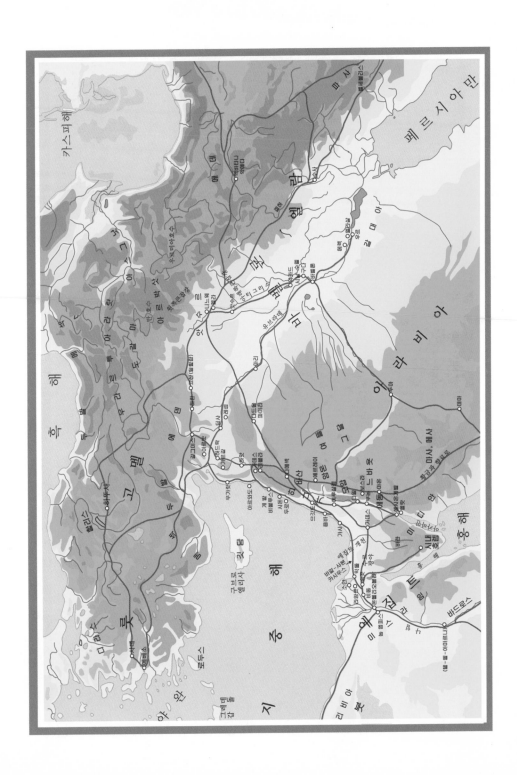

출애굽 광야여행 경로

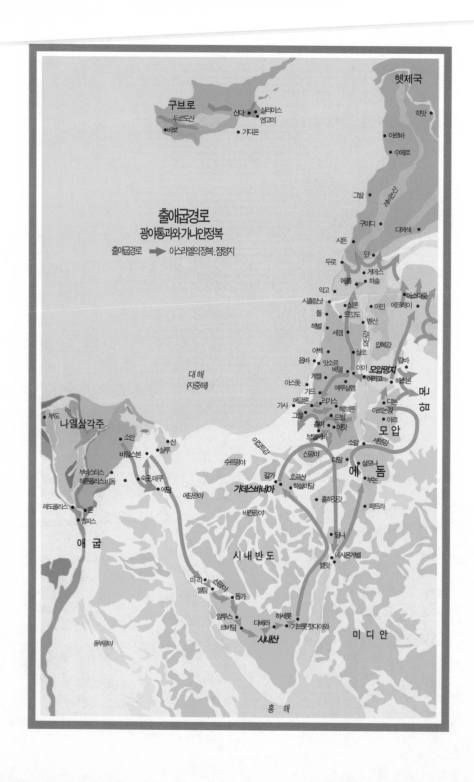

이스라엘 12지파의 가나안 분할

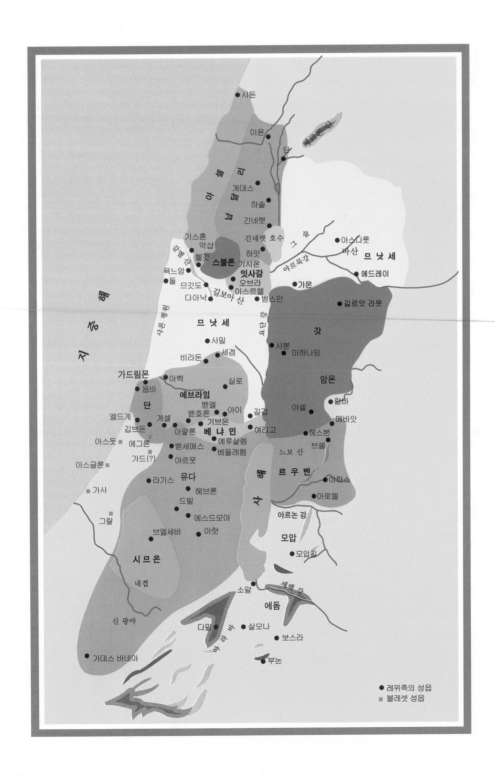

구약시대 팔레스틴

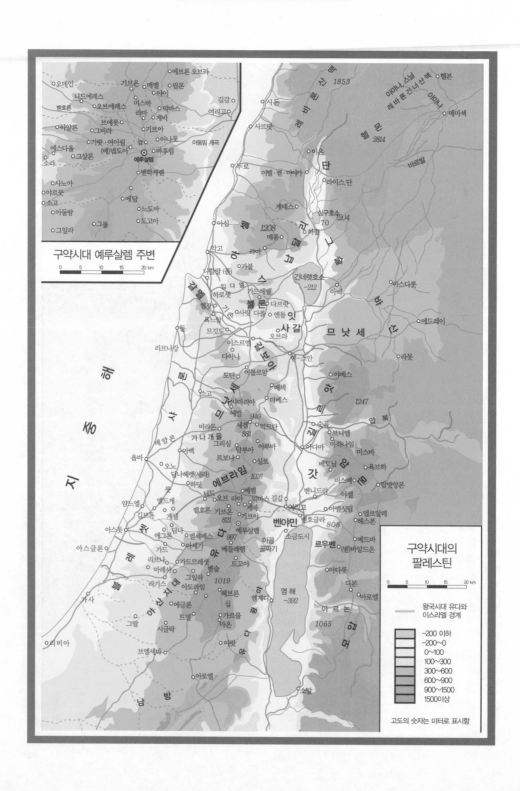

구약시대 예루살렘 주변

0 5 10 15 20 km

구약시대의
팔레스틴

0 5 10 15 20 km

왕국시대 유다와
이스라엘 경계

-200 이하
-200~0
0~100
100~300
300~600
600~900
900~1500
1500이상

고도의 숫자는 미터로 표시함

열 왕 도 표

연 대 (BC)	이 스 라 엘 통 일 왕 국	
1020 – 1000	Saul　사　울	
1000 – 961	David　다　윗	
961 – 922	Solomon　솔 로 몬	

	분　 열　 왕　 국		

연 대 (BC)	북방이스라엘	남 방 유 다	연 대 (BC)
922 – 901	Jeroboam I 여로보암(1세)	Rehoboam 르호보암	922 – 915
		Abijah　아비야	915 – 913
901 – 900	Nadab　나　답	Asa　아　사	915 – 913
900 – 877	Baasha　바　사		
877 – 876	Elah　엘　라	Jehoshaphat 여호사밧	873 – 849
876	시므리Zimri(7일)｜디브니Tibni		
876 – 869	Omri　오므리		
869 – 850	Ahab　아　합		
850 – 849	Ahaziah　아하시야	Jehoram　여호람	849 – 843
849 – 843	Joram(Jehoram) 요 람(여호람)	Ahaziah　아하시야	843
843 – 815	Jehu　예　후	Athaliah 아달랴여왕 (다윗계열이 아님)	843 – 837
815 – 802	Jehoahaz　여호아하스	Joash　요아스	837 – 800
802 – 786	Jehoash(Joash)　요아스	Amaziah　아마샤	800 – 783
786 – 746	Jeroboam II 여로보암(2세)	아사랴 (왕하15) Uzziah(Azariah) 웃시야(대하26)	783 – 742
746 – 745	Zachariah　스가랴	Jotham(섭정시대) 대하(26:21)	750 – 742
745	Shallum　살　룸	Jotham(king) 요　담	742 – 735
745 – 737	Menahem　므나헴		
737 – 736	Pekahiah　브가히야		
736 – 732	Pekah　베　가	Ahaz　아하스	735 – 715
732 – 724	Hoshea　호세아		
721	북이스라엘 멸 망		
		Hezekiah 히스기야	715 – 687
		Manasseh 므낫세	687 – 642
		Amon　아　몬	642 – 640
		Josiah　요시야	640 – 609
		Jehoahaz　여호아하스	609
		Jehoiakim(Eliakim) 여호야김	609 – 598
		Jehoichin(Jeconiah) 여호야긴	598 – 597
		Zedekiah(Mattaniah) 시드기야	597 – 587
		남유다 멸망	587

열왕기상하 물고기 그림

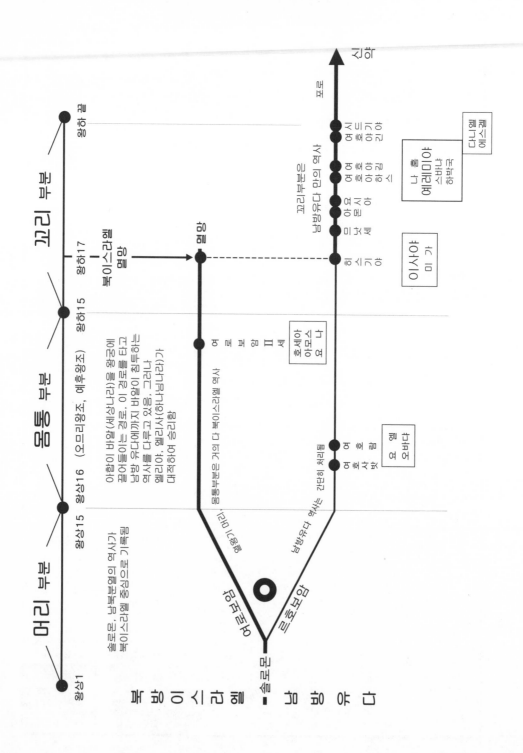

신약시대 팔레스틴

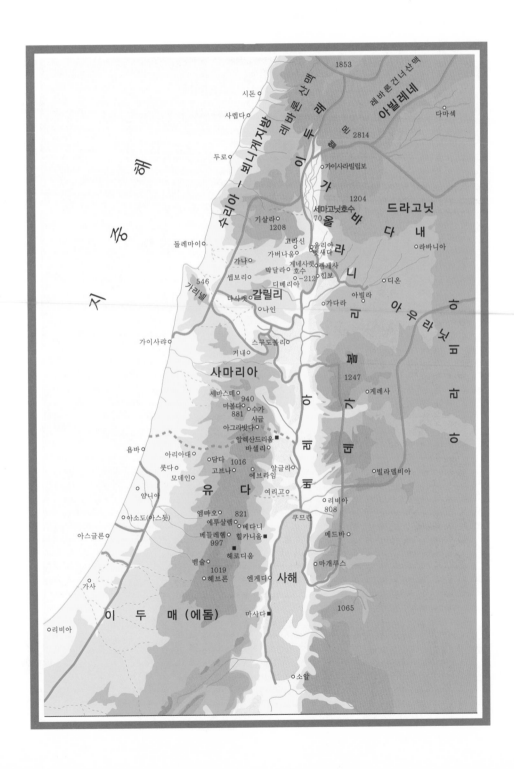

한눈에 보는 예수님의 행적

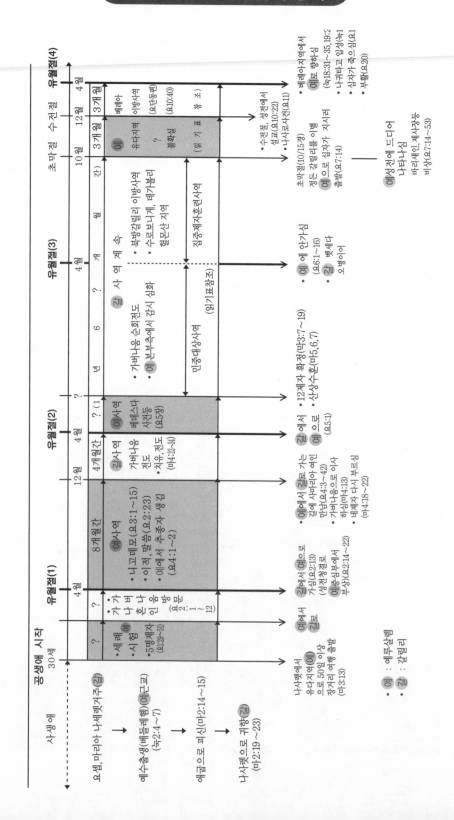

사도바울의 선교여행

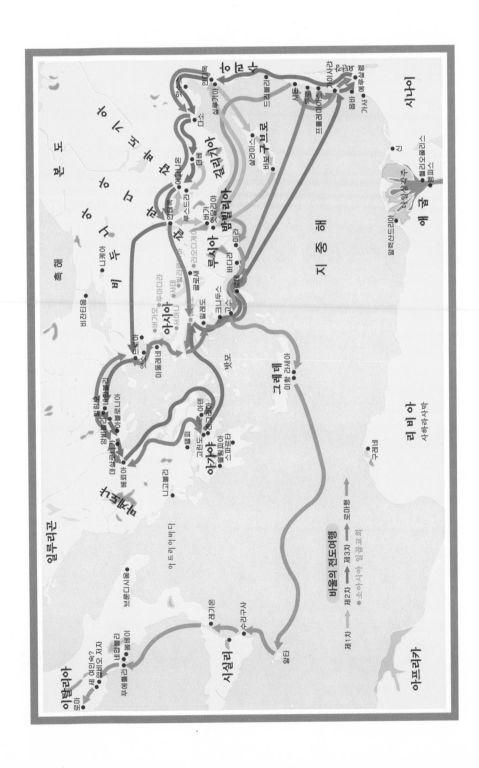